SOMMAIRE

Selon l'importance touristique des localités, nous donnons :
— les principaux faits de l'histoire locale ;
— une description des « Principales curiosités » ;
— une description des « Autres curiosités » ;
— sous le titre « Excursion », un choix de promenades proches ou lointaines au départ des principaux centres.

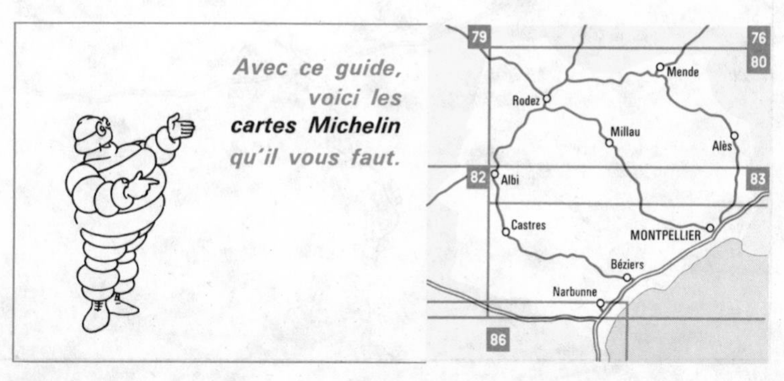

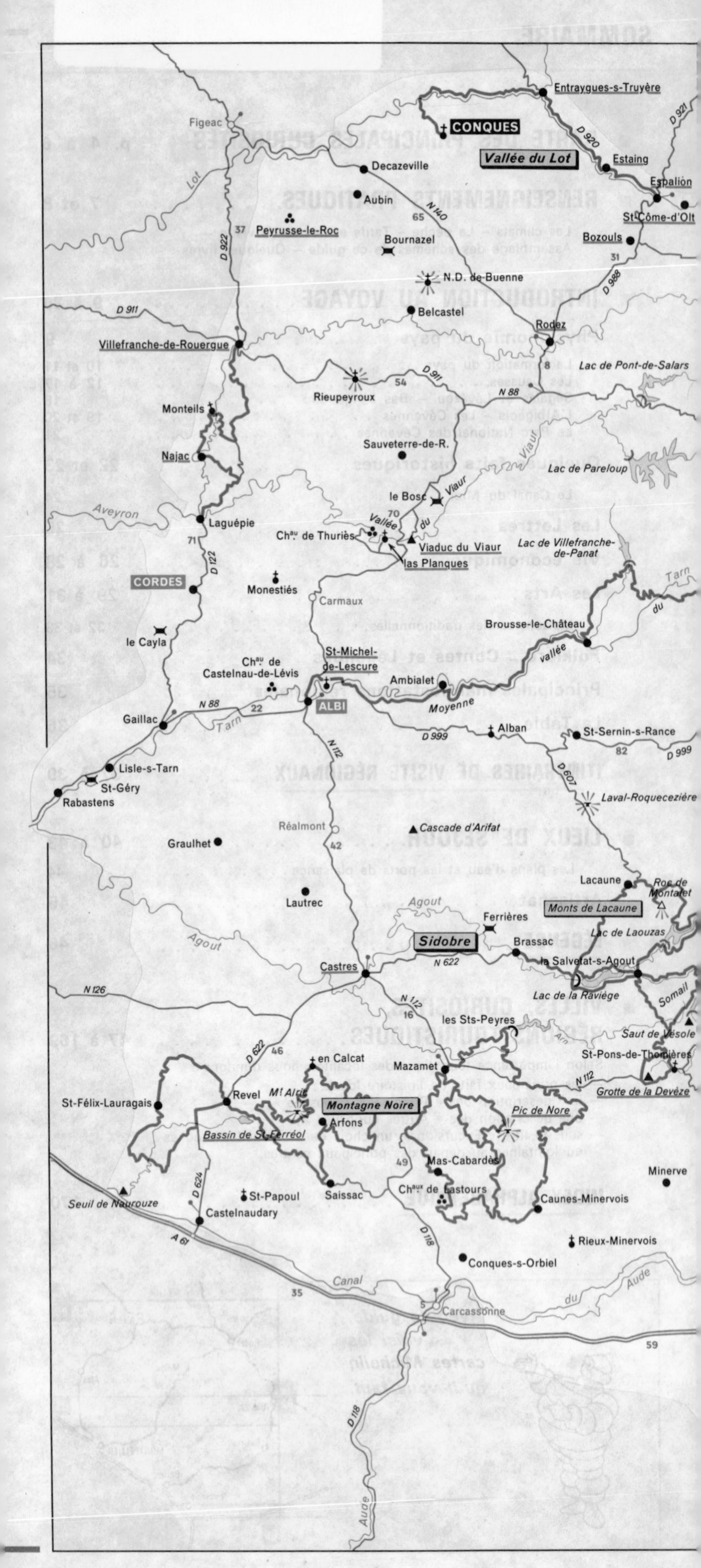
Entraygues-s-Truyère
CONQUES
Vallée du Lot
Figeac
Lot
Decazeville
Estaing
Espalion
St-Côme-d'Olt
Aubin
Peyrusse-le-Roc
Bournazel
Bozouls
N.D. de-Buenne
Belcastel
Rodez
Villefranche-de-Rouergue
Lac de Pont-de-Salars
Rieupeyroux
Monteils
Najac
Sauveterre-de-R.
Lac de Pareloup
Viaur
Aveyron
le Bosc
Laguépie
Chau de Thuriès
Vallée du Viaur
Viaduc du Viaur
las Planques
Lac de Villefranche-de-Panat
CORDES
Monestiés
Carmaux
Tarn
le Cayla
Brousse-le-Château
St-Michel-de-Lescure
Chau de Castelnau-de-Lévis
Ambialet
Moyenne vallée du Tarn
ALBI
Gaillac
Alban
St-Sernin-s-Rance
Lisle-s-Tarn
St-Géry
Rabastens
Laval-Roquecezière
Réalmont
Cascade d'Arifat
Graulhet
Lacaune
Roc de Montalet
Lautrec
Agout
Ferrières
Monts de Lacaune
Lac de Laouzas
Sidobre
Brassac
Castres
la Salvetat-s-Agout
Lac de la Raviège
Somail
les Sts-Peyres
Saut de Vésole
en Calcat
St-Pons-de-Thomières
Mazamet
Grotte de la Devèze
St-Félix-Lauragais
Revel
Mt Alric
Montagne Noire
Pic de Nore
Arfons
Bassin de St-Ferréol
Mas-Cabardès
Minerve
Seuil de Naurouze
St-Papoul
Saissac
Chaux de Lastours
Caunes-Minervois
Castelnaudary
Rieux-Minervois
Conques-s-Orbiel
Canal du Midi
Aude
Carcassonne

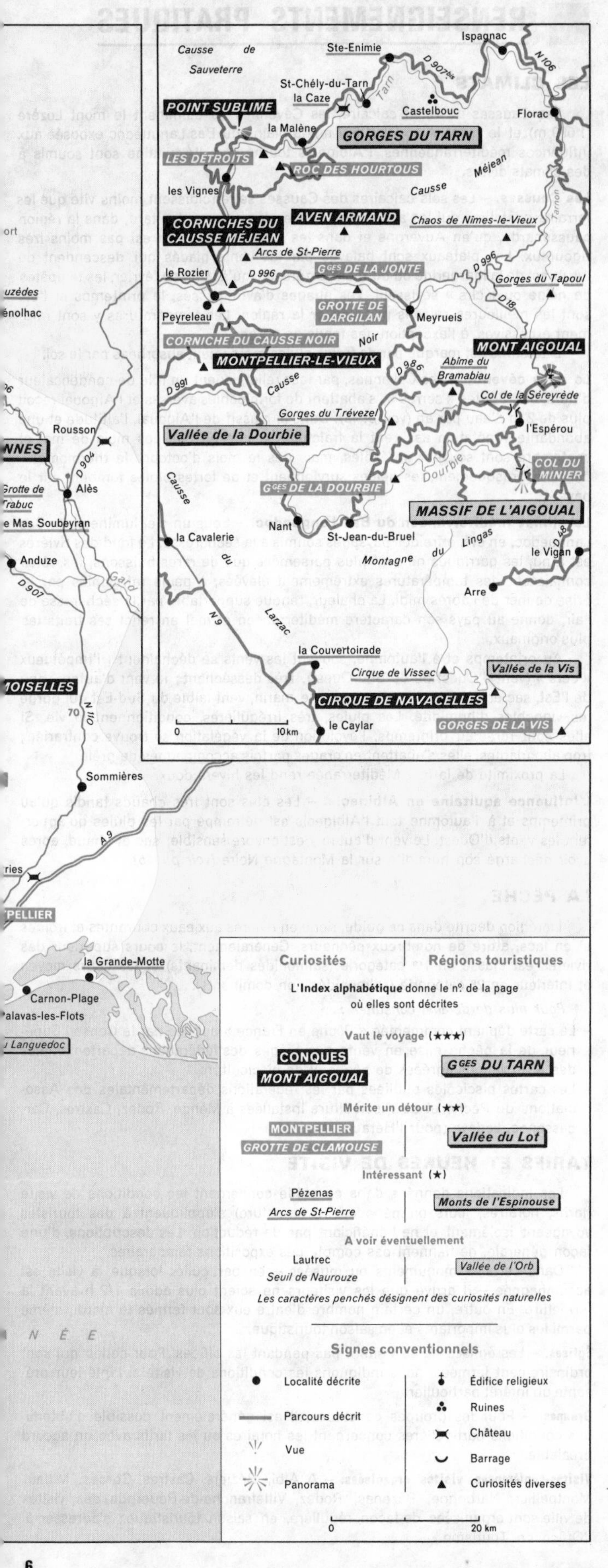
Causse de Sauveterre
Ste-Enimie
Ispagnac
N 106
D 907bis
St-Chély-du-Tarn
la Caze
Tarn
Causse
Castelbouc
Florac
POINT SUBLIME
la Malène
GORGES DU TARN
LES DÉTROITS
ROC DES HOURTOUS
Causse Méjean
Tarnon
les Vignes
AVEN ARMAND
Chaos de Nîmes-le-Vieux
CORNICHES DU CAUSSE MÉJEAN
Arcs de St-Pierre
D 996
le Rozier
D 996
GGES DE LA JONTE
Gorges du Tapoul
D 18
GROTTE DE DARGILAN
Peyreleau
Meyrueis
CORNICHE DU CAUSSE NOIR
Noir
MONT AIGOUAL
MONTPELLIER-LE-VIEUX
D 986
Abîme du Bramabiau
D 991
Causse
Col de la Séreyrède
Gorges du Trévezel
Vallée de la Dourbie
l'Espérou
Rousson
Dourbie
COL DU MINIER
D 904
Causse
Grotte de Trabuc
Alès
GGES DE LA DOURBIE
MASSIF DE L'AIGOUAL
le Mas Soubeyran
Nant
St-Jean-du-Bruel
Lingas
D 48
la Cavalerie
du
Anduze
Montagne
le Vigan
D 907
Gard
Arre
N 9
Larzac
la Couvertoirade
Cirque de Vissec
Vallée de la Vis
CIRQUE DE NAVACELLES
N 110
70
le Caylar
GORGES DE LA VIS
0
10km
Sommières
A 9
la Grande-Motte
Carnon-Plage
Palavas-les-Flots
Curiosités
Régions touristiques
L'Index alphabétique donne le n° de la page où elles sont décrites
Vaut le voyage (★★★)
CONQUES
MONT AIGOUAL
GGES DU TARN
Mérite un détour (★★)
MONTPELLIER
GROTTE DE CLAMOUSE
Vallée du Lot
Intéressant (★)
Pézenas
Arcs de St-Pierre
Monts de l'Espinouse
A voir éventuellement
Lautrec
Seuil de Naurouze
Vallée de l'Orb
Les caractères penchés désignent des curiosités naturelles
Signes conventionnels
Localité décrite
Parcours décrit
Vue
Panorama
Édifice religieux
Ruines
Château
Barrage
Curiosités diverses
0
20 km

RENSEIGNEMENTS PRATIQUES

LES CLIMATS

Les Causses au relief calcaire, les Cévennes où culminent le mont Lozère (1 699 m) et le mont Aigoual (1 567 m), la plaine du Bas Languedoc exposée aux influences méditerranéennes, l'Albigeois tourné vers l'Aquitaine sont soumis à des climats divers.

Les Causses. – Les sols calcaires des Causses se refroidissent moins vite que les terrains cristallins qui les avoisinent. L'hiver commence plus tard, dans la région caussenarde, qu'en Auvergne et dans les Cévennes ; il n'en est pas moins très rigoureux. Les plateaux sont balayés par les vents glacés qui descendent de l'Aubrac, de la Margeride ou du mont Lozère. Jusqu'à la fin de février, les tempêtes de neige ou « cirs » sévissent. Les nuages d'avril passés, le printemps et l'été sont les meilleures saisons pour visiter la région. Les températures y sont rarement excessives, à l'exception des fonds de gorges.

L'automne est marqué par de fortes pluies rapidement absorbées par le sol.

Le pays cévenol. – Les Cévennes, par leur relief, jouent un rôle de condensateur d'humidité. Sur les « serres », s'abattent de formidables averses et l'Aigoual reçoit plus de 2 m d'eau par an *(voir p. 48)*. Dans le massif de l'Aigoual, l'altitude et une abondante végétation assurent la fraîcheur, même en été. Les mois de mai et septembre sont souvent agréables, mais dès le mois d'octobre le thermomètre descend brusquement, les gelées surviennent et de fortes pluies tombent sur le pays.

Le climat méditerranéen du Bas Languedoc. – Sous un ciel lumineux, le Bas Languedoc, en été, offre des paysages soumis à la sécheresse. Le fond des rivières est à nu, les garrigues ne sont plus parsemées que de rares buissons, les côtes connaissent des températures extrêmement élevées, à peine rafraîchies par la brise de mer de l'après-midi. La chaleur, rendue supportable par la sécheresse de l'air, donne au pays son caractère méditerranéen et met en relief ses traits les plus originaux.

Au printemps et à l'automne, souvent les vents se déchaînent : l'impétueux « cers » (vent d'Ouest ou du Sud-Ouest), très désséchant ; le vent d'autan, venu de l'Est, sec et violent contrastant avec le marin, vent faible du Sud-Est qui gorge les vignobles d'humidité. Les pluies, très irrégulières, conditionnent la vie. Si elles sont rares au printemps, l'évolution de la végétation se trouve contrariée ; trop abondantes, elles s'abattent en orages parfois accompagnés de grêle.

La proximité de la mer Méditerranée rend les hivers doux.

L'influence aquitaine en Albigeois. – Les étés sont très chauds tandis qu'au printemps et à l'automne tout l'Albigeois est détrempé par les pluies qu'apportent les vents d'Ouest. Le vent d'autan y est encore sensible, sec et chaud, après avoir déchargé son humidité sur la Montagne Noire *(voir p. 116)*.

LA PÊCHE

La région décrite dans ce guide, riche en rivières aux eaux courantes et froides et en lacs, attire de nombreux pêcheurs. Généralement, le cours supérieur des rivières est classé en 1re catégorie (salmonidés dominants) et les cours moyen et inférieur en 2e catégorie (salmonidés non dominants).

Pour plus de détails, consulter :

- La carte-dépliant commentée « Pêche en France » publiée par le Conseil Supérieur de la pêche mise en vente aux Sièges des fédérations départementales des Associations agréées de pêche et de pisciculture.
- Les cartes piscicoles publiées par les fédérations départementales des Associations de Pêche et de Pisciculture installées à Mende, Rodez, Castres, Carcassonne, Lodève (pour l'Hérault), Nîmes.

TARIFS ET HEURES DE VISITE

Les indications données dans ce guide concernant les conditions de visite (tarifs, horaires, jours ou périodes de fermeture) s'appliquent à des touristes voyageant isolément et ne bénéficiant pas de réduction. Les descriptions, d'une façon générale, ne tiennent pas compte des expositions temporaires.

Dans certains monuments ou musées – en particulier lorsque la visite est accompagnée – il arrive que les visiteurs ne soient plus admis 1/2 h avant la fermeture. En outre, un certain nombre d'entre eux sont fermés le mardi, même parmi les plus importants et en saison touristique.

Églises. – Les églises ne se visitent pas pendant les offices. Pour celles qui sont ordinairement fermées, nous indiquons les conditions de visite si l'intérieur présente un intérêt particulier.

Groupes. – Pour les groupes constitués, il est généralement possible d'obtenir des conditions particulières concernant les horaires ou les tarifs avec un accord préalable.

Visites-conférences, visites organisées. – A Albi, Béziers, Castres, Cordes, Millau, Montpellier, Narbonne, Pézenas, Rodez, Villefranche-de-Rouergue des visites de ville sont organisées de façon régulière, en saison touristique ; s'adresser à l'Office de Tourisme.

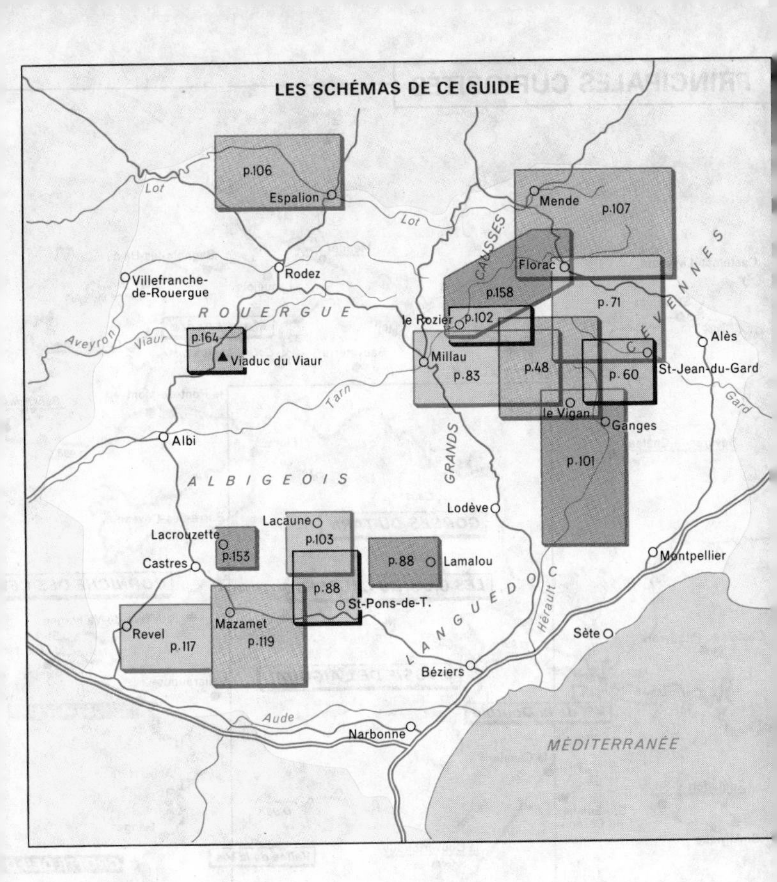

QUELQUES LIVRES

Les monographies relatives à une ville ou à une curiosité sont citées à l'article intéressé de la p. 47 à la p. 169.

Ouvrages généraux - Géographie - Tourisme

Causses et Cévennes, Gorges du Tarn, par J. GIROU, C. BURUCOA *(Paris, Arthaud).*

Quercy, par P. GRIMAL *(Paris, Arthaud).*

Guide bleu « Cévennes-Bas-Languedoc » *(Paris, Hachette).*

Histoire - Art

Histoire du Languedoc, sous la direction de Philippe WOLFF *(Toulouse, Privat).*

Histoire du Languedoc, par E. LE ROY LADURIE *(Paris, P. U. F., collection « Que sais-je ? »).*

La croisade contre les Albigeois, par P. BELPERRON *(Paris, Librairie Académique Perrin).*

Nombreux ouvrages de René NELLI, dont **Mais enfin qu'est-ce que l'Occitanie?** *(Toulouse, Privat),* **La Vie quotidienne des Cathares** *(Hachette, coll. « La Vie Quotidienne »).*

Rouergue roman, Languedoc roman *(Zodiaque, exclusivité Weber).*

L'architecture militaire au Moyen Age, par R. RITTER *(Paris, Fayard).*

Spéléologie - Rugby

La spéléologie, par F. TROMBE *(Paris, P. U. F., collection « Que sais-je ? »).*

Le rugby, par R. POULAIN *(Paris, P. U. F., collection « Que sais-je ? »).*

Romans - Récits de voyages

Voyage avec un âne à travers les Cévennes, par R.-L. STEVENSON *(Paris, U.G.E. – coll. 10-18*

Presque tous les ouvrages de J.P. CHABROL ont pour cadre les Cévennes.

L'épervier de Maheux, par J. CARRIERE *(Paris, J.-J. Pauvert)* – Prix Goncourt 1972.

Participez à notre effort permanent de mise à jour. Adressez-nous vos remarques et vos suggestions.

Cartes et Guides Michelin
46 avenue de Breteuil
75341 Paris Cedex 07

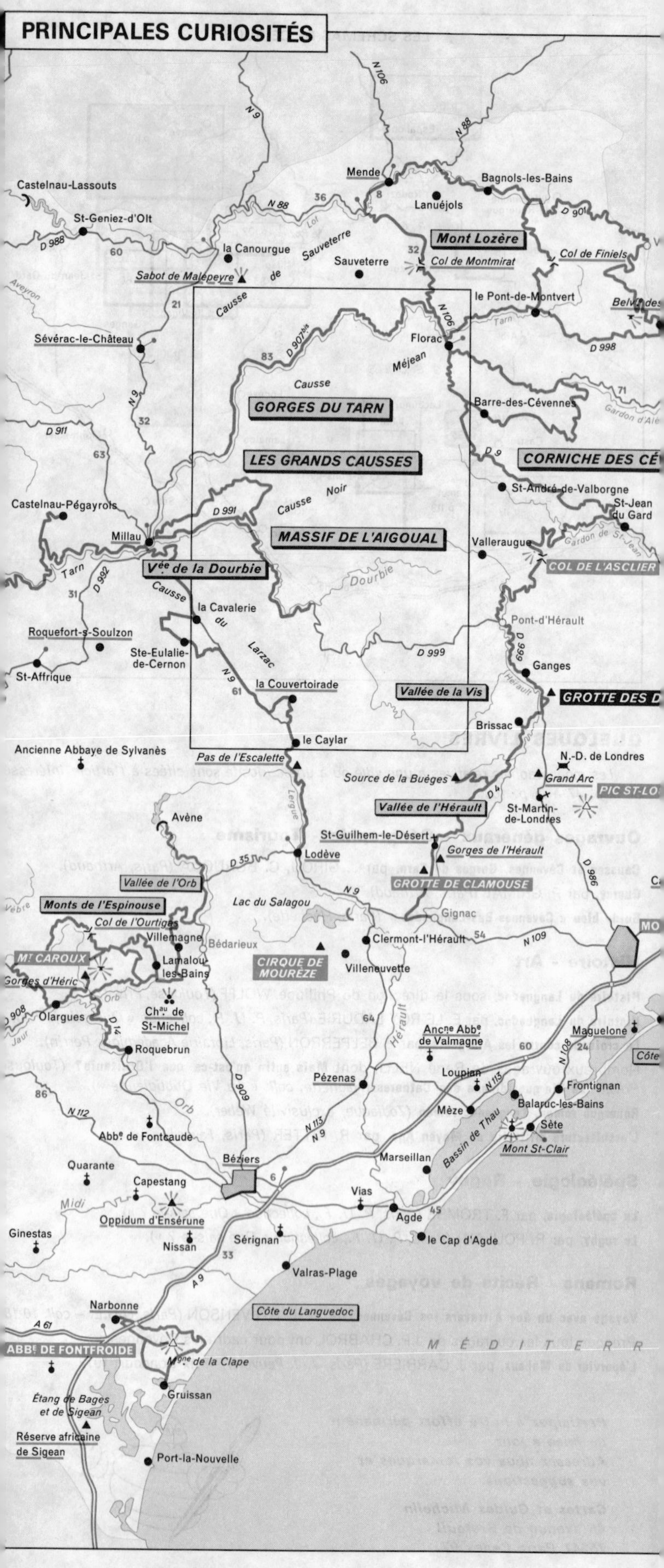
PRINCIPALES CURIOSITÉS
Mende
Bagnols-les-Bains
Castelnau-Lassouts
St-Geniez-d'Olt
Lanuéjols
Mont Lozère
la Canourgue
Sauveterre
Col de Montmirat
Col de Finiels
Sabot de Malepeyre
Causse de Sauveterre
le Pont-de-Montvert
Sévérac-le-Château
Florac
Causse Méjean
GORGES DU TARN
Barre-des-Cévennes
LES GRANDS CAUSSES
CORNICHE DES CÉ
Castelnau-Pégayrols
Causse Noir
St-André-de-Valborgne
St-Jean du Gard
Millau
MASSIF DE L'AIGOUAL
Valleraugue
Vée de la Dourbie
COL DE L'ASCLIER
Causse du Larzac
la Cavalerie
Pont-d'Hérault
Roquefort-s-Soulzon
Ste-Eulalie-de-Cernon
Ganges
St-Affrique
la Couvertoirade
Vallée de la Vis
GROTTE DES D
Brissac
le Caylar
Ancienne Abbaye de Sylvanès
Pas de l'Escalette
N.-D. de Londres
Source de la Buèges
Grand Arc
PIC ST-LO
Vallée de l'Hérault
St-Martin-de-Londres
Avène
St-Guilhem-le-Désert
Lodève
Gorges de l'Hérault
Vallée de l'Orb
GROTTE DE CLAMOUSE
Lac du Salagou
Monts de l'Espinouse
Gignac
Col de l'Ourtigas
Villemagne
Clermont-l'Hérault
Bédarieux
Mt CAROUX
Lamalou-les-Bains
CIRQUE DE MOURÈZE
Villeneuvette
Gorges d'Héric
Chau de St-Michel
Olargues
Ancne Abbe de Valmagne
Maguelone
Roquebrun
Frontignan
Loupian
Pézenas
Balaruc-les-Bains
Mèze
Sète
Abbe de Fontcaude
Bassin de Thau
Mont St-Clair
Marseillan
Quarante
Béziers
Capestang
Vias
Agde
Oppidum d'Ensérune
Ginestas
le Cap d'Agde
Nissan
Sérignan
Valras-Plage
Narbonne
Côte du Languedoc
ABBe DE FONTFROIDE
M É D I T E R R
Mgne de la Clape
Gruissan
Étang de Bages et de Sigean
Réserve africaine de Sigean
Port-la-Nouvelle

INTRODUCTION AU VOYAGE

PHYSIONOMIE DU PAYS

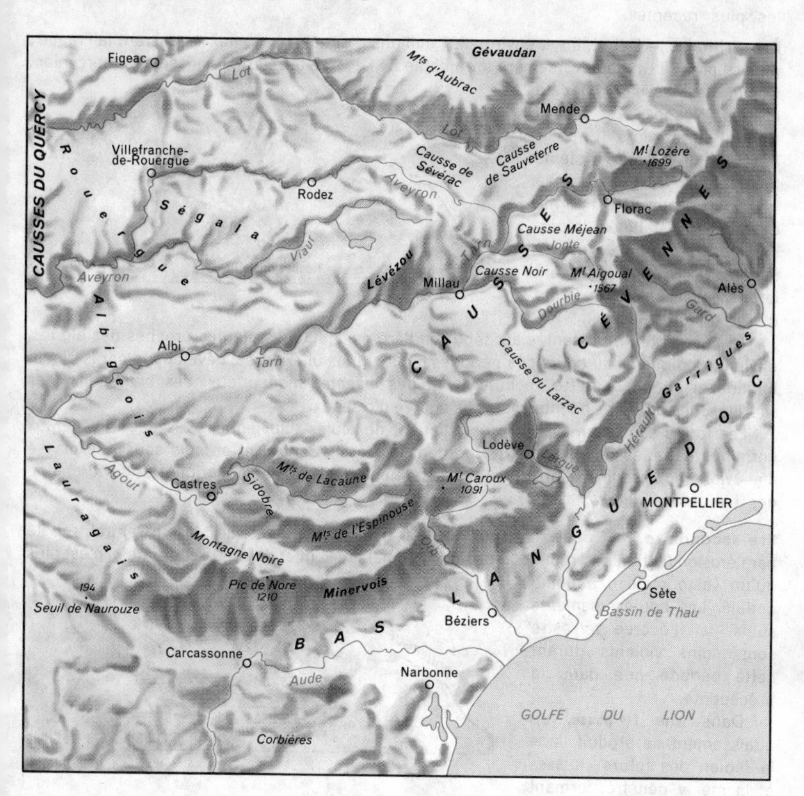

Riches d'un grand nombre de sites naturels incomparables, les pays décrits dans ce guide possèdent en outre des curiosités monumentales qui prennent rang parmi les plus grandioses de France.

Lorsque, venant du Nord à travers les prairies qui recouvrent les formes arrondies de l'Auvergne, on descend vers le Lot, un paysage nouveau, d'une grande originalité, se révèle. De vastes tables calcaires, aux rebords escarpés, apparaissent, séparées par des vallées profondément encaissées. Ces tables dont la surface est sèche, pierreuse et généralement aride, sont les **Causses.** Ces gorges très pittoresques, au fond desquelles coule un filet d'eau qui peut se transformer rapidement en un fougueux torrent, sont les canyons.

A l'Est de ce monde étonnant des canyons et des causses s'élèvent les **Cévennes,** âpres montagnes constituées par des crêtes ravinées, aux nombreuses et tortueuses ramifications. Pays longtemps impénétrable, peu parcouru encore aujourd'hui et qui réserve aux touristes les joies de plus en plus rares de la découverte.

Le canyon du Tarn.

A l'Ouest, s'étendent les plateaux de l'Albigeois, offrant un visage paisible et opulent. De larges routes en ligne droite, des collines, d'amples vallées succèdent aux rudes paysages des Cévennes.

Les Causses et les Cévennes ne tombent pas directement sur la plaine viticole du Bas Languedoc. La transition est faite par les **Garrigues,** collines calcaires, brûlées par le soleil, hérissées de roches blanchâtres et couvertes de quelques buissons de chênes verts et de plantes aromatiques qui composent, avec les cultures dominantes (oliviers, mûriers, vignes), un paysage franchement méditerranéen.

Entre les garrigues et le littoral, rectiligne, bordé d'étangs, la vigne submerge la plaine et les coteaux voisins. Paysage monotone animé en été par la foule bruyante et colorée des vacanciers de la **Côte du Languedoc** et, au début de l'automne, par le joyeux mouvement des vendanges.

LA FORMATION DU PAYS

L'aspect de la région des Causses, bordure méridionale du Massif Central, est le résultat d'une évolution qui se poursuit depuis des millions de siècles.

Cette longue durée a été divisée par les géologues en périodes ou « ères ». Les croquis théoriques ci-dessous montrent les grands traits de la région caussenarde durant les ères les plus récentes.

Ère primaire. – Début, il y a environ 600 millions d'années. Les eaux recouvrent la France ; puis se produit un bouleversement formidable de l'écorce terrestre, le plissement hercynien. Comme le Massif Armoricain et les Vosges, le Massif Central surgit alors. Il appartient à un vaste système montagneux qui s'étend à travers l'Europe. Il est formé de roches cristallines, imperméables : granit, gneiss (semblable à du granit feuilleté), micaschistes (sorte d'ardoises cristallisées).

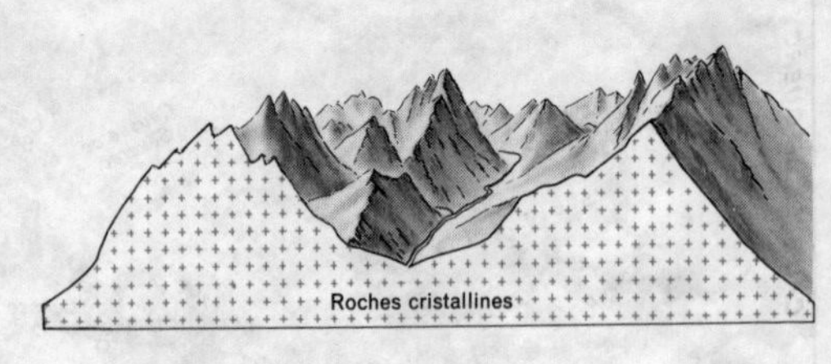

La végétation, représentée au début de l'ère par quelques plantes proches des algues, devient prodigieuse au cours des périodes géologiques ultérieures, développée par le climat humide et chaud. A cette époque vivent des insectes monstrueux, des batraciens, des sauriens, des poissons géants, mais pas encore d'oiseaux.

Les forêts sont soumises au ruissellement de pluies diluviennes. Les débris végétaux entraînés dans les dépressions qui bordent le Massif Central et enfouis sous une masse d'alluvions subissent à l'abri de l'air une fermentation qui est à l'origine de la formation des bassins houillers.

Ère secondaire. – Début, il y a environ 200 millions d'années. Le Massif Central, raboté par l'érosion (action destructrice des pluies, du gel, du vent et des eaux courantes), n'est plus qu'un vaste plateau à peine ondulé. Les bouleversements subis par l'écorce terrestre sont moins violents durant cette période que dans la précédente.

Dans une **1re phase**, un affaissement se produit dans la région des futurs causses et la mer y pénètre, formant le « golfe des causses » où elle dépose, en couches superposées, ou « strates », des marnes (craie mélangée d'argile imperméable) puis des calcaires (roche perméable ayant pour origine des coquillages, des squelettes de poissons et de mollusques) et des dolomies. Les calcaires compacts favorisent la formation de falaises, de grottes et de reliefs ruiniformes dans les zones dolomitiques.

Dans une **2e phase**, un soulèvement général très lent se produit, provoquant l'émersion d'une couche de sédiments dont l'épaisseur atteint 1 500 m dans l'axe d'une fosse Millau-Mende. Soumis à une érosion intense, les Causses et les régions adjacentes sont rabotés progressivement et presque réduits à l'état de plaine.

Pendant cette période, le climat se soumet au rythme des saisons ; la végétation perd sa folle exubérance. Conifères et arbres à feuillage caduc voisinent avec les palmiers et les cocotiers. Les oiseaux apparaissent ainsi que les premiers mammifères ; de gigantesques tortues, des reptiles nageurs colossaux qui ont remplacé les batraciens peuplent les eaux.

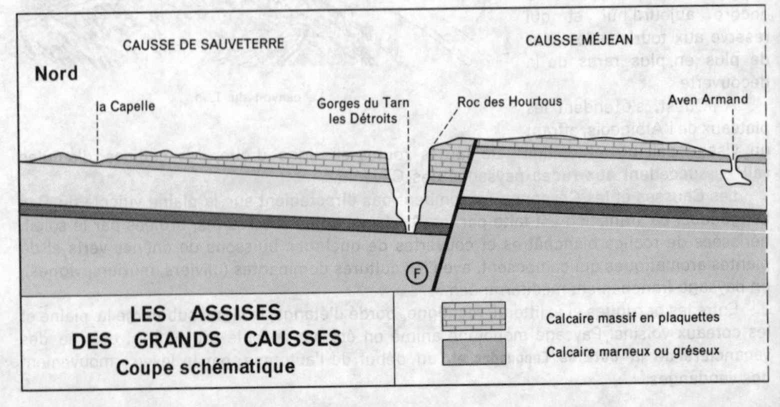

LES ASSISES DES GRANDS CAUSSES
Coupe schématique

Ère tertiaire. – Début, il y a environ 60 millions d'années. Les forces qui agissent sur l'écorce terrestre provoquent un formidable plissement qui fait surgir la chaîne des Pyrénées puis celle des Alpes.

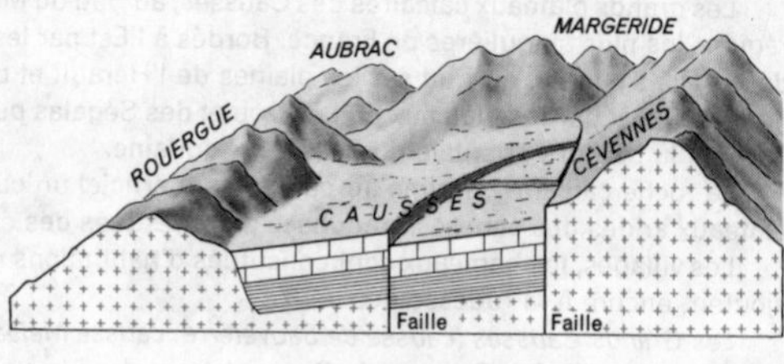

Par contrecoup, le Massif Central, trop rigide pour se plisser, est fortement ébranlé, ses bordures Sud et Est se soulèvent et basculent, alors que son centre se lézarde et se casse comme une dalle granitique. Coincée entre des terrains anciens, plus résistants, la gigantesque carapace calcaire des Causses se brise et se disloque en blocs séparés par des lignes de fracture du sol, ou « failles ». Les rivières courent encore à la surface du plateau.

L'érosion dégage le socle cristallin d'une grande partie de sa couverture sédimentaire secondaire.

La végétation, qui, au début de l'ère tertiaire, était encore très mélangée (peupliers, dattiers, vignes, séquoias), se trouve, à la fin de l'ère, constituée d'essences sinon identiques, du moins très voisines des espèces actuelles. La taille des reptiles diminue, les oiseaux s'adaptent au vol.

Dès la fin de l'ère tertiaire, les plus anciens ancêtres de l'homme, les primates, apparus en Afrique orientale, envahissent peu à peu l'Asie et l'Europe. C'est l'époque où s'épanche la coulée volcanique des basaltes de l'Escandorgue, au-dessus de Lodève.

Ère quaternaire. – Début, il y a environ 2 millions d'années. C'est une période marquée par deux faits capitaux : la dispersion de l'homme sur la terre et, à la suite d'un refroidissement général de l'atmosphère du globe, le développement de grands glaciers qui envahissent les vallées des hautes montagnes où ils ont laissé l'empreinte de leurs avances et de leurs reculs successifs.

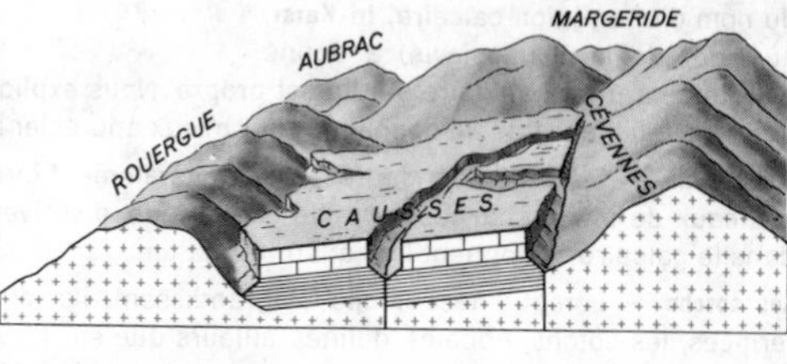

L'érosion continue son œuvre. Les montagnes environnantes sont usées, abaissées, façonnées. Dans les Causses, à la faveur des fractures qui sillonnent le plateau, les eaux creusent des gorges très étroites, appelées « canyons », dont les versants, très escarpés dans les calcaires, présentent dans les marnes, plus tendres, des talus inclinés. Le drainage des plateaux est désorganisé par l'évolution « karstique » du relief *(voir p. 12)*.

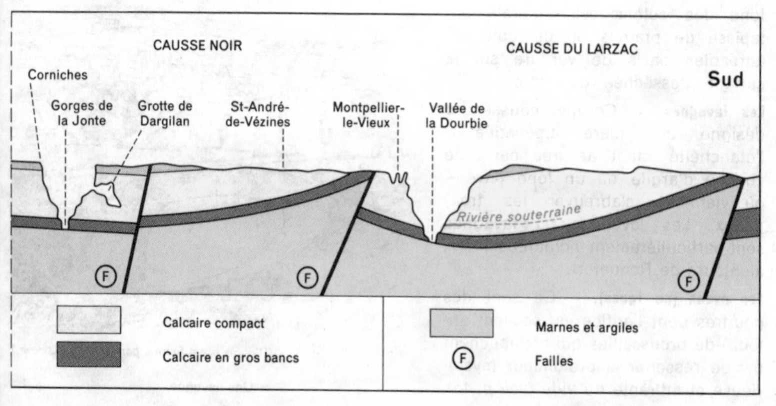

LES CAUSSES

Les grands plateaux calcaires des Causses, au Sud du Massif Central, constituent une des régions les plus singulières de France. Bordés à l'Est par les Cévennes, au Nord par la vallée du Lot, ils s'ouvrent au Sud sur les plaines de l'Hérault et du Bas Languedoc ; ils se prolongent à l'Ouest par les plateaux du Lévézou et des Ségalas puis par les Causses du Quercy qui forment la bordure orientale du bassin d'Aquitaine.

La roche calcaire imprime au paysage superficiel un caractère particulièrement heurté : plateaux arides des causses, tranchées gigantesques des canyons, puits naturels des avens.

Les villages, les hameaux sont constitués d'habitations en pierres sèches blanchâtres qui ajoutent encore à la rudesse des lieux.

Les Grands Causses (causse de Sauveterre, causse Méjean, causse Noir, causse du Larzac) sont décrits p. 97 ; les Causses du Quercy le sont dans le guide Vert Michelin Périgord.

Le causse

Contrastant avec les profondes entailles des vallées vives, les causses déroulent à l'infini le paysage de leurs solitudes grises et pierreuses. La grandeur et la sévérité de ces vastes plateaux, massifs, à peine accidentés de légers vallonnements ou de modestes dépressions, dépourvus de toute eau courante, sont impressionnantes. La sécheresse de leur sol est due à la nature calcaire de la roche qui absorbe comme une éponge toutes les eaux de pluie ; à cette aridité superficielle s'oppose une intense activité souterraine *(voir p. 15)*.

Ces plateaux dont l'altitude avoisine 1 000 m, subissent un climat rude aux étés secs et brûlants, aux hivers rigoureux où l'enneigement est considérable et long, aux vents violents qui balayent ces étendues sans obstacles. A l'Ouest, en bordure des corniches, ils portent encore – à côté de jeunes plantations de pins noirs d'Autriche – des bois de hêtres, de chênes rouvres ou de pins sylvestres qui témoignent de l'existence d'une forêt primitive clairsemée, dégradée au Moyen Age par le pacage des troupeaux. A l'Est, à la surface de leur lande, s'étalent des chardons ou des touffes de lavande qui font sur les croupes des taches d'un bleu très doux. Çà et là se dressent des genévriers, tantôt en forme de buissons touffus, tantôt petits arbres d'une dizaine de mètres de hauteur. Très exigeants en lumière, ils résistent bien au froid. Leurs feuilles sont piquantes, leurs fruits ont l'apparence de petits cônes de couleur noir-bleuâtre.

Traditionnellement le causse est le domaine du mouton dont la sobriété s'accommode de la pauvreté de la végétation caussenarde. Le cheptel a été longtemps entretenu pour sa laine qui assurait l'industrie textile des villes (cadis et serges) et pour son fumier qui permettait l'enrichissement des sols. Aujourd'hui, il l'est surtout pour la richesse que représente le lait des brebis – au nombre de 500 000 dans le « rayon » de Roquefort *(p. 140)* – transformé en fromage qui s'élabore dans les fameuses caves. La capitale des Causses, Millau *(p. 114)*, installée au confluent du Tarn et de la Dourbie, traite les peaux des jeunes agneaux.

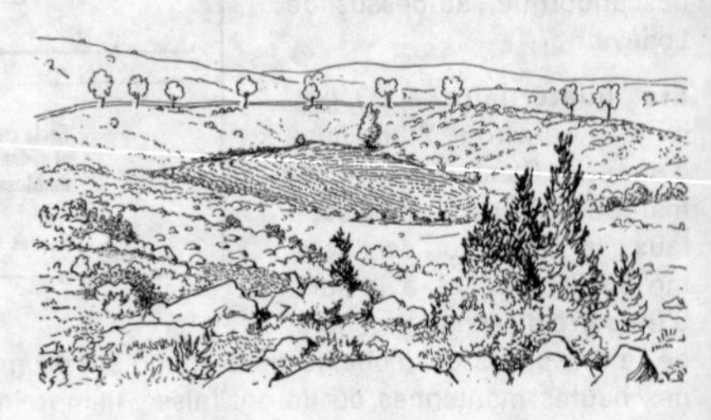

Un sotch.

Le relief calcaire (que les géographes appellent aussi relief karstique, du nom d'une région calcaire, le **Karst**, au Nord de la Yougoslavie) a donné naissance à un vocabulaire qui lui est propre. Nous expliquons ci-dessous quelques termes qu'il est indispensable de connaître pour mieux apprécier les paysages parcourus :

Les cloups. – Ce sont des dépressions généralement circulaires et de petites dimensions. Les eaux de pluie, chargées d'acide carbonique, dissolvent le carbonate de chaux contenu dans le calcaire et donnent lieu à leur formation.

Les sotchs. – Lorsque les cloups s'agrandissent, ils forment de plus vastes dépressions fermées, les sotchs, appelés dolines ailleurs que sur les Causses. Dans cette région, leurs dimensions restent modestes, ne dépassant pas quelques dizaines de mètres de diamètre. La dissolution des roches calcaires contenant particulièrement du sel ou du gypse produit une sorte de bonne terre arable rougeâtre, argileuse. Ceci explique que le fond des sotchs est généralement tapissé de prairies ou de cultures, agréables oasis de verdure sur la surface desséchée du plateau.

Les lavognes. – Ce mot caussenard désigne une mare aménagée – l'étanchéité étant assurée par une couche d'argile ou un fond pavé – où viennent s'abreuver les troupeaux. Les lavognes ou lavagnes sont particulièrement nombreuses aux alentours de Roquefort.

Les avens (ou igues). – Ce sont des gouffres dont l'orifice est souvent entouré de broussailles qui n'empêchent pas de ressentir la profondeur mystérieuse et attirante du vide *(voir p. 15)*.

(D'après photo fournie par le S.I. de Lodève.)

Une lavogne.

Les champs de lapiez. – Ils se présentent comme de vastes étendues perforées d'alvéoles et de petits canaux plus ou moins profonds : les eaux de ruissellement dissolvent irrégulièrement la surface calcaire; ainsi se constituent des trous qui finissent par se rejoindre pour former des rainures et des ciselures discontinues.

Rochers ruiniformes. – Dans les vastes dépressions du causse ou sur les sommets de quelques escarpements, apparaissent parfois d'étranges paysages de pierre aux formes grandioses. Ils évoquent par la dimension et la disposition de leurs assises, de leurs corniches ou de leurs parois verticales, l'image de villes dont les rues, les portes monumentales, les remparts, les donjons seraient en ruines ; d'où leur nom de rochers ruiniformes.

Rochers ruiniformes. – Le chaos du Rajol.

De telles fantaisies de la nature sont dues à la présence d'une roche appelée **dolomie** (du nom du géologue Dolomieu qui la découvrit) et qui présente la particularité d'associer le carbonate de chaux soluble au carbonate de magnésie peu soluble. L'érosion chimique, agissant selon les voies ouvertes par les eaux de ruissellement, a sculpté par endroits ces « ruines » aux crêtes arrondies, parfois hautes d'une dizaine de mètres, ces piliers, ces arcades, ces tours, ces animaux, ces escarpements pittoresques auxquels l'imagination populaire a donné un nom.

Les résidus argileux provenant de la décomposition de la roche ont permis le développement d'une végétation qui contribue à la beauté de ces sites.

Le fantastique chaos ruiniforme de Montpellier-le-Vieux, ceux de Nîmes-le-Vieux, de Mourèze, des Arcs de St-Pierre, de Roquesaltes, du Rajol sont particulièrement intéressants.

(D'après photo Argra, Toulouse.)

Cirque de Mourèze.

Les canyons

Ce mot, transcription de l'espagnol « cañon », désigne des vallées creusées dans d'épais bancs calcaires affleurant non seulement au sommet des versants, mais au fond du sillon.

Les gorges du Tarn entre les Vignes et le Rozier, les gorges de la Jonte et celles de la Dourbie sont de magnifiques exemples de canyons *(voir schéma p. 156)*.

Soudain, à un détour de la route, le sol semble s'effondrer ; les grands horizons du causse font place à un paysage vertical vertigineux. Un canyon profond parfois de 500 m s'ouvre, véritable trait de scie entre les plateaux. Au sommet des versants se dressent de magnifiques escarpements, parfois hauts de 100 m, curieusement découpés, qui offrent toutes les teintes intermédiaires entre le noir et le roux. Cette succession de parois abruptes, de vigoureuses assises, de bancs rocheux, de corniches, de surplombs, de rebords tabulaires est due à la résistance et à l'homogénéité de la roche calcaire qui ne se prête pas aux glissements, à sa perméabilité qui supprime le ruissellement des eaux.

Peyreleau et le canyon de la Jonte.

Les hautes parois sont forées de grottes béantes et taraudées par les eaux courantes qui emportent les marnes. L'abondance de ces grottes (ou « baumes » d'après le mot local « balma » employé avant l'arrivée des Romains) est à l'origine de multiples noms de lieux ou de hameaux : le cirque des Baumes, les Baumes-Hautes dans les gorges du Tarn, la Baume-Auriol sur le causse du Larzac, St-Jean-de-Balmes sur le causse Noir, etc.

Au pied des falaises se disposent de gigantesques talus de roches éboulées. La rivière qui s'est enfoncée dans cette carapace se love en méandres bien dessinés offrant, vus des hauteurs voisines, de magnifiques perspectives sur des « bouts du monde » ou des cirques rocheux grandioses. Une rivière qui décrit des sinuosités ronge la rive concave et dépose des alluvions sur la rive convexe. Ainsi les méandres se déplacent de l'amont vers l'aval; quand la boucle se resserre et se pince il arrive que la rivière finisse par couper son méandre, abandonnant ainsi son lit primitif. La Vis, au fond du cirque de Navacelles *(p. 132)*, illustre ce phénomène.

(D'après photo Yvon.)

Un méandre. – Le Tarn à St-Chély.

Les rivières qui réussissent à traverser la région caussenarde ont leur source au pied des massifs cristallins voisins (Aigoual et mont Lozère) ; dépourvues d'affluents à l'air libre, elles ne sont alimentées que par les résurgences de cours d'eau souterrains.

Les canyons, constituant de longues tranchées abritées des vents, retiennent et reflètent, sur leurs versants, les premières et les dernières chaleurs de l'année ; ils jouent le rôle de serres favorables au développement des cultures. Leurs versants marneux se couvrent de bois ; plus bas, la vigne, accompagnée d'arbres fruitiers, étagée sur de petites terrasses, étale ses grappes au soleil. Au bord de la rivière, sur les fonds alluviaux, d'étroites prairies créent un ruban de verdure coupé de haies de peupliers, où s'égrènent les petites villes et les villages. La région de St-Jean-du-Bruel et de Nant est considérée comme le « jardin de l'Aveyron » ; de même, les versants de la Jonte portent quelques cultures en terrasses.

Les rivières et les falaises entre lesquelles elles s'écoulent présentent mille aspects attrayants auxquels le langage imagé de la région a donné des noms bien particuliers :

Les planiols. – On désigne ainsi les eaux limpides, calmement étalées.

Les ratchs ou rajols. – Ce sont les rapides que créent les eaux bouillonnantes et furieuses. Celles-ci, parfois, disparaissent complètement sous des entassements de blocs résultant d'un effondrement.

Les Détroits ou Étroits. – *Illustration p. 160.* Dans ces passages, la rivière glisse entre deux murailles abruptes.

Un « planiol ». – Le Tarn à Castelbouc.

Les marmites de géants. – Ce sont des cavités circulaires creusées dans les parois calcaires qui bordent la rivière. Les eaux turbulentes, charriant des graviers, ont accompli ce travail d'érosion. L'Hérault à St-Guilhem-le-Désert a créé de telles marmites *(p. 144)*.

Le relief calcaire est représenté en France par diverses régions dont nous donnons ci-dessous quelques exemples :

– *Dans les plateaux calcaires de la Haute-Provence, s'ouvre le Grand canyon du Verdon, large au fond de 6 à 100 m et profond de 250 à 700 m : description dans le guide Vert* ***Côte d'Azur, Haute-Provence.***

– *Les gorges de l'Ardèche, dans le plateau du Bas Vivarais, comptent également parmi les plus imposantes curiosités naturelles du Midi de la France : description dans le guide Vert* ***Vallée du Rhône, Vivarais-Lyonnais.***

– *Le Vercors, dans les Préalpes du Nord, entaillé de profondes gorges, recèle de nombreuses rivières souterraines : description dans le guide Vert* ***Alpes, Savoie-Dauphiné.***

– *A l'Ouest des Plateaux jurassiens, se creusent de courtes vallées « les Reculées » : description dans le guide Vert* ***Jura.***

Grottes et avens

S'ouvrant à la surface du causse ou dans le repli d'un de ses vallonnements, les grottes et les avens offrent l'occasion de pénétrer dans l'étrangeté du monde souterrain où l'activité des eaux contraste avec l'aridité des plateaux.

L'infiltration des eaux. – Sur les tables calcaires des Causses, les eaux de pluie ne circulent pas, elles s'infiltrent. Chargées d'acide carbonique, elles dissolvent le carbonate de chaux contenu dans le calcaire entraînant la formation de sotchs *(voir p. 12)*. Si elles pénètrent très profondément dans le sol par les innombrables fissures qui fendillent la carapace calcaire, le creusement et la dissolution de la roche amènent la formation de puits ou abîmes naturels appelés **avens** ou **igues**.

Peu à peu les avens s'agrandissent, se prolongent par des galeries souterraines qui se ramifient, communiquent entre elles et s'élargissent en grottes.

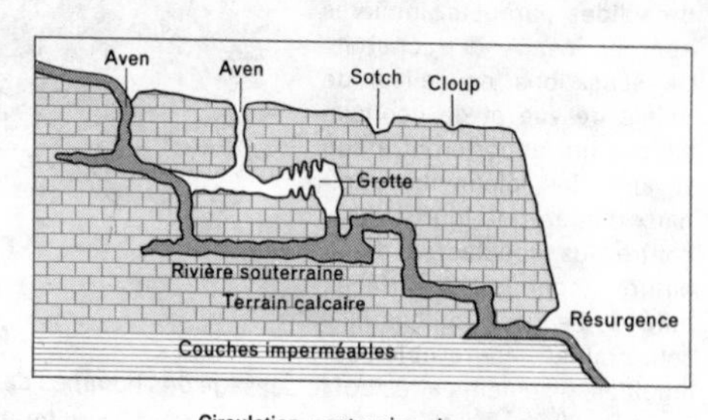

Circulation souterraine des eaux.

Rivières souterraines et résurgences. – La disparition d'un cours d'eau dans un aven du causse ou l'accumulation des eaux d'infiltration atteignant le niveau des couches imperméables (marnes ou argiles) sont à l'origine d'un véritable réseau de rivières souterraines dont le cours se développe parfois sur plusieurs kilomètres. Ces eaux s'écoulent suivant l'inclinaison des couches de terrain ; elles se réunissent, finissent par forer des galeries, élargissent leur lit et se précipitent souvent en cascades. Lorsque la couche imperméable affleure au long d'une pente ou au flanc d'un versant, le cours d'eau réapparaît à l'air libre en source plus ou moins puissante : c'est une résurgence.

Lorsqu'elles s'écoulent lentement, les eaux forment de petits lacs en amont des barrages naturels : ce sont les **gours** édifiés peu à peu par dépôt de carbonate de chaux sur les bords des flaques d'eau qui en sont saturées. Ils constituent des murettes qui rendent difficiles certains passages.

Les rivières souterraines, bien que difficilement accessibles (que ce soit par la résurgence ou par l'aven), sont supposées nombreuses. Quelques-unes ont pu être repérées par les spéléologues : sur le causse du Larzac, le cours souterrain de la Sorgues a été découvert par l'**aven du Mas Raynal** ; sur le causse du Comtal, au Nord de Rodez, c'est le ruisseau de Salles-la-Source que l'on peut voir par le **gouffre du Tindoul de la Vayssière**. De même, le Bonheur, qui jaillit à l'air libre dans « l'Alcôve » du Bramabiau *(voir p. 66)*, est un exemple de rivière souterraine.

Il arrive qu'au-dessus des nappes souterraines se poursuive la dissolution de la croûte calcaire : des blocs se détachent de la voûte, une coupole se forme, dont la partie supérieure se rapproche de la surface du sol. Lorsque la voûte de la coupole devient très mince, un éboulement découvre brusquement la cavité et ouvre un gouffre.

Formation des concrétions. – Au cours de sa circulation souterraine, l'eau abandonne le calcaire dont elle s'est chargée en pénétrant dans le sol. Elle édifie ainsi un certain nombre de concrétions aux formes fantastiques défiant quelquefois les lois de l'équilibre. Dans certaines cavernes, le suintement des eaux donne lieu à des dépôts de calcite (carbonate de chaux) qui constituent des pendeloques, des pyramides, des draperies, dont les représentations les plus connues sont les stalactites, les stalagmites *(schéma ci-contre)* et les excentriques.

Les **stalactites** se forment à la voûte de la grotte. Chaque gouttelette d'eau qui suinte au plafond y dépose, avant de tomber, une partie de la calcite dont elle s'est chargée. Peu à peu, s'édifie ainsi la concrétion le long de laquelle d'autres gouttes d'eau viendront couler et déposer à leur tour leur calcite.

Les **stalactites fistuleuses** ont l'aspect de longs macaroni effilés pendant aux voûtes.

Grotte à concrétions.

1. Stalactites. – 2. Stalagmites. – 3. Colonne en formation. – 4. Colonne formée.

Les **stalagmites** sont des formations de même nature qui s'élèvent du sol vers le plafond. Les gouttes d'eau tombant toujours au même endroit déposent leur calcite qui forme peu à peu un cierge. Celui-ci progresse à la rencontre d'une stalactite avec laquelle il finira par se réunir pour constituer un pilier reliant le sol au plafond.

La formation de ces concrétions est extrêmement lente ; elle est, actuellement, de l'ordre de 1 cm par siècle sous nos climats.

Les **excentriques** sont de très fines protubérances, dépassant rarement 20 cm de longueur. Elles se développent dans tous les sens sous forme de minces rayons ou de petits éventails translucides. Elles se sont formées par cristallisation et n'obéissent pas aux lois de la pesanteur.

Tourisme souterrain. – Les remarquables aménagements dont bénéficient quelques grottes permettent au touriste, sportif ou non, d'aborder le monde souterrain sans danger et sans difficulté.

Tout concourt à rendre la visite passionnante : commodes escaliers, ponts bardés de solides parapets, lumières appropriées. A la recherche de sensations nouvelles, de points de vue et de connaissances qui apporteront à son voyage des éléments originaux d'intérêt, le touriste rencontre des spectacles de la nature inconnus à la surface : miroirs d'eau ou calmes lacs souterrains incroyablement limpides, gisements attestant le passage des hommes de la préhistoire, délicates concrétions.

(D'après photo A. Viré.)

Orifice d'un aven.

Ce sont l'aven Armand avec son extraordinaire forêt de stalagmites, la grotte des Demoiselles aux magnifiques concrétions, celle de Clamouse aux excentriques capricieuses et aux cristallisations colorées, celle de Dargilan aux gours caractéristiques, celle de Bramabiau, où se précipite le Bonheur, celle de Trabuc avec ses « Cent mille soldats », l'une des énigmes de la spéléologie scientifique.

L'aisance avec laquelle nous évoluons dans ces grottes ne doit point faire oublier que la découverte de telles merveilles est due à quelques hommes de talent, grands sportifs, souvent savants, les spéléologues.

Spéléologie. – Les premiers spéléologues ont probablement été les hommes du Paléolithique (âge de la pierre taillée) qui ont recherché les entrées de grottes et les abris sous roche pour y habiter, il y a quelque 50 000 ans. Plus tard, au Néolithique (âge de la pierre polie), l'homme utilise les cavernes comme sépultures.

Dans l'Antiquité, quelques téméraires affrontent les obstacles du monde souterrain dans l'espoir d'y trouver des métaux précieux tandis qu'au Moyen Age les grottes sont prudemment évitées, considérées comme les repaires d'êtres infernaux.

Au 18e s., des explorations systématiques sont organisées. Mais la spéléologie n'acquiert ses lettres de noblesse et ne s'affirme comme science qu'à partir de 1890 avec E.-A. Martel.

Édouard-Alfred Martel (1859-1938). – L'histoire de la découverte des Causses est liée à son nom.

Agréé au tribunal de Commerce de Paris, Martel, qui s'était passionné pour la géographie dès son adolescence, demanda aux études touristiques et géologiques une détente à ses occupations juridiques. Explorateur et alpiniste intrépide, il parcourut l'Italie, l'Allemagne, l'Autriche, l'Angleterre, l'Espagne, visitant leurs plus célèbres grottes, en découvrant d'autres, laissant son nom à maintes salles et galeries insoupçonnées jusque-là.

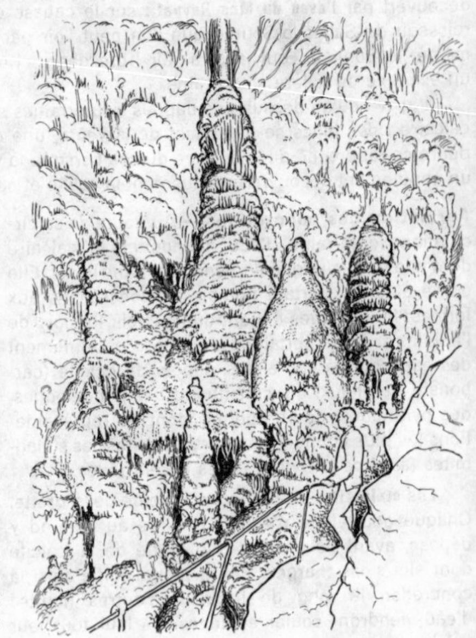

(D'après photo Arch. T.C.F.)

Grotte de Dargilan. – Salle de la Mosquée.

Cependant, c'est à la France qu'il consacra la plus grande partie de ses efforts. A partir de 1883, il entreprit l'étude méthodique de la région des Causses, alors totalement inconnue. Une série d'explorations souterraines, réalisées au mépris de sa vie, révélèrent des centaines de curiosités naturelles remarquables, merveilles ignorées...

Les Pyrénées, le Vercors et le Dévoluy l'intéressèrent également. Son audacieuse descente du Grand Canyon du Verdon ouvrit la voie à l'une des plus belles excursions qui puissent se faire.

Les premières grandes campagnes de Martel dans les Causses

1888 : Traversée du Bramabiau, résurgences diverses dans les gorges du Tarn (Castelbouc, St-Chély), les Baumes chaudes, Dargilan, etc.

1889 (année de Padirac) : nombreux avens, parmi lesquels les puits de l'aven de Hures (causse Méjean), de Rabanel (près de Ganges), du Mas Raynal (Sud-Larzac).

Beautés et dangers des eaux souterraines. – Martel fut aussi un savant. Riche de la somme considérable de ses observations, il se livra passionnément à la recherche des lois de l'érosion dans les terrains calcaires et fonda une nouvelle science : la géographie souterraine ou spéléologie. Ses nombreuses publications lui valurent une célébrité mondiale.

Dans ses ouvrages, « La spéléologie au 20e s. », « Nouveau traité des eaux souterraines », « Causses et Gorges du Tarn », « La France ignorée », « Les Causses Majeurs », il résume ses travaux, d'une grande utilité pour les explorateurs qui lui ont succédé et communique au lecteur son vibrant enthousiasme.

Il fut aussi un grand bienfaiteur des Causses. Tout d'abord, grâce à son étude de la circulation souterraine, l'hygiène publique a pu éviter les contaminations des eaux, si dangereuses dans la région. Par ailleurs, ses découvertes et sa propagande ont attiré le tourisme vers ce pays pauvre qui en a tiré profit.

Voyage au royaume des ombres. – Tout d'abord le spéléologue doit rechercher les voies de pénétration sous terre. En hiver, les voiles de brouillard que fait naître l'air chaud s'échappant des cavernes, peuvent être un précieux indice. L'observation d'animaux familiers des grottes, comme les chauves-souris ou les choucas (sortes de corneilles), indique quelquefois la présence de cavités. Certains explorateurs préfèrent repérer les résurgences.

Cette recherche préalable accomplie, l'expédition peut commencer. Coiffé d'un casque qui le protègera des chutes de pierre et sur lequel il fixera une lampe, vêtu d'une combinaison imperméable pour franchir les rivières ou se protéger des chutes d'eau qui risquent de l'assaillir à chaque instant, chaussé de bottes, le spéléologue progresse le long de galeries parfois si étroites qu'il doit s'étirer comme un reptile pour les vaincre ; les siphons, nécessitant souvent l'emploi de scaphandres, les lacs aux limites imprécises, les parois rendues glissantes par l'argile sont les obstacles ordinaires qu'il rencontre. Ajoutons à cela les crues soudaines dues aux orages, les barrages formés par les gours. Pour remédier à la fatigue qu'entraîne la durée considérable de certaines expéditions, des expériences de camping souterrain ont été tentées avec succès. Dans la majorité des grottes, la teneur en gaz carbonique n'est pas supérieure à celle qui règne à la surface de la terre ; la principale difficulté, outre le malaise psychologique que ne manque pas de susciter le séjour sous terre, tient à l'humidité de l'air.

La spéléologie est, à la fois, une discipline et un sport excluant, pour des raisons d'équipement et de sécurité, toute recherche d'exploit individuel. De nombreuses sciences bénéficient de ses découvertes : la préhistoire, l'archéologie, la géologie, la biologie, la physique, la chimie et, plus récemment, la psychologie.

En 1962, Michel Siffre passa deux mois dans le gouffre Scarasson à l'Ouest du col de Tende, inaugurant les expériences « hors du temps ».

La faune. – Depuis le Paléolithique supérieur, l'ours « des cavernes » a disparu des grottes. Aujourd'hui, il arrive que quelque blaireau, fouine ou putois s'égare dans les profondeurs souterraines, ou que des poissons y soient entraînés par les rivières en crue, mais ce ne sont là que des hôtes fortuits ; tandis que toutes les grottes sont habitées en permanence par les chauves-souris. Elles ne quittent leur antre que la nuit pour chasser et rentrent au petit jour. Elles tapissent des voûtes entières qu'elles entaillent profondément de leurs griffes. Munies d'un véritable radar, elles se déplacent aisément en milieu obscur. Leurs déjections, le guano, forment de gigantesques cônes, redoutés des spéléologues.

Outre les chauves-souris, les grottes sont peuplées d'une multitude d'invertébrés, coléoptères, myriapodes, etc. Le laboratoire souterrain de Moulis dans l'Ariège *(on ne visite pas)* se consacre à l'étude de ces animaux cavernicoles.

Organisation de la spéléologie en France. – Les nombreux clubs de spéléologie fonctionnant en France sont pour la plupart affiliés à la Fédération Française de Spéléologie. Cette fédération regroupe désormais la Société de Spéléologie fondée par Martel puis réanimée en 1980 par un ardent Languedocien, **Robert de Joly** (1887-1968), et le Comité National de Spéléologie.

L'École française de Spéléologie, où des spéléologues confirmés encadrent des stagiaires de tous niveaux, a son siège à Lyon, 28 quai St-Vincent.

Grottes décrites dans le présent guide	Explorateur et date de la découverte
Grotte des Demoiselles	1770
Grotte de Limousis	1811
Grotte de la Devèze	1886
Abîme de Bramabiau	E.A. Martel – 1888
Grotte de Dargilan	E.A. Martel – 1888
Aven Armand	Louis Armand – 1897
Grotte de Trabuc	1899
Grotte de Clamouse	1945

Les stalactites, les stalagmites, les excentriques sont des concrétions extrêmement fragiles.

Pour ne pas risquer de les détruire, les touristes devront s'abstenir de s'y appuyer et même d'y toucher.

LES SÉGALAS ET LE LÉVÉZOU

Les Grands Causses sont séparés des Causses du Quercy par le bloc du Lévézou et par un ensemble de plateaux groupés sous le nom de Ségalas car ils furent longtemps voués au seigle. On distingue le Ségala du Rouergue, limité par le Lévézou à l'Est, par l'Aveyron au Nord et à l'Ouest, du Ségala tarnais. Entre l'Aveyron et le Lot, s'avancent les causses de Sévérac et du Comtal. Au Nord du bassin houiller de Decazeville, s'étendent la Châtaigneraie, au nom évocateur, et le Ségala du Quercy.

Le Lévézou. – C'est un petit massif cristallin, rude, faiblement peuplé, qui culmine au Puech del Pal à 1 155 m. Quelques troupeaux parcourent ses landes. A l'écart des grandes voies ferrées, il n'a pu bénéficier du même renouveau que les Ségalas. Ses rivières aménagées pour la production hydroélectrique et le tourisme (lacs de Pont-de-Salars, du Bage, de Pareloup, de Villefranche-de-Panat) lui apporteront peut-être des activités nouvelles.

Les Ségalas. – C'est au 19e s. que les Ségalas, traditionnellement pauvres et opposés au Fromental (pays du blé de l'Aquitaine) commencèrent à prospérer. A cette époque, on eut l'idée d'utiliser la proximité du charbon du bassin de Carmaux et des calcaires de l'Aquitaine pour fabriquer de la chaux. La création de voies ferrées (Carmaux-Rodez, Capdenac-Rodez) permit le transport du précieux amendement. Ainsi la lande et le seigle reculèrent, remplacés par le trèfle, le blé, le maïs et l'orge. L'élevage se développa : des bovins et des porcs à l'Ouest, des ovins à l'Est et au Sud-Est, dans la région de Roquefort. Aujourd'hui les Ségalas offrent un visage verdoyant de bocages et de prairies bordées de haies d'aubépines. Légèrement ondulés, ils portent souvent une chapelle sur leurs collines (les puechs).

Le promeneur qui parcourt les Ségalas traverse des paysages de terres rouges, dans la région de Camarès ou de Marcillac notamment ; ce sont les **rougiers** (nom régional donné aux bassins permiens) où les sédiments comportent une forte teneur en oxyde de fer. Particulièrement fertiles, ils accueillent des cultures fruitières.

Rodez est la principale ville des Ségalas, Villefranche-de-Rouergue est à la limite des Ségalas et des Causses du Quercy. Le développement des Ségalas est symbolisé par des bourgs comme Baraqueville (au Sud de Rodez) qui ne comprenait au 19e s. qu'une simple baraque et dont la prospérité actuelle se manifeste par de hauts silos.

LE BAS LANGUEDOC

Du Rhône à la Garonne s'étend le Languedoc, avec Toulouse pour capitale du Haut Languedoc et Montpellier pour capitale du Bas Languedoc ou Languedoc méditerranéen. Le Bas Languedoc se présente comme une bande d'une quarantaine de kilomètres de large, le long de la Méditerranée. Au Sud des Cévennes, les Garrigues s'élèvent de 200 à 400 m. Au-dessous des Garrigues, la plaine sablonneuse, couverte de vignes, trouée d'étangs en bordure de la mer, ne porte que quelques collines calcaires (la montagne de la Gardiole à Montpellier, le mont St-Clair à Sète, la montagne de la Clape à Narbonne) et la montagne d'Agde (le mont St-Loup), prolongement de la coulée volcanique de l'Escandorgue. Le Bas Languedoc s'appuie à un cadre de montagnes appartenant aux marges de sédiments primaires du Massif Central, depuis les Cévennes, les monts de l'Espinouse, du Minervois et de Lacaune jusqu'à la Montagne Noire.

(D'après photo Ch. Flahault.)

La garrigue et le pic St-Loup.

Les Garrigues. – C'est une région de plateaux et de chaînons calcaires, que traversent l'Hérault, le Vidourle et le Gard. Le pic St-Loup et la montagne d'Hortus constituent de rares accidents sur ces plates étendues. Dues, comme les causses, aux dépôts marins de l'ère secondaire, les Garrigues (de l'occitan « garric » ; chêne-kermès) sont couvertes d'une maigre végétation parfumée : buissons nains de chênes-kermès, touffes de thym et de lavande, cistes, pacages roussis par le soleil.

Au printemps, cette lande aride, frépuentée des chasseurs, s'émaille de fleurs éclatantes. La garrigue reste le domaine des moutons.

Le rivage. — Le rivage méditerranéen de cette région est jalonné d'étangs. Les **barres** (ou **lidos**) qui séparent ces étangs de la mer, ont été formées par le travail des vagues et des courants. Les graviers et les sables apportés par le Rhône à la mer, poussés vers les côtes languedociennes, ont fini par former devant l'entrée des baies une barrière sableuse. La « barre » transforma chaque baie en une lagune peu profonde isolée de la pleine mer. Cette barre, de plus en plus importante, a fini par émerger, transformant la lagune en étang d'eau saumâtre. L'Aude et l'Orb n'ont pas permis la formation d'étangs ; mais ils n'ont pas réussi non plus à constituer un delta, le courant littoral balayant sans cesse leurs alluvions.

Le sable envahissant a repoussé à l'intérieur des terres les anciens ports (Maguelone, Agde, Gruissan). Seul le bassin de Thau, véritable mer intérieure, est propice à la navigation. Deux petits ports de pêche, Marseillan et Mèze, s'y ouvrent à la plaisance.

Sète, créée au 17e s., n'a fait que s'agrandir, mais une lutte incessante contre l'ensablement lui permet seule de rester le deuxième port français de la Méditerranée.

L'ALBIGEOIS

Le mot Albigeois désigne toute une partie des plateaux situés au Sud-Est du bassin d'Aquitaine, sans se référer à l'Albigeois historique qui, lui, empiétait sur le Ségala du Tarn. Sur une base d'argiles mêlées à des graviers quartzeux, s'étale la molasse. La faible résistance de cette roche, faite de grès mous jaunâtres entrecoupés de lits calcaires et marneux discontinus, donne à l'Albigeois son paysage faiblement ondulé rehaussé çà et là de petits causses (causse de Labruguière, de Blaye) ou de pitons (« puechs ») souvent couronnés d'un village.

Malgré la présence du gisement houiller de Carmaux-Albi qui a fait naître l'industrie métallurgique et quelques petites villes industrielles, l'Albigeois reste essentiellement agricole, fidèle à la polyculture et aux céréales. Sur les pentes poussent les fourrages artificiels, la luzerne notamment, et le fond des vallées est tapissé de prés. Sur les surfaces calcaires broutent quelques moutons.

L'Albigeois fut longtemps célèbre pour le chanvre, le safran, la garance et le pastel qui étaient cultivés au bord des rivières. L'anis poussait sur les pentes calcaires. Aujourd'hui les céréales, les fruits, les légumes et surtout la vigne autour de Gaillac sont les cultures principales.

LES CÉVENNES

Au Sud-Est du Massif Central, les Cévennes, schisteuses et granitiques, ne constituent pas une chaîne au sens strict du mot. Du Tanargue à l'Aigoual, elles présentent en leurs sommets une suite de plateaux à peine ondulés et assez mornes, garnis de tourbières : ce sont la « Pelouse » de l'Aigoual ou le « Plat » du mont Lozère. Le contraste est net entre le versant méditerranéen, très abrupt, et le versant océanique qui s'abaisse en pente plus douce, de part et d'autre d'une ligne de partage des eaux passant à l'extrémité orientale du mont Lozère, au col de Jalcreste (sur la N 106, à l'Est de Florac) et au col du Minier. Au-dessous des surfaces dénudées des plateaux, le versant méditerranéen se creuse de profonds ravins, les **valats** : les torrents cévenols, accrus par de fortes averses, lacèrent les schistes, formant des crêtes comparables à de longues lanières étroites, les **serres**. Au moment de rejoindre le versant atlantique, les serres s'élargissent, formant de hautes surfaces, les **chams**. Les étendues schisteuses sont parsemées d'îlots calcaires, de petits causses appelés les **cans** (la can de l'Hospitalet).

(D'après photo L. Balsan.)

« Serres » cévenoles, vues du mont Aigoual.

Les crêtes. – Les sommets sont assez peu élevés. Le mont Lozère, aux longues croupes de granit, atteint 1 699 m d'altitude. Quant au mont Aigoual, d'où l'on embrasse par temps clair un merveilleux panorama, il ne dépasse pas 1 567 m.

Des pâturages assez pauvres, convenant seulement aux moutons, couvrent les crêtes. Les hameaux pastoraux, aux maisons faites de blocs de granit, très basses pour offrir moins de prise aux vents, sont disséminés. Plus bas, apparaissent les chênes verts, les bruyères, la châtaigneraie et avec elle de petits villages.

Les hautes vallées. – Les très nombreux cours d'eau suivent de profonds ravins aux pentes abruptes mais non verticales, façonnées par l'érosion dans une roche qui est sans rapport avec le calcaire des causses : nous sommes, en effet, en plein pays granitique et schisteux, aux terrains imperméables.

Quelques-uns de ces ravins, avec leurs eaux bondissantes, riches en truites, leurs pentes gazonnées parsemées de pommiers, ont une allure alpestre.

Les vallées basses. – Toutes orientées vers le Sud, elles forment la transition entre les pays cévenol et méditerranéen. Le soleil est déjà vif ; aussi, à côté des vertes prairies, trouve-t-on sur les pentes abritées des cultures en terrasses : vignes, oliviers, mûriers. Dans toute cette zone, on distille la lavande. Souvenir de l'élevage intensif du ver à soie, les anciennes magnaneries, grandes bâtisses facilement repérables de l'extérieur grâce à leurs fenêtres étroites, sont nombreuses.

Quelques termes cévenols

Bancel ou **faïsse** : banquette de terre cultivée
Béal : petit canal d'amenée d'eau
Cazelle, Chazelle : abri de berger en pierres sèches
Clède : petite construction de pierre sèche utilisée autrefois comme séchoir à châtaignes
Cros : vallon, creux
Devèze : terrain de parcours pour les troupeaux
Masse (dimin. Mazet) : mas
Plo : plan (large col)
Viala : « ville » (domaine agricole)

Au pays cévenol. – La population des hautes vallées cévenoles diminue de plus en plus et ne vit que de maigres cultures.

Au bord des ruisseaux, les prairies plantées de pommiers s'intercalent entre les champs. Mais l'arbre-roi est le châtaignier ; il occupe la presque totalité des versants, ne laissant qu'une place réduite aux vignes en hautins, aux jardins potagers, aux arbres fruitiers, répandus dans les fonds de vallées et autour des points d'eau. Dans certains villages, situés à la périphérie du mont Lozère et en Margeride, les propriétaires de moutons ayant accepté de grouper leurs bêtes, réunissent celles-ci en un troupeau commun qu'un unique berger mène pendant le jour sur les sommets. La nuit, elles viennent séjourner dans les enclos et en fertilisent le sol.

(D'après photo Michel Soto, Mende.)

Ruches cévenoles.

La forêt

Autrefois, les Causses et les Cévennes étaient couverts de forêts, repaires de bêtes sauvages. Au 18e s., la « Bête du Gévaudan » terrorisa le pays pendant trois ans *(voir p. 34)*.

Le dangereux déboisement. – La plupart des forêts de hêtres avaient été détruites par les verriers, qui les exploitaient pour la fabrication du charbon de bois nécessaire à leur industrie. Dans les Cévennes, les résultats du déboisement sont très graves en raison des violents orages (98 cm d'eau sont tombés en 48 h sur Valleraugue en septembre 1900, soit environ 40 cm de plus que ce que reçoit en moyenne Paris pendant toute une année). L'eau, qui ne peut être retenue par la couverture végétale, ruisselle et s'abat dans les vallées, provoquant des crues violentes qui peuvent atteindre 18 à 20 m de hauteur. Ces trombes déchaînées dévastent tout sur leur passage.

Un ennemi de la forêt : le mouton. – Le long des **drailles** suivies par les troupeaux transhumants, aussi bien que sur les crêtes et les plateaux où ils séjournent, les moutons, en broutant les feuilles et les jeunes pousses, avaient également contribué à la destruction de la forêt.

Au milieu du 19e s., il ne restait que des lambeaux des immenses forêts dont le pays était autrefois couvert, lorsque Georges Fabre, le bienfaisant forestier, entreprend le reboisement du massif *(voir p. 48)*.

Comment on reboise. – On reboise de plusieurs façons.

Le « boisement par semis direct » qui consiste à répandre les graines à la volée n'est pratiquement plus employé aujourd'hui.

Dans le « boisement par plantation », mode le plus fréquent, on transporte sur le terrain à reboiser des plants élevés pendant un à deux ans pour les semis de cèdre en godets ou en sachets, quatre à cinq ans pour les plants de sapin, d'épicéa ou de pin plantés à racines nues. Aujourd'hui, les espaces compris entre les vallées peuplées de hêtres qui forment contre-feu, sont plantés de pins, de sapins et d'épicéas. Près de 14 000 ha ont été reboisés par Fabre et ses successeurs *(voir carte p. 48 et 49)*. Le corps des Eaux et Forêts peut être fier de cette résurrection.

Cependant, la tâche n'est pas terminée ; il faut intervenir dans les basses Cévennes pour boiser des terrains nus très dégradés ou pour substituer à la végétation existante les essences résineuses actuellement très demandées sur le marché des bois.

Le châtaignier. – Si le châtaignier ne nourrit plus le Cévenol, il continue de parer merveilleusement les Cévennes. Le plus souvent on le rencontre à 600 m d'altitude et quelquefois, sur les versants bien exposés, il grimpe jusqu'à 950 m. Pour croître, il doit fixer ses puissantes racines dans le schiste, le granit, le grès, le sable mais il fuit les terrains calcaires. Dès le moi de mai il se couvre de feuilles, met ses fleurs en juin et vers la mi-septembre les premières châtaignes apparaissent, groupées par trois et enfermées dans une cupule hérissée de piquants.

Malheureusement l'existence du châtaignier est menacée. En effet, après une coupe, les rejets auraient besoin de soins attentifs : l'élagage, la taille, la greffe seraient nécessaires pour combattre les dégâts causés par les troupeaux. Les ravages des maladies cryptogamiques, comme l'« encre », rendent encore plus difficile la défense de la châtaigneraie.

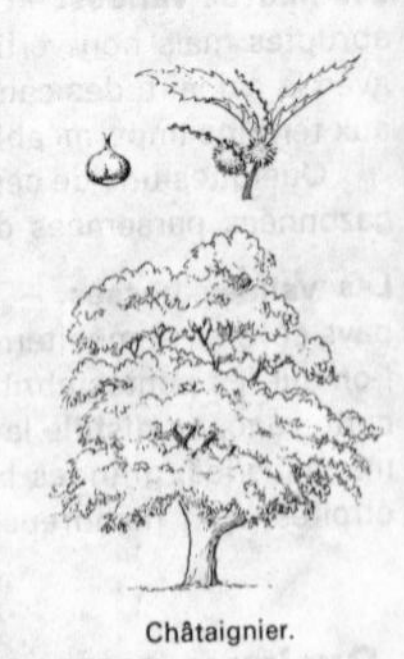

Châtaignier.

Origine de quelques noms de lieux, en rapport avec les arbres

Bessède : bouleaux ; Blaque : chênes blancs ;
Castanet : châtaigniers; Cassan, cassagnas : chênes;
Espinasse : buissons épineux ; Fage : hêtres ;
Fraisse : frêne ; Homme : ormes.

Le parc national des Cévennes

Étalé sur 84 200 ha et enveloppé d'une zone périphérique de 236 000 ha, le parc national des Cévennes, créé officiellement en septembre 1970, est par son étendue, le deuxième des six parcs nationaux français, après celui des Écrins.

Varié dans son climat, méditerranéen ou océanique selon les versants ; dans son relief qui rapproche les sommets enneigés (mont Lozère, mont Aigoual, montagne du Bougès) des vallées basses où fleurit le mimosa ; dans ses sols, schisteux au Sud-Est de Florac et sur le pourtour de la montagne du Bougès, granitiques sur le mont Lozère et la montagne du Lingas, calcaires sur le causse Méjean, le parc est couvert de forêts sur près du quart de sa superficie, zone périphérique comprise. Mais le paysage le plus caractéristique et le moins connu est sans doute celui du Mont Lozère, dorsale aux reliefs écrasés de près de 30 km de long, à plus de 1 500 m, d'altitude et vaste solitude sans arbre battue des vents.

Le classement de la zone centrale doit permettre de sauvegarder les paysages, la flore et une faune dont les grands rapaces sont les seigneurs. Le cerf, le chevreuil, le castor ont été réintroduits ; le coq de bruyère et le vautour fauve le seront à brève échéance. Cependant l'objectif prioritaire est l'arrêt de la dégradation de l'environnement, menacé par la ruine des hameaux et l'émigration des habitants. C'est le seul parc national français dont la zone centrale conserve une population résidante (540 h en 1979).

Des activités touristiques particulièrement bien adaptées aux grands espaces comme la randonnée équestre ou pédestre et le ski de fond, l'accueil dans des maisons paysannes rénovées contribuent à un renouveau.

Réglementations diverses, dans la zone centrale. – Le camping est interdit dans la zone centrale, à l'exception du « camping à la ferme ».

La pêche relève de la réglementation générale (renseignements à la Fédération départementale des A. P. P., Maison de la Pêche, avenue Paulin Daudé, 48000 Mende – ☎ 65.14.10). En revanche la chasse, très strictement réglementée, est réservée aux habitants (consulter l'Association cynégétique du Parc National des Cévennes, avenue Jean-Monestier, 48400 Florac).

Sur de nombreux chemins sont placés des panneaux, réglementant la circulation des véhicules à moteur.

Accueil et information. – Voir sur la carte ci-dessous la localisation des centres d'information du Parc National, points de départ habituels, pendant la saison, de visites guidées d'une journée. *En été, les Syndicats d'Initiative de la région diffusent aussi la documentation du Parc.*

Documentation sur le Parc National. – Carte I.G.N. à 1/100 000 du Parc National des Cévennes ; Carte touristique I.G.N. à 1/25 000, feuille n° 265 : Mont Lozère ; Topos-guides des sentiers de Grande Randonnée traversant la région *(Comité National des Sentiers de Grande Randonnée, 92 rue de Clignancourt, 75883 Paris CEDEX 18).*

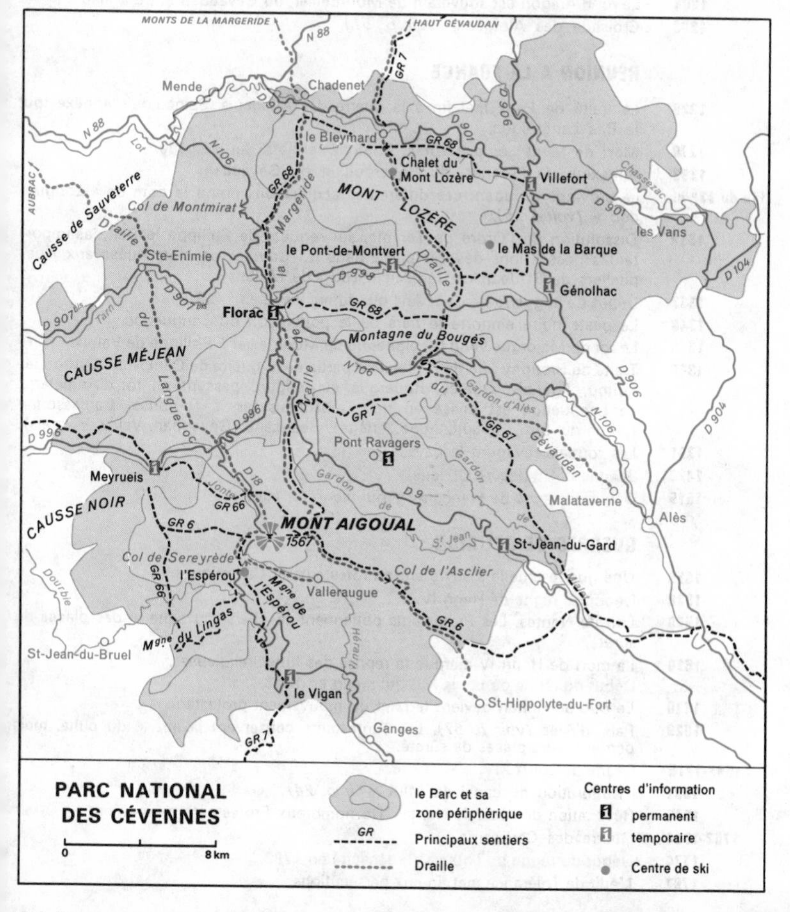

QUELQUES FAITS HISTORIQUES

(en rouge : quelques jalons chronologiques)

AVANT J.-C. **GAULE CELTIQUE ET ROMAINE**

600 Fondation de Marseille par les Phocéens.
6e s. Les Celtes envahissent la Gaule.
560 Agathé (Agde) est fondée par les Phocéens.
3e s. Arrivée des Celtes.
122 Rome s'installe dans ce qui deviendra le Bas Languedoc.
118 Les Romains fondent Narbonne qui deviendra la capitale de la province Narbonnaise.
59-51 Conquête des Gaules par Jules César.
27 Le Bas Languedoc est incorporé à la Gaule Narbonnaise ; les Causses (alors très boisés) font partie de l'Aquitaine.

APRÈS J.-C.
3e s. Le christianisme pénètre dans le pays.
313 Par l'édit de Milan, Constantin accorde aux Chrétiens la liberté du culte.

MOYEN AGE

3e-5e s. Invasion des Alamans, des Vandales, des Wisigoths.
451 Attila est vaincu aux champs Catalauniques (plaines entre Châlons et Troyes).
496 Clovis bat les Alamans à Tolbiac.
507 Les Wisigoths, battus par Clovis à Vouillé, ne conservent que la Septimanie (Carcassonne, Narbonne, Béziers, Agde, Nîmes, Maguelone, Elne).
719 Prise de Narbonne par les Sarrasins.
732 Charles Martel défait les Arabes à Poitiers.
737 Charles Martel reprend la Septimanie aux Wisigoths.
759 Pépin le Bref chasse les Sarrasins et prend Narbonne.
800 Charlemagne est couronné empereur d'Occident.
843 Le traité de Verdun divise l'Empire de Charlemagne : la région s'étendant à l'Ouest du Rhône jusqu'à l'Océan échoit à Charles le Chauve.
877 A la mort de Charles le Chauve, la plupart des grandes maisons princières, qui règneront dans le Midi jusqu'au 13e s., sont fondées. Les comtes de Toulouse possèdent l'ancienne Septimanie et le Rouergue ; le Gévaudan est à la famille d'Auvergne.
987 Hugues Capet est couronné roi de France.
1095 Première croisade.
1112 Le comte de Barcelone devient vicomte de Béziers, d'Agde, du Gévaudan et de Millau.
1204 Le roi d'Aragon est souverain de Montpellier, du Gévaudan et de Millau.
1209 Croisade des Albigeois *(voir p. 51)*.

RÉUNION A LA FRANCE

1229 Le traité de Paris met fin à la guerre des Albigeois. Saint Louis annexe tout le Bas Languedoc.
1270 Mort de Saint Louis à Tunis. Philippe le Hardi lui succède.
1292 Annexion de Pézenas, du Rouergue et du Gévaudan.
Fin du 13e s. La province groupant ces différentes acquisitions prend le nom de « Languedoc » *(voir p. 25)*.
1312 Dissolution de l'Ordre du Temple, sur requête de Philippe le Bel ; les importantes possessions des Templiers dans les Causses sont attribuées aux Hospitaliers de St-Jean de Jérusalem (ou « de Malte »).
1337 Début de la guerre de Cent Ans qui durera jusqu'en 1453.
1348 La peste noire emporte le tiers de la population du Languedoc.
1349 Le roi de Majorque vend la seigneurie de Montpellier à Philippe de Valois.
1360 Traité de Brétigny : fin de la première partie de la guerre de Cent Ans. Saintonge, Poitou, Agenais, Quercy, Rouergue et Périgord passent au roi d'Angleterre. Le Languedoc est divisé en trois sénéchaussées : Toulouse, Carcassonne (partie du Tarn, Hérault, Aude, Ariège), Beaucaire (Gévaudan, Velay, Vivarais).
1361 Les routiers ravagent le pays.
1429 Jeanne d'Arc délivre Orléans.
1515 Début du règne de François 1er qui meurt en 1547.

GUERRES DE RELIGION

1559 Une guerre cruelle s'ouvre entre Protestants et Catholiques.
1589 Début du règne de Henri IV.
1598 Édit de Nantes. Les Protestants obtiennent la liberté du culte et des places de sûreté.
1610 La mort de Henri IV marque la reprise des luttes religieuses.
Début du règne de Louis XIII qui meurt en 1643.
1620 Le duc de Rohan devient le chef du mouvement protestant.
1629 Paix d'Alès *(voir p. 57)*. Les Protestants conservent la liberté du culte, mais perdent leurs places de sûreté.
1643-1715 Règne de Louis XIV.
1681 Inauguration du canal du Midi *(voir p. 24)*
1685 Révocation de l'édit de Nantes. De nombreux Protestants s'expatrient.
1702-1704 Guerre des Camisards.
1774 Début du règne de Louis XVI, décapité en 1793.
1787 L'édit de Tolérance met fin aux persécutions.

ÉPOQUE CONTEMPORAINE

1790 Le Languedoc est divisé en départements.
1839 Début de la construction du réseau ferré : Montpellier est relié à Sète.
1870 Proclamation de la IIIᵉ République le 4 septembre.
1875 Destruction du vignoble languedocien par le phylloxéra.
1907 Insurrection des vignerons en Bas Languedoc *(voir ci-dessous).*
1944 Le massif de l'Aigoual est un foyer important de la Résistance.
1955 Création de la Compagnie Nationale d'Aménagement du Bas-Rhône-Languedoc, chargée de réaliser l'irrigation de la région.
1963 Établissement du plan d'aménagement du littoral Languedoc-Roussillon *(p. 78)*.
1970 Création du Parc National des Cévennes.

La « Prière du Gascon ». – Par ce pamphlet, les Catholiques exprimèrent leur haine pour les Huguenots quand, à la mort de Henri IV en 1610, les deux parties recommencèrent à s'entre-déchirer : « Faites humilier
Cette orgueilleuse Montpellier ;
Faites que Nismes
Tombe en abysme ;
Que Montauban
S'en aille au vent ;
Que la Rochelle
Cette rebelle
Sente votre ire vengeresse... »

Les Dragonnades. – *Voir au Mas Soubeyran, p. 110.* En 1685, à la nouvelle de l'arrivée des dragons en Languedoc, les Protestants abjurèrent en masse. Ils exprimèrent ainsi les raisons de leur reniement : « Pourquoi perdre votre latin
A citer Saint Grégoire, ou bien Saint Augustin ?
Ne citez que Saint Ruth *(1)*, c'est la bonne méthode
Jamais on n'apporta de si fortes raisons :
Tuer, voler et pendre
Sont les trois points de ses sermons. »

Le « Mouvement des gueux » de 1907. – Les viticulteurs du Languedoc en colère donnèrent ce nom à leur révolte de 1907. La surproduction, la concurrence des vins d'Algérie, l'autorisation d'ajouter du sucre au vin et par conséquent de l'eau, entraînèrent la chute des prix. Aussitôt les viticulteurs unirent leurs protestations, animés par Marcellin Albert, un cabaretier d'Argelliers. A l'appel du « Tocsin », le journal des révoltés, plus de 500 000 manifestants se retrouvèrent à Montpellier. A l'instigation de Clemenceau, la répression fut organisée. Le 17ᵉ régiment d'infanterie, composé de jeunes gens de la région, fils de vignerons pour la plupart, requis pour sévir, se mutina à Béziers et fut « transporté » à Gafsa. Marcellin Albert, qui échoua dans sa tentative de conciliation auprès de Clemenceau, fut mal reçu par ses amis et dut s'exiler.

Ce mouvement, commenté par toute la presse sous le titre « Le Midi bouge » accélèra l'organisation d'un Service national de répression des fraudes et aboutit à la création de la Confédération Générale des Vignerons du Midi, qui fit voter des lois permettant le retour à l'apaisement et à la stabilité.

(1) Un des chefs « dragonneurs ».

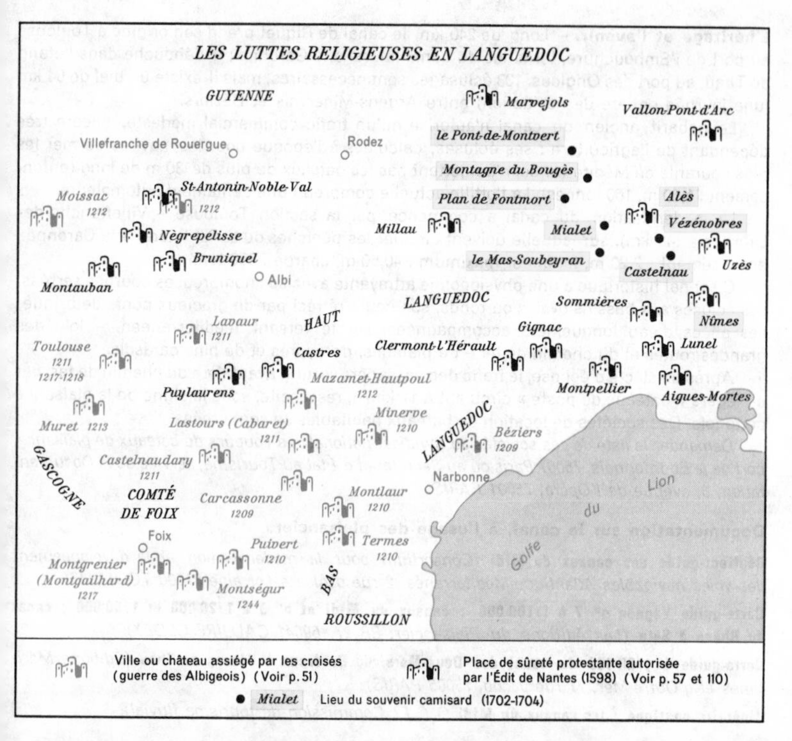

LE CANAL DU MIDI

L'idée de faire communiquer l'Océan et la Méditerranée remonte aux Romains. François Ier, Henri IV, Richelieu font procéder à des études qui n'aboutissent pas. C'est finalement à **Pierre-Paul Riquet,** baron de Bonrepos (1604-1680), fermier de la gabelle de Languedoc, que revient le mérite d'avoir mené à bien cette entreprise.

La construction du port de Sète *(p. 149)*, du vivant de Riquet, l'ouverture, au 19e s., du canal du Rhône à Sète et du canal latéral à la Garonne ont parachevé son œuvre.

L'œuvre d'un seul homme. – Dans les projets de construction d'un canal « des Deux Mers », le franchissement du seuil de Naurouze, à 194 m d'altitude, était un obstacle que ne parvenaient pas à surmonter les prédécesseurs de Riquet. En explorant le site dans tous ses détails, cet homme de réflexion trouva la solution : au seuil de Naurouze sourdait la fontaine de la Grave (disparue après les travaux) dont les eaux se séparaient immédiatement en deux ruisseaux coulant l'un vers l'Ouest, l'autre vers l'Est. Il suffisait donc d'accroître ce flot pour constituer un bief de partage suffisamment alimenté, permettant l'aménagement d'écluses sur l'un et l'autre versant. Pour ce faire, Riquet eut l'idée d'utiliser le réseau hydrographique de la Montagne Noire. Avec l'aide du fils d'un fontainier de Revel, il capta et amena les eaux de l'Alzeau, de la Vernassonne, du Lampy et du Sor.

En 1662, il réussit à intéresser Colbert à son projet. L'autorisation est accordée en 1666. Durant quatorze ans, 10 000 à 12 000 ouvriers sont au travail. Riquet engloutit dans cette œuvre gigantesque le tiers des dépenses des travaux, soit plus de 5 millions de livres, contractant les emprunts les plus onéreux, sacrifiant les dots destinées à l'établissement de ses filles. Épuisé, il meurt en 1680, six mois avant l'inauguration du canal. C'est seulement en 1724 que ses descendants, enfin libérés du passif de l'entreprise, commenceront à en tirer quelque profit. Rétablis dans leurs droits sous la Restauration, à l'exception des droits féodaux abolis, les représentants de la famille consentent en 1897 au rachat, par l'État, du canal, désormais administré sous le régime du service public.

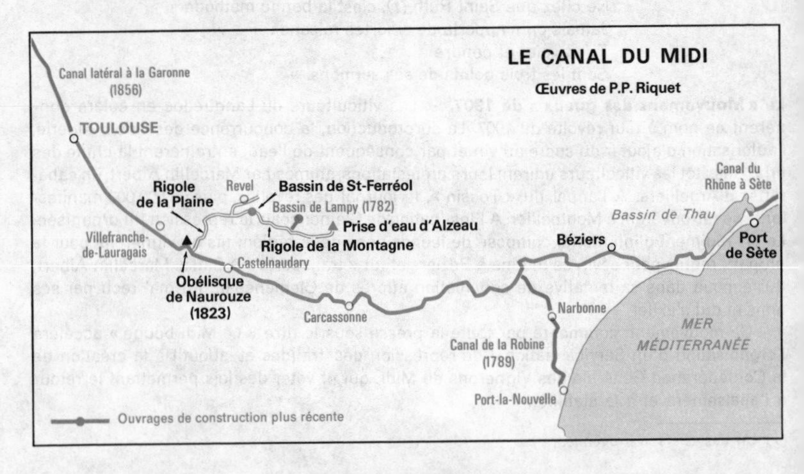

L'héritage et l'avenir. – Long de 240 km, le canal de Riquet prend son origine à Toulouse au port de l'Embouchure, terminus du canal latéral à la Garonne ; il débouche dans l'étang de Thau, au port des Onglous. 103 éclusages sont nécessaires, mais il existe un bief de 54 km (une journée entière de navigation) entre Argens-Minervois et Béziers.

Le gabarit ancien du canal n'autorise qu'un trafic commercial modeste, encore très dépendant de l'agriculture : ses écluses, calculées à l'époque pour les navires de mer les plus courants en Méditerranée, n'admettent pas les bateaux de plus de 30 m de long (enfoncement : 1,60 m, 160 tonnes). La flottille actuelle comprend une centaine d'automoteurs.

La modernisation du canal a commencé par la section Toulouse – Villefranche-de-Lauragais (43 km), sur laquelle doivent circuler les péniches du canal latéral à la Garonne : enfoncement : 2,20 m, longueur maximum : 40,50 m, charge : 350 tonnes.

Ce canal historique a une physionomie attrayante avec ses nombreuses courbes serrées, ses écluses aux bassins ovales ou ronds. son cours rétréci par de gracieux ponts de brique, ses allées d'eau longuement accompagnées, sur le versant méditerranéen, – loin des grandes routes et du chemin de fer – de platanes, de cyprès et de pins parasols.

Après un siècle d'éclipse, le trafic des passagers assuré, avant l'ère du chemin de fer, par de légers « bateaux de poste » circulant à 11 km/h, ressuscite, sous le signe de la plaisance cette fois. Des sociétés de location de bateaux habitables se sont créées.

Demander la liste de ces sociétés au Syndicat national des Loueurs de bateaux de plaisance, port de la Bourdonnais, 75007 Paris ou au Secrétariat d'État au Tourisme, service de la Documentation, 8, avenue de l'Opéra, 75001 PARIS.

Documentation sur le canal, à l'usage des plaisanciers

Dépliant-guide des canaux du Midi *(Consortium pour la modernisation et le développement des voies navigables Atlantique-Méditerranée, 2 rue d'Alsace-Lorraine 31000 TOULOUSE).*

Carte-guide Vagnon n° 7 à 1/100 000 : canaux du Midi et n° 9 à 1/20 000 et 1/50 000 : canal du Rhône à Sète *(Les éditions du Plaisancier, BP 27, 69641 CALUIRE CEDEX)*

Carte-guide à 1/50 000 du canal des Deux-Mers, de Bordeaux à l'étang de Thau *(Éditions Maritimes et d'Outre-Mer, 77 rue Jacob, 75006 PARIS)*

Itinéraire nautique : les canaux du Midi *(T.C.F., Commission de tourisme fluvial).*

LES LETTRES

Le terme Languedoc est né au 13e s. d'une formule employée par les fonctionnaires du roi pour désigner l'ensemble des terres où se parlait la langue d'Oc.

La langue d'Oc

De la fusion du latin parlé par les Romains, avec la langue parlée en Gaule avant l'invasion, a résulté un groupe de langues appelées « romanes ». Le groupe se divise en langue d'Oïl et langue d'Oc, ainsi nommées pour la façon dont on disait « oui » en chacune d'elles.

Approximativement, la langue d'Oc était en usage au Sud d'une ligne qui, partant du confluent de la Garonne et de la Dordogne, remonterait vers Angoulême, passerait à Guéret, Vichy, St-Étienne, Valence, jusqu'à la frontière italienne.

Plusieurs dialectes la composent : le limousin, l'auvergnat, le provençal, le languedocien et le gascon. Du 11e s. au 13e s., elle fut la langue raffinée et poétique, utilisée par les troubadours dans les cours seigneuriales.

Avec la croisade des Albigeois (1209) et son cortège de malheurs pour les provinces méridionales, commence l'agonie de la langue d'Oc. En 1323, quelques poètes toulousains de bonne volonté tentent sa réhabilitation en instaurant les Jeux Floraux, concours poétiques destinés à maintenir la tradition médiévale. Le coup de grâce lui est porté en 1539 par l'**édit de Villers-Cotterêts** qui impose, pour les actes administratifs, l'usage du français, c'est-à-dire du dialecte d'Ile-de-France tel qu'on le parlait à Paris. Elle connaît une renaissance en 1819 quand Rochegude publie quelques poèmes originaux du Moyen Age. En 1854, le Félibrige, en réformant l'orthographe du provençal, témoigne d'une volonté de renouveau *(voir le guide Vert Michelin Provence)*. L'« Escola Occitana » (créée en 1919) et l'Institut d'Études Occitanes (créé en 1945) se sont fixé pour but la diffusion d'une réforme linguistique concrétisée par une orthographe normalisée compatible avec tous les parlers d'Oc.

L'accent méridional, qui fait retentir à travers tout le Languedoc de sympathiques sonorités, porte encore les traces de la belle langue colorée que fut la langue d'Oc.

Les troubadours

Avec le 11e s. finit le temps où la femme était considérée comme la « souveraine peste », la « sentinelle avancée de l'Enfer » et où le seigneur ne faisait que de rares apparitions au château, tout occupé qu'il était au dehors par ses combats et ses tournois. Le seigneur chevalier, de guerrier devient courtois. La simple baraque en bois entourée de fossés qui lui servait d'habitation se transforme en demeure élégante où la châtelaine brille par son esprit. Les jongleurs sont de toutes les fêtes, récitant des chansons apprises par cœur. Des cours méridionales vient alors l'idée de s'entourer de poètes capables de « trouver » eux-mêmes leurs chansons ; pour cela on les appela « troubadours ».

Certains sont princes. D'autres sont pauvres. Mais tous chantent un thème unique : l'amour pur et courtois, inspiré par une femme idéalisée. **Jaufré Rudel**, prince de Blaye, « s'enamoura de la comtesse de Tripoli sans la voir... ». **Bernard de Ventadour**, fils d'un serviteur du comte de Ventadour, est admis dans l'aréopage littéraire du château : amoureux de la vicomtesse, il doit fuir et se réfugier auprès de la reine d'Angleterre Eléonore d'Aquitaine. **Peire Vidal** est un extravagant ; pour approcher une dame que l'on surnomme « la louve », il se déguise en loup et est attaqué par les chiens. Peu s'en fallut qu'il succombât à ses blessures. Quand son lyrisme devient délirant, il compare un regard à la flèche « forgée au feu d'amour, trempée de douce saveur ». Des assemblées de nobles dames (les cours d'amour) résolvent les litiges survenus entre les amants ; les sentences qu'elles rendent leur sont dictées par un ouvrage d'André Le Chapelain « l'Art d'aimer », véritable code de l'amour chevaleresque. Dans ce recueil de jurisprudence galante, Le Chapelain cite, entre autres, ce jugement rendu par Ermengarde de Narbonne, à la fin du 12e s. : « La survenance du lien marital n'exclut pas de droit le premier amour ».

(D'après photo Bibliothèque Nationale.)

Peire Vidal, de Toulouse (manuscrit du 13e s.).

Littérature d'aujourd'hui

Ferdinand Fabre (1827-1898). – Né à Bédarieux. Il a exprimé ses souvenirs languedociens dans de nombreux romans situés à Lamalou-les-Bains, St-Pons, Lodève, dans l'Espinouse et le Larzac : « Les Courbezon » (1862), « L'abbé Tigrane » (1873), « Taillevent » (1895).

Paul Valéry (1871-1945). – Né et inhumé à Sète, figure aux premiers rangs de la littérature française *(voir p. 149)*.

Joseph Delteil (1894-1978). – Personnalité originale ; retiré aux environs de Montpellier. Il fut une des « lumières » du Surréalisme.

André Chamson (1900). – Né à Nîmes, a été élu membre de l'Académie Française en 1956. Ses ouvrages racontent surtout l'Aigoual.

Jean-Pierre Chabrol (1925). – Conteur passionnant d'histoires cévenoles.

Jean Carrière (1932). – Il a reçu, en 1972, le prix Goncourt de littérature pour son roman « L'Épervier de Maheux » qui dépeint la dure réalité des Cévennes.

VIE ÉCONOMIQUE

AGRICULTURE

L'élevage des ovins et des bovins prédomine à l'intérieur du pays tandis que le Bas Languedoc est quasi totalement occupé par la vigne et quelques cultures fruitières.

Élevage

Les Garrigues, les Causses, les crêtes des Cévennes aux maigres pâtures, les hautes pelouses du mont Lozère et de la Margeride ainsi que les monts de Lacaune, le plateau du Lévézou et le bassin de Camarès sont le domaine du mouton. Dès l'arrivée des beaux jours, les troupeaux du Bas Languedoc quittent leurs herbages desséchés pour monter vers les Cévennes et les Causses : c'est la transhumance. Pendant des siècles ils ont emprunté les mêmes routes, les **drailles** *(voir carte p. 21)*, pistes jalonnées de gîtes d'étape pour la restauration des bergers et le repos des animaux ; aujourd'hui leur transport s'effectue surtout par camions. Jusqu'à la fin d'octobre, ils vivent en plein air sous la surveillance des bergers et de quelques chiens. Les troupeaux de moutons qui paissent sur les Causses et dans les Cévennes ont déterminé trois grandes industries : la fabrication du fromage de Roquefort, l'industrie lainière et le travail des peaux.

L'élevage ovin. – L'effectif, essentiellement constitué par la race Lacaune *(voir p. 103)* est représenté en 1981 par près de 900 000 brebis, soit environ 10 % de l'effectif français.

La brebis vaut surtout pour ses aptitudes laitières. Les agneaux donnent une viande réputée, connue sous le nom d'« agneau de Nîmes ». Autour de Mazamet, la race de la Charmoise, isolée parmi la race de Lacaune, est élevée pour ses aptitudes à la production de viande.

L'élevage bovin. – Le cheptel bovin, chiffré aux environs de 600 000 têtes à la fin de l'année 1980, représente une part intéressante du troupeau national, évalué à 23 219 000 têtes cette même année. Il n'y a guère qu'en Lozère et en Aveyron qu'on rencontre encore la robuste race d'Aubrac, en déclin, tandis que la « Brune des Alpes » se rencontre surtout en Montagne Noire. Cette race, d'origine suisse, apparue en France vers 1830, peupla la région de Castres et Mazamet dès 1850. Elle présente de bonnes aptitudes laitières et de boucherie.

Le « Bleu des Causses » est fabriqué à partir du lait de vache dans les environs de Millau. Des caves de Peyrelade sortent chaque année 2 000 à 2 300 t de fromage.

En fonction depuis 1964, l'usine d'**Onet-le-château**, près de Rodez, transforme quotidiennement de 450 000 à 500 000 l de lait en produits laitiers de consommation.

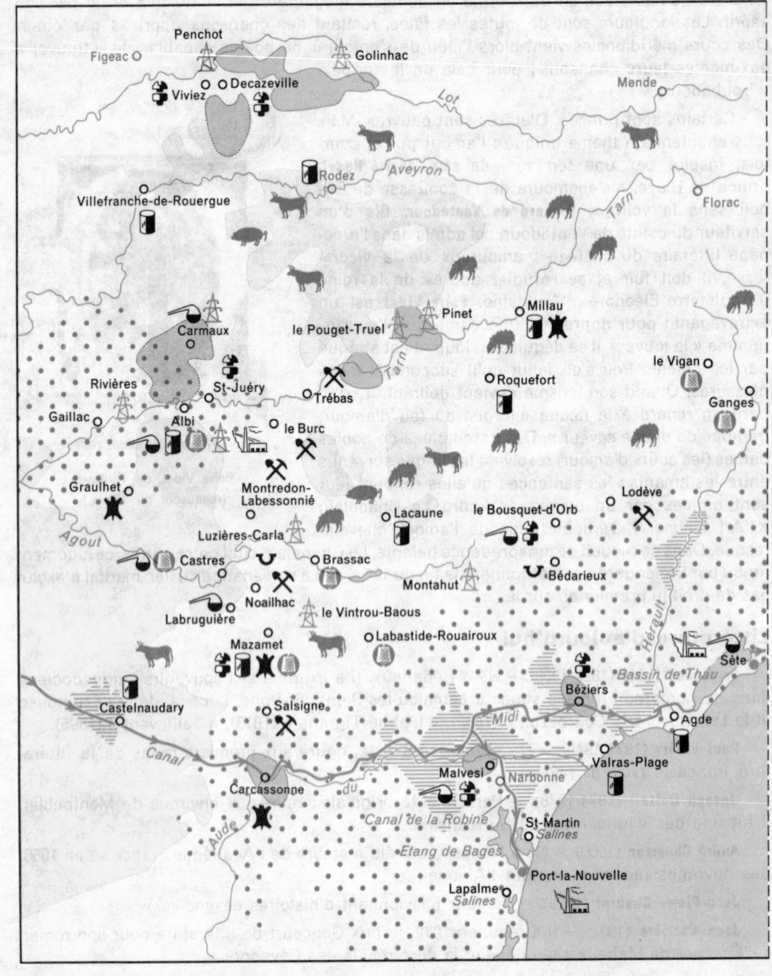

Pêche

Elle fait vivre toute une population de pêcheurs languedociens. Embarqués sur plus de 1 000 navires, 1 760 marins ont débarqué, en 1980, 1 340 t de poissons, 412 t de coquillages et 878 t de mollusques.

Deux importantes pêches saisonnières se pratiquent également le long du littoral languedocien : la pêche au thon de mars à décembre, la pêche à la sardine de février à octobre.

L'exploitation des étangs littoraux est aussi très active (1 200 marins s'y adonnent) ; on y pêche principalement des anguilles, mulets, loups, daurades et palourdes.

Sur la rive Nord de l'étang de Thau, la culture des huîtres et des moules a pris un important développement *(détails p. 152)* : en 1980, la production s'élève à 3 320 t d'huîtres et 5 110 t de moules. On déguste ces fruits de mer arrosés de vin blanc de la région : clairette de la plaine de l'Hérault et Picpoul des coteaux de Thau.

Vigne

Sur la plaine littorale et les pentes des coteaux calcaires, la vigne s'étale à perte de vue. Elle a chassé peu à peu l'olivier, les céréales et les prairies. Cette monoculture n'est pas sans danger. En 1875, le phylloxéra causa un véritable désastre. Le vignoble fut reconstitué par greffage de cépages français sur des plants importés d'Amérique résistant à l'insecte parasite des racines.

Au début du siècle est inaugurée à Maraussan, près de Béziers, la première cave-coopérative du Languedoc.

Le vignoble languedocien des départements de l'Aude, du Gard et de l'Hérault produit 28,8 millions d'hectolitres de vin et fournit 60 % des vins de table français. Le cépage de base est le Carignan ; l'Aramon, au rendement important mais de faible degré, est en régression.

La création du grand **canal du Bas Rhône-Languedoc**, long de 180 km, l'aménagement du Gard, de l'Hérault, de l'Orb et de leurs affluents permettent l'irrigation des terres languedociennes et favorisent la diversité des cultures.

Des résultats encourageants ont été obtenus sur la « Costière du Gard », à l'Est de Montpellier et dans le département de l'Aude : développement des cultures maraîchères et fruitières, principalement celle du pommier greffé avec des variétés américaines (golden) et celle du pêcher.

Dans les sables littoraux autour du Grau-du-Roi et de Villeneuve-lès-Maguelonne, sur les coteaux qui dominent la moyenne vallée de l'Hérault, dans la Vaunage (à l'Ouest de Nîmes), sur la « Costière du Gard » aussi, on cultive des raisins de table (Chasselas, Alphonse Lavallée, Servant, etc.).

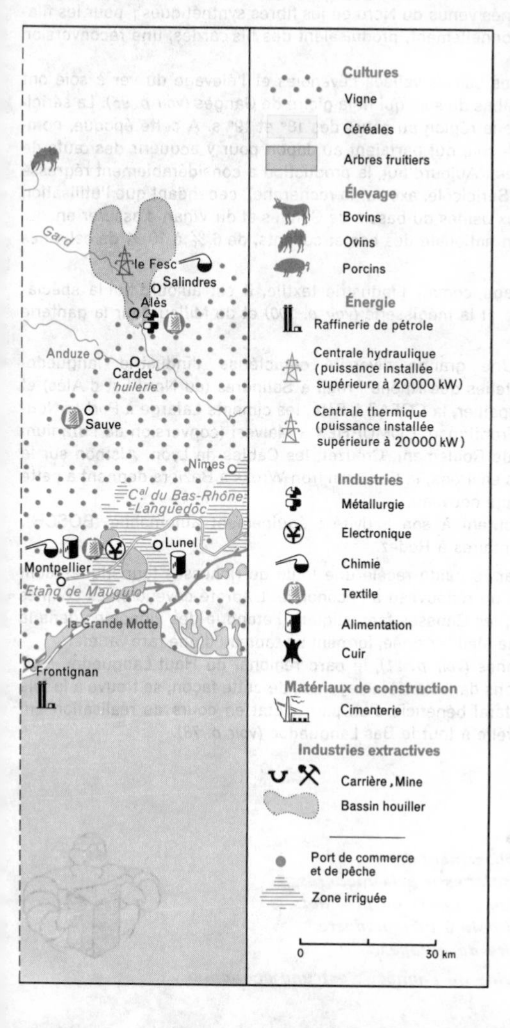

Cependant l'économie régionale reste fragile ; toute mévente du vin crée de redoutables crises. Des remèdes à longue échéance sont proposés : remplacement des cépages à rendement élevé par des cépages de qualité, organisation rationnelle des stockages en coopératives afin d'éviter les conséquences d'une récolte trop ou trop peu abondante, amélioration des équipements de vinification, encouragement aux groupements de producteurs, etc.

Les vins. — Qu'il s'agisse des vins de Gaillac *(détails p. 94)* ou des vins de la plaine languedocienne, tous méritent l'hommage du passant. Citons entre autres les vins rouges fruités de l'Hérault, notamment ceux de St-Georges d'Orques qui atteignent leur maturité après leur troisième année, ceux de St-Chinian et, non loin de Narbonne, les vins blancs délicats de Quatourze. Ceux du Minervois, rouges, rosés et blancs sont tout pareillement estimés.

Le muscat. — Le muscat aurait été importé par les Romains dans la Gaule narbonnaise. Le sol pierreux des coteaux environnant Lunel et Frontignan se prête particulièrement bien à cette culture et donne aux vins une qualité remarquable, propre à leur assurer une large réputation.

Le muscat, gloire de la région, a été chanté ainsi par Paul Géraldy :

« Aujourd'hui, des Messieurs austères
Boivent des vins secs en grognant ;
C'est un goût qui vient d'Angleterre...
Le vin qui réchauffait Voltaire
C'est le Muscat de Frontignan. »

Vins de liqueur et apéritifs. – A côté du muscat, la région produit quelques vins de liqueurs soigneusement élevés mais moins prestigieux que les portos, les madères et les malagas qu'ils rappellent parfois. On part de la « blistelle », vin doux et sans bouquet dont la fermentation a été artificiellement arrêtée. Cette blistelle additionnée d'infusions, ensemencée de ferments, puis vieillie, donne toute la gamme des vins de liqueurs exotiques.

Les apéritifs, tels que quinquina ou vermouth, sont à base de vin.

INDUSTRIE

Bassins houillers. – Les bassins houillers du Midi de la France ont fixé au 19e s. les foyers régionaux de la grande industrie. Ceux-ci devraient garder une vocation industrielle, même après l'arrêt de l'extraction, envisagée pour la prochaine décennie.

Les houillères de Carmaux et de Decazeville – ces dernières exploitées uniquement à ciel ouvert – sont à l'origine d'une industrie métallurgique représentée surtout par les Forges et Aciéries du Saut du Tarn à St-Juéry et, dans l'Aveyron, par la société d'exploitation sidérurgique de Decazeville. Mais l'épuisement du gisement et la concurrence des produits pétroliers les vouent à la régression. Avec près de 1 million de tonnes en 1980, leur production, en grande partie convertie en courant électrique et en coke, a représenté encore quelque 5 % du tonnage de houille extrait en France et elles emploient encore un peu moins de 3 000 mineurs.

L'exploitation du gisement des Cévennes (bassins d'Alès dans le Gard et de Graissessac dans l'Hérault) est désormais assurée par des « découvertes ».

Textile. – Son âge d'or se situe au 18e s. quand, des manufactures et des ateliers des paysans des Cévennes, des Causses et de la Montagne Noire, sortaient des tissus renommés, vendus dans les foires de Bordeaux, de Pézenas, de Beaucaire ou expédiés vers l'Allemagne et l'Orient.

Actuellement, l'industrie textile subsiste dans les centres de Mazamet qui a trouvé un débouché dans le délainage *(voir p. 111)*, de Castres, spécialisé dans la fabrication de draps lourds et la bonneterie *(voir p. 69)*.

Les impératifs de l'économie contemporaine contraignent les usines de tissage et de bonneterie à utiliser les fils peignés venus du Nord ou les fibres synthétiques ; pour les filatures de cette région qui, traditionnellement, produisaient des fils cardés, une reconversion est parfois nécessaire.

La culture du mûrier dans les basses vallées cévenoles et l'élevage du ver à soie ont donné naissance à l'industrie du bas de soie qui fit la gloire de Ganges *(voir p. 95)*. La sériciculture a assuré la prospérité de la région au cours des 18e et 19e s. A cette époque, nombreux étaient les producteurs de soie qui partaient au Japon pour y acquérir des œufs de vers à soie de qualité (les graines). Aujourd'hui, la production a considérablement régressé (seul subsiste en Alès l'Institut Séricicole, axé sur la recherche), cependant que l'utilisation de fibres synthétiques permet aux usines du bassin de Ganges et du Vigan d'assurer encore de 23 % à 25 % de la production nationale des bas et collants, de 6 % à 10 % de celle des chaussettes.

Travail du cuir. – Né de l'élevage, comme l'industrie textile, il est aujourd'hui la spécialité de Graulhet pour la tannerie et la mégisserie *(voir p. 100)* et de Millau pour la ganterie *(voir p. 114)*.

L'industrie, aujourd'hui. – Une grande diversité caractérise l'industrie languedocienne. L'installation de firmes telles que Rhône Progil à Salindres (au Nord-Est d'Alès) et à Balaruc-les-Bains, IBM à Montpellier, la COFAZ à Sète, les ciments Lafarge à Port-la-Nouvelle, Sète et Albi, Mobil Oil à Frontignan, COMURHEX à Malvesi (conversion de l'uranium en métal) la Société Nationale de Roulement, Crouzet, les Câbles de Lyon, Alsthon sur le bassin minier à Alès ou dans les environs, la Cameron Iron Wroks à Béziers donnent à cette région peu industrialisée un visage nouveau.

Des industries annexes ajoutent à son activité : équipement automobile (BOSCH), luminaire, industries agro-alimentaires à Rodez.

Tourisme. – La région décrite par ce guide recèle une foule de richesses touristiques dont la mise en valeur peut apporter un renouveau à l'économie. L'âpreté cévenole, les collines amènes de la plaine albigeoise, les Causses fantastiques, l'étendue des vignobles dans la basse vallée de l'Aude, jusqu'à la Méditerranée, forment un tableau d'une rare variété.

Le parc national des Cévennes *(voir p. 21)*, le parc régional du Haut Languedoc *(voir p. 87)* sont d'heureuses réalisations dans l'arrière-pays qui, de cette façon, se trouve à la fois protégé et mis en valeur. Le littoral bénéficie d'un plan d'État en cours de réalisation qui doit donner une impulsion nouvelle à tout le Bas Languedoc *(voir p. 78)*.

LES ARTS

L'HÉRITAGE DE LA PRÉHISTOIRE ET DE L'ANTIQUITÉ

Les Causses et les Cévennes sont riches en témoins des civilisations du néolithique.

Mégalithes. – Sous ce nom de « grandes pierres », on comprend les dolmens, les menhirs, les allées couvertes, les alignements et les cromlechs (ensemble de menhirs délimitant une surface). Le département de l'Aveyron possède la plus forte concentration de dolmens existant en France ; le Gard, la Lozère, et l'Hérault en recèlent de nombreux. Les menhirs, plus rares, sont toutefois présents, dans le Gard et l'Aveyron notamment. Les savants considèrent les premiers mégalithes comme légèrement antérieurs à l'âge du bronze (début : 1800 ans avant J.-C. environ).

Les menhirs. — Gigantesques blocs de pierre profondément fichés en terre, ils avaient probablement une signification symbolique. Les statues-menhirs trouvées dans le Sud de l'Aveyron et exposées pour la plupart au musée Fenaille de Rodez *(voir p. 140)* en témoignent. La déesse sculptée trouvée à St-Sernin-sur-Rance est un des plus beaux exemples.

La présence de ces monuments est à l'origine de noms de lieux tels que « Pierre Plantée », « Pierrefitte » ou « Pierrefiche ».

Les dolmens. — Composés de pierres de soutien et d'une table disposée horizontalement, ils auraient servi de tombeaux. Certains étaient, à l'origine, enfouis sous des tumulus, buttes de terre et de pierres.

Les auteurs des énigmatiques monuments mégalithiques pourraient être un peuple venu par mer, qui aurait enseigné aux indigènes la manière d'ériger de tels blocs. Un travail collectif et une technique avancée ont été nécessaires ; l'usage du plan incliné, du fil à plomb, de rouleaux pour transporter les pierres dont le poids atteint jusqu'à 350 t et la construction de routes supposent une grande habileté. Simple comparaison : la mise en place (en 1836) de l'obélisque de Louqsor, place de la Concorde à Paris, fut considérée comme un exploit ; or ce monument ne pèse que 220 t.

L'âge des métaux. – De l'âge du bronze et de celui du fer datent les belles coupes aux formes élégantes et les bijoux que l'on admire au musée Ignon Fabre, à Mende *(p. 113)*.

L'âge gallo-romain. – Les poteries de la Graufesenque, fabriquées près de Millau au 1er s. après J.-C., furent célèbres dans le monde romain *(détails p. 114)*.

Vers la même époque, Banassac était réputée pour la qualité de ses terres cuites *(détails p. 67)*.

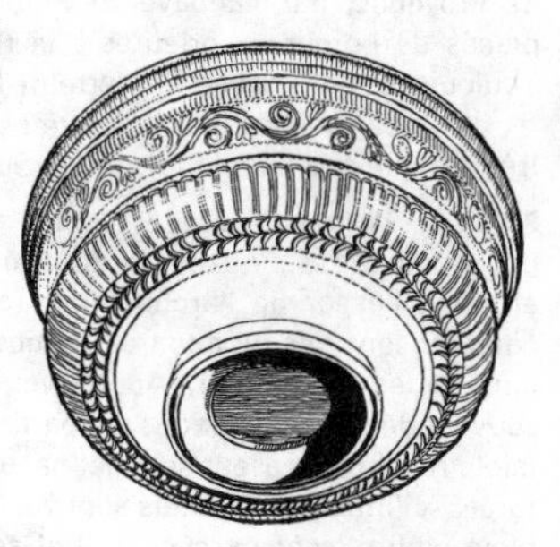

(D'après photo L. Balsan.)

Un vase de la Graufesenque.

CHATEAUX ET REMPARTS

Les vestiges militaires du Moyen Age abondent en Languedoc. La guerre des Albigeois, les compagnies de routiers qui ravagèrent le pays pendant la guerre de Cent Ans, la proximité de la Guyenne qui resta sous domination anglaise jusqu'en 1453, incitèrent les seigneurs à organiser leur défense. Ils construisirent leurs châteaux à l'entrée des canyons ou sur des rocs abrupts. Le versant méridional de la Montagne Noire était hérissé de forteresses ; réduites en ruines, elles continuent de donner au paysage un aspect de grandeur sévère.

Pour les prendre, Simon de Montfort *(voir p. 53)* dut souvent soutenir contre elles de longs sièges. A Minerve *(p. 115)* c'est le manque d'eau qui fit capituler les assiégés. Lastours *(p. 118)*, exemple original de châteaux groupés, ne se soumit qu'en échange de nombreux territoires.

Tous ces châteaux, datant des 12e et 13e s., sont dépourvus de pont-levis et de fossés qui apparurent au 14e s. ; d'ailleurs, leur position imprenable les dispensait de ces procédés de défense. Après avoir gravi un sentier tortueux, on pénétrait dans la forteresse par une porte étroite et surélevée accessible par une échelle.

Les tours de guet isolées, en bordure de la mer ou en montagne pour garder les cols et les gués, étaient le complément indispensable des châteaux forts. Le guetteur communiquait par signaux (feux la nuit, fumée le jour) avec les châteaux environnants.

Enfin le Languedoc a conservé presque intactes quelques villes fortifiées comme la Couvertoirade, dont l'enceinte fut édifiée au milieu du 15e s. *(voir p. 80)*, Ste-Eulalie de Cernon *(voir p. 85)*, Carcassonne *(voir le guide Vert Michelin Pyrénées)*, Aigues-Mortes *(voir le guide Vert Michelin Provence)*.

(D'après photo Combier, Mâcon.)

La Couvertoirade.

Les bastides. – En 1152, Eléonore d'Aquitaine épouse en secondes noces Henri Plantagenêt, comte d'Anjou et suzerain du Maine, de la Touraine et de la Normandie. Leurs domaines réunis sont aussi vastes que ceux du roi de France. Quand deux mois plus tard Henri Plantagenêt devient, par héritage, roi d'Angleterre sous le nom de Henri II, l'équilibre est rompu et la lutte franco-anglaise qui s'engage durera trois siècles. Les bastides furent créées au 13e s. par les rois de France et d'Angleterre, qui pensaient ainsi consolider leur position et justifier leurs prétentions à la possession du pays.

Les bastides, tant anglaises que françaises, sont bâties suivant un plan géométrique – sauf exceptions dues aux contraintes du relief –, souvent en échiquier ; leurs rues rectilignes se coupent à angle droit. Au centre de la ville, l'unique place est entourée d'arcades, les « couverts », qui, parfois, ne ménagent aux angles que l'interstice des « cornières » (Lisle-sur-Tarn, Sauveterre-de-Rouergue).

Dans le cadre de la région décrite Villefranche-de-Rouergue évoque bien, encore, cette étonnante époque de « villes nouvelles » (13e et 14e s.).

ARCHITECTURE RELIGIEUSE

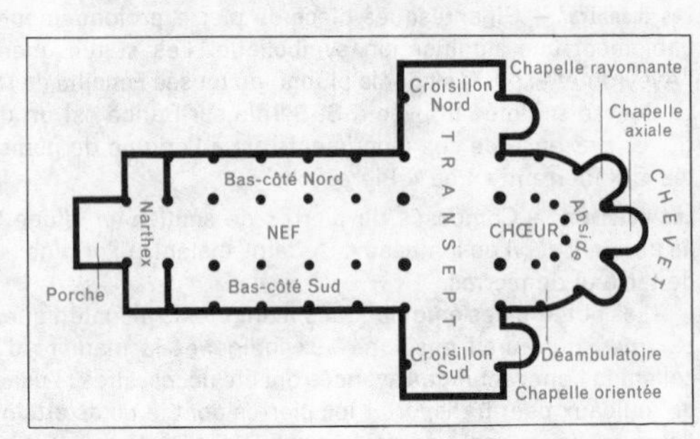

A l'intention des lecteurs peu familiarisés avec les termes employés en architecture, nous donnons ci-contre le plan-type d'une église qui leur permettra de prendre encore plus d'intérêt à la visite des monuments religieux.

Art roman. – Le Languedoc, terre de passage, subit diverses influences : de l'Auvergne par l'église Ste-Foy de Conques ; de Provence, par l'abbaye St-Victor de Marseille sous la dépendance de laquelle furent placés de nombreux prieurés à la fin du 11e s ; d'Aquitaine par la basilique St-Sernin de Toulouse et par l'église St-Pierre de Moissac.

Le grès rougeâtre ou grisâtre est employé dans le Rouergue de préférence au schiste, très difficile à tailler ; tandis qu'au Sud, la brique et la pierre s'accordent harmonieusement.

Premiers édifices romans. – Ils apparurent au début du 11e s., quand la prospérité de l'Église entraîna l'essor de l'architecture religieuse. Ils se caractérisent par un appareil rustique fait de moellons mêlés au mortier. Au chevet, les murs sont souvent décorés de bandes lombardes, jambages en faible relief reliés à leur sommet par une suite d'arcatures. A l'intérieur, les nefs sont voûtées en berceau plein cintre *(schéma ci-contre)* et se terminent par une abside voûtée en cul-de-four (quart de sphère). Adoptée un peu plus tard, la voûte d'arêtes est formée par l'intersection de deux voûtes en berceau ; elle a souvent été employée dans les cryptes et les bas-côtés. L'aspect général est austère, les fenêtres fortement ébrasées sont rares et étroites. En effet, les lourdes voûtes de pierre tendaient à écraser les murs. Il fallait donc réduire au minimum les fenêtres et édifier, jusqu'à la retombée des voûtes, des bas-côtés destinés à épauler et à soutenir la nef.

Voûte en berceau plein cintre.
1. Voûte. — 2. Doubleau étayant la voûte.

Les églises de Las Planques *(p. 164)*, d'Ambialet *(p. 58)*, de St-Guilhem-le-Désert *(p. 143)* sont des exemples parmi d'autres de cette époque.

Les églises romanes du Gévaudan au Bas Languedoc. — Les plans sont d'une grande variété : l'abbatiale de Quarante a trois nefs, l'église de Rieux-Minervois est bâtie sur un plan centré. Cependant la nef unique prédomine et, à la fin du 11e s., les grands édifices eux-mêmes (la cathédrale de Maguelone, St-Etienne d'Agde, l'abbatiale de St-Pons) l'adoptent.

A l'extérieur, la robustesse des murs renforcés par des arcades, la sobriété, sont des apports provençaux.

A l'intérieur, le déambulatoire et les chapelles rayonnantes, caractéristiques des églises de pèlerinage telles Ste-Foy de Conques ou St-Sernin de Toulouse, demeurent rares dans les églises rurales moins riches.

Le chevet à pans coupés est un héritage provençal, de même que les colonnes géminées. Celles-ci sont employées systématiquement à l'abbatiale St-Pierre de Nant et à Castelnau-Pégayrols.

L'œuvre sculpté est magnifiquement représenté par l'église Ste-Foy de Conques, joyau de la sculpture romane du 12e s. *(voir p. 74)*. Plus modestes, le portail de l'église St-Michel de Lescure, inspiré de celui de Moissac, les chapiteaux de l'église St-Amans de Rodez, ceux de Nant et de Castelnau-Pégayrols ne sont pas moins dignes d'intérêt.

Art gothique. – Il se caractérise par la voûte sur croisée d'ogives et l'emploi systématique de l'arc brisé *(schéma page ci-contre)*. La voûte sur croisée d'ogives bouleverse l'art de construire. Désormais l'architecte dirige les poussées de l'édifice sur les quatre piliers par les arcs ogifs, les formerets et les doubleaux et les reçoit extérieurement sur des arcs-boutants. Ainsi les murs ne subissent plus d'efforts qu'aux points de retombée des ogives.

Le Midi de la France n'a pas adopté les principes de l'art gothique septentrional ; l'art nouveau reste étroitement lié aux traditions romanes. La voûte d'ogives n'apparaît qu'à la fin du 12e s. Il n'y a guère que la cathédrale de Rodez et le chœur de celle de Narbonne qui aient été construits en style gothique « français ». Au 13e s., un **art gothique proprement méridional** dit « languedocien » se développe, caractérisé par l'emploi de la brique et souvent la présence d'un clocher-mur ou d'un clocher-tour, ajourés d'arcs en mitre, inspirés de N.-D. du Taur de Toulouse ou des étages supérieurs de celui de la basilique St-Sernin. A l'intérieur, une nef unique, très large et terminée par une abside polygonale plus étroite, est bordée de chapelles peu profondes. L'ampleur de la nef, permettant le rassemblement des foules, servait bien la prédication, l'une des missions confiées aux ordres mendiants (dominicains et franciscains) installés à Toulouse depuis 1215.

Les vastes surfaces aveugles des murs appellent la décoration peinte.

La cathédrale Ste-Cécile d'Albi est le chef-d'œuvre de cet art gothique méridional.

La sculpture gothique est illustrée par les statues du chœur de Ste-Cécile, par la Mise au tombeau et la Pietà de la chapelle St-Jacques de Monestiés.

Voûte sur croisée d'ogives.

1. Arc ogif. — 2. Doubleau. — 3. Formeret. 4. Arc-boutant.

Églises fortifiées. – Les plus remarquables se trouvent en Languedoc. Les premières surgissent au 12e s. A cette époque, les contrées à proximité de la mer doivent se défendre des incursions barbaresques ; l'église constitue un refuge tout désigné pour les populations et leurs biens.

Églises romanes. – Elles sont essentiellement représentées par la cathédrale de Maguelone, l'abbatiale de St-Pons et St-Etienne d'Agde. Fortifiées au moment de leur construction, toutes sont pourvues de baies étroites faisant office de meurtrières et couronnées de mâchicoulis sur arcs bandés entre les contreforts. Ce procédé, employé dès la fin du 12e s. dans les édifices méridionaux, remplace avantageusement les mâchicoulis ménagés dans les hourds de bois. La présence de tours fortifiées accentue leur caractère de forteresse.

Églises de style ogival. – Aux 13e et 14e s., on continua de fortifier les églises, même après la disparition du danger cathare, comme le démontre la cathédrale Ste-Cécile d'Albi, la plus originale de toutes.

Les églises fortifiées s'intègrent quelquefois aux murs d'enceinte de la ville comme à Rodez où la façade occidentale de la cathédrale Notre-Dame servait elle-même de rempart.

Les cathédrales St-Just de Narbonne et St-Nazaire de Béziers, conçues également comme des forteresses, possèdent des murs percés de larges baies comme les monuments gothiques du Nord, qui atténuent leur aspect défensif.

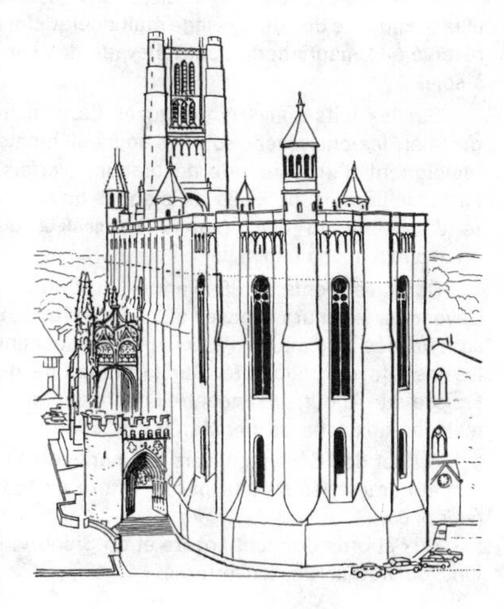
La cathédrale d'Albi.

Outre ces chefs-d'œuvre, la campagne languedocienne est parsemée d'églises plus modestes, toutes pourvues de tours, échauguettes et créneaux. A cette époque, la guerre de Cent Ans ravage la France. On entreprend donc d'ajouter des fortifications aux édifices romans : tel est le cas de l'église St-Majan de Villemagne.

ARCHITECTURE CIVILE

Aux 17e et 18e s., des hôtels particuliers, inspirés de la Renaissance italienne, s'élèvent principalement à Montpellier et à Pézenas. Les façades sur cour sont faites de loggias et de colonnades superposées, couronnées de balustres ou de frontons. La décoration intérieure est riche. Partout des escaliers monumentaux.

A la fin du 17e s., l'architecte **d'Aviler** change la physionomie des hôtels particuliers ; la décoration se reporte à l'extérieur et particulièrement sur les porches. D'Aviler remplace les anciens linteaux par un arc très surbaissé appelé « davilerte » ; au-dessus se place un fronton triangulaire plus ou moins décoré. De magnifiques escaliers à jour avec balustres rappellent la période précédente. Vers la fin du siècle, les pilastres et les ordres superposés disparaissent, les fenêtres se succèdent sans encadrement mais les façades sont ornées de sculptures qui les animent et de beaux balcons en fer forgé.

Montpellier a une véritable école d'architecture que représentent d'Aviler, les Giral, Jacques Donnat. Il s'y adjoint des spécialistes du fer forgé et du bois sculpté. L'école de peinture présente des noms célèbres ou notoires : Antoine Ranc, Hyacinthe Rigaud, Jean de Troy (17e s.), Jean Raoux, Joseph-Marie Vien (18e s.). De jolies fontaines, le château d'eau et l'aqueduc du Peyrou *(illustration p. 121)* montrent un autre aspect des arts à cette époque féconde.

MAISONS RURALES TRADITIONNELLES

Édifiées dans un but utilitaire, les maisons rurales traditionnelles sont particulièrement révélatrices des activités de la région où elles sont situées. Elles témoignent par leur disposition, leur agencement et leurs matériaux, d'une civilisation profondément ancrée dans son terroir.

Ainsi sur les Causses et dans les Cévennes où prédomine l'élevage, les bergeries tiennent une grande place ; dans le Lauragais et l'Albigeois, les maisons sont pourvues de greniers spacieux ; tandis que dans la plaine du Bas Languedoc, le chai (cave à vin) est d'une importance primordiale.

Les matériaux employés dans la construction sont presque toujours pris sur place, ce qui lie encore davantage la maison au paysage.

Citons, parmi les matériaux de couverture, la lave volcanique (du côté de l'Auvergne et du Velay), l'ardoise fine et surtout les morceaux de schiste des Cévennes généralement confondus sous le nom de **lauzes,** dans la terminologie régionale, avec les plaquettes de calcaire des Causses.

Aujourd'hui, la maison rurale s'adapte aux nouvelles façons de vivre, subissant l'influence des nouveaux procédés de construction, parfois aussi victime de la disparition des artisans de village qui, seuls, avaient l'art de façonner les formes anciennes. De même, l'évolution des techniques de l'agriculture a modifié l'aspect de la maison traditionnelle : ainsi les vastes greniers tendent à disparaître, depuis que le grain est stocké en silo par des organismes spécialisés.

Maisons cévenoles. – Ce sont de solides maisons de montagne, conçues pour résister aux assauts d'un climat rigoureux. Les murs en pierres irrégulières sont percés de petites ouvertures.

On accède au premier étage, réservé à l'habitation, par un escalier de pierre qui peut prendre l'allure d'un véritable pont quand la maison est bâtie sur un terrain en pente.

Au rez-de-chaussée, sont disposées l'étable et la grange. Le deuxième étage était quelquefois réservé à la magnanerie pour l'élevage des vers à soie.

Sur les toits couverts de lauzes de schiste grossier, les cheminées sont les seuls éléments témoignant d'un souci de décoration. Parfois, l'arête faîtière est hérissée de plaques de schiste disposées en biais **(toiture à lignolets** ou en « ailes de moulin »).

(D'après photo A. Caylo.)

Une toiture de lauzes à « lignolets ».

Dans les monts de l'Espinouse, au Sud des Cévennes, les murs exposés aux vents pluvieux sont bardés de plaques d'ardoise qui empêchent les méfaits de l'humidité. Sur la commune de Fraisse-sur-Agout, on rencontre encore quelques maisons aux toits de genêts *(voir p. 88)*.

A l'Est des Cévennes, vers les monts du Vivarais, les maisons sont d'un type plus méridional caractérisé surtout par la toiture en tuiles romaines et la corniche appelée gênoise *(voir p. 33)*.

Aux abords du mont Lozère et du Sidobre, le granit apparaît sur les murs en gros moellons ou autour des ouvertures.

Maisons caussenardes. – Sur les causses calcaires, les maisons se groupent en hameaux le long des rivières ou se dispersent pour s'installer le plus près possible des terrains cultivables. Les habitations, aux murs épais, sont de robustes bâtisses à étage, auquel on accède par un escalier extérieur. La citerne, à proximité de la cuisine, est toujours un élément important, comme dans toutes les régions où l'eau est rare.

Maison sur le causse Méjean – Cassagnes.

La pierre calcaire, blanchâtre et sèche, est employée aussi bien pour les murs que pour la toiture.

L'habitation et la bergerie sont deux bâtiments distincts, quelquefois très éloignés l'un de l'autre. La maison d'habitation rassemble la cave et la remise à outils au rez-de-chaussée et le logement au premier étage.

La bergerie que l'on appelle « jasse » est un vaste bâtiment rectangulaire et rustique ; au ras du sol, elle se confond avec lui.

Dans ces contrées où la sécheresse et le vent empêchent les grands arbres de pousser, la voûte de pierre a remplacé la charpente en bois.

Maison sur le causse de Sauveterre.

Maisons languedociennes. – Le Bas Languedoc tourné vers Montpellier et la mer est le pays des vignobles, soumis au climat méditerranéen : ses maisons sont des maisons de vignerons pourvues de rares ouvertures pour conserver toute leur fraîcheur. Les enduits au sable traditionnels restent dans les nuances ocrées ou rosées.

Le Haut Languedoc, qui regarde vers Toulouse, pays de cultures céréalières où abondent les bancs d'argile, bâtit presque exclusivement en brique.

Le trait commun à toutes les maisons du Languedoc est la toiture : de faible pente, couverte de tuiles-canal dites « romaines ».

La **gênoise**, corniche caractéristique des constructions méridionales, se compose de deux ou trois rangs de tuiles disposées de façon à produire l'effet d'arcatures superposées. Les rangées supérieures débordent sur la rangée inférieure, permettant ainsi aux eaux de pluie de s'écouler hors de l'aplomb du mur goutterot (remarquer qu'il n'y a généralement pas de gênoise au pignon).

Maisons du Bas Languedoc. – La façade principale est souvent pourvue d'un fronton triangulaire. Le bâtiment habité est séparé de l'étable et de la grange. Le chai rectangulaire est percé de lucarnes en demi-cercle et occupe tout le rez-de-chaussée ; au premier étage se dispose le logement, auquel on accède par un escalier intérieur. La façade présente essentiellement deux portes : une grande, en plein cintre pour entrer dans le chai, une plus petite s'ouvrant sur l'escalier qui conduit au premier étage.

Dans les environs de Montpellier, sur la toiture se dresse parfois un édicule rectangulaire surmonté d'un toit à une seule pente. Entre Montpellier et Nîmes, ce pavillon s'agrandit jusqu'à former un deuxième étage. Sa toiture est alors à quatre pentes et coiffée de boules colorées.

Une place particulière doit être réservée aux « cabanettes » de l'étang de Mauguio et aux « bordigues » de l'étang de Thau : ce sont de petites huttes faites de fagots de roseaux et servant d'abris aux pêcheurs.

Maisons du Haut Languedoc – Les murs sont entièrement de briques comme à Albi, Castres et dans la région de Castelnaudary ; alors que dans la partie orientale du Haut Languedoc, la brique est là seulement pour décorer l'encadrement des fenêtres et des portes ; parfois aussi elle est disposée en bandeaux sous la corniche.

La maison du Haut Languedoc se développe en longueur afin de pouvoir abriter sous un même toit, souci très répandu dans le monde rural, la demeure, les granges à céréales et les remises à machines agricoles, souvent simples hangars sans portes. Il n'y a que dans les grands domaines que les granges et les remises sont séparées de la maison d'habitation et disposées en fer à cheval autour d'une aire.

De nombreuses fermes du Haut-Languedoc possèdent un **pigeonnier,** parfois attenant aux bâtiments principaux de l'exploitation rurale, mais le plus souvent édifié à proximité dans un site bien exposé. Durant les siècles passés ils représentaient une précieuse source d'engrais pour des sols manquant de fumure, ils étaient aussi l'affirmation concrète d'un droit ou d'un privilège.

Les plus caractéristiques sont, en pierres ou en colombages, juchés sur des piliers ou des colonnes cerclés d'anneaux destinés à mettre les couvées à l'abri des méfaits des prédateurs. De plan carré ils sont surmontés d'un lanternon dans lequel sont ménagés de petits orifices permettant l'envol et le retour des pigeons.

(D'après photo A. Rodier.)

Pigeonnier languedocien.

Maisons du Rouergue. – Les murs sont faits de gros moellons de schiste ou de granit. Sur la toiture, recouverte de lauzes de schiste ou d'ardoises, se greffent des lucarnes qui, sur la façade principale, font office de frontons et animent la bordure du toit.

En Rouergue, on retrouve la disposition de la maison en hauteur : au rez-de-chaussée, la cave et un entrepôt à provisions ; au premier étage, l'habitation. Sous les combles on étale les châtaignes à sécher. Sous l'escalier extérieur qui donne accès au logement, est souvent aménagée la porcherie.

Aux environs de Villefranche-de-Rouergue, un balcon nommé « balet » fait suite à l'escalier extérieur et dessert les pièces du premier étage.

Quelquefois, l'étable surmontée de la grange à laquelle on accède par une levée de terre, fait un angle droit avec la maison d'habitation. Dans ce cas, un petit bâtiment séparé des autres sert de séchoir à châtaignes (la « secada » ou « secadour »).

Si le paysan est aisé, sa maison se compose de plusieurs bâtiments (habitation, étable, grange et tourelle servant de pigeonnier) disposés autour d'une cour où l'on pénètre par un portail surmonté d'un auvent.

On rencontre encore, isolées dans les champs, quelques petites cabanes rondes en pierres sèches surmontées d'un toit conique. Curieuses et pittoresques, elles sont comparables aux bories de Haute-Provence et les paysans les utilisent comme abris, comme granges ou comme remises à outils.

Aux 17e et 18e s.,
quelques architectes de talent ont paré les villes languedociennes
de riches hôtels particuliers et de somptueux monuments.
Parmi eux, d'Aviler fut l'un des plus prestigieux :
voir p. 31 « Architecture civile ».

FOLKLORE

Les traditions folkloriques ont perdu de leur vivacité, la vie moderne pénètre dans les contrées les plus reculées, accomplissant son œuvre de nivellement des modes de vie et de pensée, naguère si différents d'une province à l'autre. Les costumes traditionnels ont disparu. Les femmes ne portent plus ni le « coutillon », enfilé sur la chemise de toile grossière froncée autour du cou, ni la « matelote » molletonnée qui, l'hiver, servait de cache-corset. Les bas de nylon remplacent ceux de coton ou de laine tricotés à la main et les espadrilles ou les chaussures en cuir, les sabots noirs en bois. Peut-être verra-t-on encore quelques paysannes aux champs, coiffées de la « capeline » de cotonnade sombre ou fleurie mais presque toutes ont abandonné le simple bonnet blanc, la « coueffo » de mousseline ou le bonnet en nansouk. La plupart des hommes ont délaissé la large blouse, le cordon tressé noué en guise de cravate et le chapeau de feutre à larges bords.

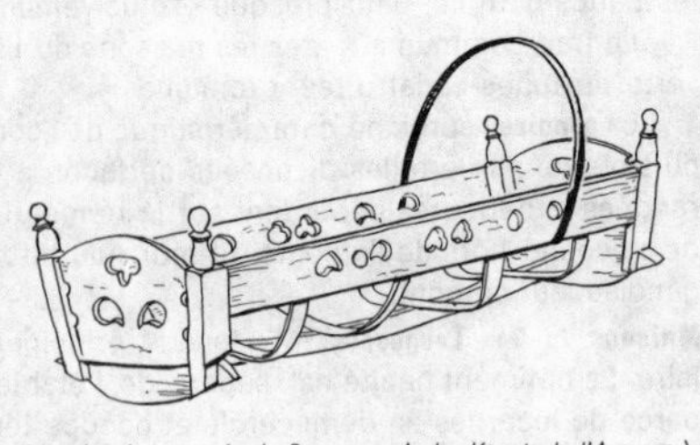
(D'après photo musée du Rouergue, Arch. départ. de l'Aveyron.)

Berceau rouergat.

Cependant, certaines expressions du langage, certaines croyances et pratiques demeurent vivaces.

Quelques expressions imagées. – Après la veillée, occupée à effeuiller le maïs, à égrener les haricots, à filer le lin et le chanvre ou à sculpter le bois, on disait couramment : « Je vais à l'antibois ». Par « antibois », on désignait la partie du meuble sur laquelle on posait le pied pour atteindre le lit.

Dans le Tarn, de quelqu'un qui a bu plus que de raison, on dit : « Il est entre Gaillac et Rabastens ».

Sorciers et ensorcelleurs. – Rares étaient les villages qui ne connaissaient pas au moins un « masc ». Celui-ci avait le pouvoir d'ensorceler, surtout les animaux. Si le lait des vaches s'épuisait, si les chevaux s'arrêtaient sans raison apparente, si les chiens de chasse perdaient leur flair, c'est bien qu'ils étaient « emmasqués ». Ces maléfices pouvaient être neutralisés par « l'endebinaïre » ou « devinaire » ou à défaut par certaines pratiques dont tout un chacun pouvait user : par exemple, porter un vêtement à l'envers ou devant derrière, jeter du sel sur le feu, etc.

Météorologie populaire. – La **pluie** est sur le point de tomber :

— Si la Montagne Noire s'éclaircit et si le Razès, au Sud de Carcassonne, s'assombrit.
— A Alès, si la Vierge de l'Ermitage s'enveloppe de nuages.
— A Pézenas, on regarde successivement vers la mer et la montagne, puis on dit : «Mar clar, mountagno ascuro, pluchio seguro» (mer claire, montagne obscure, pluie sûre).
— Dans la région de Florac :
« Quand il tonne vers le Lozère, prends tes bœufs, va au sillon.
Quand il tonne vers l'Aigoual, prends tes bœufs, va à la maison ».

CONTES ET LÉGENDES

Le drac. – Ce malin génie, amateur de facéties, s'introduisait la nuit dans l'écurie pour tresser la crinière des chevaux ou dans l'étable pour détacher les bœufs et les vaches. Mais il a disparu depuis que l'on sonne l'Angélus.

La bête du Gévaudan. – Sa renommée mit en émoi la cour du roi Louis XV et son souvenir a longtemps fourni une ample matière aux contes populaires de la région.

La bête apparut pour la première fois le 3 juillet 1764 en pays cévenol. Grand amateur de chair tendre, spécialement des jeunes filles et des enfants, le monstre rusé échappait aux battues, ne faisait qu'une bouchée des chasseurs qui avaient l'audace de se lancer à sa poursuite. Les prières publiques ordonnées par l'évêque de Mende ne parvenant pas à en venir à bout, l'animal fut considéré comme l'instrument de la colère divine. Louis XV, alors, dépêcha sur les lieux son premier porte-arquebuse. Il revint bredouille.

(D'après photo Bibliothèque Nationale.)

La bête du Gévaudan.

Ce n'est que le 19 juin 1767 qu'un paysan, du nom de Jean Chastel, abattit vraisemblablement un loup qui, en trois ans, avait dévoré une cinquantaine de personnes.

L'Oie du Sidobre. – Les formes fantastiques qu'ont pris les blocs de granit éparpillés dans le Sidobre *(voir p. 153)* ont fait aisément vagabonder l'imagination.

C'était au temps où les animaux parlaient. Une oie subissait alors l'emprise d'un tyran qui l'autorisait à sortir seulement la nuit pour aller couver son œuf ; il fallait absolument qu'elle soit rentrée au lever du jour. Or, un matin, le soleil brillait depuis fort longtemps quand elle regagna sa grotte. Pour la punir, son maître la pétrifia sur son œuf.

PRINCIPALES MANIFESTATIONS TOURISTIQUES

A proximité de la Camargue, de nombreuses villes du Languedoc organisent des spectacles tauromachiques. Outre les corridas de Béziers qui affichent les noms des plus célèbres toreros, des courses de taureaux, des courses à la cocarde rassemblent un peu partout ailleurs une foule d'amateurs.

Le ballon ovale déchaîne les passions dans cette région du Midi : Rugby à XV ou Jeu à XIII ; chaque ville, chaque village même défend son équipe. Béziers possède à elle seule trois écoles de rugby ; au sein du Sporting Club Mazamétain, Lucien Mias participa à une trentaine de matchs internationaux.

D'octobre à mai, chaque rencontre dominicale prend l'allure d'une épopée, souvent contée avec beaucoup d'esprit. L'équipe locale est l'objet de toutes les attentions ; et les discussions, sans cesse avivées par la subtilité des règles du jeu et les décisions de l'arbitre, n'en finissent pas.

(D'après photo Jean Villemagne.)

Corrida à Béziers.

LIEU *(1)* ET DATE		NATURE DE LA MANIFESTATION *(2)*
Agde	1er samedi de juillet	Joutes nautiques nocturnes.
	1re semaine d'août	Joutes nautiques.
Albi	Juillet-août	Visite commentée de la cathédrale illuminée *(tous les soirs à 20 h 45, sauf soirées de concert).*
	15 juillet-15 août	Festival de musique.
	30 juillet-3 août	Festival international du Cinéma amateur 9,5 mm.
Béziers	1re quinzaine d'août	Feria (corsos, corridas), « folle nuit » (du 14 au 15 août).
	3e dimanche d'octobre	Fête du vin nouveau (danses des treilles et du chevalet, bénédiction du vin nouveau, etc.).
Castres	2e quinzaine de septembre	Foire économique.
Cordes	fin juillet à début septembre	Festival de musique.
Estaing	1er dimanche de juillet	Procession de saint Fleuret (reconstitution historique).
La Grande-Motte	1re quinzaine de juillet	Festival international de planche à voile.
	1re quinzaine de juillet	Festival de jazz.
Lamalou-les-Bains	Avant-dernier dimanche d'août	Corso fleuri.
Mazamet et localités du Haut Languedoc	1re semaine de septembre	Festival J.-S. Bach.
Montpellier	Octobre	Festival du film taurin.
	2e décade d'octobre	Foire internationale de la vigne et du vin (au parc des expositions de Montpellier-Fréjorgues).
Palavas-les-Flots	Dernier dim. de juin (ou 1er dim. de juillet), 14 juillet, 15 août, 1er dim. de sept.	Joutes nautiques sur le canal du Rhône à Sète.
Peyrusse-le-Roc	2e dimanche d'août	Fête médiévale.
Pézenas	Juillet-août	« Mirondela dels Arts » *(voir p. 135).*
Pont-de-Salars 80-③	2e dimanche d'août	Festival folklorique international.
Sauveterre-de-Rouergue	Dernier dimanche de juil.	Fêtes de saint Christophe : bénédiction des voitures et spectacle folklorique.
Sète	Début janvier	Rallye Oasis Paris-Dakar, 1re étape Paris-Sète, puis Sète-Alger (en bateau).
	En août	Festival de théâtre.
	Fin août (5 jours)	Fêtes de Saint Louis : joutes, corso nautique, traversée de Sète à la nage, feu d'artifice, etc.
Sommières	3e dimanche de mars	Course de moto-cross.
	Début août	« Journées » du terroir (1er mardi), de la brocante, etc. Courses de taureaux.
	2e semaine de novembre	Championnat de France de trial.
Sorèze	20 juillet au 20 août	Festival « Musique de nuit à Sorrèze ».
Château de Villevieille	1re quinzaine d'août	Soirées musicales.

(1) Pour la localité non décrite dans le guide, nous indiquons le nº de la carte Michelin à 1/200 000 et le nº du pli.

(2) Pour tous renseignements complémentaires, s'adresser au Bureau de Tourisme de la localité.

LA TABLE

La carte ci-dessous indique les localités où l'on peut déguster des spécialités renommées ; le lexique commente les termes régionaux.

Les vins. – *Voir p. 27.*

La cuisine. – Elle est souvent à base d'ail et d'huile d'olive, agrémentée quelquefois de truffes qui naissent au pied des chênes verts sur les côteaux de l'Hérault et du Gard. Le gibier acquiert un fumet délicieux en se gorgeant d'herbes savoureuses, de genièvre, de thym. Le mouton, nourri sur les Causses, est succulent. Quant aux écrevisses, elles ne fréquentent plus les ruisseaux comme jadis et ce n'est qu'exceptionnellement qu'elles viennent enrichir la carte d'un restaurant, en bisque, en gratin, en chausson ou à la nage. L'eau fraîche des rivières convient particulièrement aux truites, pour la plus grande joie des pêcheurs.

Dans le Sud, les vignerons préparent encore « l'ouillade », cette soupe aux choux et aux haricots, cuite dans deux marmites qu'on ne mélange qu'au moment de servir. Les pêcheurs de thon de Palavas préparent les tripes de thon quand ils sont en mer. Cuites avec du vin blanc, des aromates, elles sont arrosées d'un bon verre d'eau de mer.

Une recette : l'aligot. – Toute la saveur du Rouergue se retrouve dans ce plat. Dans une cocotte intérieurement frottée à l'ail, faire fondre à feu vif du beurre et de la crème : y incorporer progressivement 400 grammes de tome fraîche de Laguiole ou du Cantal coupée en lamelles et 600 grammes de pommes de terre en purée. Au moyen d'une cuillère en bois à très long manche, il faut tourner sans cesse ce mélange pendant trois quarts d'heure, toujours dans le même sens pour ne pas rompre le fil du fromage. Quand la pâte onctueuse n'adhère plus aux parois de la cocotte, l'aligot est prêt.

LEXIQUE

Aigo bouillido. – Soupe à l'ail, herbes aromatiques, œufs et croûtons.

Alicuit. – Abattis de volailles en ragoût.

Aligot. – *Voir ci-dessus.*

Alleluias. – Gâteaux ainsi nommés depuis qu'un jour de Pâques on les offrit au pape Pie VII, de passage à Castelnaudary. La recette en est gardée secrète.

Amellonades. – Brioche aux amandes grillées.

Bougnette. – Crépinette de porc.

Bourride. – Ragoût de poissons aux aromates.

Cabassols. – Abats et tripes d'agneau.

Cabecou. – Fromage de chèvre.

Cassoulet. – *Voir p. 68.*

Estofinado. – Stockfisch aux pommes de terre, œufs, arrosé d'huile de noix et de lait.

Fèche sec. – Foie sec servi avec des radis.

Flaunes. – Pâte à chou au fromage de brebis.

Fouace. – Brioche parfumée à l'angélique.

Frittons. – Morceaux de saindoux séché.

Galichoux. – Pâte d'amande aux pistaches.

Gâtis. – Brioche au fromage.

Gimblettes, petits jeannots. – Petits gâteaux en forme d'anneaux, parfumés à l'anis.

Melsat. – Boudin blanc, fait de chair à saucisse, de pain trempé dans du lait, et d'œufs.

Nène. – Petit gâteau à l'anis.

Oreillettes. – Gâteaux parfumés à l'orange, frits dans l'huile d'olive et servis surtout à la fête des Rois et à Mardi-Gras.

Pélardon. – Fromage de chèvre.

Petits pâtés de Pézenas. – Hachis de mouton sucré au caramel, enroulé dans une pâte.

Soleil. – Gâteau de couleur jaune en forme de soleil, aux amandes sèches et parfumé à l'eau de fleur d'oranger.

Tielle. – Chausson à la tomate, farci de morceaux de seiche ou de calmar.

Trénels. – Tripes de mouton farcies au jambon, ail, persil et œufs.

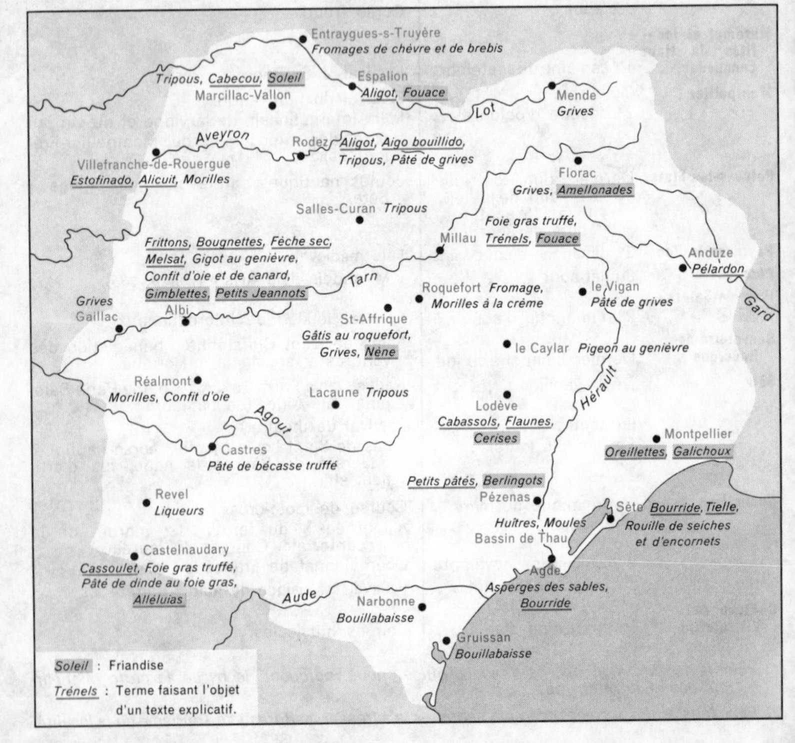

ITINÉRAIRES DE VISITE RÉGIONAUX

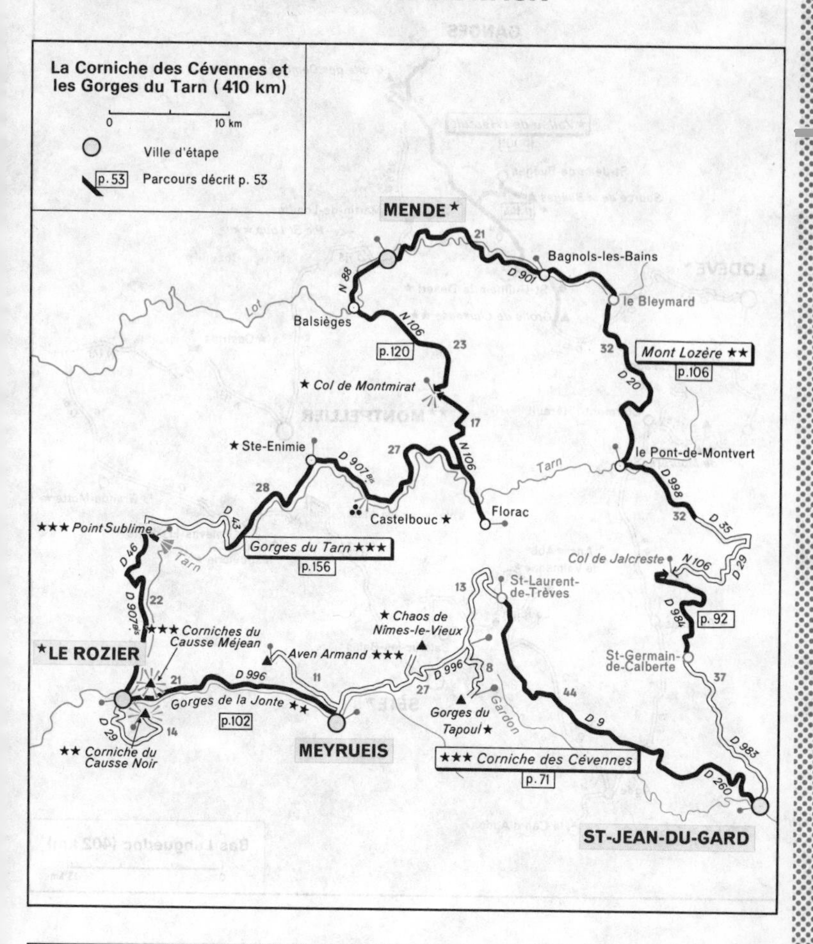

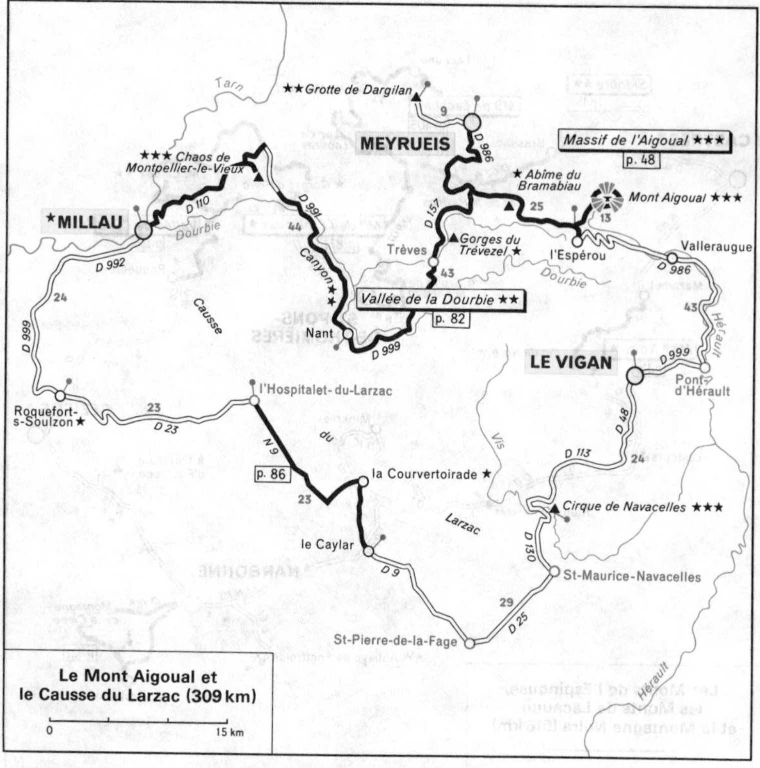

Pour voyager, utilisez les Cartes Michelin à 1/200 000.
Elles sont constamment tenues à jour.

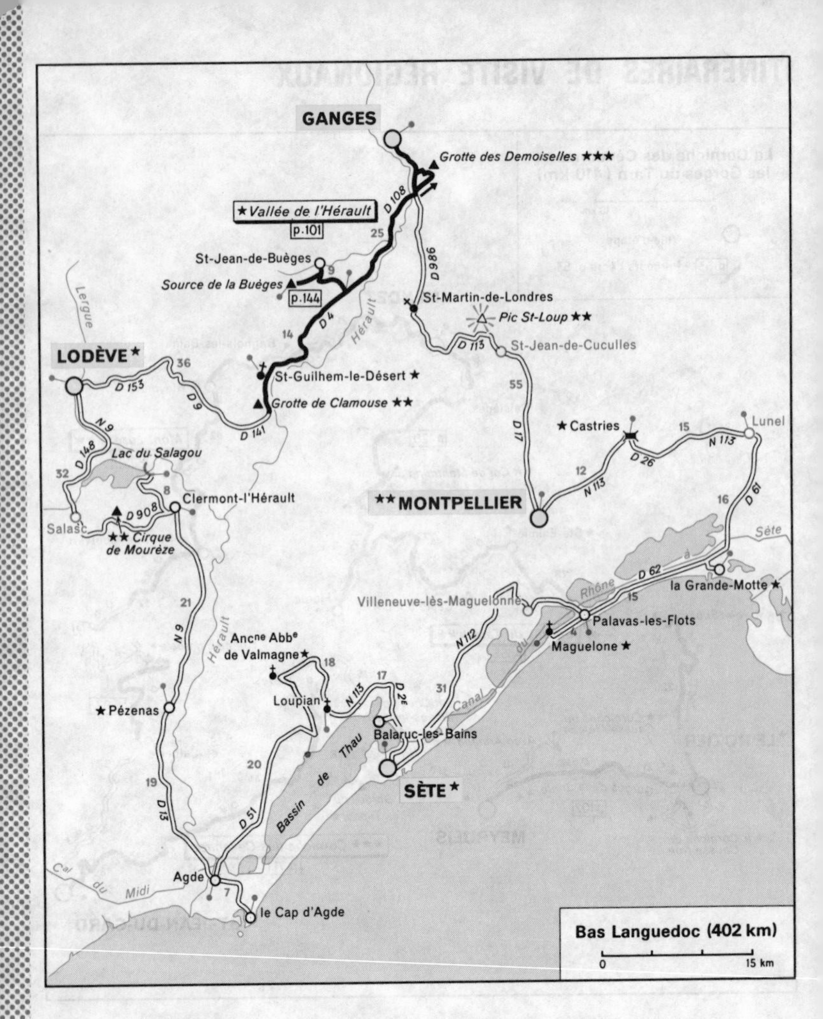

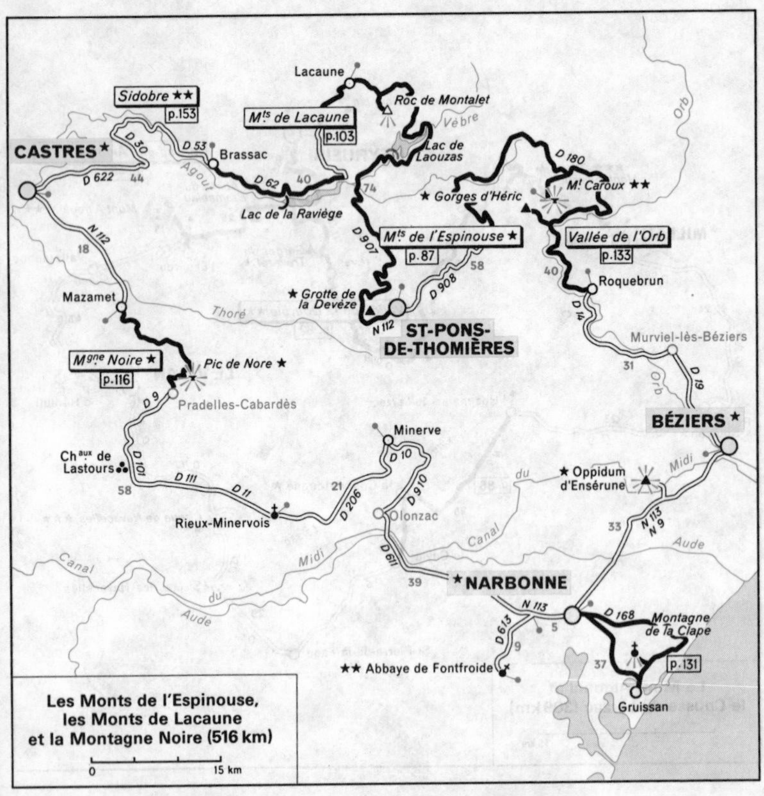

L'EUROPE en une seule feuille, carte Michelin N° 920.

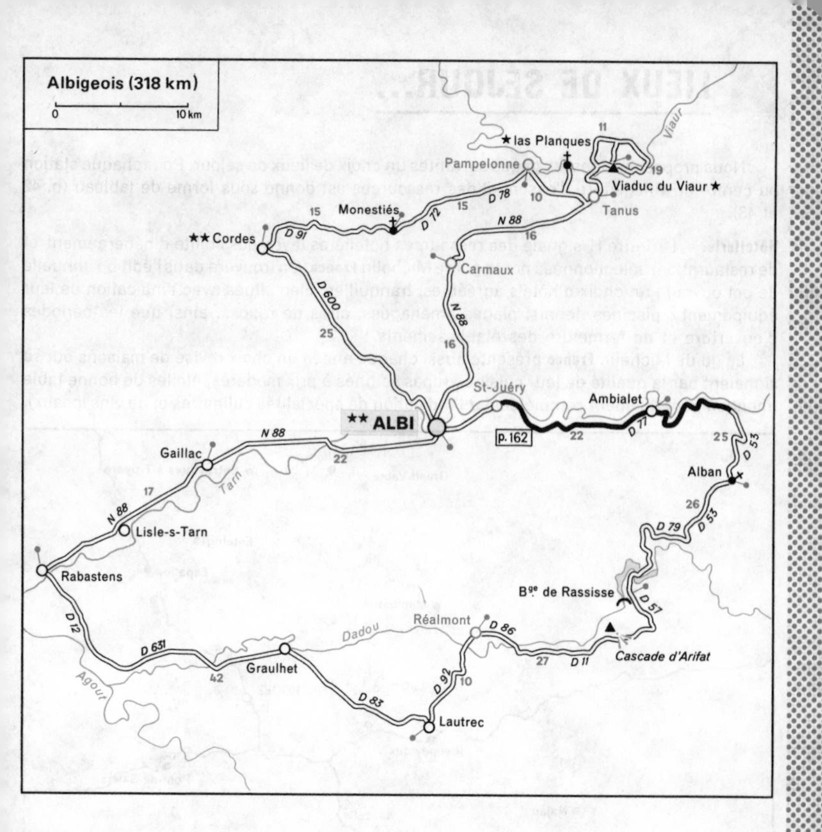

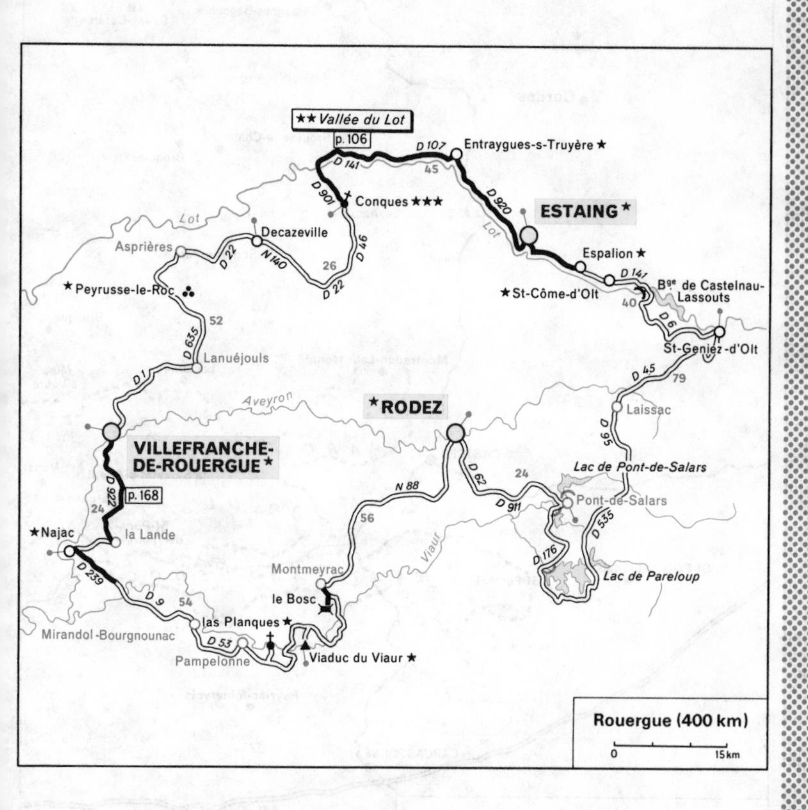

Dans le guide Michelin FRANCE de l'année
vous trouverez un choix d'hôtels agréables, tranquilles, bien situés
avec l'indication de leur équipement :
piscines, tennis, plages aménagées, aires de repos...
ainsi que les périodes d'ouverture et de fermeture des établissements.

Vous y trouverez aussi un choix révisé de maisons qui se signalent
par la qualité de leur cuisine :
repas soignés à prix modérés, étoile de bonne table.

LIEUX DE SÉJOUR...

Nous proposons dans les pages suivantes un choix de lieux de séjour. Pour chaque station ou centre de villégiature, l'essentiel des ressources est donné sous forme de tableau (p. 42 et 43).

Hôtellerie. – La lettre H signale des ressources hôtelières (avec possibilité d'hébergement et de restauration) sélectionnées par le guide Michelin **France.** On trouvera dans l'édition annuelle de cet ouvrage un choix d'hôtels agréables, tranquilles, bien situés avec l'indication de leur équipement : piscines, tennis, plages aménagées, aires de repos... ainsi que les périodes d'ouverture et de fermeture des établissements.

Le guide Michelin **France** présente aussi chaque année un choix révisé de maisons qui se signalent par la qualité de leur cuisine : repas soignés à prix modérés, étoiles de bonne table (mention généralement complétée par l'indication de spécialités culinaires et de vins locaux).

Camping. – La lettre c signale des terrains sélectionnés par le guide Michelin **Camping Caravaning France.** Dans le guide de l'année figurent les commodités et les distractions offertes par de nombreux terrains : magasin, bar, laverie, salle de jeux, golf miniature, jeux et bassins pour enfants, piscine, etc.

Bureau de Tourisme. – La lettre T signale un bureau d'informations touristiques ou un Syndicat d'Initiative. La plupart d'entre eux diffusent des informations concernant les locations de meublés pour vacanciers. Le guide Michelin **France** donne leur adresse et leur numéro de téléphone.

Plan d'eau ou rivière. – Seuls les plans d'eau intérieurs sont mentionnés dans cette colonne.

Cinéma. – Le signe indique une ouverture au moins une fois par semaine.

Piscine ou baignade. – Le signe désigne une piscine chauffée ; le signe une piscine non chauffée ; le signe une baignade surveillée. Sur les cartes **Michelin** à 1/200 000 (assemblage p. 3) on trouvera les emplacements des plages ou baignades en rivière ou en étang et des piscines.

Spéléologie. – *Organisation de ce sport : voir p. 16.* La lettre S signale des activités spéléologiques contrôlées par un club aux environs d'un lieu de séjour sélectionné.

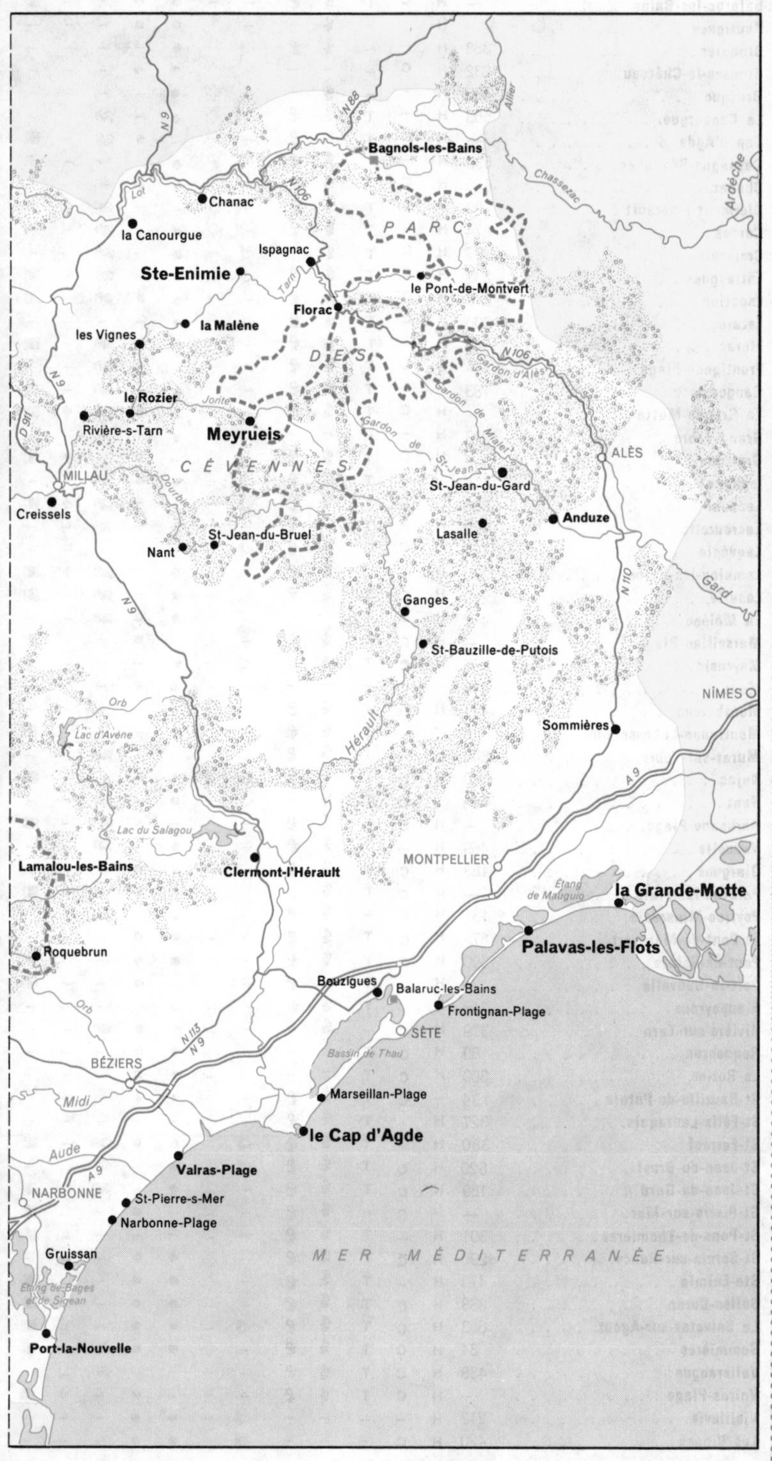

SERVICES ET AGRÉMENT

	Altitude	Hôtellerie = H	Camping = C	Bureau de tourisme = T	Médecin = ⚕	Pharmacien = ⚚	Site agréable = ◁	Bourg pittoresque = ✧	Plan d'eau ou rivière = ●	Plage = ●	Parc ou jardin public = ♣	Casino = ♠	Cinéma = ▦
Ambialet	200	–	C	–	–	–	◁	–	●	–	–	–	–
Anduze	131	H	C	T	⚕	⚚	–	✧	●	–	♣	–	▦
Bagnols-les-Bains	913	H	C	T	⚕	⚚	–	–	●	●	♣	–	▦
Balaruc-les-Bains	—	H	C	T	⚕	⚚	–	–	●	●	♣	–	▦
Bouzigues	—	H	–	–	⚕	–	–	–	●	●	–	–	–
Broquiès	388	H	–	–	⚕	⚚	◁	–	●	–	–	–	–
Brousse-le-Château	232	H	C	–	–	–	–	✧	●	●	–	–	–
Brusque	465	H	–	–	⚕	–	–	✧	●	–	–	–	–
La Canourgue	563	H	–	T	⚕	⚚	–	✧	●	–	♣	–	–
Cap d'Agde	—	H	C	T	⚕	⚚	–	–	–	●	♣	–	▦
Cassagne-Bégonhès	530	H	–	T	⚕	⚚	–	–	●	–	–	–	▦
Chanac	650	H	C	T	⚕	⚚	–	–	●	●	♣	–	–
Clermont-l'Hérault	90	H	C	T	⚕	⚚	–	✧	–	–	♣	–	▦
Cordes	274	H	C	T	⚕	⚚	–	✧	●	–	♣	–	–
Creissels	387	H	C	T	⚕	–	◁	–	●	–	♣	–	–
Entraygues	230	H	C	T	⚕	⚚	◁	✧	●	–	♣	–	▦
Espalion	343	H	C	T	⚕	⚚	–	–	●	●	♣	–	▦
Estaing	300	H	C	T	⚕	⚚	◁	–	●	–	–	–	–
Florac	545	H	C	T	⚕	⚚	–	–	●	●	♣	–	▦
Frontignan-Plage	—	–	C	T	⚕	⚚	–	–	–	●	♣	–	–
Ganges	183	H	–	T	⚕	⚚	–	–	●	–	♣	–	▦
La Grande-Motte	—	H	C	T	⚕	⚚	–	–	–	●	♣	♠	▦
Grand-Vabre	213	H	–	–	–	–	◁	–	●	–	–	–	–
Gruissan	—	H	C	T	⚕	⚚	–	✧	–	●	–	♠	▦
Ispagnac	518	–	C	T	⚕	⚚	◁	–	●	●	♣	–	–
Lacaune	800	H	C	T	⚕	⚚	◁	–	–	–	♣	♠	▦
Lacrouzette	480	H	–	T	⚕	⚚	–	–	–	–	♣	–	–
Laguépie	157	–	C	T	⚕	⚚	◁	–	●	–	–	–	–
Lamalou-les-Bains	200	H	–	T	⚕	⚚	–	–	●	–	♣	♠	▦
Lasalle	260	H	C	T	⚕	⚚	–	–	●	–	♣	–	▦
La Malène	452	H	–	T	–	–	–	–	●	●	♣	–	–
Marseillan-Plage	—	–	C	T	⚕	⚚	–	–	–	●	–	–	▦
Meyrueis	706	H	C	T	⚕	⚚	◁	–	●	–	–	–	▦
Mons	248	–	C	–	–	–	–	–	●	●	–	–	–
Montbazens	472	H	–	T	⚕	⚚	–	–	–	–	–	–	–
Montredon-Labessonnié	535	H	–	T	⚕	⚚	–	–	●	–	–	–	▦
Murat-sur-Vèbre	842	H	–	T	⚕	⚚	–	–	–	–	♣	–	–
Najac	350	H	C	T	⚕	⚚	–	✧	●	●	–	–	▦
Nant	485	–	C	T	⚕	–	◁	–	●	–	♣	–	–
Narbonne-Plage	—	H	C	T	⚕	⚚	–	–	–	●	♣	–	▦
Naucelle	469	H	–	T	⚕	⚚	–	–	●	–	♣	–	–
Olargues	183	H	C	T	⚕	⚚	–	✧	●	●	–	–	–
Palavas-les-Flots	—	H	C	T	⚕	⚚	–	–	–	●	–	♠	▦
Peyriac-Minervois	131	H	–	–	⚕	⚚	–	–	●	–	♣	–	–
Le Pont-de-Montvert	875	H	C	T	⚕	⚚	–	–	●	●	–	–	–
Pont-de-Salars	690	H	C	T	⚕	⚚	–	–	●	●	–	–	–
Port-la-Nouvelle	—	H	–	T	⚕	⚚	–	–	–	●	–	–	▦
Rieupeyroux	718	H	–	T	⚕	⚚	–	–	●	–	–	–	–
Rivière-sur-Tarn	379	H	C	–	⚕	–	–	–	●	●	♣	–	–
Roquebrun	89	H	C	T	–	–	–	✧	●	●	–	–	–
Le Rozier	390	H	C	T	–	–	◁	–	●	●	–	–	–
St-Bauzille-de-Putois	134	–	C	T	⚕	⚚	–	–	●	●	–	–	–
St-Félix-Lauragais	327	H	–	T	⚕	⚚	–	✧	–	–	–	–	–
St-Ferréol	360	H	–	T	⚕	⚚	◁	–	●	●	♣	–	▦
St-Jean-du-Bruel	520	H	C	T	⚕	⚚	◁	–	●	–	♣	–	–
St-Jean-du-Gard	189	H	C	T	⚕	⚚	–	–	●	–	♣	–	▦
St-Pierre-sur-Mer	—	–	C	–	⚕	⚚	–	–	–	●	–	–	▦
St-Pons-de-Thomières	301	H	–	T	⚕	⚚	–	–	–	–	–	–	▦
St-Sernin-sur-Rance	290	H	C	T	⚕	⚚	–	✧	●	●	–	–	–
Ste-Enimie	470	H	–	T	⚕	⚚	–	✧	●	●	–	–	▦
Salles-Curan	833	H	C	T	⚕	⚚	–	–	●	●	–	–	▦
La Salvetat-sur-Agout	663	H	C	T	⚕	⚚	◁	–	●	●	–	–	▦
Sommières	34	H	C	T	⚕	⚚	–	✧	●	●	♣	–	▦
Valleraugue	438	H	C	T	⚕	⚚	–	–	–	–	♣	–	–
Valras-Plage	—	H	C	T	⚕	⚚	–	–	–	●	–	♠	▦
Vieillevie	212	H	–	–	–	–	◁	–	●	●	–	–	–
Les Vignes	420	H	C	–	–	–	◁	–	●	●	–	–	–

Localité	Piscine = / Baignade surveillée =	École de voile =	Location de bateaux ou pédalos = L	Ski nautique =	Plongée sous-marine =	Sentiers balisés =	Tennis =	Équitation =	Location de bicyclettes = B	Spéléologie = S	Ski de fond =	Page du guide ou renvoi à la carte Michelin
Ambialet	–	–	–	–	–	Sentiers	–	–	–	–	–	58
Anduze	–	–	–	–	–	Sentiers	Tennis	Équitation	–	S	–	59
Bagnols-les-Bains	–	–	–	–	–	Sentiers	Tennis	–	–	–	Ski de fond	62
Balaruc-les-Bains	Baignade	Voile	L	–	–	–	Tennis	–	–	–	–	62
Bouzigues	–	–	–	–	–	–	–	–	–	–	–	83 - ⑯
Broquiès	–	–	–	–	–	–	–	–	–	–	–	80 - ⑬
Brousse-le-Château	–	–	–	–	–	–	–	–	–	–	–	162
Brusque	–	–	–	–	–	–	–	–	–	–	–	80 - ⑭
La Canourgue	Piscine	–	–	–	–	Sentiers	Tennis	–	B	S	–	67
Cap d'Agde	Piscine	Voile	L	Ski nautique	Plongée	Sentiers	Tennis	Équitation	B	–	–	67
Cassagne-Bégonhès	–	–	–	–	–	–	Tennis	–	–	–	–	80 - ⑫
Chanac	–	–	–	–	–	Sentiers	Tennis	–	–	–	–	80 - ⑤
Clermont-l'Hérault	Piscine	–	–	–	–	–	Tennis	Équitation	–	–	–	72
Cordes	–	–	–	–	–	Sentiers	Tennis	Équitation	–	–	–	75
Creissels	Piscine	–	–	–	–	Sentiers	Tennis	–	–	–	–	80 - ⑭
Entraygues	–	–	–	–	–	–	Tennis	–	B	–	–	85
Espalion	Piscine	–	–	–	–	Sentiers	Tennis	–	–	–	Ski de fond	86
Estaing	Piscine	–	L	–	–	Sentiers	–	–	–	–	–	91
Florac	–	–	L	–	–	Sentiers	Tennis	Équitation	B	S	Ski de fond	92
Frontignan-Plage	Piscine	Voile	L	–	–	–	Tennis	Équitation	B	S	–	94
Ganges	–	–	–	–	–	Sentiers	Tennis	Équitation	–	S	Ski de fond	95
La Grande-Motte	–	Voile	L	Ski nautique	Plongée	Sentiers	Tennis	Équitation	B	–	–	96
Grand-Vabre	–	–	L	–	–	–	–	Équitation	–	–	–	106
Gruissan	Piscine	Voile	L	–	–	Sentiers	Tennis	Équitation	B	–	–	100
Ispagnac	–	–	–	–	–	Sentiers	Tennis	Équitation	B	S	–	157
Lacaune	Piscine	–	–	–	–	Sentiers	Tennis	Équitation	–	–	Ski de fond	103
Lacrouzette	–	–	–	–	–	Sentiers	Tennis	–	–	–	–	154
Laguépie	–	–	–	–	–	Sentiers	Tennis	–	B	–	–	168
Lamalou-les-Bains	Piscine	–	–	–	–	Sentiers	Tennis	–	–	–	–	104
Lasalle	Piscine	–	–	–	–	Sentiers	Tennis	–	–	–	–	80 - ⑰
La Malène	–	–	L	–	–	Sentiers	–	–	B	–	–	109
Marseillan-Plage	–	–	L	–	–	–	Tennis	Équitation	B	–	–	83 - ⑯
Meyrueis	Piscine	–	–	–	–	Sentiers	Tennis	Équitation	B	S	–	113
Mons	–	–	–	–	–	Sentiers	Tennis	–	–	S	–	90
Montbazens	Piscine	–	–	–	–	Sentiers	Tennis	–	B	–	–	80 - ①
Montredon-Labessonnié	Piscine	–	–	–	–	Sentiers	Tennis	–	–	–	–	83 - ①
Murat-sur-Vèbre	–	–	–	–	–	Sentiers	–	–	B	–	–	83 - ③
Najac	–	–	–	–	–	Sentiers	Tennis	Équitation	B	–	–	127
Nant	–	–	–	–	–	Sentiers	Tennis	–	–	S	–	127
Narbonne-Plage	–	Voile	L	Ski nautique	Plongée	–	Tennis	Équitation	B	–	–	131
Naucelle	Piscine	–	L	–	–	–	Tennis	Équitation	B	–	–	80 - ①
Olargues	–	–	–	–	–	Sentiers	Tennis	–	–	–	–	89
Palavas-les-Flots	–	Voile	L	Ski nautique	Plongée	–	Tennis	Équitation	B	–	–	79
Peyriac-Minervois	Piscine	–	–	–	–	–	–	Équitation	–	–	–	83 - ⑫
Le Pont-de-Montvert	–	–	–	–	–	Sentiers	–	–	–	–	Ski de fond	107
Pont-de-Salars	Baignade	Voile	L	Ski nautique	–	Sentiers	Tennis	Équitation	B	–	–	80 - ③
Port-la-Nouvelle	–	Voile	L	Ski nautique	Plongée	–	Tennis	Équitation	–	–	–	79
Rieupeyroux	Piscine	–	–	–	–	–	Tennis	–	–	–	–	80 - ①
Rivière-sur-Tarn	–	–	L	–	–	–	–	Équitation	B	–	–	80 - ④
Roquebrun	–	–	L	–	–	Sentiers	Tennis	Équitation	–	S	–	133
Le Rozier	–	–	L	–	–	Sentiers	Tennis	Équitation	B	–	–	141
St-Bauzille-de-Putois	–	–	–	–	–	Sentiers	Tennis	–	B	S	–	80 - ⑯
St-Félix-Lauragais	–	–	–	–	–	Sentiers	–	–	–	–	–	142
St-Ferréol	Baignade	Voile	L	–	–	Sentiers	Tennis	Équitation	B	S	–	116
St-Jean-du-Bruel	–	–	–	–	–	Sentiers	–	–	–	–	–	145
St-Jean-du-Gard	Piscine	–	–	–	–	Sentiers	Tennis	Équitation	B	–	–	145
St-Pierre-sur-Mer	–	–	–	–	–	–	–	Équitation	–	–	–	79
St-Pons-de-Thomières	Piscine	–	–	–	–	–	Tennis	Équitation	–	S	–	146
St-Sernin-sur-Rance	–	–	–	–	–	Sentiers	Tennis	–	–	–	–	147
Ste-Enimie	Baignade	–	L	–	–	Sentiers	Tennis	Équitation	B	S	–	147
Salles-Curan	–	Voile	L	Ski nautique	–	Sentiers	Tennis	Équitation	–	–	Ski de fond	80 - ⑬
La Salvetat-sur-Agout	Piscine	Voile	L	Ski nautique	–	Sentiers	Tennis	Équitation	–	–	–	88
Sommières	Piscine	–	–	–	–	–	Tennis	Équitation	–	–	–	154
Valleraugue	–	–	–	–	–	Sentiers	Tennis	–	–	–	Ski de fond	163
Valras-Plage	–	Voile	L	Ski nautique	–	–	Tennis	Équitation	B	–	–	79
Vieillevie	Piscine	–	L	–	–	Sentiers	–	–	B	–	–	106
Les Vignes	–	–	L	–	–	Sentiers	–	–	–	–	–	159

PRINCIPAUX PLANS D'EAU (lacs artificiels)

	Page du guide ou renvoi à la carte Michelin	Lieu de séjour (1) ou base de loisirs la plus proche	Altitude	Superficie en ha	Versants boisés = 🌲	École de voile = ⛵	Baignade et nautisme autorisés (2) = 🏊
Avène	133	Brusque	432	194	🌲	⛵	–
Bage (EDF)	80 - ③	Pont-de-Salars	715	57	🌲	–	–
Cammazes	117	St-Ferréol	580	90	🌲	–	–
Castelnau-Lassouts (EDF)	86	Espalion	414	218	🌲	–	–
Golinhac (EDF)	106	Estaing	310	53	🌲	–	–
Lampy	117	St-Ferréol	647	23	🌲	–	–
Laouzas (EDF)	103	Rieu-Montagné	775	320	🌲	⛵	🏊
Pareloup (EDF)	164	Salles-Curan	805	1298	–	⛵	🏊
Pinet (EDF)	80 - ⑬	Broquiès	320	128	🌲	⛵	🏊
Pont-de-Salars (EDF)	80 - ③	Pont-de-Salars	718	200	🌲	⛵	🏊
Rassise	59	Montredon-Labessonié	360	149	🌲	⛵	–
Raviège (EDF)	89	La Salvetat-sur-Agout	662	450	🌲	⛵	🏊
Rivières (EDF)	82 - ⑩	Aiguelèze	138	306	–	⛵	🏊
St-Ferréol	116	St-Ferréol	350	67	🌲	⛵	🏊
Saints-Peyres (EDF)	120	La Salvetat-sur-Agout	670	211	🌲	–	–
Salagou	72	Clermont-l'Hérault	140	700	–	⛵	🏊
Saut-de-Vésole (EDF)	88	St-Pons	963	50	–	⛵	–
Thuriès (EDF)	80 - ⑪	Naucelle	289	43	🌲	–	–
Villefranche-de-Panat (EDF)	162	Broquiès	727	197	🌲	⛵	🏊

(1) Les lieux de séjour sélectionnés dans le tableau p. 42 et 43 sont indiqués en caractères noirs ; les bases de loisirs, en caractères rouges.
(2) La navigation à moteur est, d'ordinaire, réglementée sur les plans d'eau.

LES PORTS DE PLAISANCE du Rhône à l'étang de Leucate

Localités	Équipement nautique				Environnement	
	Nombre de postes à quai avec eau et électricité	Nombre d'écoles de voile	Activités nautiques sur étang ou sur canal	Flotte ou flottille de pêche	Caractère de l'arrière-pays	Éloignement du bourg traditionnel le plus proche
Port-Camargue	Voir guide Vert Michelin Provence					
Le Grau-du-Roi	Voir guide Vert Michelin Provence					
La Grande-Motte	1125	2	⛵	–	Camargue	4
Carnon-Plage	558	1	⛵	–	Étangs, vignoble, vergers	6
Palavas-les-Flots	730	1	–	🚤	Étangs, vignoble, vergers	—
Frontignan-Plage	En cours d'aménagt	1	–	–	Étangs, garrigue et vignoble (montagne de la Gardiole)	2
Balaruc-les-Bains	–	1	⛵	🚤	Garrigue et vignoble	4
Sète	220	1	⛵	🚤	Garrigue et vignoble	–
Marseillan-Plage	–	1	–	–	Étangs et vignoble	6
Cap d'Agde	1700	1	–	–	Pentes reboisées du Mont-St-Loup, vignoble	5
Valras-Plage	184	1	–	🚤	Vignoble et garrigue	5
Narbonne-Plage	92	1	⛵	–	Garrigue (montagne de la Clape)	10
Gruissan	383	1	–	🚤	Étangs, garrigue (montagne de la Clape)	—
Port-la-Nouvelle	200	–	⛵	🚤	Étangs et garrigue	9
Cap-Leucate	Voir guide Vert Michelin Pyrénées					
Port-Leucate	Voir guide Vert Michelin Pyrénées					
Port-Barcarès	Voir guide Vert Michelin Pyrénées					

Les paysages des Causses, des Cévennes, du Bas Languedoc seront pour vous plus intéressants si vous lisez les p. 9 à 21 : Physionomie du pays.

ARTISANAT

Les Cévennes, le Rouergue, les Causses et le Languedoc, riches en villages isolés dans des sites enchanteurs, en petites villes qui ont su préserver leurs anciens quartiers de toute agitation, ont permis à une certaine forme de vie traditionnelle de durer, attirant ainsi de nombreux artisans. *Sur la carte ci-dessous, nous avons localisé les activités artisanales dont le produit peut, en principe, être acheté sur place.*

Quelques artisans accueillent en été des stagiaires désireux de s'initier à un travail manuel. Tous renseignements à ce sujet sont donnés à Rodez par le Club des Vacances Insolites, 6, boulevard Gambetta, ☎ 68.57.89 ; à Paris, par la Maison du Rouergue, 3, rue de la Chaussée d'Antin, ☎ 246.94.03 ; pour le Sud de la région décrite (départements du Tarn et de l'Aveyron en particulier), on peut s'adresser à la Maison régionale des Artisans créateurs, 42 rue Pharaon, 31000 Toulouse, ☎ (61) 52.49.96 (information sur les métiers d'Art et stages d'artisanat – exposition de la production d'Artisanat de Création).

Une documentation est, en général, disponible dans les Syndicats d'Initiative locaux.

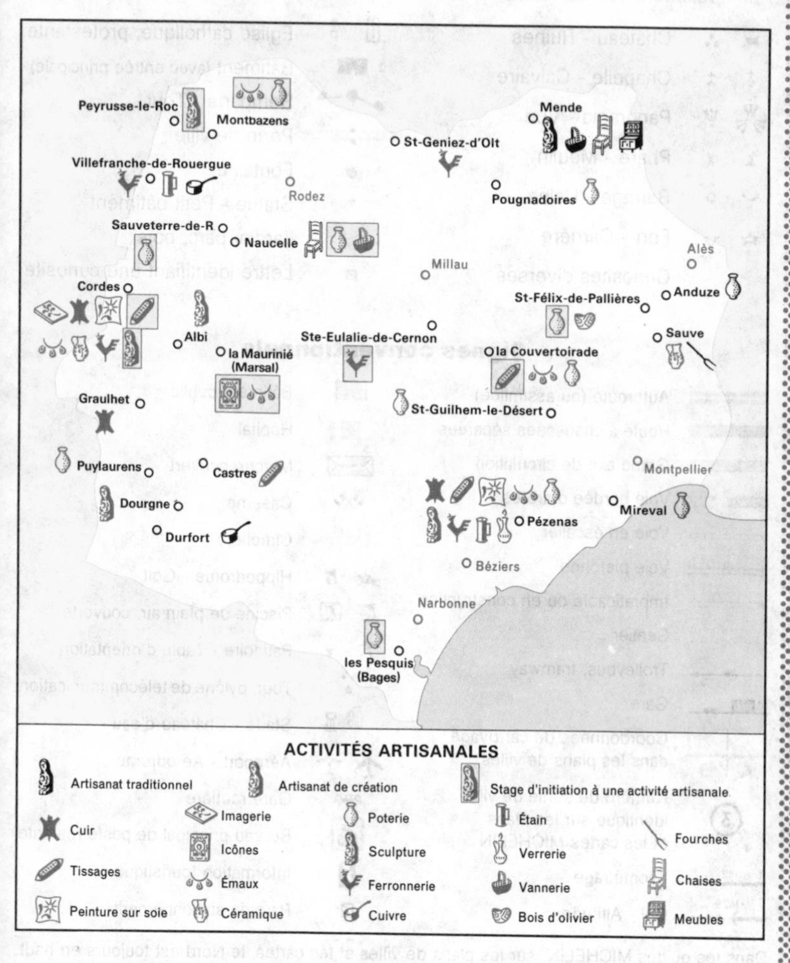

La coopérative des artisans et paysans de la Lozère. — *Exposition et vente à Mende, 4 rue de l'Ange, et à Paris, à la Maison de la Lozère, 4 rue Hautefeuille, 6ᵉ.*

De forme simple, les meubles qui sortent des ateliers de ces artisans-paysans sont en bois massif de frêne, de hêtre, de châtaignier, de chêne, d'ormeau ou de pin.

La paille des marais aux reflets gris vert ou brun, la paille de seigle qui se dore en vieillissant, servent à confectionner de beaux sièges rustiques, des paniers et corbeilles de toutes sortes. Parmi les objets de décoration qu'exécutent les artisans de Lozère, les animaux sculptés dans des plaques de schiste sont particulièrement originaux.

Les fourches en bois de micocoulier. — A Sauve, dans le Gard, on cultive le micocoulier spécialement pour en faire des fourches. Le bois de micocoulier, très malléable, a l'avantage de devenir très dur et peu sujet à la vermoulure après un passage au four.

A l'aisselle de chaque feuille, il existe trois bourgeons. Avant la montée de la sève, il faut tailler la branche au-dessus de ceux-ci ; en se développant, ils deviendront trois tiges qui constitueront, au bout de sept à huit ans, les trois branches de la fourche.

La fourche est ensuite chauffée puis pelée. Les branches sont cintrées à l'aide d'un moule spécial. Enfin, l'outil est placé pendant quinze heures dans un four à 120°.

Les vases d'Anduze. — Ils sont célèbres depuis le 17ᵉ s. Ce sont des poteries vernissées, utilisées surtout pour l'ornement des jardins.

Les artisans de Pézenas. — Potiers, sculpteurs, tisserands, etc. installés dans les boutiques des ruelles de la vieille ville exposent leurs travaux en été durant « la mirondela dels arts ».

LÉGENDE

★★★ **Vaut le voyage**

★★ **Mérite un détour**

★ **Intéressant**

Itinéraire décrit, point de départ et sens de la visite

sur la route — en ville

Les symboles suivants, accompagnés d'un nom écrit en gras, localisent des curiosités décrites

Principalement sur les cartes	*Principalement sur les plans*
Château - Ruines	Église catholique, protestante
Chapelle - Calvaire	Bâtiment (avec entrée principale)
Panorama - Vue	Remparts - Tour
Phare - Moulin	Porte de ville
Barrage - Usine	Fontaine
Fort - Carrière	Statue - Petit bâtiment
Curiosités diverses	Jardin, parc, bois
	B Lettre identifiant une curiosité

Signes conventionnels

Autoroute (ou assimilée)	Bâtiment public
Route à chaussées séparées	Hôpital
Grand axe de circulation	Marché couvert
Voie bordée d'arbres	Caserne
Voie en escalier	Cimetière
Voie piétonne	Hippodrome - Golf
Impraticable ou en construction	Piscine de plein air, couverte
Sentier	Patinoire - Table d'orientation
Trolleybus, tramway	Tour, pylône de télécommunication
Gare	Stade - Château d'eau
A B Coordonnées de carroyage dans les plans de villes	Aéroport - Aérodrome
3 Numéro de sortie de ville, identique sur les plans et les cartes MICHELIN	Gare routière
12 Kilométrage	Bureau principal de poste restante
1429 Col - Altitude	Information touristique
	P Parc de stationnement

Dans les guides MICHELIN, sur les plans de villes et les cartes, le Nord est toujours en haut. Les voies commercantes sont imprimées en couleur dans les listes de rues.

Abréviations

A Autoroute	*GR* Sentier de Grande Randonnée	P Préfecture, Sous-préfecture
A Chambre d'Agriculture	H Hôtel de ville	POL. Police
C Chambre de Commerce	J Palais de Justice	*R.F.* Route Forestière
D Route Départementale	M Musée	T Théâtre
G Gendarmerie	*N* Route Nationale	U Université

Signes particuliers à ce guide

Transport par bateau : Voitures et passagers

Les villes, sites et curiosités décrits dans ce guide sont indiqués en **caractères noirs** sur les schémas.

VILLES CURIOSITÉS RÉGIONS TOURISTIQUES

AGDE

Carte Michelin n° 83 - plis ⑮, ⑯ – *Schéma p. 78* – 11 768 h. (les Agathois).

Agde fut fondée par les Phocéens il y a 2 500 ans. Elle s'appelle alors Agathé. La ville, que son commerce avec le Levant, ses vignes et ses oliviers rendent prospère, présente tous les signes d'une civilisation avancée. Au 4e s., elle devient cité épiscopale.

Jusqu'au 12e s., malgré des périodes de dépression (invasions barbares et sarrasines), l'activité commerciale du port se maintient. Mais, par la suite, la concurrence de Montpellier, d'Aigues-Mortes et surtout de Sète, est cause de son déclin. Les barques doivent aujourd'hui, pour l'atteindre, remonter la rivière sur 4 km. C'est l'effet des alluvions du Rhône.

Agde est toute proche du mont St-Loup, butte d'origine volcanique, dont elle a largement utilisé la lave pour sa construction. C'est une ville de paysans, de vignerons et de pêcheurs. Les joutes nautiques donnent lieu, comme à Sète *(p. 149)*, à des compétitions qui passionnent la population.

Agde. – Ancienne cathédrale St-Etienne.

Ancienne cathédrale St-Étienne*. – *Visite : 1/4 h.* Cette église fortifiée, reconstruite au 12e s., a probablement remplacé un édifice carolingien du 9e s. Endommagée durant les guerres de Religion, elle a d'abord été restaurée au 17e s. puis à la fin du 19e s. La lave dont elle est construite provient des anciennes carrières d'Ambonne et rehausse son aspect sévère de forteresse. Ses murs, épais de 2 à 3 m, sont couronnés de mâchicoulis sur arcs et de créneaux. Le clocher, haut de 35 m, est un beau donjon carré à mâchicoulis, garni à ses angles d'une tourelle et d'échauguettes.

La façade occidentale, en bordure de l'Hérault, a été dégagée des maisons qui la masquaient, au 19e s., et percée d'un portail.

L'intérieur présente une nef couverte d'un berceau brisé soutenu par un seul arc doubleau. On remarque dans la voûte un œil-de-bœuf par lequel, à l'aide d'une corde, les défenseurs montaient vivres et munitions. Le chœur rectangulaire déborde la nef, donnant au vaisseau la forme d'un T. Il s'orne d'un retable du 17e s. en marbre polychrome. Les deux chapiteaux des supports de l'arc triomphal sculptés dans le marbre seraient un remploi. A signaler, parmi les éléments du mobilier, la chaire de marbre du 18e s.

AGDE

0 — 400 m

Gambetta (Pl.)	22
Montesquieu (R.)	33
Roger (R. Jean)	42
Bages (R. Louis)	2
Barris (R. des)	3
Berthelot (R.)	4
Blanchard (R.)	5
Calade (Quai de la)	8
Chapître (Quai du)	9
Chasselière (R. A.)	10
Châteaudun (R. de)	12
Claude-Bernard (R.)	15
Denfert-Rochereau (R.)	16
Égalité (R. de l')	17
Ferry (R. Jules)	18
Fraternité (R. de la)	21
Grand-Rue	23
J.-J.-Rousseau (R.)	24
Marine (Pl. de la)	28
Marseillan (Av. de)	29
Mirabeau (R.)	30
Molière (R.)	32
Muratet (R. Honoré)	34
Poissonnerie (R. de la)	35
Portalet (R. du)	36
Renan (R. Ernest)	39
Richelieu (R.)	41
Terrisse (R. Claude)	45
Vias (Av. de)	46
Victor-Hugo (Av.)	47

PÉZENAS 18 km A 9 : 8 km
MÈZE 20 km
Canal du Midi
Hérault
GARE
R. de la Digue
R. Pitot
N 112
22 km BÉZIERS
ANCne CATH. ST-ÉTIENNE
R. du Peyrou
Av. Gal de Gaulle
R. Alsace Lorraine
Av. de Sète
Rue Brescou
R. Voltaire
R. de la République
R. Danton
Q. des Chantiers
SÈTE 23 km
LE GRAU D'AGDE 4 km
LE CAP D'AGDE 5 km

Musée agathois (M[1]). – *5, rue de la Fraternité. Visite de 10 h à 12 h et de 14 h à 18 h. Fermé le mardi. Entrée : 5 F.*

Nous recommandons aux touristes de s'y rendre à pied. Cette courte promenade leur permettra de parcourir les vieux quartiers d'Agde.

Installé dans un hôtel Renaissance, il présente, entre autres, des reconstitutions d'intérieurs, des costumes du pays, une collection de maquettes de bateaux, des œuvres d'artistes régionaux, des souvenirs de navigateurs agathois. Ce musée possède une importante collection archéologique, notamment de nombreuses **amphores** provenant de l'ancien port grec.

EXCURSIONS

Le Grau d'Agde. – *4 km. Sortir par le quai des Chantiers (Sud du plan) et suivre le D 32.* La route longe l'embouchure de l'Hérault, formant un port bien abrité. A l'extrémité, belle plage de sable fin et bois de pins.

Le Cap d'Agde. – *5 km. Sortir par la rue Brescou (Sud-Est du plan) et suivre le D 32^{E}. Description p. 67.*

AIGOUAL (Massif de l') ***

Carte Michelin n° 80 - plis ⑤ ⑥ ⑮ ⑯.

Tracées à travers les jeunes forêts dont se couvre la montagne ou sur des crêtes d'où les vues sont très étendues, les routes qui sillonnent le massif de l'Aigoual sont presque toutes pittoresques. De l'observatoire qui surmonte le sommet, on embrasse, par temps clair, un immense panorama.

L'Aigoual fut, à partir de juillet 1944, le centre de l'important maquis « Aigoual-Cévennes ». Le P.C. était installé à l'Espérou.

UN PEU DE GÉOGRAPHIE

Un gigantesque château d'eau. – Massif granitique et schisteux, l'Aigoual (alt. 1 567 m) est le point culminant de la partie Sud des Cévennes proprement dites. C'est l'un des nœuds hydrographiques les plus importants du Massif Central : son sommet condense à la fois les nuages venus de l'Atlantique et les vapeurs méditerranéennes qui s'y combattent constamment ; de là, son nom Aiqualis (l'aqueux, le pluvieux). La hauteur d'eau, en année moyenne, atteint 2,25 m.

Ces eaux, il les partage entre deux régions très dissemblables. Sur le versant méditerranéen, les gorges profondes alternent avec les crêtes schisteuses extrêmement découpées ; à l'Ouest, au contraire, vers l'océan, des pentes douces soudent le massif au vaste pays calcaire des Causses.

Le reboisement de l'Aigoual. – Il y a cent ans, le massif présentait l'aspect désolant d'une montagne dénudée et pelée.

En 1875, **Georges Fabre**, garde général des Eaux et Forêts, entreprend son reboisement.

D'abord il prouve qu'une partie du sable comblant le port de Bordeaux provenait de l'Aigoual. Puis il réussit à faire voter une loi l'autorisant à acheter des terrains communaux ou particuliers, ce qui lui permet d'adopter le système du « périmètre extensif », c'est-à-dire de remplacer le mince rideau d'arbres destiné à retenir les terres en bordure des rivières par de larges surfaces plantées. Peu à peu, malgré l'hostilité de certaines communes qui refusent de céder leurs terrains de pacage, malgré la résistance des bergers qui n'hésitent pas à mettre le feu aux jeunes plants, Fabre parvient à redonner à la montagne sa parure de forêts.

Le bienfaisant forestier. — Fabre ne s'est pas contenté de reboiser. Il a développé autour de l'Aigoual le réseau des routes et des sentiers, restauré des maisons forestières, organisé des arboretums pour l'étude de l'accroissement des essences, construit un observatoire destiné aux recherches météorologiques.

VISITE

L'itinéraire décrit ci-après permet de traverser complètement le massif et d'atteindre en auto le sommet même de l'Aigoual. On le suivra de préférence dans le sens Meyrueis – le Vigan, afin de faire à la descente la très belle route du col du Minier vers la vallée de l'Arre.

Entre l'Espérou et l'Aigoual, la route peut être obstruée par la neige de novembre à mai. Se renseigner au Centre de déneigement de l'Espérou, ☎ *(66) 92-60-14 à l'Espérou.*

L'Aigoual, situé à la croisée des sentiers de Grande Randonnée GR 6 (Alpes-Océan) et GR 7 (Vosges-Pyrénées), qui, dans le massif, s'enrichissent de nombreuses variantes, est un lieu privilégié du tourisme pédestre.

LE COL DE MONTJARDIN

De Meyrueis au col de la Séreyrède – *25 km – environ 2 h 1/2 – schéma ci-dessous*

Des congères peuvent obstruer la route en hiver.

Depuis Meyrueis *(p. 113)*, la montée au col de Montjardin s'effectue d'abord en forêt, sur la rive gauche du Bétuzon, puis à la lisière du causse Noir. Du col, vue très étendue sur ce causse, sur celui du Larzac et, peu après, sur les montagnes de l'Aigoual et de l'Espérou. La route entre ensuite dans une forêt où dominent les mélèzes. Taillée en corniche dans les schistes, elle offre de belles échappées sur les anciennes mines de plomb argentifère de Villemagne. Plus loin, on découvre sur la droite le très curieux cirque rocheux de « l'Alcôve », où le Bramabiau tombe en cascade après un parcours souterrain dans le causse de Camprieu.

Abîme du Bramabiau*. – *Page 66*.

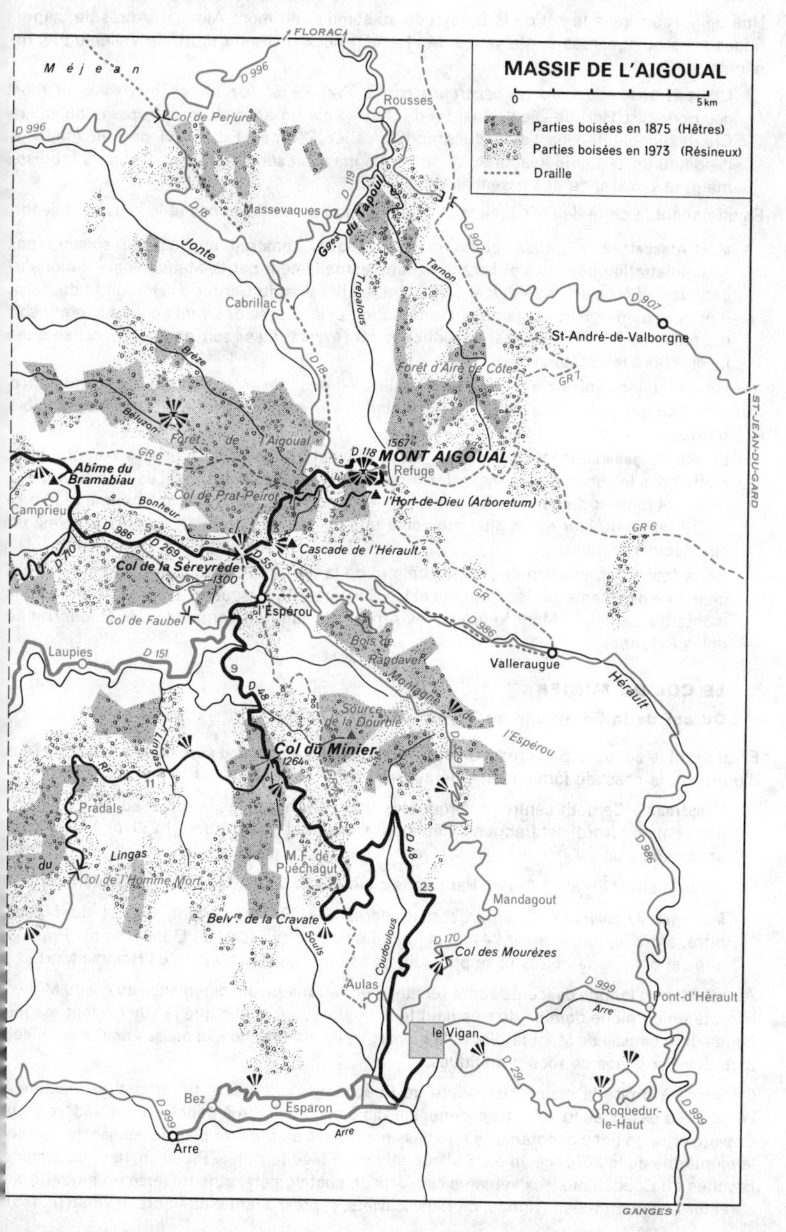

AIGOUAL (Massif de l')***

Après la traversée du petit causse de Camprieu, la route atteint les bords du Trévezel et pénètre dans les reboisements de l'Aigoual (hêtres et conifères).

Route du Suquet. – *14 km au départ du D 986, jusqu'à la route des gorges de la Dourbie.* Construite à 1 100 m d'altitude, elle traverse de belles forêts de hêtres et de pins sylvestres. Belles vues sur les vallées du Trévezel et du Bramabiau, puis sur les Causses, le Cantal, l'Aubrac, le Lévézou, les monts de Lacaune, le Caroux et les Pyrénées.

Parcours très pittoresque du D 986, en bordure du Trévezel.

Col de la Séreyrède*. – Il est situé à 1 300 m sur la ligne de partage des eaux. Au pied du col se creuse la vallée de l'Hérault que dominent au loin les « serres » cévenoles *(illustration p. 19).* Derrière la maison forestière, on a une jolie vue sur la vallée du Bonheur. Le col de la Séreyrède était un des passages empruntés par la grande **draille du Languedoc,** l'une de ces larges pistes de transhumance empruntées naguère chaque année, au mois de mai, par les moutons des garrigues languedociennes montant aux pâturages de l'Aubrac, du Mont Lozère, de la Margeride *(voir carte p. 21).* On reconnaît encore ces drailles, presque abandonnées maintenant, aux saignées qu'elles tracent dans le paysage des « serres » cévenoles.
Aujourd'hui c'est en camion que la plupart des 25 000 bêtes sont transportées jusqu'à leurs pâturages d'été.

LE SOMMET

Du col de la Séreyrède au Mont Aigoual – *7 km – schéma p. 48-49*

Des congères peuvent obstruer la route en hiver.

Une belle route relie le col de la Séreyrède au sommet du mont Aigoual. Après de magnifiques vues plongeantes sur la vallée de l'Hérault où serpente la route de Valleraugue, on pénètre en forêt.

L'Hort-de-Dieu. – *3,5 km au départ du col de Prat Peirot par un chemin forestier (non goudronné).* L'Hort-de-Dieu (« Jardin de Dieu ») est un arboretum créé par le botaniste Charles Flahault, avec l'aide du grand forestier Georges Fabre qui désirait fonder à l'Aigoual un véritable « laboratoire de montagne » où serait étudiée, en vue du reboisement, la croissance des essences exotiques.

En atteignant la crête de l'Aigoual, la vue se dégage sur les Cévennes et le causse Méjean.

Mont Aigoual*.** – L'observatoire météorologique, construit en 1887 au sommet par l'administration des Eaux et Forêts, occupé actuellement par la Météorologie Nationale, est particulièrement bien placé. Dominant les bassins du Gard, de l'Hérault et du Tarn, il permet d'enregistrer notamment la direction et la vitesse des vents qui amèneront soit les pluies méditerranéennes, torrentielles et dévastatrices, soit des pluies océaniques favorables à la végétation.
Les conditions de visibilité exceptionnelles – des observateurs ont pu reconnaître simultanément le Mont Blanc et la Maladetta – sont le privilège de certains mois d'hiver (janvier).
En été, le **panorama***** de l'Aigoual étant souvent brumeux, les touristes auront intérêt à atteindre le sommet en dehors des heures chaudes de la journée. Les plus courageux pourront monter de nuit afin d'assister au lever du soleil. C'est en septembre que la première heure du jour est le plus propice à une bonne visibilité. Par temps clair, c'est un spectacle grandiose.
De la table d'orientation érigée au sommet de la tour de l'observatoire, on découvre un immense panorama sur les Causses et les Cévennes et, lorsque le temps est clair, sur les monts du Cantal, le Mont Ventoux, les Alpes, la plaine du Languedoc, la Méditerranée et les Pyrénées.

LE COL DU MINIER

Du col de la Séreyrède au Vigan – *32 km – environ 1 h – schéma p. 48-49*

En quittant le col de la Séreyrède, on aperçoit à gauche, de l'autre côté de la vallée, au creux d'un ravin, la cascade formée par l'Hérault naissant.

L'Espérou. – Ce petit centre, environné de bois et d'herbages, exposé au Midi, à l'abri des vents du Nord, est fréquenté l'été pour son site et son altitude (1 230 m), l'hiver pour ses champs de ski.

Col du Minier.** – alt. 1 264 m. Par temps clair, la vue s'étend jusqu'à la Méditerranée.

Montagne du Lingas. – *11 km.* La route forestière (RF 7) partant du col du Minier offre, à droite, une vue sur l'Aigoual, puis franchit le ruisseau du Lingas. Après Pradals, elle est bordée de hêtres et se poursuit, goudronnée, jusqu'au col de l'Homme Mort.

Au début de la longue descente sur le versant méditerranéen, qui commence au col du Minier, la route en corniche domine de très haut le ravin du Souls tandis que la vue devient magnifique sur le causse de Montdardier et la montagne de la Séranne. On passe ensuite au milieu d'un curieux chaos de rocs granitiques.

On laisse à droite la maison forestière de Puéchagut, qu'entoure un arboretum destiné à l'étude des essences forestières exotiques. Puis dans un virage à gauche, le belvédère de la Cravate offre un beau panorama : sur le bassin de l'Arre au premier plan, le causse du Larzac, la montagne de la Séranne, le pic St-Loup et vers la Méditerranée. Plus loin, la route domine la vallée du Coudoulous aux versants couverts de châtaigniers, puis traverse un paysage au caractère méditerranéen (vignes, mûriers, oliviers, cyprès) avant d'atteindre le Vigan *(p. 165).*

ALBAN

Carte Michelin n° 80 - pli ⑫ - 1 110 h.

Gros bourg agricole dont l'**église Notre-Dame** (reconstruite en 1957) renferme quelques œuvres d'art anciennes, notamment un bénitier roman et une amphore gallo-romaine (2e s), disposés de part et d'autre de la porte principale, une Vierge à l'Enfant en bois doré (16e s.) sur le maître-autel et surtout, sur le côté gauche, une belle croix-calvaire en pierre sculptée, du 16e s.

ALBI **

Carte Michelin n° 80 - pli ⑪ ou n° 82 - pli ⑩ – 49 456 h. (les Albigeois).

Installée sur les rives du Tarn, après que la rivière eût laissé les derniers contreforts du Massif Central, Albi, construite en brique, est célèbre sous le nom d'« Albi la Rouge ».

De nombreuses manifestations animent la vieille cité : en été, *illuminations, festivals... (voir p. 35).*

La vie albigeoise. – Albi connut la prospérité dès le Moyen Age. Marché agricole important, on y faisait le commerce du vin, du blé et surtout du précieux pastel.

L'exploitation du bassin houiller de Carmaux-Albi à partir du 19e s. donne naissance à de grandes industries, notamment aux aciéries du Saut du Tarn. D'autres entreprises, dans les branches des chaux et ciments, des textiles artificiels, font d'Albi une agglomération importante pour l'économie régionale. Citons aussi la **Verrerie Ouvrière** (Y) qui se consacre à la production de verre d'emballage *(visite, sauf en août, du lundi au jeudi, à 14 h et 15 h 30 en groupe exclusivement et sur autorisation écrite à Verrerie Ouvrière, 146 avenue Dembourg, 81000 ALBI. Fermée les jours fériés).* Elle a été créée en 1896. Sous l'impulsion de Jean Jaurès, les ouvriers en grève des verreries de Carmaux vinrent fonder à Albi leur propre usine. Elle approvisionne en bouteilles de nombreux propriétaires, négociants et caves coopératives, ainsi à Gaillac, Cognac et Bordeaux.

La cité moderne déploie de larges avenues, droites et bien tracées, qui la mettent en communication avec les grands centres voisins (Carmaux et Rodez au Nord, St-Affrique à l'Est, Castres et Carcassonne au Sud, Toulouse et Bordeaux à l'Ouest) tandis que le vieil Albi rassemble sur les bords du Tarn et autour de la cathédrale ses maisons de briques et de bois, souvent transformées en boutiques attrayantes.

(D'après photo Marjo-Albi.)

Albi. – La ville et sa cathédrale.

Les Albigeois aiment flâner dans leurs ruelles étroites et sinueuses qui toutes finissent par les conduire aux places du Vigan et Jean-Jaurès (X). Là s'élèvent des discussions animées à l'heure où, aux terrasses des cafés, on réinvente le rugby en commentant la partie du dimanche précédent.

Le sport automobile et motocycliste, pratiqué sur le circuit du Séquestre, à l'Ouest de la ville, s'est, aussi, bien acclimaté dans le milieu albigeois.

UN PEU D'HISTOIRE

Capitale religieuse. – Les pouvoirs temporels des évêques croissent à mesure que se développe l'hérésie albigeoise. Après le concile de Lombers réuni en 1176 pour condamner la doctrine cathare, la croisade des Albigeois déclenchée en 1209, le traité conclu à Meaux en 1229, l'établissement de l'Inquisition, ces évêques deviennent de véritables seigneurs, sans cesse en guerre ou en procès, mais aussi grands mécènes. **Bernard de Combret**, évêque de 1254 à 1271, commence l'édification du palais épiscopal de la Berbie, **Bernard de Castanet** (1276-1308) entreprend celle de la cathédrale Ste-Cécile. Ce dernier scandalisa le pape par ses abus de pouvoir et dut se retirer dans un couvent. Plus tard, **Louis d'Amboise** (1473-1502), au terme d'un règne fastueux, dut abdiquer à la suite de querelles incessantes avec ses administrés.

En 1678, Albi fut érigé en archevêché.

Les « Albigeois ». – Ce nom désigna au 12e s. les adeptes de la religion cathare – terme savant inconnu à l'époque – parce qu'ils trouvèrent d'abord refuge à Albi ; peut-être aussi cette appellation est-elle due à un épisode survenu à Albi, au cours duquel le peuple sauva quelques hérétiques du bûcher. *Généralités sur la doctrine cathare : voir le guide Vert Michelin Pyrénées.*

ALBI

Lices G.-Pompidou VX
Malroux (R. A.) V 37
Mariès (R.) V
Ste-Cécile (R.) X 57
Timbal (R.) X 65
Verdusse (R. de) X 71
Vigan (Pl. du) X

Alsace-Lorraine (Bd) Y 2
Archevêché (Pl. de l') V 3
Andrieu (Bd Ed.) X 4
Bellet (Av. Ch.) YZ 6
Bodin (Bd Paul) Z 7
Carnot (Bd) Z 9
Castelviel (R. du) V 10
Choiseul (Quai) V 12
Campayré (R. G.) Y 13
Croix-Verte (R. de la) Y 14
Dr. S. Bompunt (Av.) Y 15
Dr. L. Camboulives (R. du) X 16
Foch (Av. Mar.) Z 18
Foirail de Castelviel (Pl.) Y 20
Franchet d'Esperey (Av. Mar.) Z 21
Gambetta (Av.) X 22
Gaulle (Av. du Gén. de) XZ 23
Genève (R. de) X 24
Gd-Côte (R. de la) V 25
Herriot (Av. Ed.) Y 26
Hôtel-de-Ville (R. de l') X 27
Joffre (Av. Mar.) Z 28
Kellermann (Av. du Mar.) Y 29
Kennedy (Av. du Prés.) Z 30
Lacombe (Bd) Z 31
Lamothe (R. de) V 32
Lannes (Bd. du Mar.) Y 33
Lude (Allées du) Z 34
Madeleine (R. de la) V 35
Malaval (R. du Capit.) Z 36
Montebello (Bd) Z 38
Oulmet (R. de l') X 39
Palais (Pl. du) X 40
Palais (R. du) X 41
Pelloutier (Pl. Fernand) Y 42
Pénitents (R. des) X 43
Peyrolière (R.) VX 44
Porta (R.) V 46
Porte-Neuve (R. de la) X 47
République (R. de la) Y 48
Résistance (Pl. de la) Y 49
Ricard (R. M.) Y 50
Rivière (R. de la) V 51
Roquelaure (R.) X 52
St-Affric (R.) V 53
St-Clair (R.) X 54
St-Julien (R.) V 55
Ste-Cécile (Pl.) V 56
Ste-Claire (R.) V 58
Salengro (Bd Roger) X 59
Savary (R. H.) X 60
Sel (R. du) X 61
Strasbourg (Bd de) Y 63
Teyssier (Av. Col.) X 64
Toulouse-Lautrec (R. H.-de) X 67
Verdié (Av. François) Z 68
Verdun (Pl. de) Z 69
Visitation (R. de la) V 72

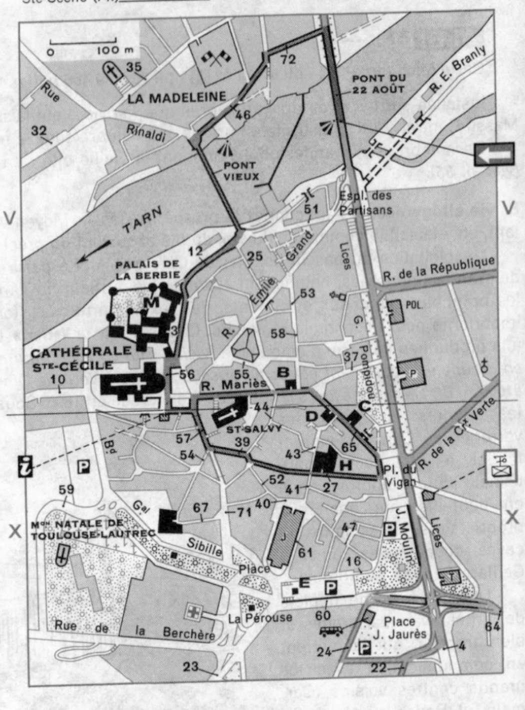

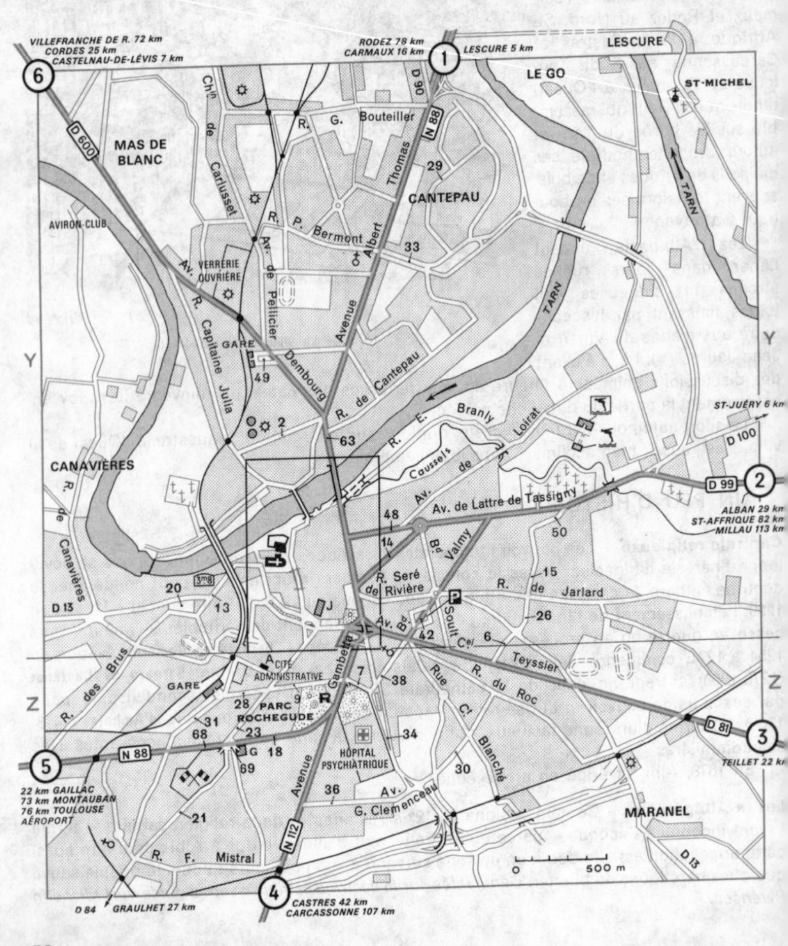

La croisade. – Quand Giovanni Lotario monte sur le trône pontifical (1198), sous le nom d'**Innocent III**, il décide d'extirper cette hérésie de « purs ». jugée dangereuse pour le dogme et pour les institutions. Des représentants du Saint Siège s'en vont parcourir le pays en essayant de démontrer l'erreur cathare ; des prêtres et même des évêques, dont les mœurs dissolues servent les théories hérétiques, sont renvoyés. Saint Dominique prêche, accomplit des miracles, se détache des biens matériels, comme les « Parfaits ». Cependant le catharisme se propage en Languedoc. Les humbles comme les seigneurs, plus encore les artisans et les commerçants, se convertissent. Or en 1208, l'envoyé du pape, Pierre de Castelnau, est assassiné près de St-Gilles. Innocent III excommunie le comte de Toulouse accusé de complicité et lève une armée de Croisés pour réduire les hérétiques.

Béziers est d'abord pillée et sa population massacrée *(voir p. 63)*, puis Carcassonne tombe. En 1209, **Simon de Montfort** est élu chef de la croisade. Bram, Minerve, Lavaur seront à leur tour le théâtre de tueries effroyables. Enfin, le **traité de Meaux** (ou de Paris), en 1229, met fin à l'expédition et place le Languedoc sous l'autorité royale. Ces vingt années sanglantes n'ont pas réussi à abattre les Albigeois. Il faudra l'instauration de l'Inquisition et surtout le bûcher de Montségur, en 1244, pour mettre un terme à leur action.

Henri de Toulouse-Lautrec. – Fils du comte Alphonse de Toulouse-Lautrec Montfa et d'Adèle Tapié de Celeyran, sa cousine germaine, il naquit en 1864 en l'hôtel du Bosc *(voir p. 56)*. Son enfance est marquée par deux accidents, en 1878 et en 1879, qui le privent de l'usage normal de ses jambes. Un corps d'homme sur des jambes atrophiées, telle sera la silhouette difforme du comte de Toulouse-Lautrec, un de nos plus grands peintres de mœurs.

En 1882, il s'installe à Montmartre et se mêle au monde de la misère et de la débauche. Fasciné par les personnages qu'il rencontre, s'attachant à rendre le caractère qui les personnalise, il croque ses modèles dans leurs lieux familiers : maisons closes, champs de course, cirques, cabarets. A partir de 1891, ses talents de lithographe lui apportent la célébrité et les murs de Paris se couvrent de ses affiches. Prématurément usé par l'alcool et une vie dépravée, il doit être interné dans une maison de santé de Neuilly, en 1899. Rétabli, il retourne à ses habitudes malgré la vigilance de son ami Julien Viaud. En 1901, à la dernière extrémité, il quitte la capitale et meurt le 9 septembre au château familial de Malromé, près de Langon (Gironde). Il repose aujourd'hui au cimetière de Verdelais.

■ PRINCIPALES CURIOSITÉS *visite : 3 h*

Gagner le pont du 22 août (Pont-Neuf) d'où la **vue*** sur la ville étagée sur la rive gauche du Tarn révèle l'aspect gigantesque de la cathédrale.

Poursuivre par le quartier de la Madeleine. De la terrasse aménagée au bord de l'eau, admirer le palais de la Berbie qui s'érige telle une forteresse. Le **Pont Vieux** du 11ᵉ s. (V) enjambe la rivière de ses arches irrégulières, soulignant le cachet médiéval de la cité.
Gagner la place de la cathédrale.

Cathédrale Ste-Cécile*** (V). – *Illustration p. 29. En été, ouverte entre 12 h et 14 h. Visite en soirée : voir p. 35.*

Au lendemain de la croisade contre les Albigeois, il faut que l'autorité catholique apparaisse définitivement rétablie. L'évêque Bernard de Combret a commencé l'édification du palais épiscopal en 1265, Bernard de Castanet entreprend en 1282 la construction d'une cathédrale. Elle devra être le symbole de la grandeur retrouvée et de la puissance de l'Église puisque les événements viennent de prouver que la foi a quelquefois besoin de la force pour être entendue. Aussi la cathédrale Ste-Cécile a-t-elle été conçue comme une forteresse. En un siècle, la construction du gros œuvre est achevée ; les évêques contribueront successivement aux travaux de finition, pourvoiront à diverses adjonctions ou modifications.

Il est difficile de prendre suffisamment de recul pour apprécier pleinement la masse formidable de cet édifice de brique rouge. Le simple toit de tuiles qui le couvrait au ras des fenêtres et reposait directement sur les voûtes a été remplacé en 1843 par un bandeau à faux mâchicoulis et chemin de ronde, surmonté de clochetons. L'architecte Daly avait dû imaginer cette nouvelle couverture afin de préserver l'intégrité des peintures de la nef.

Entre les fenêtres, chaque demi-tourelle engagée prolonge un contrefort intérieur.

Porche et baldaquin. – L'entrée principale s'ouvre au milieu du flanc Sud. On y accède par une porte construite au début du 15ᵉ s. qui unit l'édifice à une ancienne tour de défense. Un escalier conduit majestueusement au porche en forme de baldaquin entièrement en pierre. On doit cette œuvre à l'initiative de Louis Iᵉʳ d'Amboise (1520). Sa décoration exubérante et foisonnante contraste fortement avec le sobre appareil de brique de la façade.

Clocher. – Sur la tour carrée à l'allure de donjon qui ne dépassait pas la hauteur de la nef, Louis Iᵉʳ d'Amboise a fait édifier, au 15ᵉ s., trois étages qui s'adossent aux deux tourelles orientales, tandis qu'à l'Ouest celles-ci s'arrêtent à hauteur du premier étage. D'où la silhouette cambrée caractéristique du monument.

A l'intérieur, on se représentera la cathédrale originale en se plaçant à droite du grand orgue : imaginons l'édifice sans le jubé et sans la galerie qui, ajoutée au 15ᵉ s., est venue interrompre l'élan des chapelles. On se trouve alors en présence d'un vaste vaisseau voûté d'ogives, sans transept, épaulé de contreforts intérieurs entre lesquels se logent des chapelles.

Chœur et jubé***. – En 1480, l'église est consacrée. Vers cette époque Louis Iᵉʳ d'Amboise décide l'érection du chœur, clos par un **jubé** souvent comparé à une dentelle. L'art flamboyant finissant déploie ici toute sa technique. Ce ne sont que motifs enlacés, pinacles et arcs savamment mêlés, voûtes aux clés richement décorées.

Au-dessus de l'entrée du jubé, remarquer, à la voûte, les effigies de sainte Cécile et de saint Valérien *(autres détails sur la Grande voûte p. 54)*.

La porte principale est un modèle d'élégance et les serrures sont des chefs-d'œuvre. Des quatre-vingt-seize statues qui ont paré ce jubé jusqu'à la Révolution, il ne reste que la Vierge à la droite du Christ en croix, saint Jean à sa gauche et, au-dessous, Adam et Eve.

Vu du chœur, l'orgue monumental, construit au 18e s. par Christophe Moucherel, est admirable.

Le **chœur** *(entrée : 1 F ; s'adresser au gardien)*, aux vastes proportions, occupe la moitié du vaisseau et témoigne de la solennité dont s'accompagnaient les fonctions du chapitre.

La clôture extérieure est faite d'arcs en accolade à remplages où s'inscrit le monogramme du Christ. Les piliers qui séparent ces arcs portent chacun une statue représentant un personnage de l'Ancien Testament. Avec la statuaire de la clôture du chœur d'Albi, le naturalisme de la sculpture gothique atteint son apogée ; l'influence bourguignonne est manifeste dans l'expression réaliste des visages, les drapés un peu lourds des vêtements, l'allure souvent trapue des personnages. Sont particulièrement remarquables les prophètes Jérémie (1), Isaïe (2), Sophonie (3) ainsi que Judith (4) et Esther (5).

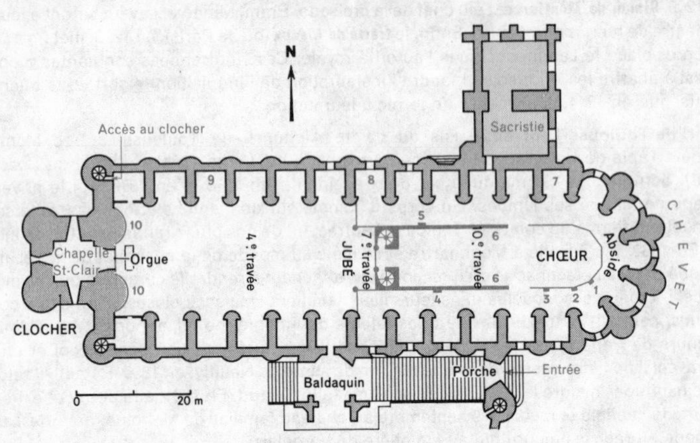

A l'intérieur du chœur, les statues de Charlemagne et de Constantin trônent au-dessus des deux portes latérales. Il faut se placer face au maître-autel pour voir resplendir les peintures des chapelles à travers les ajours des arcades. Sur le sanctuaire proprement dit, règne la Vierge à l'Enfant entourée d'anges. Aux piliers, les douze Apôtres.

Autour du chœur, courent deux rangées de stalles (6), magnifiquement sculptées. Au dessus, une frise d'angelots apparaît dans un décor d'arabesques peint sur la pierre.

Les vitraux des cinq fenêtres hautes de l'abside sont du 14e s., restaurés au 19e s.

Les chapelles latérales présentent un intérêt inégal. Il faut remarquer surtout celle de la Sainte-Croix (7), celle située à l'entrée Nord du chœur (8) qui abrite un tableau de la Sainte Famille (16e s.) et, enfin, la chapelle du Rosaire (9) qui contient un précieux triptyque de l'école siennoise.

Le Jugement dernier (10). – Il s'agit de l'immense fresque qui orne la paroi occidentale (sous le grand orgue), exécutée à la fin du 15e s. et malheureusement mutilée en 1693 par le percement de la chapelle St-Clair qui entraîna la disparition de la figure centrale du Christ. La paroi de brique qui supporte cette composition et où vient jouer la lumière, lui donne une belle apparence de légèreté et de transparence.

On peut penser que cette peinture murale supplée à l'absence de sculpture sur la façade Ouest, traditionnellement réservée au Jugement dernier dans les cathédrales.

Au sommet, une assemblée d'anges figure le ciel. Au-dessous et à la droite du Christ disparu, deux rangées d'élus : les apôtres, vêtus de blanc et nimbés d'or, et des personnages de haut rang, déjà jugés et admis au ciel. Au-dessous d'eux, les ressuscités se dirigent vers le juge suprême, le livre de leur vie ouvert devant eux. A gauche du Christ et occupant la dernière partie de la fresque, les pêcheurs sont précipités dans les ténèbres de l'enfer où sont dépeints les sept châtiments correspondant aux vices qui ont corrompu leur vie.

Cette œuvre achevée, les artistes français abandonnèrent Ste-Cécile et Louis II d'Amboise, succédant à son oncle, fit appel à des Italiens pour décorer les parois et la voûte.

La Grande voûte. – Les artistes bolonais qui ont paré l'austère nef de la cathédrale d'Albi de peintures éblouissantes se sont souvenus des splendeurs du Quattrocento (15e s.), le grand siècle de la Renaissance italienne. Sur un fond d'azur, les blancs et les gris des rinceaux, rehaussés d'ors, produisent le plus bel effet.

La Grande voûte est décorée de multiples portraits de saints et de personnages de l'Ancien Testament. Parmi les douze travées, remarquer la quatrième en partant du clocher : dans le voûtain Ouest, le Christ montre ses plaies à Thomas ; à l'Est, la Transfiguration. A la septième travée, dans le compartiment Ouest, sainte Cécile et saint Valérien, son époux ; à l'Est, l'Annonciation. Enfin, la dixième travée est la plus richement décorée : à l'Ouest, parabole des Vierges sages et des Vierges folles ; à l'opposé : le Christ, dans une auréole de lumière, couronne la Vierge.

A droite du maître-autel actuel, un escalier conduit au sommet du clocher : la **vue** s'étend amplement sur les toits d'Albi d'où émergent encore quelques anciennes tours de guet, sur la vallée du Tarn et la campagne environnante.

Palais de la Berbie* (V). – C'est à Bernard de Combret que revient l'initiative d'avoir commencé vers 1265 la construction d'une résidence épiscopale, à proximité de la cathédrale du 12e s., aujourd'hui disparue. Le nom de Berbie est une transformation de bisbia, « évêché » en dialecte local. Bernard de Castanet transforma l'œuvre initiale en forteresse, avec donjon massif (à gauche après avoir pénétré dans la cour intérieure) et enceinte fortifiée dont on peut apprécier l'importance en se rendant sur la terrasse aménagée au bord du

Tarn. Cette muraille, primitivement destinée à préserver l'accès au donjon, s'est transformée au cours des siècles. A la fin du 17e s., la cour jadis occupée par les hommes d'armes a été transformée en parterres fleuris, la tour occidentale coiffée d'un toit hexagonal. Le chemin de ronde a été changé en promenade ombragée, bordée des statues de marbre de Bacchus et des Saisons (18e s.).

Le corps de logis oriental, couvert d'ardoise, date de la fin du 15e s. Louis Ier d'Amboise fit surmonter les tourelles de toits en poivrières ajourés d'élégantes lucarnes en pierre dont il ne subsiste qu'un exemple.

Avec la fin des troubles protestants marquée par la promulgation de l'Edit de Nantes en 1598, la Berbie perdit toute fonction de citadelle. Les tours furent arasées, l'enceinte occidentale démantelée, la tour Nord du donjon écrêtée. Par la suite, les prélats s'attachèrent surtout à aménager l'intérieur du château. Depuis 1922, le musée Toulouse-Lautrec créé par Maurice Joyant, fidèle ami du peintre, occupe les bâtiments.

Musée Toulouse-Lautrec (V M). – *Visite du 15 juin au 30 septembre, de 9 h à 12 h et de 14 h à 18 h ; le reste de l'année, de 10 h à 12 h et de 14 h à 17 h. Fermé le mardi du 1er octobre au 1er avril, ainsi que les 1er janvier, 1er mai, 1er novembre et 25 décembre. Entrée : 8 F, majorée de mi-juin à mi-septembre en période d'exposition.*

L'escalier majestueux, construit au 17e s., conduit au premier étage où l'on visite la galerie d'archéologie (1) et la chapelle Notre-Dame (2), du 13e s., voûtée d'ogives et décorée par le Marseillais Antoine Lombard. L'évêque Le Goux de la Berchère (1687-1703) y introduisit les six tableaux marqués à ses armes.

La suite des nombreuses salles que l'on visite a été aménagée au 17e s. Beaux plafonds, dans le vaste Salon doré (3) et dans le suivant qui renferme un tableau de Guardi.

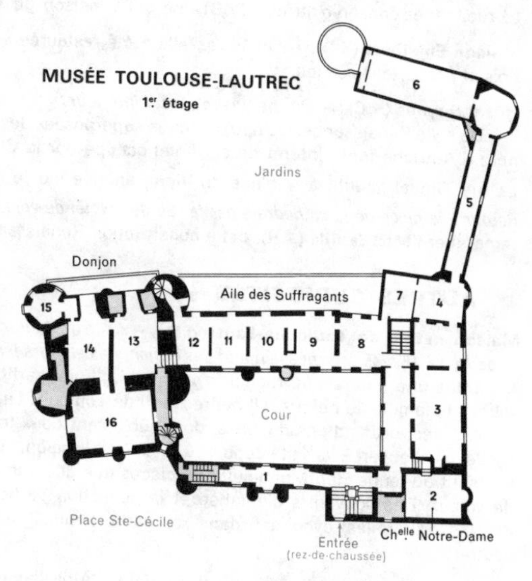

Le Salon carré (4) inaugure l'exposition des **collections Toulouse-Lautrec**** les plus complètes de cet artiste, léguées à la ville d'Albi en 1922 par la comtesse de Toulouse-Lautrec, sa mère, et complétées par d'autres donations de la famille.

Parmi les portraits consacrés à l'artiste, celui exécuté par Javal traduit bien la noblesse dont Toulouse-Lautrec ne s'est jamais départi sous son apparente déchéance. Dans cette même pièce, l'« Artilleur sellant son cheval » a été exécuté par le peintre à 16 ans. La galerie (5) au lambrissé en accolade abrite des œuvres de jeunesse évoquant les séjours au domaine maternel de Celeyran. On notera, tout au long de la visite, la diversité des signatures : Henri de Toulouse, Lautrec, Montfa, des initiales : H.L. ou H.T.L. ; Tréclau, anagramme de Lautrec, écrit dans un éléphant, une souris ou un chat.

La vaste salle suivante (6) renferme des portraits célèbres et des œuvres illustrant principalement sa vie parisienne. « L'Anglaise du Star » est un souvenir du Havre : avant de s'embarquer pour Bordeaux, il a voulu fixer le sourire de la blonde Miss Dolly, rencontrée dans un café-concert du port. Le docteur Gabriel Tapié de Celeyran, son cousin, est là aussi, qui le soutenait de son amitié vigilante.

Dans l'aile Nord du palais, dite « des Suffragants » (salles **7** à **12**), où logeaient les évêques en visite, remarquer l'étude pour l'affiche de « La Revue blanche » (1895), œuvre au fusain rehaussée de couleurs, hommage à la beauté de Missia Godebski, épouse d'un des frères Natanson, directeurs de la Revue Blanche. Dans la salle 9 domine une des œuvres les plus connues : « Au salon de la rue des Moulins ». L'étude au pastel et le tableau de 1894 sont exposés face à face. Dessinateur incomparable, l'artiste observe et reproduit impitoyablement ; il laisse toujours apparaître le trait sous la peinture.

Puis défilent les personnages de music-hall et de théâtre dont il allait chaque soir faire de nombreux portraits : Valentin le Désossé qui venait au Moulin de la Galette pour danser avec la Goulue ; le chansonnier Aristide Bruant qui chantait en argot dans son cabaret « Le Mirliton » ; Caudieux, l'artiste de café-concert ; Jane Avril, surnommée « La Mélinite » pour ses danses frénétiques, dont Lautrec a maintes fois évoqué les expressions délicates et les attitudes distinguées ; la chanteuse Yvette Guilbert, poursuivie avec acharnement par le peintre à qui elle interdisait de divulguer ses portraits qu'elle trouvait désobligeants.

Dans le donjon (salles **13** à **16**) sont exposés d'innombrables dessins, affiches et lithographies ainsi que la canne évidée que l'artiste utilisait à sa sortie de la maison de repos de Neuilly : il pouvait la remplir de cognac, mystifiant son ami et gardien Julien Viaud.

La série des 39 dessins « Au cirque » est une reproduction de ceux exécutés de mémoire pendant les soixante-quinze jours que dura son internement en 1899.

De la salle **12** un escalier à vis du 14e s. conduit aux deuxième et troisième étages qui abritent des œuvres d'art contemporain.

De la place Ste-Cécile part la rue Mariès, très animée et bordée de boutiques.

Église St-Salvy (VX). – Cette ancienne collégiale présente une variété de styles reconnaissables sur le clocher massif qui s'élève au côté Nord de l'édifice. La tour romane en pierre (11e s.), à bandes lombardes, est surmontée d'un étage gothique (12e s.) et terminée par une construction en brique, du 15e s. ; une tourelle crénelée. « la Gacholle » où l'on discerne le blason de la ville d'Albi, à côté de celui du chapitre, la flanque.

Pénétrer dans l'église par le flanc Nord. Du portail roman, défiguré par une adjonction de style classique, il ne reste que l'archivolte, les voussures et deux chapiteaux.

Les quatre premières travées sont romanes et ont conservé leurs chapiteaux du 12e s. D'une première campagne de construction subsistent deux absidioles du chœur, non alignées dans l'axe des bas-côtés.

Le chœur, de même que les autres travées, est de style gothique flamboyant. Il renferme six statues représentant les prêtres, scribes et anciens du peuple du sanhédrin (tribunal siégeant à Jérusalem). A gauche du chœur, statue de la Vierge à l'Enfant, en bois polychrome, copie d'une statue du chœur de Ste-Cécile.

La sacristie *(fermée de 10 h à 17 h, sauf le samedi ; ouverte le dimanche matin)* abrite une belle Piétà en pierre du 15e s. et une statue en bois de saint Salvy du 12e s. dont une copie est placée au-dessus du portail d'entrée de l'église et une autre au-dessus du maître-autel.

Dans la première chapelle latérale droite, remarquer un Christ à la colonne du 15e s. et une Mise au tombeau, beau tableau primitif sur bois.

Par une porte percée sur le flanc Sud, on accède au cloître, reconstruit au 13e s. par Vidal de Malvesi. Le tombeau de l'artiste et de son frère subsiste sous la galerie Nord.

Symétrique au clocher, la tour carrée est un vestige de l'ancien monastère roman.

La rue Mariès conserve au n° 6 (V B) une belle maison du 15e s., de briques et de bois.

Maison Enjalbert (X D). – Du 16e s., elle a été restaurée en 1902. Façade de briques et de bois et porte Renaissance.

Hôtel Reynès (X C). – *On ne visite pas l'intérieur.*

De style Renaissance, les deux galeries superposées, les bustes de François Ier et d'Éléonore d'Autriche font l'intérêt de cet hôtel occupé par la Chambre de Commerce.

La rue Timbal aboutit à la place du Vigan animée par le marché du samedi.

Retour à la place de la cathédrale par la rue de l'Hôtel-de-ville et la rue Ste-Cécile. Au passage, remarquer **l'hôtel de ville** (X H), belle construction Renaissance.

■ AUTRES CURIOSITÉS

Maison natale de Toulouse-Lautrec (X). – *Visite du 15 juin au 15 septembre, de 9 h à 11 h 45 et de 15 h à 18 h 45 ; fermée le matin des dimanches et jours fériés. Entrée : 8 F.*

Dans une pittoresque ruelle du vieil Albi, l'hôtel particulier du Bosc, appartenant toujours à la famille du peintre, vit naître Henri de Toulouse-Lautrec *(voir p. 53)*. Situé à l'emplacement des fortifications du 14e s. dont subsistent deux tours et une partie du chemin de ronde, il est ouvert à la visite depuis 1970. On voit le salon, où se produisit, en 1878, le premier accident du jeune Henri, une suite de pièces que décorent de nombreux meubles et objets de valeur. Des souvenirs d'enfance et la collection particulière des propriétaires (huiles dessins, aquarelles) évoquent, dans son cadre familial, la jeunesse de Henri de Toulouse Lautrec.

Statue de Lapérouse (X E). – Illustre enfant d'Albi, l'amiral Jean-François de Galaup de Lapérouse périt en mer en 1788, lors du naufrage de « l'Astrolabe » devant l'île de Vanikoro, au Nord des Nouvelles-Hébrides, dans l'océan Pacifique.

Parc Rochegude (Z). – Henri de Rochegude, né à Albi en 1741, fut navigateur, député à la Convention et érudit. Dans l'hôtel de Rochegude, les archives et la bibliothèque municipale ont été installées. Dans le parc, très agréable, a été placée la **fontaine du Griffon** (Z R), vaste cuve en plomb (13e s.) ornée de bas-reliefs et d'un motif central en bronze, du 16e s.

EXCURSIONS

Église St-Michel de Lescure (Y)*. – *Au Nord-Est du plan. Elle est située dans le cimetière de Lescure.*

Cette ancienne église priorale fut édifiée au 11e s. par les moines bénédictins de l'abbaye de Gaillac. Son portail roman surtout, du début du 12e s., est digne d'intérêt. Quatre de ses chapiteaux sont historiés et représentent, à gauche, la tentation d'Adam et Eve et le sacrifice d'Abraham ; à droite, le premier retrace la damnation de l'usurier tandis que le suivant est orné de deux scènes figurant le mauvais riche châtié et Lazare, le pauvre, récompensé. Par ses chapiteaux, St-Michel s'apparente à la basilique St-Sernin de Toulouse et à l'église St-Pierre-de Moissac.

A l'intérieur, **musée de la Carte postale** *(en cours d'installation. Visite guidée du 2 août au 20 septembre, de 13 h 30 à 19 h ; entrée : 5 F)*, sur l'art roman dans le Tarn et Lescure vers 1900.

Castelnau-de-Lévis. – 946 h. *7 km. Quitter Albi par ⑥ du plan, puis, dans un virage, prendre à gauche le D 1.*

De la forteresse du 13e s., il ne reste que l'étroite tour carrée et quelques ruines. La vue s'étend amplement sur Albi dominée par sa cathédrale et sur la vallée du Tarn.

Les églises ne se visitent pas pendant les offices.

Carte Michelin nº 80 - pli ⑱ – 45 787 h. (les Alésiens).

Au centre d'une région encore marquée par son ancienne vocation minière et séricicole, Alès est une ville cévenole de plaine égayée de promenades, de larges avenues animées.

UN PEU D'HISTOIRE

L'Antique Alès. – La ville (qui s'appela « Alais » jusqu'en 1926) tire son nom de Alestum, probablement d'origine celtique. Née au carrefour des voies qui mettaient en communication la région de Nîmes et l'Auvergne, elle s'est développée à partir d'une butte enserrée dans une boucle du Gardon. Sur cette butte, s'élève aujourd'hui le fort Vauban. La colline de l'Ermitage, au Sud-Ouest, portait un oppidum.

La paix d'Alès. – C'est à Alès qu'est signé, en 1629, l'Edit de Grâce accordé par Louis XIII aux Protestants. Après la prise de la Rochelle (1628), le grand chef des réformés, le **duc de Rohan,** gendre de Sully, essaye de tenir encore dans les Cévennes où Anduze lui sert de base *(détails p. 59)*. Mais Louis XIII et Richelieu accourent. Privas est prise et brûlée. Le duc organise la résistance à Alès, fait prêter serment aux habitants de lutter jusqu'à la mort et regagne Anduze. L'armée royale paraît. Après neuf jours de siège, Alès capitule. La partie est perdue pour Rohan qui négocie avec le cardinal. Aux termes de la paix d'Alès, les Protestants cessent de former un corps politique dans l'État et perdent leurs places de sûreté. La liberté de conscience accordée par l'**édit de Nantes** est confirmée. Le duc reçoit une indemnité de 300 000 livres qu'il distribue à ses compagnons de lutte.

Pasteur à Alès. – En 1847, une épizootie mystérieuse atteint les vers à soie, ressource traditionnelle de la région d'Alès. Chaque année, l'épidémie s'étend. On commence à sacrifier les mûriers. Le célèbre chimiste J.-B. Dumas, originaire de la ville, chargé d'étudier le fléau, n'obtient aucun résultat ; 3 500 producteurs crient leur détresse, quand, en 1865, Dumas fait appel à Pasteur qui accepte cette mission, par dévouement à l'intérêt public. Les quatre années consacrées aux études d'Alès compteront parmi les plus émouvantes de son illustre carrière.

L'élevage des vers à soie. – En gros, l'élevage du ver à soie se fait ainsi : les œufs éclosent soit dans des sortes de couveuses, soit dans des petits sacs que les femmes suspendent au creux tiède de leur poitrine. Quand les vers sont sortis des œufs, on les place dans les « magnaneries », à l'intérieur de cabanes faites de rameaux de bruyère ou de genêts. Des feuilles de mûrier, fraîchement cueillies, alimentent jour et nuit leur insatiable appétit. Ils filent alors le cocon dans lequel ils s'enferment pour devenir papillon. Ces cocons sont récoltés avant l'éclosion et l'on prend soin d'étouffer la chrysalide car, en sortant, le papillon casserait le fil de soie qui l'entoure. 30 grammes d'œufs produisent environ 65 kg de cocons. Le fil, dévidé, transformé en brins et teint, fournit la matière première du tisseur.

Les recherches, les deuils. – Le savant interroge les paysans pour avoir des détails précis sur l'épidémie. Il s'informe des remèdes qui ont été employés : on lui cite le quinquina, le rhum, l'absinthe, le vin, la moutarde, le sucre en poudre, la suie, les cendres, le goudron.

Le grand homme est à Alès depuis neuf jours quand son père meurt à Arbois. La même année, sa plus jeune fille, âgée de 2 ans, s'éteint à Paris. Surmontant son déchirement, Pasteur travaille auprès de ses vers à soie dès février 1866. Deux mois après, une autre de ses filles meurt de la typhoïde. Le savant touche le fond de la douleur.

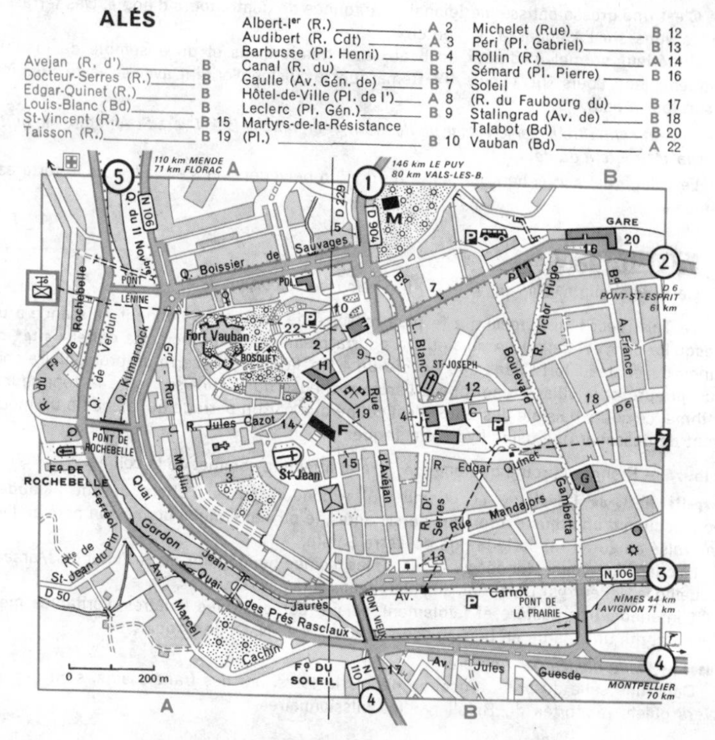

En janvier 1867, le remède est trouvé : il suffit d'examiner au microscope les papillons reproducteurs et de supprimer les œufs qui présentent certains signes caractéristiques. De nouvelles vérifications sont mises en train. La méthode de préservation que Pasteur a indiquée reçoit en 1868 une éclatante confirmation.

De retour à Paris, le savant est frappé, à 46 ans, d'une attaque de paralysie, mais au début de l'année suivante, il regagne Alès. Par un miracle d'énergie il continue de diriger le travail de ses collaborateurs. Le problème est définitivement résolu.

Alès a élevé une statue à son bienfaiteur dans les jardins du Bosquet.

Les transformations industrielles. – Dès le 12e s., Alès avait été prospère grâce au commerce et à l'industrie de la draperie. Au 19e s., elle devient, sur un autre plan, un centre industriel très important qu'alimentent les bassins houillers d'Alès, de la Grand'Combe et de Bessèges, des mines de fer, de plomb, de zinc, d'asphalte.

De nos jours, l'agglomération alésienne forme toujours, dans le cadre languedocien, un foyer de grande industrie, avec prédominance des branches de la métallurgie (Forges de Tamaris) et de la chimie (alumine et produits fluorés à Salindres). Une reconversion industrielle progressive et diversifiée doit remédier à la récession houillère.

■ CURIOSITÉS *visite : 1 h*

Ancienne cathédrale St-Jean (A). – *Fermée le dimanche après-midi.* La façade Ouest est romane avec un porche gothique. Le reste de l'édifice date du 18e s. Quelques tableaux ont été placés dans le transept (« L'Éducation de la Vierge » de Devéria, « L'Annonciation » de Jalabert) et dans la chapelle de la Vierge (« L'Assomption de la Vierge » de Mignard).

Ancien évêché (AB F). – Il date du 18e s.

Musée du Colombier (B M). – *Visite de 9 h à 12 h et de 14 h à 17 h. Fermé le mardi et les jours fériés. Entrée : 4 F.*

Aménagé dans un agréable jardin public dans les bâtiments restaurés du château du Colombier, il renferme de belles pièces de ferronnerie provenant du vieil Alès et des collections de minéralogie.

Le premier étage est consacré à la peinture des 16e, 17e et 18e s. ; le second aux œuvres des 19e s. et 20e s.

Remarquer deux œuvres de Brueghel de Velours, « la Terre » et « la Mer », et un beau triptyque de Jean Bellegambe (1470-1534).

Fort Vauban (A). – Il couronne une éminence aménagée en jardin public. Vue sur Alès.

EXCURSIONS

L'Ermitage. – *3 km. Quitter Alès au Sud-Ouest par le D 50, route de St-Jean-du-Pin, puis prendre à droite.*

A droite de la route d'accès, vestiges de l'ancien oppidum. La chapelle offre une vue sur l'ensemble de la ville d'Alès, le mont Lozère et les Cévennes au Nord-Ouest et au Nord, tandis qu'au Sud s'étendent, au-delà des vallées des Gardons, les garrigues nîmoises.

Château de Rousson. – *10 km. Quitter Alès par ① du plan, D 904. Après les Rosiers, prendre la troisième route à droite.*

Visite de Pâques au 31 octobre, de 10 h à 19 h. Entrée : 6 F.

C'est une grosse bâtisse méridionale, cantonnée de quatre tours d'angle. Des terrasses, belles vues sur l'Aigoual et le Ventoux.

L'intérieur permet d'admirer de beaux dallages anciens et un ensemble de meubles languedociens, Louis XIII et Louis XIV. Remarquer la cuisine d'origine avec sa vaste cheminée et son four à pain.

Si l'on veut connaître aussi le village de Rousson, reprendre le D 904 vers St Ambroix ; le quitter pour la 1re route à droite.

Le village est accroché à mi-pente d'un piton-belvédère où s'élevait jadis la forteresse primitive.

AMBIALET

Carte Michelin n° 80 - pli ⑫ – 444 h. – *Lieu de séjour, p. 42.*

Le Tarn décrit ici le méandre le plus resserré de son cours, donnant naissance à une presqu'île où s'est installé Ambialet. On pourra pleinement apprécier ce curieux **site*** des ruines du château fort : dans une boucle de 4 km, la rivière enserre un promontoire coiffé d'un prieuré et le village s'agrippe à l'arête rocheuse qui s'étire sur toute la longueur de l'isthme. Le cours paisible des eaux n'est coupé que par un barrage qui alimenta un moulin avant de desservir une usine hydro-électrique.

Prieuré. – Prendre la route qui longe le Tarn et atteint le sommet de la colline.

Chapelle N.-D. de l'Auder. – Le chemin qui y conduit passe d'abord devant l'« auder » (nom occitan d'un arbuste à feuilles persistantes, le phyllaire, qui a donné son nom au lieu). Un croisé en aurait rapporté la tige de Terre Sainte.

La chapelle romane, fondée au 11e s. par les moines bénédictins de St-Victor de Marseille, accueille le visiteur par un portail aux chapiteaux finement sculptés.

L'intérieur, très austère et faiblement éclairé par quelques fenêtres, véritables meurtrières, abrite une statue en bois polychrome du 17e s., N.-D. de l'Auder.

Musée. – *Visite guidée par un Père.*

Dans une salle du prieuré occupé depuis le 19e s. par des franciscains, sont exposés divers objets rapportés du Brésil par les missionnaires.

ANDUZE

Carte Michelin n° 80 - pli ⑰ – 2 725 h. (les Anduziens) – *Lieu de séjour, p. 42.*

La pittoresque petite ville d'Anduze est bâtie dans un vallon dont l'aspect verdoyant contraste avec l'aridité des croupes dominantes. Elle commande une cluse étroite et profonde, appelée **« Porte des Cévennes »** ou **Portail du Pas** où convergent les vallées des Gardons de St-Jean et de Mialet. On peut avoir une belle vue sur Anduze et son site, du D 910, route d'Alès, dans un virage situé à 1 km de la ville.

UN PEU D'HISTOIRE

Le calvinisme pénètre à Anduze en 1557 et y fait de rapides progrès. La ville, presque entièrement convertie à la religion réformée, est choisie comme siège de l'Assemblée générale des protestants du Bas-Languedoc (1579).

Mais la lutte religieuse, que Henri IV avait éteinte, se rallume à la mort du Béarnais. En 1622, Anduze, qu'on appelle la « Genève des Cévennes », devient le centre de résistance du grand chef protestant, le **duc de Rohan.** Il consolide les remparts grâce à des ouvrages avancés, fait construire des forts sur les hauteurs, protège la ville contre les inondations du Gardon par un quai surélevé. Appuyé sur les Cévennes entièrement protestantes, Rohan tient là une très forte position. Quand, en 1629, Louis XIII et Richelieu mènent leur expédition du Languedoc, ils préfèrent s'attaquer à Alès. Après la paix d'Alès *(détails p. 57)*, les fortifications d'Anduze sont détruites. Seule, la tour de l'Horloge a échappé aux démolisseurs.

Au 18e s., Anduze sera le grand centre de ravitaillement des Camisards *(détails p. 110)*. La tourmente passée, la ville redevient prospère. Elle cultive ses vignes, soigne ses arbres fruitiers, ses mûriers, se livre à l'industrie de la soie. Elle a aussi des distilleries, des poteries. Pendant longtemps, elle demeure aussi importante qu'Alès. Mais celle-ci, grâce aux richesses minières de son bassin, prend, au 19e s., un essor décisif.

■ CURIOSITÉS *visite : 3/4 h*

Tour de l'Horloge. – Sur la place allongée de l'ancien château d'Anduze, elle date de 1320.

Vieille ville. – Les ruelles étroites et tortueuses sont amusantes à parcourir. Par la porte s'ouvrant à côté du château, on gagne une place où s'élèvent une halle et une curieuse fontaine couverte d'une toiture de tuiles vernissées, en forme de pagode (1649).

Ancien parc du couvent des Cordeliers. – On y verra de magnifiques arbres exotiques et notamment d'énormes bambous.

D'une terrasse ombragée de marronniers et située au sommet du parc, une vue agréable s'offre sur la vallée du Gardon.

EXCURSIONS

Parc de Prafrance. – *2 km par le D 129. Visite de 9 h à 12 h et de 14 h à 19 h (de 9 h à 19 h sans interruption en juillet et août). Fermé du 1er novembre au 28 février. Entrée : 8 F.*

On pénètre dans le parc par une magnifique allée rectiligne bordée de bambous hauts de 20 m et de séquoias de Californie. On peut voir : l'arboretum, avec ses arbres importés du Japon, de Chine, d'Amérique, ses chênes et magnolias, les serres, intéressantes surtout durant la floraison, les bassins de lotus. Le décor original de Prafrance a été utilisé dans plusieurs films comme « Le salaire de la Peur », « les Héros sont fatigués ».

La forêt de bambous, d'une trentaine de variétés, a une superficie d'une dizaine d'hectares. Le bambou croît de 30 à 35 cm par jour mais il ne prend la consistance du bois qu'au bout de trois ans. On l'utilise pour la fabrication d'échelles, de mâts de navires, etc. Certains, reconnaissables à leur tronc jaune, servent à façonner des instruments de musique. Les rhizomes (tiges souterraines) sont transformés en anses de paniers, en manches de parapluies, etc.

Musée du Désert★ ; grotte de Trabuc★. – *11 km au Nord par Générargues et la vallée du Gardon de Mialet, le long du D 50 que l'on quitte après Luziers pour prendre à droite vers le Mas Soubeyran (p. 110) et Trabuc (p. 162). Visites : 1 h 1/2 environ.*

ARIFAT (Cascade d')

Carte Michelin n° 83 - pli ① – 16 km à l'Est de Réalmont.

Prendre le chemin qui s'embranche sur le D 11 à l'Est d'Arifat et conduit à un parc de stationnement.

Par un sentier en sous-bois, on gagne cette cascade *(1/2 h à pied AR)* sur un affluent du Dadou. Jolie vue sur le rocher d'Arifat où s'accroche le village.

Poursuivant au Nord-Est, par le D 11 et le D 57, on peut atteindre le **barrage de Rassisse** *(voir tableau p. 44)*, qui retient les eaux du Dadou et constitue un but agréable de promenade.

ASCLIER (Col de l') ★★

Carte Michelin n° 80 - plis ⑯⑰ – Au Nord-Est du Vigan.

Cet itinéraire franchissant une « barre » cévenole permet de passer de la vallée du Gardon dans celle de l'Hérault, au pied du Mont Aigoual.

De St-Jean-du-Gard à Pont-d'Hérault – *44 km – environ 1 h 1/2 – schéma p. 60.*

Entre St-Jean-du-Gard et Peyregrosse, cette route, très sinueuse et parfois étroite, nécessite une certaine habitude de la conduite en montagne, spécialement entre l'Estréchure et le col de l'Asclier : des garages pour faciliter le croisement ont été aménagés.

ASCLIER (Col de l')★★

Le col de l'Asclier est généralement obstrué par la neige de décembre à mars.

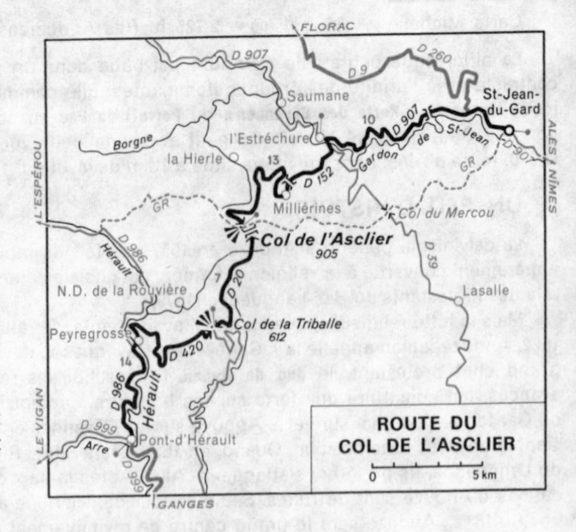

Au Nord-Ouest de St-Jean-du-Gard *(p. 145)*, le D 907 remonte le cours du Gardon de St-Jean et suit toutes les sinuosités de la rivière. Avant l'Estréchure prendre à gauche le D 152 vers le col de l'Asclier.

Après Millièrines, le paysage devient extrêmement sauvage ; la route domine les vallons de plusieurs affluents du Gardon de St-Jean, puis contourne le ravin de la Hierle. En tournant à gauche on arrive bientôt au col de l'Asclier.

Col de l'Asclier★★. – 905 m. La route passe sous un pont de la draille de la Margeride *(voir carte p. 21)* servant au passage des troupeaux transhumants. Du col, magnifique **panorama★★** vers l'Ouest : au 1er plan se creuse le ravin de N.-D.-de-la-Rouvière ; au loin, sur la gauche, s'élèvent le pic d'Anjeau et les rochers de la Tude ; au-delà du pic d'Anjeau s'allonge, à l'horizon, la crête calcaire de la montagne de la Séranne ; plus à droite s'étend le causse de Blandas dont les escarpements abrupts tombent sur la vallée de l'Arre ; plus à droite encore se dressent les montagnes du Lingas et de l'Espérou (massif de l'Aigoual).

Après le col de l'Asclier, le D 20 offre une très belle vue sur le profond ravin de N.-D.-de-la-Rouvière et sur le massif de l'Aigoual : on distingue le col de la Séreyrède avec sa maison forestière et l'observatoire au sommet de l'Aigoual.

Col de la Triballe. – 612 m. De là se dégage une vue très étendue sur les Cévennes. Par le pittoresque D 420 on descend vers la vallée de l'Hérault dont les versants portent des hameaux curieusement campés.

A Peyregrosse, aussitôt franchi le pont sur l'Hérault, prendre à gauche le D 986 qui longe le fleuve jusqu'au village de **Pont-d'Hérault**, au confluent de l'Hérault et de l'Arre.

AUBIN

Carte Michelin n° 80 - pli ① – 6 504 h. (les Aubinois).

Aubin s'étire le long de l'Enne jusqu'à rejoindre **Cransac** pour ne former avec elle qu'une seule agglomération industrielle.

L'Établissement thermal de Cransac, proche de « la montagne qui fume », ancienne houillère embrasée depuis plusieurs siècles, traite les affections rhumatismales et les arthroses dans des étuves où sont drainés des gaz naturels secs et chauds.

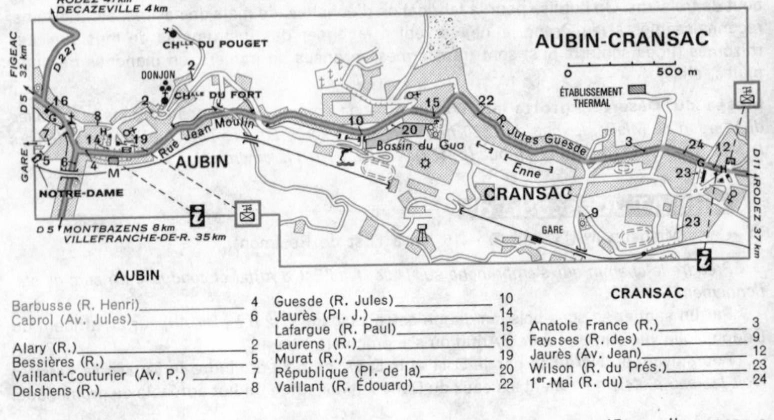

Église Notre-Dame. – Agrandie de son bas-côté droit et du chœur au 15e s., elle conserve d'importants vestiges du 12e s. En pénétrant dans l'édifice, remarquer à droite la cuve baptismale en plomb (13e s.) et, dans le chœur, le beau Christ en bois du 12e s.

Chapelle du Fort. – *Demander la clé à Mme Segonds, rue d'Albin.*

L'arête rocheuse qui la porte domine la vallée de l'Enne et était autrefois occupée par un fort dont il ne reste que le donjon en ruines. Le clocher de cet édifice roman est une ancienne tour de guet construite au 14e s. dans l'enceinte du fort.

Chapelle du Pouget. – *Demander la clé à M. Bex, à 100 m de la chapelle.*

Surmontée d'un clocher à peigne et couverte d'un toit de lauzes, cette chapelle du 13e s. doit son nom au petit puits (pouzet en langue d'oc) qu'elle abrite. Au-dessus du maître-autel, statuette d'une Vierge à l'Enfant du 16e s.

AVEN ARMAND ***

Carte Michelin n° 80 - Sud du pli ⑤ – *Schémas p. 97, 102 et 158.*

Une des merveilles souterraines du monde, l'aven Armand s'ouvre dans le causse Méjean *(voir p. 98)*, dont les immenses étendues désertiques laissent une impression de monotonie et de désolation saisissantes.

Visite du début des vacances scolaires de printemps au 30 septembre, de 9 h à 12 h et de 13 h 30 à 19 h. Entrée : 15 F incluant le trajet en funiculaire sur pneus menant à l'intérieur de la grotte, à la première plate-forme. Durée : 3/4 h.

La découverte. – Depuis 1883, E.-A. Martel *(voir p. 16)* explorait les Causses, descendant dans tous les abîmes que ses recherches lui permettaient de découvrir. Il faisait ses dangereuses explorations avec l'assistance de **Louis Armand,** serrurier au Rozier.

Le 18 septembre 1897, Armand revient du causse extraordinairement excité et déclare : « Cette fois, M. Martel, écoutez bien et n'en soufflez mot à personne : je crois que je tiens un second Dargilan, et peut-être plus fameux encore... Je suis tombé par hasard sur un maître trou ; c'est certainement un des meilleurs... » *(1).*

En descendant de la Parade, il a aperçu cet énorme orifice que les fermiers des alentours appellent « l'aven ». Les grosses pierres qu'il y a jetées ont l'air de descendre à des profondeurs insoupçonnées.

Le lendemain, à 2 h 1/2 de l'après-midi, la caravane parvient au bord du gouffre avec ses 1 000 kilos de matériel et ses hommes de manœuvre ; Armand Viré prend part à l'expédition.

Un premier sondage révèle une profondeur de 75 m. Louis Armand arrive facilement en bas. Des exclamations de joie montent du téléphone : « Superbe ! Magnifique ! Plus beau que Dargilan ! Une vraie forêt de pierres ! En voilà une trouvaille ! ... »

A 6 h, Armand remonte absolument enthousiasmé. Le 20 septembre, Viré et Martel y descendent à leur tour.

Au lendemain de la découverte, Martel décide de donner à cet aven le nom de son dévoué auxiliaire et réussit à l'en rendre propriétaire. Un consortium est établi pour l'aménagement et l'exploitation. Mais des difficultés de tous ordres retardent la mise en route. Les travaux ayant commencé en juin 1926, c'est enfin l'année suivante que l'aven Armand est ouvert au public.

Belvédère. – Un tunnel, long de 188 m, creusé pour faciliter l'accès de la grotte, débouche presque au pied du puits de 75 m, par lequel sont descendus les explorateurs. Un éclairage électrique bien compris donne un aspect féerique à ce « Rêve des Mille et Une Nuits ». L'itinéraire de visite fait le tour de cette vaste salle. Du balcon, où aboutit le tunnel, on jouit d'un spectacle merveilleux. Le regard plonge dans une salle de 60 m sur 100 et d'une hauteur de 35 m (Notre-Dame de Paris, longueur : 130 m ; largeur : 48 m ; hauteur : 35 m).

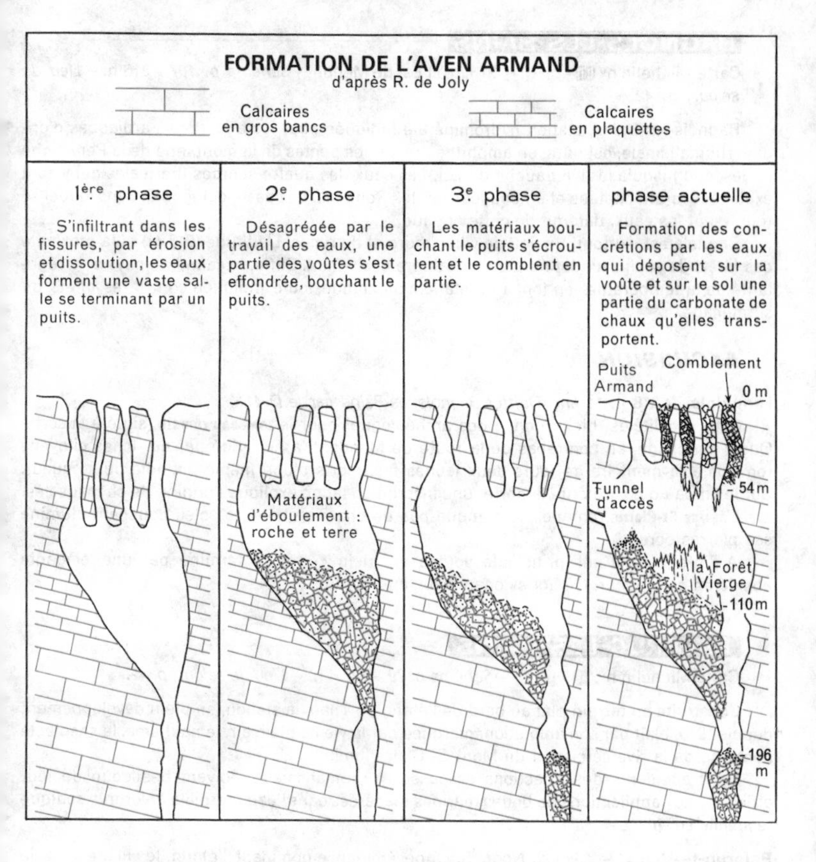

(1) *Pour plus de détails, lire la brochure : « L'Aven Armand », par E.-A. Martel (en vente sur place).*

Aven Armand. – La grande stalagmite.

La « Forêt Vierge ». – Sur les matériaux éboulés de la voûte se sont édifiées d'éblouissantes concrétions, offrant l'image d'une forêt pétrifiée : ces arbres de pierre, plus ou moins denses, aux formes fantastiques, peuvent atteindre à la base jusqu'à 3 m de diamètre et mesurer certains de 15 à 25 m de hauteur ; de leurs fûts, évoquant palmiers et cyprès, partent des feuilles irrégulièrement découpées, larges parfois de plusieurs décimètres. Les stalagmites rivalisent de fantaisie, dans une explosion d'arabesques, d'aiguilles, de palmes et d'élégantes pyramides coiffées d'épaisses coupoles. Leur ensemble (on dénombre 400 stalagmites), curieux jaillissement façonné par les siècles, compose cette somptueuse Forêt Vierge, scintillante de petits cristaux de calcite.

En parcourant la salle *(escaliers munis de mains courantes, quelques marches glissantes)*, on peut apprécier la variété des concrétions : des cierges graciles de plusieurs mètres de hauteur, d'étranges figures à têtes de monstres et massues, choux frisés et fruits ciselés, et surtout la magnifique colonne encorbellée supportée par une mince console, que domine la grande stalagmite, de 30 m de hauteur.

La lumière donne aux feuillages délicats une transparence de fine porcelaine, ajoutant à la magie du spectacle : « j'en suis ressorti comme d'un rêve », dit Martel.

BAGNOLS-LES-BAINS

Carte Michelin n° 80 - pli ⑥ – 21 km à l'Est de Mende – *Schéma p. 107* – 216 h. – *Lieu de séjour, p. 42.*

Bagnols-les-Bains, station hydrominérale indiquée pour les affections cardiaques d'origine rhumatismale, est bâtie en amphithéâtre sur les pentes de la montagne de la Pervenche et descend jusqu'à la rive gauche du Lot. Les eaux des quatre sources thermales qui y sont exploitées furent captées et aménagées par les Romains. Le bassin octogonal, dans lequel se réunissent les eaux, daterait de cette époque.

Bagnols est, surtout, un lieu de villégiature et de repos. L'altitude (913 m) et la proximité des forêts de sapins lui donnent un air salubre et vivifiant. Enfin, le calme du pays et la régularité de la température en font une station climatique toute indiquée contre les effets du surmenage.

EXCURSION

Lanuéjols. – 318 h. *11 km. Quitter Bagnols-les-Bains par le D 41.*

Cette localité est bien connue des archéologues pour le **tombeau romain,** situé à la sortie Ouest du village, en contrebas de la route de Mende. Il a été érigé par de riches citoyens romains à la mémoire de leurs deux jeunes fils, morts d'une même maladie de langueur. Sur le linteau qui surmonte la porte, une inscription latine explique l'origine de ce mausolée.

L'**église St-Pierre,** romane, ne manque pas de charme quand le soleil couchant illumine ses pierres ocre.

A l'intérieur, la nef principale voûtée en plein cintre se termine par une élégante abside en cul-de-four. Quelques chapiteaux intéressants.

BALARUC-LES-BAINS

Carte Michelin n° 83 - pli ⑯ – *Schéma p. 79* – 3 204 h. – *Lieu de séjour, p. 42.*

Construite en terrain plat au bord de l'étang de Thau, la station, en plein développement depuis 1970, plaît par son animation, marquée par la vie de plein air, le nautisme, le spectacle nocturne de la rive sétoise et du Mont St-Clair illuminés.

Les traitements des affections osseuses et rhumatismales doivent beaucoup de leur efficacité aux applications de boues marines macérées dans l'eau thermale chlorurée sodique recueillie sur place.

Balaruc-le-Vieux. – *4 km au Nord.* Sur une éminence dominant l'étang, le village a gardé son plan circulaire défensif et son cachet languedocien. Quelques maisons se distinguent encore par leurs nobles portes cintrées.

BELCASTEL

Carte Michelin n° 80 - pli ① – 8 km au Sud-Est de Rignac – 266 h.

Étagé sur la rive droite de l'Aveyron, le village est dominé par les ruines de son château fort qui dresse encore fièrement la silhouette déchiquetée de quelques-unes de ses tours, dans un décor champêtre agréable et solitaire.

EXCURSION

N.-D.-de-Buenne. – *9 km au Nord ; prendre, à l'Est de Belcastel, le D 285 qui rejoint, après Mayran, la route de Rodez à Villefranche ; tourner à gauche et bientôt à droite vers les Puechs.*

Sur cette butte isolée on éleva d'abord la croix de la Vidalie puis, pour régner sur la contrée, une statue de la Vierge. Sa bénédiction amena une foule de pèlerins *(pélérinage les derniers dimanches de mai et d'août)* qui décidèrent de construire la chapelle (1880).

Vue au Nord-Est sur les monts d'Aubrac, au Sud-Est sur Rodez et sa cathédrale, sur la vallée de l'Aveyron et des paysages de plaines et de collines.

BÉZIERS *

Carte Michelin n° 83 - plis ⑭⑮ – *Schéma p. 78* – 85 677 h. (les Biterrois).

La capitale du vignoble languedocien, patrie de Pierre-Paul Riquet *(voir p. 24)*, était déjà une ville à l'arrivée des Romains qui en ont fait une colonie en 36 ou 35 avant J.-C., intégrée à la province Narbonnaise. Le forum s'étendait probablement devant l'actuel hôtel de ville, entouré de temples et d'un marché. Au 3e s., la ville est ceinte de remparts. Béziers a conservé jusqu'à aujourd'hui le site qu'elle occupait avant l'installation romaine, sur un plateau dominant la rive gauche de l'Orb.

Au Sud-Ouest et à 2 km de Béziers, un des principaux ouvrages du canal du Midi, les **écluses de Fonséranes** (V), permet de rattraper une différence de niveau de 25 m grâce à huit sas accolés présentant l'aspect d'un escalier de 312 m de longueur. Depuis le 19e s., un pont-canal évite, en aval, la traversée redoutée de l'Orb.

Le massacre de 1209. – C'était au temps de la croisade des Albigeois *(voir p. 53)*.

Les Croisés franchissent le Rhône, dépassent Montpellier et mettent le siège devant Béziers en 1209. Les catholiques de la ville invités à quitter la place avant l'assaut refusent de partir. Ensemble, les Biterrois livrent bataille en avant des murs, mais ils sont mis en déroute. Les Croisés, lancés à leur poursuite, entrent en même temps qu'eux dans la ville. Le massacre est effroyable : on n'épargne ni jeunes, ni vieux, « pas même les enfants à la mamelle ». On tue jusque dans les églises. Béziers est ensuite pillée et incendiée, « afin qu'il ne restât chose vivante ».

La ville finit par renaître de ses cendres, mais reste longtemps languissante. Le développement de la vigne, au 19e s., lui a rendu l'activité et la richesse.

■ PRINCIPALES CURIOSITÉS *visite : 1 h*

Allées Paul-Riquet (BY). – Large promenade ombragée de platanes longue de 600 m, très animée à la fin de l'après-midi. Au centre, statue de Riquet par David d'Angers.

Le théâtre **(T)**, construit au milieu du 19e s., présente une façade ornée de bas-reliefs allégoriques dus également à David d'Angers.

Plateau des Poètes (BCZ). – Dans le prolongement des allées Paul-Riquet, ce joli parc, très accidenté, doit son nom aux bustes de poètes ornant les allées de sa partie la plus élevée. Fontaine du Titan par Injalbert (1845-1933), natif de Béziers.

Ancienne cathédrale St-Nazaire* (AYZ). – *Pour la visite de la sacristie, de la crypte, du clocher, s'adresser au sacristain.*

Perchée sur une terrasse au-dessus de l'Orb, la cathédrale fut le symbole de la puissance des évêques du diocèse de Béziers de 760 à 1789. L'édifice roman, endommagé en 1209 lors du sac de la ville, reçoit des modifications dès 1215 jusqu'au 14e s.

Dans la façade occidentale flanquée de deux tours fortifiées et datant de la fin du 14e s., s'ouvre une belle rose de 10 m de diamètre. Au chevet, les fortifications constituent un élément décoratif : les arcs bandés entre les contreforts forment les mâchicoulis. Certaines fenêtres sont garnies de grilles du 13e s., beaux exemples de ferronnerie ancienne. La base du clocher est un reste de l'édifice roman.

Intérieur. – *Entrer par la porte du transept Nord.*

La travée précédant le chœur, vestige de la cathédrale romane, abrite des chapiteaux sculptés du 12e s. Les colonnettes qui les surmontent, ornées de chapiteaux à crochets, de même que les voûtes sur croisées d'ogives, ont été ajoutées au 13e s., quand on suréleva cette partie de la cathédrale.

Dans le chœur, du 13e s., transformé au 18e s., il faut distinguer la belle abside à sept pans, de lignes très pures. A gauche et en contrebas du chœur, la sacristie, ancienne chapelle des saints Nazaire et Celse, est couverte d'une belle voûte du 15e s.

Cloître. – Sur le côté Sud de l'église, ses galeries abritent un musée lapidaire *(visite suspendue)* ; sarcophages, chapiteaux et pierres tombales de l'époque romaine.

Par un escalier on gagne le jardin de l'Evêché, apprécié de nombreux Biterrois qui viennent y flâner. Il permet une vue agréable sur l'église St-Jude, sur l'Orb qu'enjambe le Pont Vieux du 13e s. ; en aval, le Pont Neuf date du 19e s.

Belvédère* (AY). – La terrasse à proximité de la cathédrale offre une **vue*** intéressante sur la région biterroise. De la table d'orientation, on découvre au premier plan l'Orb courant parmi les vignes, le canal du Midi bordé d'arbres et l'oppidum d'Ensérune. Au loin, émergent le mont Caroux, à l'Ouest le pic de Nore et, par temps clair, le Canigou.

BÉZIERS

Flourens (R.) AY 18
Péri (Pl. Gabriel) AY 44
République (R. de la) AY 51
Riquet (R. Paul) AY 53

Abreuvoir (R. de l') AZ 2
Albertini (Av. Auguste) V 3
Baudin (Impasse) AZ 4
Canterelle (R.) AZ 6
Chénier (R. André) CZ 7
Citadelle (R. de la) BY 8
Corneilhan (Av. de) BX 9
Coubertin (Av. P. de) V 10
Crouzat (R. Gén.) AY 12
Drs-Bourguet (R. des) AZ 13
Dr. Vernhes (R. du) AY 14
Espagne (Rte d') V 15
Estienne-d'Orves (Av. d') BYZ 16
Font-Neuve (Av. de la) BX 19
Four-à-Chaux (Bd du) V 20
Garibaldi (Pl.) BZ 21
Injalbert (Bd Antonin) V 25
Joffre (Av. Mar.) BZ 26
Juin (Bd Mar.) V 28
Kennedy (Bd Prés.) V 29
Lattre-de-Tassigny (Bd Mar. de) V 30
Leclerc (Bd Mar.) V 31
Madeleine (Pl. de la) AY 33
Malbosc (R. Louis) V 34
Massol (R.) AZ 35
Montmorency (R.) BY 37
Moulins (Rampe des) AY 38
Nat (Bd Yves) V 39
Orb (R. de l') AZ 42
Perréal (Bd Ernest) V 45
Pont-Vieux (Av. du) V 46
Puits-des-Arènes (R. du) ABZ 50
Révolution (Pl. de la) AY 52
St-Jacques (R.) ABZ 55
Sérignan (Av. de) V 56
Strasbourg (Bd de) BX 57
Tourventouse (Bd) AZ 58
Tourventouse (R.) AY 59
Viala (R. A.) V 60
Victoire (Pl. de la) BY 61
Viennet (R.) AY 62
Zola (Pl. Émile) CZ 64
4-Septembre (R. du) BY 65
11-Novembre (Pl. du) BX 66

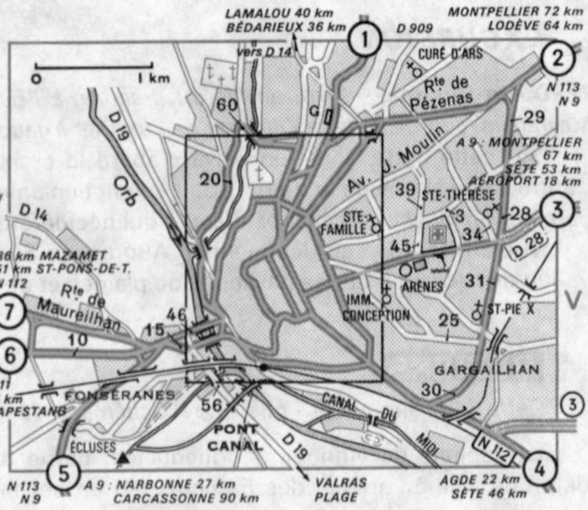

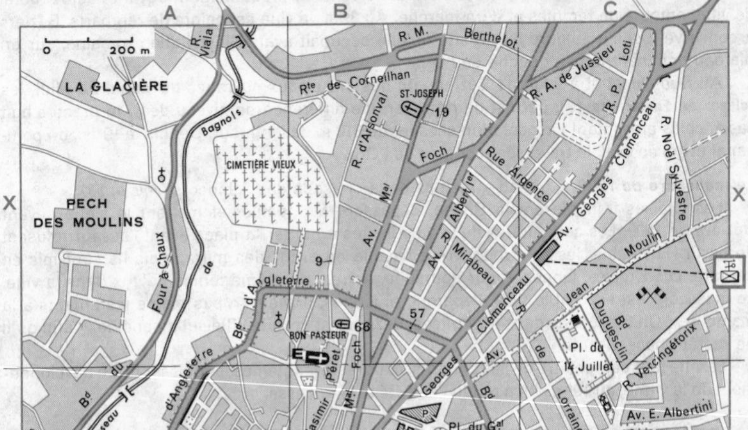

■ AUTRES CURIOSITÉS

Musée du vieux Biterrois et du vin (AZ M[1]). – *Visite de 9 h à 12 h et de 14 h à 18 h (17 h en hiver). Fermé le lundi et les jours fériés.*

Le musée est installé dans l'ancienne église des Dominicains. Le rez-de-chaussée abrite des collections d'archéologie, notamment une série d'amphores grecques, étrusques et romaines provenant des fonds proches du Cap d'Agde qui vit se briser de nombreux navires.

Une exposition est consacrée à l'histoire du vin : instruments, documents de l'époque romaine à nos jours. Béziers est évoquée depuis ses origines ; de nombreux vestiges romains ont été trouvés lors de fouilles dans la ville.

Une autre présentation rappelle les spectacles lyriques organisés aux arènes avant 1914.

Enfin a été reconstituée l'auberge située au sommet de l'escalier d'écluses de Fonséranes, à l'endroit où les voyageurs venant de Toulouse et poursuivant au-delà de Béziers devaient changer de bateau *(voir p. 63)*.

Le premier étage abrite de nombreux souvenirs locaux ; parmi eux, une place est faite à Aphrodise, patron de la ville à laquelle il a donné son emblème : le chameau *(1)*. Une salle abrite de beaux costumes, coiffes, bonnets et châles du 18e s.

Musée des Beaux-Arts (AYZ M2). – *Visite de 9 h à 12 h et de 14 h à 18 h. Fermé le dimanche matin, le lundi et les 1er et 2 janvier, dimanches de Pâques et de Pentecôte, 14 juillet, 1er et 2 novembre, 11 novembre et jour de Noël.*

Dans l'hôtel Fabrégat. Il renferme, entre autres, des œuvres de Martin Schaffner, Dominiquin, Guido Reni, Pillement, Géricault, Devéria, Delacroix, Corot, Daubigny, Othon Friesz, Soutine, Chirico, Kisling, Dufy, Utrillo. Il abrite aussi une précieuse collection de 140 vases grecs. Peintures modernes et totalité des dessins de Jean Moulin.

Basilique St-Aphrodise (BXY E). – L'église primitive fut cathédrale jusqu'en 760.

A l'intérieur, sous la tribune, à gauche, les fonts baptismaux sont formés d'un beau sarcophage (4e-5e s.), où se trouve figurée une chasse aux lions. Face à la chaire, Christ en bois peint du 16e s., Dans l'avant-chœur, à gauche, Christ en bronze, par Injalbert.

La crypte, romane, renferme une belle tête de Christ.

Église de la Madeleine (AY K). – Édifice roman modifié à l'époque gothique, puis au 18e s. Elle fut l'un des principaux théâtres du massacre de 1209.

Église St-Jacques (ABZ N). – *Pour visiter, s'adresser au presbytère (à côté de l'église, no 51).*

L'abside à cinq pans (12e s.), inspirée de l'antique, est remarquable.

Pont-Canal (V). – *Accès par le D 19, au Sud-Ouest du plan.* Construit en 1857, il fait passer le canal du Midi au-dessus de l'Orb.

Hôtel de Ville (ABY H). – Il date du 18e s.

EXCURSIONS

Oppidum d'Ensérune*. – *13 km. Sortir de Béziers par ⑤ du plan, N 9. A 10 km, à hauteur de Nissan-lez-Ensérune, prendre à droite le D 162E vers l'oppidum. Description p. 84.*

Sérignan. – 3 219 h. *11 km au Sud, par le D 19.* Sur la rive droite de l'Orb s'élève l'**église**, ancienne collégiale, des 12e, 13e et 14e s. *(ouverte de 17 h à 19 h 30 ; le reste du temps s'adresser au presbytère).* L'extérieur porte des traces de fortifications, des archères, des mâchicoulis, des vestiges d'échauguettes.

A l'intérieur, la nef principale, flanquée de collatéraux voûtés d'ogives et couverte d'un plafond à caissons, se termine par une élégante abside à sept pans. Dans une petite chapelle à gauche du chœur, un beau crucifix en ivoire, don du pape Pie VII, est attribué à Benvenuto Cellini *(minuterie à droite de la porte : 1 F).*

Abbaye de Fontcaude. – *18 km au Nord-Ouest de Béziers par le D 14 et une petite route à gauche, après Cazouls-lès-Béziers. Visite le dimanche seulement de 14 h à 18 h.*

L'arrivée ménage une jolie **vue** sur les vestiges romans de cette abbaye de Prémontrés, nichée au creux d'un vallon, et en particulier sur l'abside de l'abbatiale, flanquée de deux absidioles. L'abbatiale, dont la nef a été ravagée au 16e s. à la suite des guerres de Religion, a été restaurée. Son abside, voûtée en cul-de-four, est éclairée par trois larges baies encadrées de colonnettes à chapiteaux.

BOURNAZEL (Château de)

Carte Michelin no 80 - pli ① – 7 km au Nord de Rignac.

Occupé par une maison de repos. Visite de l'extérieur seulement de 8 h à 19 h.

Construit à l'emplacement d'un édifice médiéval dont subsistent quelques tours, ce château, inachevé, présente deux ailes d'époques différentes : l'aile Nord, de 1545, est coiffée d'un beau toit d'ardoise. Remarquer la finesse des décorations de la frise qui sépare les deux étages. L'aile orientale n'offre plus au visiteur que sa façade classique, de 1554, ajourée de grandes baies et où courent deux frises ornées de riches motifs.

BOZOULS *

Carte Michelin no 80 - pli ③ – 1 817 h. (les Bozoulais).

Bozouls se signale par sa nouvelle église paroissiale (1964) érigée au Sud du D 20. Le sanctuaire, en forme de proue de navire, abrite une statue de la Vierge due au sculpteur Denys Puech, originaire de Bozouls.

Terrasse. – Tout près du monument aux Morts, œuvre de Denys Puech, elle domine le Dourdou ; la vue est extrêmement curieuse sur le **trou de Bozouls***, profond canyon creusé dans le causse du Comtal.

Sur le promontoire qu'encercle la rivière, s'élève, à l'extrémité du village bâti au bord même du précipice, une église romane que l'on peut atteindre en auto.

Ancienne église. – *Ouverte de mai à octobre.* Elle possède quelques chapiteaux assez curieux. Sa nef, élevée et voûtée en berceau plein cintre, était couverte, à l'origine, par des plaques de calcaire qu'alourdissait encore un épais lit de terre. Sous ce poids énorme, les piliers fléchirent et l'on dut, au début du 17e s., substituer à l'ancienne couverture une charpente en bois.

De la terrasse ombragée, à gauche de cette église, jolie vue sur le canyon du Dourdou.

---

(1) D'autres animaux de mascarade égaient le folklore de l'Hérault : le loup à Loupian, l'âne à Bessan et Gignac, le hérisson à Roujan, le bœuf à Mèze, le poulain à Pézenas, etc.

BRAMABIAU (Abîme du) *

Carte Michelin nº 80 - plis ⑮ ⑯ – 19 km au Sud-Est de Meyrueis – *Schéma p. 49.*

Le ruisseau du Bonheur, qui prend sa source au pied du mont Aigoual, au col de la Séreyrède *(p. 50)*, coulait autrefois sur le petit causse de Camprieu. De là, il se précipitait en cascade dans sa vallée inférieure.

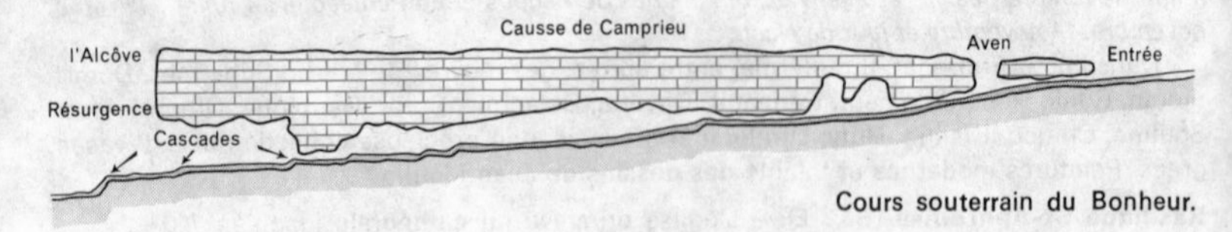

Cours souterrain du Bonheur.

Abandonnant son lit superficiel, le Bonheur s'est enfoui dans le causse. Après un parcours souterrain de plus de 700 m, il en sort par une haute et étroite fissure et jaillit dans un cirque rocheux nommé « l'Alcôve » en une belle cascade, dont le bruit rappelle, en temps de crue, le beuglement du bœuf. D'où le nom de Bramabiau (Brame-Biâou : « bœuf qui brame ») qu'il porte en aval jusqu'à son confluent avec le Trévezel.

La première traversée souterraine fut effectuée, avec de grandes difficultés, par E.-A. Martel et ses compagnons, les 27 et 28 juin 1888, par basses eaux. En dehors des 700 m du cours principal, ils découvrirent plus de 1 000 m de galeries secondaires. De 1890 à 1892, puis en 1924, on explora 7 km de nouvelles ramifications souterraines.

Ce labyrinthe de près de 10 km de longueur est formé de salles de 20 à 40 m de diamètre, atteignant, par endroits, 50 m de hauteur, réunies par des couloirs fort étroits et de nombreuses cascades. C'est là que le romancier André Chamson a situé l'intrigue de son roman « l'Auberge de l'Abîme ».

Bramabiau montre « un remarquable exemple d'érosion souterraine encore active » (E.-A. Martel). Effectuant la transformation des cavernes en canyons, l'eau agrandira petit à petit les galeries, les voûtes s'écrouleront, et, dans des millénaires peut-être, le Bonheur coulera de nouveau à l'air libre, au fond d'un profond canyon.

VISITE *environ 1 h 1/2, parcours d'accès compris*

La visite de l'abîme du Bramabiau peut être effectuée d'avril à fin octobre, de 9 h à 19 h. Entrée : 12 F. S'adresser au pavillon portant l'inscription «Bramabiau» situé à droite du D 986, route de Meyrueis à l'Espérou; on peut y laisser la voiture.

Il arrive que des crues violentes et répétées endommagent les installations qui permettent aux touristes de suivre le cours souterrain du Bonheur. Les visites sont alors suspendues ; mais on peut néanmoins gagner l'entrée de la grotte.

Du pavillon portant l'inscription « Bramabiau » *(voir ci-dessus)*, suivre le sentier en pente douce, bientôt sous bois, qui descend au niveau de la rivière en offrant de beaux coups d'œil sur l'autre rive, sur le rebord du causse entaillé par l'ancien canyon du Bonheur. Arrivé au bord de la rivière, la franchir par un passage de grosses pierres et remonter sur la rive gauche, jusqu'à **« l'Alcôve »** au pied de la falaise.

L'entrée pour la visite se fait par la résurgence, c'est-à-dire la sortie de la rivière souterraine. Les crues s'opposent à un aménagement complet de la rivière souterraine.

Après avoir franchi le Bramabiau entre la première cascade (à l'air libre) et la deuxième, dite de l'Échelle (souterraine), le sentier s'engage dans une galerie, impressionnante par sa hauteur et ses profondes crevasses dues à l'érosion souterraine, et conduit à la salle du Havre.

Abîme du Bramabiau.

De là, un escalier permet de monter jusqu'à la partie abandonnée par les eaux et d'accéder à un belvédère d'où la vue plonge de plus de 50 m sur la rivière. Une dernière salle, aménagée en 1974, la salle de l'Étoile, marque la fin de l'incursion.

En revenant vers la sortie du souterrain, très bel effet de contre-jour.

La CANOURGUE

Carte Michelin n° 80 - plis ④ ⑤ – *Schéma p. 97* – 1 921 h. (les Canourguais) – *Lieu de séjour, p. 42.*

Cette vieille cité s'étage au-dessus de l'Urugne, dans un cadre pittoresque de coteaux couverts de vignobles. Les ruelles avoisinant l'église, bordées de maisons anciennes, sont amusantes à parcourir.

Le long de la voie de traversée (D 998) s'élève la tour de l'Horloge.

Place au blé. – Maisons anciennes aux étages en surplomb.

Église. – 12e-14e s. Ancienne collégiale rattachée vers 1058 à l'abbaye St-Victor de Marseille ; style composite provençal et chœur roman entouré de chapelles rayonnantes.

EXCURSIONS

Banassac. – 741 h. *1 km par le D 33 à l'Ouest.* Dans ce village, des fouilles ont fait découvrir des poteries romaines et des monnaies mérovingiennes. Les ateliers de céramique, du 1er s. après J.-C., étaient aussi importants que ceux de la Graufesenque *(voir p. 114).* Les vases qu'on y fabriquait se distinguent par leurs inscriptions. On a trouvé à Pompéi un bol rouge, provenant de ces ateliers, qui porte en légende « Bibe amice de meo » (Bois, ami, de ce que je contiens).

L'atelier monétaire, qui existait au 6e s., était alimenté par les mines d'argent exploitées dans la région. Le dixième des monnaies mérovingiennes connues provient de cet atelier.

Sabot de Malepeyre*. – *4 km. Quitter la Canourgue par le D 998, vers Ste-Énimie. A 2 km, prendre le D 46 sur la droite. A 1 800 m de la bifurcation, laisser la voiture à hauteur du Sabot de Malepeyre, à gauche. Description p. 98.*

Le CAP D'AGDE

Carte Michelin n° 83 - pli ⑯ – *Schéma p. 78* – *Lieu de séjour, p. 42.*

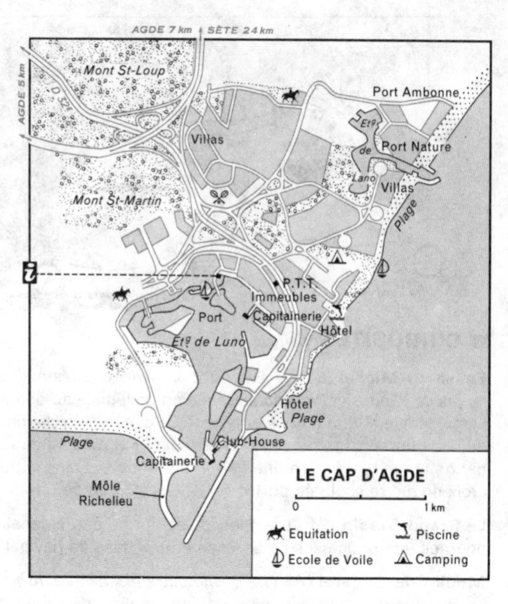

Ce promontoire, formé par une coulée de lave descendue du mont St-Loup, est prolongé par le môle Richelieu qui devait relier le cap à l'île Brescou et former ainsi une grande rade. Cette entreprise fut abandonnée à la mort de Richelieu.

Depuis 1970, la station nouvelle du Cap d'Agde, créée selon les plans de l'aménagement du littoral *(voir p. 78),* tire parti de ce site, exceptionnel sur la côte du Languedoc. Les travaux de dragage ont ouvert, là, un vaste havre abrité, permettant l'évolution des dériveurs, dont les rives sinueuses n'accueillent pas moins de huit ports, publics ou privés, de vocations différentes. Outre le nautisme, le tennis constitue ici une activité sportive privilégiée (plus de 20 courts).

Le style architectural du centre urbain s'est inspiré de l'architecture languedocienne traditionnelle.

CASTELNAU-PEGAYROLS

Carte Michelin n° 80 - Nord-Est du pli ⑬ – 334 h.

Ce petit village isolé sur le rude versant méridional du plateau du Lévézou est riche de deux églises romanes.

Église St-Michel. – Cette ancienne église d'un prieuré (fin du 11e s.) a des allures de forteresse avec son appareil grossier, ses contreforts massifs et son clocher-tour carré.

Les bas-côtés ont été reconstruits vers la fin du 12e s. et maladroitement voûtés sur croisée d'ogives. Seuls quelques motifs ornent les piliers de la nef. Dans la première travée, une tribune, ajoutée au 15e s., s'ouvre en deux étages sur la nef.

Sous l'autel, une crypte est divisée en trois parties, comme l'église.

Église Notre-Dame. – Situé dans le cimetière, ce modeste édifice a été habilement disposé sur un terrain accidenté. Au chœur, voûté en cul-de-four (11e s.), une fausse croisée d'ogives témoigne de la volonté d'appliquer les règles gothiques. Une coupole octogonale sur trompes précède le chœur.

Dans la quatrième travée du côté Sud, une chapelle a été ouverte au 15e s.

CASTELNAUDARY

Carte Michelin n° 82 - pli 20 – 10 487 h. (les Chauriens).

Sa situation sur le canal du Midi lui valut longtemps d'être le siège d'un trafic commercial intense que relaie aujourd'hui, en partie, la navigation de plaisance *(sur les sociétés de location, voir p. 24).*

Castelnaudary est réputée pour ses fabriques de cassoulet, ses ateliers et usines de poterie et de céramique.

La bataille du Fresquel. – La plaine où coule le Fresquel fut le théâtre au 17e s. d'une bataille célèbre. Sur l'initiative de Richelieu, les Etats du Languedoc (symbole de l'indépendance de la province face à la monarchie) se voient dépossédés de leur droit de répartir et lever les impôts. Henri de Montmorency, gouverneur de la province, met son épée au service des États et affronte l'armée royale à Castelnaudary le 1er septembre 1632. Fait prisonnier, il est jugé le 30 octobre et exécuté à Toulouse sur l'ordre du cardinal.

Le cassoulet de Castelnaudary. – La tradition veut que la « cassole » (qui a donné le terme « cassoulet ») soit en argile d'Issel, que les haricots aient poussé sur le sol de Lavelanet, qu'ils soient cuits dans l'eau très pure de Castelnaudary ; enfin, que des ajoncs de la Montagne Noire alimentent le feu du four.

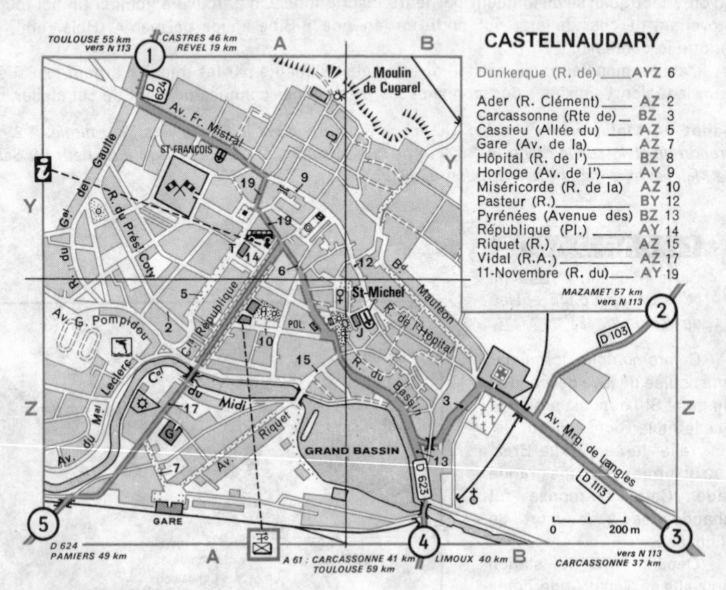

■ CURIOSITÉS *visite : 1 h*

Église St-Michel (BZ). – *Fermée le dimanche après-midi et l'après-midi du 1er mai et des lundis de Pâques et Pentecôte.* Érigée en collégiale au début du 14e s., elle fut reconstruite à l'emplacement d'un édifice antérieur. Le clocher-porche haut de 56 m, la façade Nord percée de deux portails (gothique et Renaissance) et ajourée de roses sont remarquables. Sa vaste nef gothique lui confère une certaine grandeur. Dans la quatrième chapelle, à droite : belle croix de pierre sculptée du 16e s. Orgues (18e s.) de Cavaillé-Coll.

Le Grand Bassin (ABZ). – Plan d'eau formé par le canal du Midi, il constitue une retenue pour les quatre écluses de St-Roch et une base de navigation de plaisance.

Moulin de Cugarel (ABY). – *Visite accompagnée du 16 juin au 15 septembre. Entrée : 2,50 F.*

Au début du siècle, une dizaine de moulins étaient encore en activité sur les hauteurs de Castelnaudary. Le moulin de Cugarel, bâti sur la butte du Pech, offre une belle vue sur la plaine du Lauragais. Du 17e s., il a été restauré en 1962. La toiture mobile et, à l'intérieur, l'ancien système de meunerie ont été reconstitués.

Par ailleurs, Castelnaudary était un centre de minoteries dont la force motrice était empruntée au canal.

EXCURSIONS

Bassin de St-Ferréol*. – *40 km – environ 2 h 1/2. Quitter Castelnaudary par ② du plan, D 103.*

St-Papoul. – 678 h. Son abbaye, fondée au 11e s., fut érigée en évêché en 1317. Dans le cloître, au Sud de l'abbatiale, des colonnettes jumelées portent des arcs en plein cintre et sont ornées de chapiteaux assez bien conservés.

Dans l'abbatiale *(restauration en cours)*, le narthex, le chœur et l'absidiole Nord seraient les parties les plus anciennes de l'édifice.

Remarquer le tombeau en marbre gris de l'évêque François de Donnadieu, mort en 1626.

Saissac. – *Page 117.*

Poursuivre vers St-Ferréol par le D 629, au Nord-Ouest de Saissac, puis, à 9 km, prendre à droite.

Barrage des Cammazes. – *Page 117.*

Revenir au D 629.

Bassin de St-Ferréol*. – *Page 116.*

Seuil de Naurouze. – *12 km par ① du plan puis N 113. Description p. 132.*

CASTRES *

Carte Michelin n° 83 - pli ① – 47 527 h. (les Castrais).

Construite sur les rives de l'Agout, Castres est un bon point de départ pour des excursions dans le Sidobre *(p. 153)*, les monts de Lacaune *(p. 103)* et la Montagne Noire *(p. 116)*.

Ses façades austères, la hâte de ses habitants, l'étendue de sa zone industrielle de Melou au Sud-Ouest, lui confèrent un caractère de ville laborieuse et active.

L'économie de la région castraise est dominée par l'industrie lainière. Avec Mazamet et Labastide, Castres maintient la tradition des « peyrats » née au 14e s. Les tisserands qui tous étaient également paysans utilisaient la laine de leurs moutons et les teinturiers, la garance et le pastel cultivés dans les plaines voisines. Après une interruption pendant les guerres de Religion et pendant la période troublée qui suivit la Révocation de l'édit de Nantes, les foires du Languedoc permirent un nouvel essor au 18e s.

Aujourd'hui Castres et sa région, premier centre français du lainage cardé et deuxième centre lainier après Roubaix-Tourcoing, groupe manufactures, filatures spécialisées, ateliers de teinture et d'apprêts, manufactures de bonneterie. Riche de 51 000 broches de filature et de 600 métiers à tisser, la production a atteint plus de 11 400 tonnes de filés et 11 137 000 m de tissus d'habillement en 1980.

Aux activités traditionnelles se sont ajoutées les industries du bois, de la mécanique, des produits chimiques et pharmaceutiques, du granit, de la salaison, du travail du cuir.

UN PEU D'HISTOIRE

Castres se développa d'abord sur la rive droite de l'Agout autour d'un camp installé par les Romains pour pacifier la Ruténie gauloise et d'un monastère bénédictin fondé au 9e s. Au 10e s., la ville passa sous la domination des vicomtes d'Albi et de Lautrec. Dès le 11e s., Castres reçoit du vicomte d'Albi la liberté d'assurer son propre gouvernement par l'intermédiaire d'un collège de « consuls » ou « capitouls ».

La ville, qui s'était tenue à l'écart de l'hérésie cathare en se soumettant à Simon de Montfort *(voir p. 53)*, eut surtout à souffrir des guerres de Religion. La Réforme rallia rapidement de nombreux adeptes et dès 1563, quand les consuls eurent abjuré le catholicisme, Castres devint une cité huguenote. La paix d'Alès *(voir p. 57)*, l'arrivée sur le trône de Henri IV et la promulgation de l'édit de Nantes mit fin aux troubles. Mais la violence qui avait marqué cette période persista longtemps encore. Ainsi, après la Révocation de l'édit de Nantes, les protestants durent de nouveau se cacher et, pendant la Révolution, les affrontements politiques dégénérèrent souvent en luttes religieuses.

L'affaire Sirven. – Elle illustre l'intolérance religieuse. Pierre-Paul Sirven, né à Castres en 1709, était un homme de loi, connu pour ses idées protestantes. Une de ses filles entra au couvent des Dames Noires avec l'intention de se convertir au catholicisme. Souffrante, elle dut revenir dans sa famille. Quelques mois plus tard, on trouva son cadavre au fond d'un puits.

Le tribunal de Mazamet accusa les Sirven d'avoir tué leur fille pour empêcher sa conversion. Menacés, ils s'enfuirent en Suisse et furent condamnés à mort par contumace. Voltaire qui déjà avait obtenu la réhabilitation de Calas en 1765, employa tout son talent à démontrer l'erreur judiciaire. L'innocence des époux Sirven fut finalement reconnue en 1777 par le parlement de Toulouse.

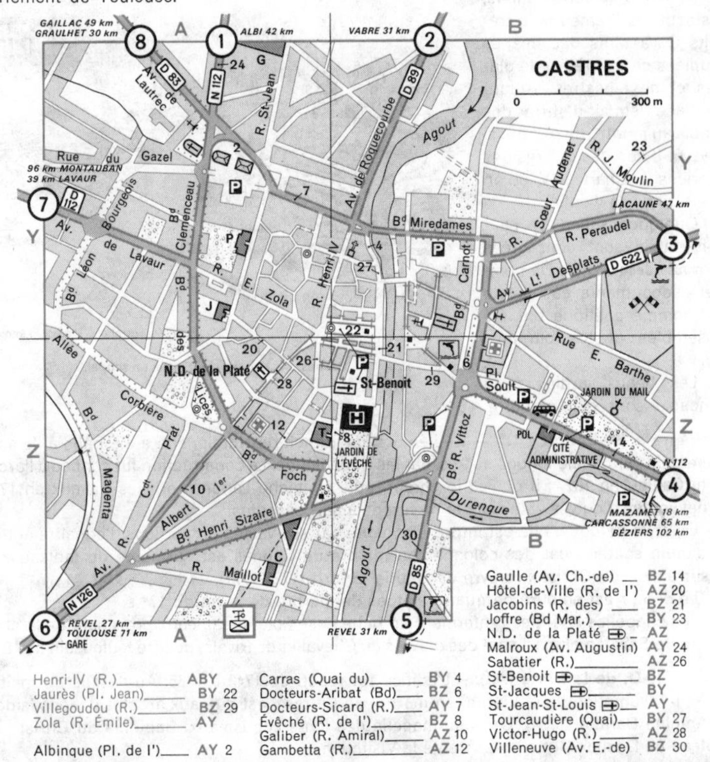

Henri-IV (R.)	ABY	
Jaurès (Pl. Jean)	BY	22
Villegoudou (R.)	BZ	29
Zola (R. Émile)	AY	
Albinque (Pl. de l')	AY	2
Carras (Quai du)	BY	4
Docteurs-Aribat (Bd)	BZ	6
Docteurs-Sicard (R.)	AY	7
Évêché (R. de l')	BZ	8
Galiber (R. Amiral)	AZ	10
Gambetta (R.)	AZ	12
Gaulle (Av. Ch.-de)	BZ	14
Hôtel-de-Ville (R. de l')	AZ	20
Jacobins (R. des)	BZ	21
Joffre (Bd Mar.)	BZ	23
N.D. de la Platé	AZ	
Malroux (Av. Augustin)	AY	24
Sabatier (R.)	AZ	26
St-Benoit	BZ	
St-Jacques	BY	
St-Jean-St-Louis	AY	
Tourcaudière (Quai)	BY	27
Victor-Hugo (R.)	AZ	28
Villeneuve (Av. E.-de)	BZ	30

Jean Jaurès. – Il naquit à Castres le 3 septembre 1859 et passa une partie de son enfance à Saïx. Élève au lycée qui aujourd'hui porte son nom, puis à l'École Normale Supérieure de Paris, il devient professeur de philosophie au lycée d'Albi et enseigne à l'Université de Toulouse. Attiré par la politique, il est élu député socialiste de Castres en 1885 et de Carmaux en 1893. Sa prise de position en faveur de Dreyfus lui vaut quelques échecs politiques. A la suite de l'Internationale d'Amsterdam, il prend la tête du parti socialiste unifié (1905). Quand la guerre approche, il met sa voix puissante au service de la paix et crie aux hommes leur folie. Il meurt assassiné au café du Croissant à Paris, le 31 juillet 1914. Sa dépouille est transférée au Panthéon en 1924.

■ CURIOSITÉS *visite : 1 h 1/2*

L'hôtel de ville (BZ H), avec son musée Goya, est installé dans le palais épiscopal (Castres fut le siège d'un évêché de 1317 à 1790), construit vers 1669 d'après les plans de Mansart.

A droite, en pénétrant dans la cour, la massive tour romane à l'élégant portail est l'unique vestige de l'ancienne abbaye St-Benoit.

Musée Goya★ – *Visite de 9 h (10 h le dimanche) à 12 h et de 14 h à 18 h (17 h en automne et en hiver). Fermé le lundi et les 1er janvier, 1er mai, lundis de Pâques et Pentecôte, 1er novembre, 25 décembre. Entrée : 4 F (5 F l'été), gratuite le dimanche du 1er novembre au 31 mars.*

Une vaste salle, au plafond soutenu par une frise de médaillons contenant les blasons des évêques de Castres, renferme des tapisseries du 16e s. et une belle cheminée en marbre rouge de Caunes (Aude). Diverses salles réservées aux peintres espagnols des 15e, 16e et 17e s. et à l'archéologie régionale conduisent aux **œuvres de Goya★★**, léguées au musée en 1892 par le peintre castrais Marcel Briguiboul.

Francisco de Goya y Lucientes est né à Fuendetodos, au Sud de Saragosse, en 1746. Nommé peintre du roi à partir de 1786, il est chargé de l'exécution de nombreux portraits de personnages de haut rang. Les peintures et gravures réunis au musée de Castres correspondent, dans son œuvre, à des moments bien particuliers de son évolution.

La guerre d'Indépendance (1808-1814) lui inspire l'ensemble de gravures « les désastres de la guerre ».

La salle suivante est dominée par « La junte des Philippines présidée par Ferdinand VII », tableau aux dimensions exceptionnelles, peint vers 1814 et dont la composition baigne dans une atmosphère poussiéreuse. Le peintre, en soulignant l'ovale des dossiers des fauteuils, a figé le roi et ses conseillers dans des attitudes dépourvues d'humanité ; l'impression de lourde immobilité est encore accentuée par de grands espaces froidement géométriques ; tandis que l'assemblée somnole, bâille d'ennui ou se donne des airs d'importance.

« Les Caprices », deuxième tirage du recueil de 80 gravures à l'eau-forte publié en 1799, occupent la salle suivante. A la suite d'une maladie grave en 1792, le peintre est devenu sourd. La solitude dans laquelle son infirmité l'a plongé est peut-être à l'origine de cette réflexion sur la condition humaine. Fugacité de la jeunesse et de la beauté, vanité de la coquetterie féminine, injustice d'une société où les ânes écrasent les pauvres gens, aliénation des hommes traqués par l'Inquisition et enchaînés à toutes sortes de superstitions, tels sont les thèmes qu'a traduits Goya dans des images peuplées de sorcières, de diables et de monstres. Autant d'audace risquait d'attirer des ennuis au peintre du roi ; aussi Goya fit-il don des cuivres des Caprices à Charles IV et en arrêta ainsi la vente.

Quelques salles de l'ancien palais sont consacrées au **musée Jean Jaurès.** De nombreux documents sur la vie de l'homme politique ont été rassemblés : photos, journaux, etc.

Les beaux jardins à la française sont de Le Nôtre.

(D'après photo Théojac, Limoges.)

Castres. – Jardins du Palais épiscopal.

Cathédrale St-Benoît (BZ). – Dédiée à saint Benoît de Nursie, elle a été bâtie à l'emplacement de l'abbatiale fondée au 9e s. par les Bénédictins. La construction fut confiée à l'architecte Caillau en 1677 ; il réalisa le chœur, puis Eustache Lagon reprit les travaux en 1710. La nef voûtée d'ogives et le clocher ne furent jamais exécutés.

De style baroque, elle est impressionnante par ses vastes proportions. Le maître-autel à baldaquin soutenu par des colonnes en marbre de Caunes est surmonté du tableau « La Résurrection du Christ », œuvre de Gabriel Briard (1726-1777).

Le chœur est entouré de quatre statues de marbre de la fin du 17e s.

Les chapelles latérales renferment un riche ensemble de tableaux provenant de la chartreuse de Saïx. La plupart sont des œuvres du Chevalier de Rivalz, peintre toulousain du 18e s.

Église N.-D. de la Platé (AZ). – L'édifice fut rebâti de 1743 à 1755. Au-dessus du maître-autel, l'Assomption de la Vierge, en marbre de Carrare, est due aux artistes italiens Isidore et Antoine Baratta (1754). Dans la chapelle des fonts baptismaux, Baptême du Christ ; un tableau de Despax (18e s.) représente la Visitation

Le CAYLAR

Carte Michelin n° 80 - pli ⑮ – *Schéma p. 97* – 259 h.

Ce village, dont le nom signifie rocher, est surmonté de rochers ruiniformes très découpés. De loin, on pourrait croire à une ville aux remparts et aux donjons impressionnants. Cependant, en approchant, on s'aperçoit que ce « château » est fait de roches sculptées par les eaux.

Église. – *Ouverte en été.* On peut y voir un Christ mutilé, en bois, datant du 16e s et, dans la chapelle de la Vierge, un beau retable en pierre sculptée du 15e s.

Tour de l'Horloge. – Reste des anciens remparts.

Maisons anciennes. – Quelques-unes conservent des portes et des fenêtres datant des 14e et 15e s.

Chapelle du Rocastel. – *Ouverte du 15 mai au 30 septembre. 1/4 h à pied AR.*

Cette petite chapelle romane, bâtie dans le flanc du Rocastel parmi les rochers qui dominent le village, abrite un autel de pierre du 12e s. Elle faisait partie de la forteresse qui fut démantelée sur l'ordre de Richelieu *(voir : « la paix d'Alès » p. 57).* Un pan de mur rappelle son existence.

Du rocher le plus élevé, on a une vue très pittoresque sur les vastes étendues de roches dolomitiques.

Pour choisir un lieu de séjour à votre convenance, consultez la carte et les tableaux p. 40 à 43.

CÉVENNES (Corniche des) ***

Carte Michelin n° 80 - plis ⑥⑯⑰.

La route dénommée « Corniche des Cévennes », qui joint Florac à St-Jean-du-Gard en suivant la crête « Entre-deux-Gardons », est fort pittoresque.

Améliorée, elle peut être conseillée en été comme tronçon d'un nouvel itinéraire rapide Florac-Nîmes.

De Florac à St-Jean-du-Gard – *53 km – environ 1 h 1/2 – schéma ci-dessous*

Pour goûter pleinement la beauté de cette route, on la parcourra de préférence par temps clair et à la fin de l'après-midi, à l'heure où l'éclairage oblique fait le mieux ressortir les découpures des crêtes, la profondeur des vallées. Sous un ciel orageux, le spectacle, encore plus impressionnant, laissera un souvenir inoubliable.

Quitter Florac (p. 92) au Sud par le D 907.

La route remonte d'abord la vallée du Tarnon, au pied des escarpements du causse Méjean, puis s'élève vers St-Laurent-de-Trèves et le col du Rey en offrant des vues sur le massif de l'Aigoual et le mont Lozère. C'est au **col du Rey** que commence la « Corniche des Cévennes » proprement dite.

La route s'engage sur le plateau calcaire de la **Can** *(p. 19)* **de l'Hospitalet,** ancien lieu d'assemblée des Camisards. Puis la route suit le rebord du plateau dominant la Vallée Française qu'arrose le Gardon de Ste-Croix. Ce fut une « route de surveillance » pendant les guerres de Religion.

Col des Faïsses. – *Origine du nom : voir répertoire p. 20.* A pic des deux côtés, belle vue sur les Cévennes.

On traverse l'Hospitalet. Du plateau dénudé où la roche affleure, on a ensuite une vue magnifique sur le mont Lozère, la petite ville de Barre-des-Cévennes, la Vallée Française et le massif de l'Aigoual.

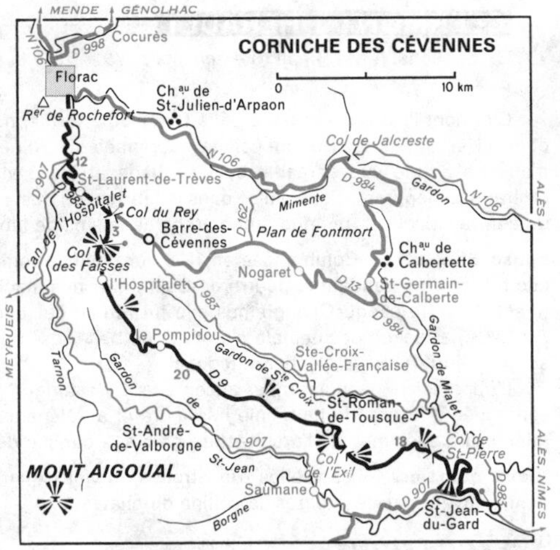

Au Pompidou, on laisse les calcaires pour les schistes. Puis la route suit une crête abrupte, à travers des bois de châtaigniers et de maigres prairies où fleurissent au printemps des narcisses. Jusqu'à St-Roman-de-Tousque, on domine la Vallée Française au-delà de laquelle s'enchevêtrent les serres et les vallées cévenoles. La vue est très belle. Par temps clair, on aperçoit au loin le Ventoux.

St-Roman-de-Tousque. – Petit village pittoresque au milieu des prairies et des châtaigniers. La route change de versant et domine la Vallée Borgne. Au col de l'Exil, un nouveau changement de versant fait réapparaître la Vallée Française et procure des vues magnifiques sur les Cévennes et le mont Lozère.

Au col de St-Pierre commence la pittoresque descente en lacet vers St-Jean-du-Gard *(p. 145).*

CLAMOUSE (Grotte de) **

Carte Michelin n° 83 - pli ⑥ – 3 km au Sud de St-Guilhem-le-Désert – *Schémas p. 97 et 101.*

La grotte de Clamouse s'ouvre dans le causse du Sud-Larzac, près du débouché des gorges de l'Hérault *(p. 101)* sur la plaine d'Aniane. Explorée en 1945 à la faveur d'une sécheresse estivale exceptionnelle, elle a été ouverte aux touristes en 1964.

La grotte doit son nom à la résurgence *(voir p. 15)* qui bouillonne en contrebas de la route et dont les eaux vont, après de très fortes pluies, se briser avec fracas dans l'Hérault justifiant alors le nom patois de Clamouse (hurleuse) donné par les gens du pays.

Mais la légende est plus émouvante : elle donne pour origine à ce nom le cri de douleur d'une mère. Autrefois, dit-elle, une famille de paysans vivait dans les gorges de l'Hérault. Les parents durent placer l'aîné de leurs enfants comme berger sur le causse. Un jour où il était revenu au mas paternel, le jeune garçon eut la surprise de reconnaître un bâton gravé qu'il avait jeté dans un aven. Dans le bassin où elle allait régulièrement faire sa provision d'eau sa mère avait trouvé l'objet, transporté par la rivière souterraine. Le berger prit l'habitude d'envoyer à ses parents, à date fixe, divers objets par la même voie. Mais un jour, il fut entraîné dans l'aven par un mouton trop vigoureux et la pauvre femme vit flotter sur les eaux calmes de la source le corps de son fils.

Grotte de Clamouse. – Buissons d'aragonite.

VISITE *environ 1 h*

Visite de 9 h à 12 h et de 14 h à 18 h en avril, mai et du 26 août au 25 septembre, à 18 h 30 du 1er juin au 25 août, à 17 h 30 du 26 septembre au 14 octobre; de 14 h à 17 h seulement, du 15 octobre au 31 mars. En outre, visite de 12 h à 14 h du 14 juillet au 25 août. Entrée : 15 F.

Jusqu'à la salle du Sable, on parcourt diverses salles naturelles et on emprunte même le lit ancien de la rivière, encore occupé par les eaux en période de crue ; cette première partie retient surtout l'attention par des phénomènes d'érosion dus à l'action des eaux souterraines.

Les salles riches en concrétions que l'on parcourt ensuite, couloir Blanc et Grande Salle surtout, sont remarquables par la finesse et la variété des formes de leurs cristallisations. Fleurs de calcite d'une pureté et d'une blancheur étincelantes, disposées en grappes ou en buissons d'aragonite givrés, excentriques aux formes capricieuses, stalactites fistuleuses *(voir page 15)* pendant de la voûte, draperies de stalactites dont certaines coulées sont colorées par des oxydes métalliques et la Méduse, très importante concrétion translucide blanche, y forment de curieux ensembles.

Le retour à l'air libre, après le tunnel artificiel de sortie, s'accompagne d'une jolie vue sur la vallée de l'Hérault.

CLERMONT-L'HÉRAULT

Carte Michelin n° 83 - pli ⑤ – *Schéma p. 78* – 5 551 h. (les Clermontais) – *Lieu de séjour p. 42.*

Clermont-l'Hérault est bâtie dans une plaine fertile, non loin du confluent de la Lergue et de l'Hérault, au pied d'une colline couronnée des ruines d'un vieux château *(1)* du 12e s. d'où l'on a une vue agréable sur le village et les environs. Comme Lodève, Clermont-l'Hérault fut longtemps spécialisé dans la fabrication des draps militaires. C'est actuellement un centre viticole et un important marché de raisins de table.

Église St-Paul*. – Commencée en 1276 sur l'édifice roman précédent, inaugurée en 1313, elle fut fortifiée pendant la guerre de Cent Ans ; des mâchicoulis, des échauguettes témoignent de cette époque. Longtemps elle fut réunie par deux murs aux remparts de la ville. Au 15e s. la façade occidentale s'orna d'une belle rose ; un porche précéda le portail Nord sur lequel fut édifié le clocher octogonal.

L'impression de puissance, accentuée à l'extérieur par la présence d'arcs-boutants, conjuguée à la grande harmonie intérieure et à l'élégance de la nef principale en font un intéressant spécimen de l'architecture gothique dans le département de l'Hérault.

Vieux quartier. – Les ruelles très étroites du vieux quartier, resté presque intact, escaladent, souvent par des degrés, la colline du château.

EXCURSIONS

Cirque de Mourèze.** – *8 km à l'Ouest par le D 908 et à droite le D 8E. Description p. 126.*

Villeneuvette. – *4 km à l'Ouest par le D 908. Description p. 169.*

Lac de barrage du Salagou. – *6 km. Quitter Clermont-l'Hérault, à l'Ouest, par l'avenue du Maréchal-Joffre.*

Ce lac *(voir tableau p. 44)*, aménagé pour irriguer les cultures environnantes, s'étale dans un paysage coloré et pittoresque, cerné de montagnes arides. L'été, une école de voile et des clubs nautiques en font un centre de tourisme animé.

---

(1) *Pour plus de détails, lire « Les Châteaux de Clermont » par G. Combarnous (chez l'auteur, Clermont-l'Hérault.)*

CONQUES ***

Carte Michelin n° 80 - Nord des plis ①② – *Schéma p. 106* – 432 h. (les Conquois).

Conques est une bourgade tranquille accrochée aux pentes escarpées des gorges de l'Ouche. Elle renferme une magnifique église romane aux prodigieux trésors, reste d'une abbaye qui hébergea longtemps l'interminable file des pèlerins se rendant à St-Jacques-de-Compostelle.

Une opération de sauvegarde et de restauration, engagée en 1974, a ravivé le cachet du village.

Sainte Foy. – L'abbaye ne connaît la célébrité que lorsqu'elle entre en possession de façon fort peu recommandable, des reliques de sainte Foy. Cette jeune chrétienne avait été martyrisée à Agen vers 303 et ses reliques y étaient jalousement gardées. Au 9e s., suivant la légende, un des moines de Conques les tenait en telle vénération qu'il résolut de s'en emparer. Il part pour Agen, s'y fait passer pour un pèlerin, entre dans la communauté de Ste-Foy et, durant dix ans, inspire tant de confiance qu'il est chargé de la garde des reliques. Il en profite pour les dérober et les emporter à Conques. La sainte redouble alors les miracles : on les appelle, à l'époque, les « jeux et badinages de sainte Foy ».

Les pèlerinages. – C'est au 11e s. que commence à s'élever l'église actuelle, apparentée par l'architecture à d'illustres sanctuaires contemporains : St-Jacques-de-Compostelle, St-Sernin de Toulouse, St-Martin de Tours, St-Martial de Limoges (ces deux derniers détruits). Entre le Puy et Moissac, Conques était l'étape que conseillait le guide rédigé à l'usage des pèlerins de St-Jacques-de-Compostelle.

Du 11e au 13e s., l'afflux ne cesse pas : c'est la grande époque de Conques.

C'est chose extraordinaire que la vogue de ces voyages lointains, pénibles, seule façon médiévale de pratiquer le tourisme. On s'y rend pour se laver de quelque crime ou par dévotion pure. Les bateleurs hantent les routes suivies par les pèlerins et, le soir, dans l'hôtellerie d'un couvent, distraient leur public. Parvenu, non sans périls, au terme de son voyage, le pèlerin se charge de ces coquilles si fréquentes sur les côtes de Galice et qui ont gardé le nom de St-Jacques. Il s'en revient absous et riche d'expérience.

(D'après photo Dieuzaide-Zodiaque.)

Conques.

Le monastère est transformé en collégiale de chanoines. Les protestants le ruinent en 1561. L'église brûle en partie, puis tombe dans le plus profond oubli. Elle menace de s'effondrer quand, au siècle dernier, Mérimée, en tournée d'inspection des monuments historiques, la découvre et fait un rapport si émouvant qu'il la sauve.

■ CURIOSITÉS *visite : 1 h*

Le site.** – *Pour en avoir une bonne vue d'ensemble, laisser la voiture au bord du Dourdou, près du pont.*

Prendre la rue Charlemagne en forte montée – c'était le chemin que gravissaient les pèlerins se rendant à l'abbaye ; 50 m plus loin, tourner à droite dans un sentier rocailleux pour atteindre la butte où s'élèvent la **chapelle St-Roch** et un calvaire.

De là, très jolie vue sur Conques dont les pittoresques maisons de la rue Charlemagne s'élèvent, au flanc de la vallée, vers le gros du village, groupé autour de Ste-Foy.

Reprendre la voiture et suivre le D 42. Après un lacet à droite, la route décrit un virage à gauche d'où l'on a une jolie vue sur la vallée du Dourdou.

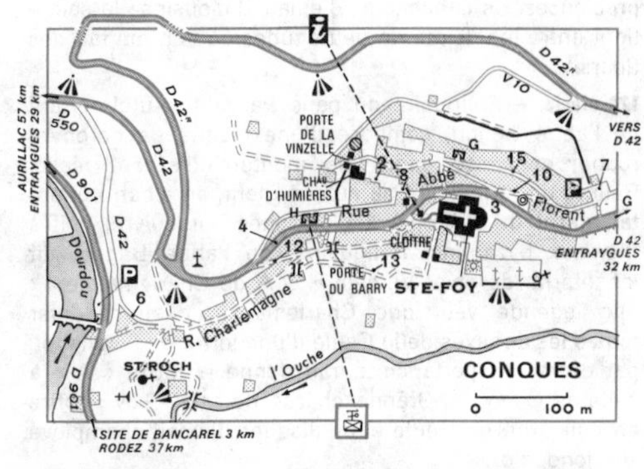

Château (Rue du)	2	Monnaie (Rue de la)	8
Chirac (Place)	3	Peyrade (Rue de la)	10
Écoles (Rue des)	4	Picou (Chemin de)	12
Faubourg (Rue du)	6	Remparts Sud (Rue des)	13
Fimouze (Place)	7	Roudier (Rue Émile)	15

CONQUES***

Peu après, on atteint le centre du village (stationnement interdit du 15 juin au 15 septembre entre 10 h et 18 h – parkings sur la route d'Entraygues au pied de la gendarmerie).
En suivant la route de contournement (Nord du plan), on peut aussi avoir des vues – plongeantes cette fois – sur le village.

Église Ste-Foy**. – C'est un magnifique édifice roman *(1)*, dont la construction fut commencée au milieu du 11e s., mais dont la majeure partie date du 12e s. Elle est surmontée de deux tours de façade refaites au siècle dernier et, sur la croisée du transept, d'un clocher-lanterne octogonal. Son chevet, que l'on verra bien de la place Chirac, présente l'étagement des grands édifices romans de pèlerinage *(voir p. 73)*.

Tympan***. – Le tympan du portail Ouest (à voir, si possible, au soleil couchant) est un chef-d'œuvre de la sculpture romane du 12e s. Il développe le thème du Jugement dernier.

1) A l'ombre de la croix, le Christ, assis dans une gloire, bénit les élus de la main droite ; sa main gauche s'abaisse pour indiquer aux réprouvés le sort qui les attend.
2) Du ciel entrouvert descendent les phalanges célestes sonnant le réveil des morts ou portant les instruments de la Passion.
3) A gauche du Sauveur : Marie, saint Pierre, un cortège d'abbés et de donateurs où figurerait Charlemagne.
4) A droite du Sauveur : derrière les anges débute la vision infernale.
5) Sainte Foy, prosternée, reçoit la benédiction divine.
6) Les morts sortent de leurs tombeaux.
7) Saint Michel pèse les âmes et le démon tente de faire pencher vers lui le plateau de la balance.
8) Abraham reçoit les élus sous les arcades de la Jérusalem céleste.
9) Des démons poussent les damnés dans la gueule de l'Enfer.
10) Les damnés sont accueillis par Satan trônant au milieu de diablotins qui font subir aux pécheurs les supplices les plus divers.

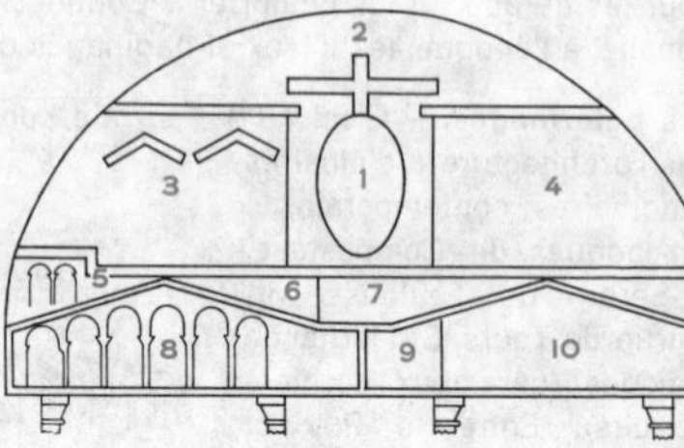

Longer à droite la façade Sud de l'église contre laquelle sont placés des enfeus (12e s.), dont l'un conserve l'épitaphe de l'abbé Bégon (1087-1107), et entrer dans l'église par la porte ménagée dans le bras droit du transept.

Intérieur. – Très élevé (22 m), sobre et austère, il produit un grand effet. Le chœur, de vastes proportions, est entouré, comme dans toutes les églises de pèlerinage, d'un déambulatoire qui permettait aux fidèles de défiler autour des reliques de sainte Foy exposées jadis dans le chœur. Sur les murs de la sacristie, des restes de fresques (15e s.) retracent le martyre de sainte Foy. Les superbes grilles du 12e s. formant clôture remplacent celles qui auraient été forgées avec les fers des prisonniers délivrés par la sainte. Au-dessous du passage qui met en communication les tribunes, dans la travée centrale du croisillon Nord, un bel ensemble sculpté représente l'Annonciation.

Sortir de l'église par la même porte qu'à l'entrée ; descendre dans l'ancien cloître.

Cloître. – Depuis 1975, son plan, au sol, est restitué par un chemin dallé. Il n'en subsiste plus qu'une série d'arcades ouvrant sur l'ancien réfectoire et surtout un très beau bassin de serpentine ayant appartenu au lavabo des moines.

Trésor***. – *Visite de 9 h à 12 h et de 14 h à 18 h. Fermé en février et le mardi en hiver. Entrée : 8 F.*

Le trésor de Conques renferme des pièces d'orfèvrerie qui constituent la plus complète expression de l'histoire de l'orfèvrerie religieuse en France, du 9e au 16e s. Il comprend, en particulier, une série de reliquaires, œuvres d'un atelier d'orfèvre installé dans l'abbaye avant même l'époque carolingienne et jusqu'au 14e s.

Voici, dans l'ordre chronologique, les pièces principales :

9e siècle. – Reliquaire en or filigrané, don de Pépin, fils de Louis le Débonnaire et duc d'Aquitaine.

10e siècle. – Statue-reliquaire de sainte Foy : pièce maîtresse du trésor, cette statue, en bois, est recouverte de lames d'or et enrichie d'une profusion de pierres précieuses, de cabochons, d'émaux limousins ; la sainte tient entre les doigts de petits tubes où l'on mettait des fleurs.

12e siècle. – Reliquaire du pape Pascal II. Autel portatif de l'abbé Bégon, composé d'une plaque de porphyre rouge, enchâssé dans une monture d'argent niellé. Reliure d'évangéliaire ou autel portatif, en albâtre oriental, garni de dix émaux cloisonnés sur cuivre, imités d'émaux byzantins. Reliquaires de l'abbé Bégon, dit « Lanterne de saint Vincent ». « A de Charlemagne » : une légende veut que Charlemagne, désirant doter toutes les abbayes de la Gaule d'une lettre de l'alphabet, par ordre d'importance, aurait donné la lettre « A » à celle de Conques. Grande châsse de sainte Foy : coffre en cuir orné de trente et un disques d'émail champlevé sur fond d'or.

13e siècle. – Statuette-reliquaire de la Vierge, en bois, recouverte de plaques d'argent. Bras-reliquaire de saint Georges, en argent.

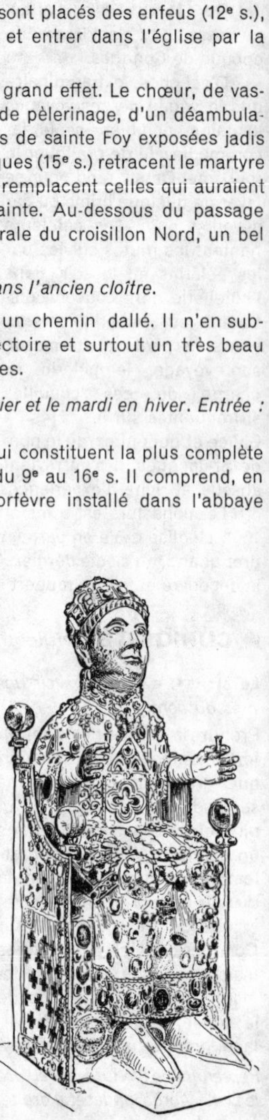

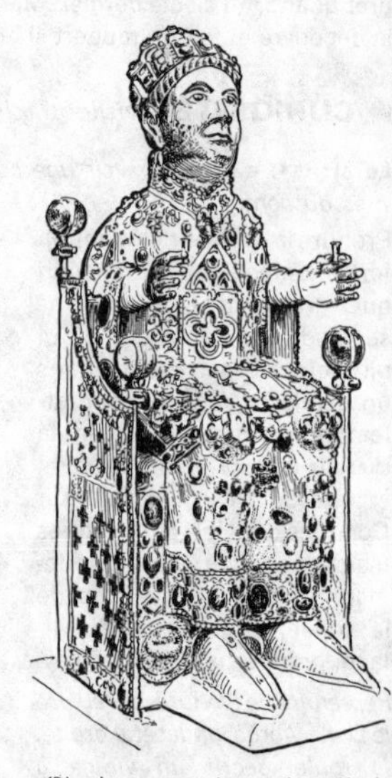

(D'après reportage photographique Yan.)

Statue-reliquaire de sainte Foy.

14e siècle. – Petite châsse de sainte Foy, en argent.

15e siècle. – Statuette de sainte Foy, en argent.

16e siècle. – Croix de procession.

Le trésor renferme, en outre, de belles tapisseries de l'atelier de Felletin représentant la vie de sainte Foy.

Le village. – Ses ruelles, bordées de maisons anciennes couvertes de lauzes sont curieuses à parcourir. Le coin où sont groupés le château d'Humières (16e s.), la porte de la Vinzelle et une maison en torchis à pans de bois est l'un des plus pittoresques.

Du cimetière, dont un angle est occupé par la chapelle funéraire des abbés de Conques, jolie vue sur la vallée de l'Ouche.

EXCURSION

Site du Bancarel*. – *3 km. Quitter Conques par la route de Rodez, le long du Dourdou. A 500 m du pont, prendre à gauche vers le site du Bancarel signalé par un panneau.*

La **vue*** d'ensemble sur Conques et son église est très belle.

CONQUES-SUR-ORBIEL

Carte Michelin n° 83 - plis ⑪⑫ – 8 km au Nord de Carcassonne – 1 692 h. (les Conquois).

Ce pittoresque village conserve quelques vestiges de fortifications, dont la porte méridionale surmontée d'une statue de la Vierge, du 16e s.

Église. – Son clocher-porche, sous lequel passe une rue, a l'aspect d'une construction fortifiée. A l'intérieur, l'abside gothique à sept pans flanquée de deux absidioles est de lignes très pures. A droite du chœur, retable du 16e s.

Sachez tirer parti de votre **guide Michelin.**
Consultez la légende p. 46.

CORDES **

Carte Michelin n° 79 - pli ⑳ – 1 067 h. (les Cordais) – *Lieu de séjour, p. 42.*

Perchée au sommet du puech de Mordagne, Cordes, poétiquement nommée Cordes-sur-Ciel, occupe un **site**** remarquable dominant la vallée du Cérou. Son nom, comme celui de Cordoue en Espagne, pourrait lui avoir été donné par l'industrie des étoffes et des cuirs qui y prospérait aux 13e et 14e s.

En 1222, en pleine guerre des Albigeois *(voir p. 53)*, le comte de Toulouse Raymond VII décide la création de la bastide de Cordes pour répondre à la destruction de la place forte de St-Marcel par les armées de Simon de Montfort. *Lire « les Bastides » p. 30.*

La Charte de coutumes et privilèges dont les habitants pourront bénéficier prévoit, parmi d'autres avantages, l'exemption d'impôts et de péage.

Véritable cité-forteresse, elle va rapidement constituer un repaire de choix pour les hérétiques. Aussi l'Inquisition y fait-elle activement sa besogne.

La fin des troubles cathares marque une période de prospérité. Au 14e s., le commerce des cuirs et des draps y est florissant, les artisans tissent le lin et le chanvre cultivés dans la plaine, les teinturiers des bords du Cérou utilisent le pastel et le safran, abondants dans la région. Les belles demeures qui ont été construites à cette époque témoignent de la richesse des habitants.

Les querelles des évêques d'Albi qui rejaillissent sur toute la contrée, la résistance cordaise aux huguenots durant les guerres de Religion, deux épidémies de peste mirent fin à cet âge d'or dès le 15e s. Après un ultime sursaut de vie à la fin du 19e s., dû à l'introduction de métiers à broder mécaniques, Cordes, volontairement isolée à l'origine, s'assoupissait à l'écart des grandes voies de communication. Par bonheur les menaces pesant sur ses maisons gothiques mettent la population en émoi et certaines mesures de classement, au titre des Monuments Historiques, sont prises à partir de 1923. Mais le charme de Cordes opère surtout sur les artistes et artisans d'art qui secondent efficacement sa sauvegarde et contribuent, pour leur part, à un réveil de la cité.

La restauration se poursuit, confirmant le caractère touristique de Cordes, devenu, en outre, depuis 1970, un centre d'animation musicale *(du 1er juillet au 30 septembre, des stages de musique ancienne, traditionnelle et contemporaine, se tiennent dans la Maison Gaugiran. Renseignements ☎ 56.00.75).*

Dans les ruelles pavées, tortueuses et escarpées, un ferronnier, un émailleur, un imagier, des tisserands, des graveurs, des sculpteurs et des peintres ont donné pour cadre à leurs activités les maisons anciennes auxquelles ils ont su restituer leur noble allure.

De nombreux stages d'initiation aux métiers artisanaux sont organisés (voir carte p. 45).

■ CURIOSITÉS *visite : 1 h 1/2*

La « ville aux cent ogives ». – Le bel ensemble de **maisons gothiques*** (13e-14e s.) constitue, avec le site exceptionnel, l'attrait principal de Cordes. Les plus importantes et les mieux conservées bordent la Grand-Rue (dite rue Droite). Leurs façades en grès de Salles aux tons roses à reflets gris s'ouvrent sur la rue par de grandes arcades en ogive surmontées de deux étages de fenêtres en arc brisé, quelquefois malheureusement transformées en simples ouvertures rectangulaires.

Souvent, au niveau du deuxième étage, sont scellées des barres de fer terminées par un anneau. Une tige de bois ou de fer passée horizontalement dans chacun d'eux servait probablement à tendre un rideau, selon l'usage médiéval répandu en Italie ou en Provence ; mais le soleil n'étant vraisemblablement pas très redoutable dans ces rues étroites, peut-être permettaient-ils simplement de suspendre des bannières les jours de fête.

Partir de la porte de la Jane.

En 1222, Cordes, construite sur plan en losange, fut entourée de deux enceintes, fortifiées surtout en leurs points d'accès relativement facile pour les attaquants : l'Est et l'Ouest.

Porte de la Jane. – Vestige de la deuxième enceinte, elle doublait la porte des Ormeaux.

Porte des Ormeaux (A). – Entourée de ses grosses tours, c'est sur elle que les assaillants, persuadés d'avoir pénétré dans la ville par la porte de la Jane, avaient la surprise de tomber.

Chemin de ronde. – Les lices du Sud ou Planol procurent de belles vues sur la campagne environnante.

Porte du Planol (B). – C'est le pendant oriental de la porte de la Jane.

Barbacane (D). – A la fin du 13e s., la cité s'étant étendue, une troisième enceinte fut construite dont subsiste la barbacane, en contrebas de la porte du Planol.

Portail peint (ou porte de Rous) (E). – Le nom de Portail peint vient probablement de l'image peinte de la Vierge qui l'ornait. Elle est l'équivalent de la porte des Ormeaux à l'Est.

Musée Charles Portal. (M). – *Visite du 1er avril au 15 novembre de 10 h à 12 h et de 14 h à 18 h. Entrée : 4 F.*

Son appellation est un hommage à Charles Portal, archiviste du Tarn, grand historien de Cordes. Aménagé à l'intérieur de la porte de Rous, il renferme des anciennes mesures à grain, un vieux métier à tisser le lin ou le chanvre, des échantillons de broderie locale, un intérieur paysan reconstitué, ainsi que divers objets trouvés à Cordes, notamment la belle porte cloutée de la maison du Grand Fauconnier.

Une salle d'archéologie gallo-romaine rassemble le produit de fouilles locales : monnaies, statuettes, objets de parure dont la belle « fibule au lion », entre autres.

Dans la salle du Vieux Cordes est exposé le **« libre ferrat »**, registre curieux par son ancienne reliure à laquelle est rivée une chaîne de fer. C'est sur les extraits d'Evangiles qu'il contient que les consuls, entrant en fonction, prêtaient serment.

La Grand-Rue, très escarpée, conduit au cœur de la citadelle.

Maison du Grand Fauconnier (H). – Siège de la mairie, c'est une belle maison ancienne. L'encorbellement du toit était orné de faucons, d'où son nom. La façade (restaurée au 19e s.) est remarquable par son élégance et la régularité de son appareil. L'intérieur, remanié, comporte un escalier à vis du 15e s. qui conduit au musée.

(D'après photo Claire Targuebayre.)

Cordes. – Maison du Grand Fauconnier.

Musée Yves Brayer. – *Visite du 15 juin au 30 septembre de 10 h à 12 h et de 14 h 30 à 18 h 30 en semaine, de 14 h à 18 h les dimanches et jours fériés. Du 1er octobre au 14 juin de 9 h à 12 h et de 14 h à 18 h du lundi au vendredi seulement. Entrée : 2 F.*

Là, sont exposées de nombreuses œuvres du maître : dessins, lithographies, peintures, tapisseries, etc.

Halle et puits (F). – Vingt-quatre piliers octogonaux (plusieurs fois restaurés depuis le 14e s.) soutenant une toiture (refaite au 19e s.), telle se présente la place autrefois affectée au commerce des étoffes. Adossée à un des piliers, une croix en fer, probablement du 16e s., mentionne le massacre de trois inquisiteurs. Selon les érudits, il s'agirait là d'une légende.

A proximité, on découvre un puits de 113 m de profondeur *(éclairage par minuterie : 1 F).*

Terrasse de la Bride. – Lieu de repos très apprécié, elle offre une vue apaisante et étendue sur la vallée du Cérou au Nord-Est, sur la silhouette élancée du clocher de Bournazel au Nord.

Église St-Michel – *En cas de fermeture, s'adresser au bureau de tabac, en face.* Maintes fois remaniée au cours des siècles, elle conserve le chœur et le transept du 13e s., voûtés sur croisée d'ogives. Les contreforts intérieurs séparant les chapelles latérales rappellent ceux d'Albi. De même, les peintures (19e s.) sont une imitation des décorations de la voûte de Ste-Cécile.

L'orgue (1830) provient de N.-D.-de-Paris (premier orgue de chœur de la cathédrale).

Le clocher est en partie masqué par une tour de guet carrée. Du sommet de cette tour *(accès : 1 F),* vaste panorama.

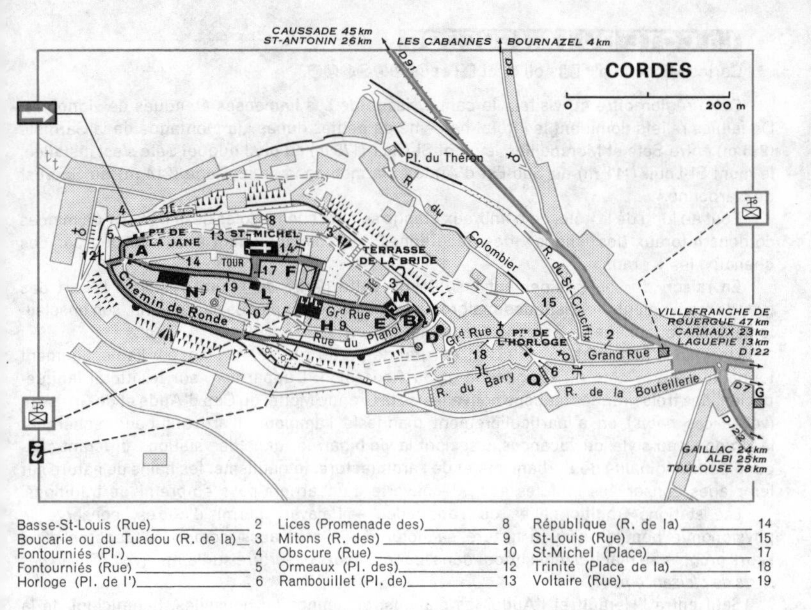

Maison du Grand Veneur (L). – Elle se singularise par sa façade à trois étages, ornée au niveau du deuxième d'une frise de sculptures en haut-relief représentant des scènes de chasse et des personnages. On peut distinguer un piqueur prêt à transpercer un sanglier poussé hors de la forêt par un chien ; puis un lièvre, poursuivi par un chien, va être frappé par la flèche du chasseur (entre les fenêtres de gauche) ; un autre chasseur sonne de la trompe (entre les fenêtres de droite) tandis que deux animaux s'enfuient vers la forêt. Remarquer les anneaux de fer, particulièrement bien conservés.

Maison du Grand Écuyer (N). – Sa façade, très bien restaurée, est décorée de sujets variés.

Revenir à la porte des Ormeaux.

Au 14e s., la citadelle s'entourant de faubourgs, une quatrième puis une cinquième enceinte furent bâties. A l'Est de la ville, la porte de l'Horloge, probablement reconstruite au 16e s., est un vestige pittoresque de la quatrième muraille. On y accède de la place de la Bouteillerie par l'**escalier du Pater Noster** (Q) qui comprend autant de marches que la prière de mots.

EXCURSIONS

Château du Cayla. – *11 km au Sud-Ouest. Quitter Cordes par le D 122 en direction de Gaillac, puis à 8 km prendre à droite vers Andillac ; après le pont sur la rivière, une route à droite conduit au château.*

Visite de 10 h à 12 h et de 14 h à 18 h (17 h du 2 novembre au 30 mars). Fermé le vendredi. Entrée : 3 F.

Cette bâtisse fut la demeure familiale de **Maurice de Guérin** (1810-1839) et de sa sœur **Eugénie** (1805-1848), écrivains et poètes. Le site paisible, les pièces d'habitation fidèlement reconstituées, évoquent leur mémoire de façon émouvante.

L'œuvre de Maurice de Guérin prend place dans la littérature romantique et se distingue surtout par son poème en prose « Le Centaure » que George Sand fit publier pour la première fois en 1840 et par son « Journal » édité d'abord par Barbey d'Aurevilly, son condisciple. Dans le « Journal » et les « Lettres » d'Eugénie, également édités par Barbey d'Aurevilly en 1855 sous le titre « Reliquiae », transparaît le souvenir des paysages du Cayla et de ce château où Maurice et Eugénie naquirent et trouvèrent refuge après un séjour décevant dans les milieux littéraires parisiens.

Monestiés. – 1 222 h. *15 km à l'Est. Quitter Cordes par le D 122, en direction de Villefranche, puis prendre à droite le pittoresque D 91 en direction de Carmaux.*

Visite de la chapelle St-Jacques de 10 h à 12 h et de 14 h à 18 h ; s'adresser au gardien.

Dans un site agréable sur la rive droite du Cérou, Monestiés mérite une visite surtout pour les belles statues qu'abrite la **chapelle St-Jacques** (ou de l'Hôpital) : une Mise au tombeau, une Pietà, du 15e s., un Christ en croix (18e s.) et un Christ à la colonne, transportés en 1774 du château épiscopal de Combefa (au Sud de Monestiés, aujourd'hui en ruines). La **Mise au tombeau*** constitue un ensemble d'une remarquable élégance. Le centre de la scène est occupé par le Christ dans son linceul, soutenu par Nicodème et Joseph d'Arimathie. Admirer l'expression des visages et les détails des costumes des personnages disposés en cortège.

Pour visiter les régions les plus proches, munissez-vous des ***guides Verts Michelin :***

Auvergne,
Périgord,
Provence,
Pyrénées,
Vallée du Rhône.

La CÔTE DU LANGUEDOC

Cartes Michelin nos 86 - pli ⑩ et 83 - plis ⑦⑧⑭⑮⑯⑰.

Cette région offre au visiteur le calme visage de ses immenses étendues de vignobles. De faibles reliefs dominent le littoral parsemé de petites dunes : la montagne de la Gardiole (216 m) entre Sète et Montpellier, le mont St-Clair (175 m) au pied duquel Sète s'est installée, le mont St-Loup (111 m) au Sud-Est d'Agde et la montagne de la Clape (214 m) au Sud-Est de Narbonne.

Tout au long de la côte, de nombreux étangs se succèdent, isolés de la mer par de minces cordons littoraux (les « lidos » des géographes), ne communiquant avec elle que par des chenaux, les « graus ».

En raison de son équipement insuffisant, cette partie du littoral restait à l'écart des grands mouvements touristiques malgré l'immensité de ses plages de sable fin, son ensoleillement exceptionnel et la présence de la mer.

Un plan d'État, établi en 1963 et en grande partie réalisé, a « lancé » l'aménagement touristique de la côte du Languedoc et du Roussillon. L'apparition, sur le littoral languedocien, des trois grandes stations nouvelles de la Grande Motte, du Cap d'Agde et de Gruissan *(voir à ces noms)* en a particulièrement manifesté l'ampleur. L'arrivant peut rechercher là un nouveau style de vacances associant la vie bigarrée, dans des stations différant chacune par l'originalité de l'urbanisme et de l'architecture, le nautisme, les bains de nature sur les plages conservées intactes et la découverte d'un arrière-pays empreint de traditions.

Les stations traditionnelles du Languedoc – Palavas, parmi d'autres, conserve la physionomie populaire qui a assuré sa notoriété – sont aussi comprises dans ce plan. Leurs progrès se manifestent surtout dans leur meilleure ouverture sur la mer *(voir tableau des ports de plaisance p. 44)*.

Sauf entre l'Hérault et l'Aude, les stations, anciennes ou nouvelles, bénéficient de la proximité des étangs côtiers.

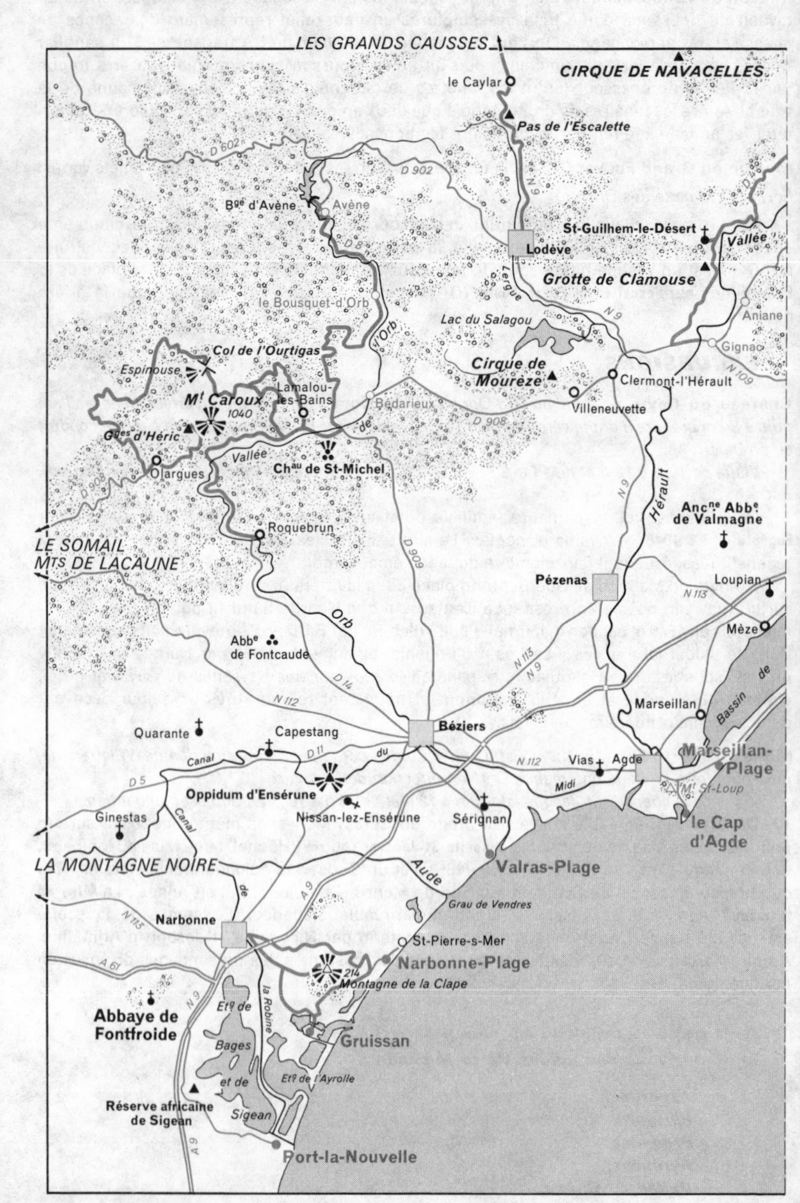

Dès 1963 les travaux préalables de « démoustication » avaient été entrepris. L'approvisionnement en eau fut mené à bien en 1972. Les secteurs nouvellement équipés sont desservis par des routes rapides, mais ces diverses voies ne seront pas raccordées en un nouvel itinéraire côtier, qui contrarierait les mesures de protection de la zone littorale.

Le reboisement (en 1977, 3 000 ha avaient été plantés dont 450 dans l'important massif de la Gardiole), entravé par des habitudes ancestrales et un climat mouvementé avec coups de froid en hiver, doit contribuer à un heureux cloisonnement du paysage, dans les zones protégées. Les nouveaux espaces verts des stations sont patiemment préservés des embruns salins et continuellement arrosés.

LE LITTORAL, du Rhône à l'étang de Leucate

Voir aussi Lieux de séjour p. 40 à 43.

Port-Camargue. – *Description dans le guide Vert Michelin Provence.*

Le Grau du Roi. – *Description dans le guide Vert Michelin Provence.*

La Grande-Motte★. – *Page 96.*

Carnon-Plage. – Station « de lido », très appréciée des Montpelliérains, entre la Méditerranée et l'étang de Mauguio.

Palavas-les-Flots. – 3 633 h. Situé à l'embouchure du Lez canalisé, de part et d'autre de la rivière, ce port de pêche conserve dans son vieux quartier une animation pittoresque. Palavas devint surtout, avec la mise en service, en 1872, d'un célèbre petit train (aujourd'hui disparu), le front de mer de Montpellier.

Les joutes nautiques de Palavas constituent un spectacle très populaire.

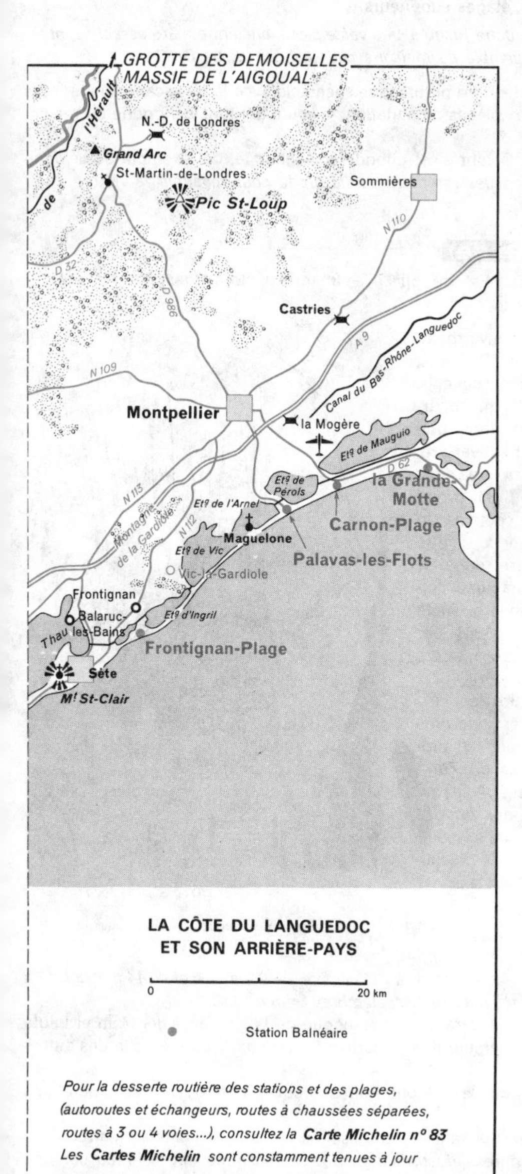

Maguelone★. – *Page 108.*

Frontignan. – *Page 94.*

Frontignan-Plage. – *Lieu de séjour, p. 42.*

Balaruc-les-Bains. – *Page 62.*

Sète★. – *Page 149.*

Mont-St-Clair★. – *Page 151.*

Marseillan-Plage. – *Lieu de séjour, p. 42.*

Le Cap d'Agde. – *Page 67.*

Agde. – *Page 47.*

Vias. – *Page 163.*

Valras-Plage. – 2 541 h. Ce port de pêche à l'embouchure de l'Orb est doté d'une plage de sable s'étendant jusqu'au grau de Vendres, à l'embouchure de l'Aude.

St-Pierre-sur-Mer. – *Lieu de séjour, p. 42.* A l'Est de cette station familiale, le gouffre de l'Oeil-doux est un curieux amphithéâtre marin.

Narbonne-Plage. – *Page 131.*

Montagne de la Clape. – *Page 131.*

Gruissan. – *Page 100.*

Port-la-Nouvelle. – 4 618 h. Construit à l'entrée du grau de l'étang de Bages et de Sigean et au débouché du canal de la Robine de Narbonne *(carte p. 24)*, Port-la-Nouvelle est, entre Sète et Port-Vendres, la seule ville côtière du golfe du Lion conservant une activité soutenue hors saison, grâce à son port de commerce, base de redistribution des hydrocarbures dans tout le Sud-Ouest.

On peut y observer le trafic des cargos, des pétroliers et ce spectacle donne aux séjours le long de son immense plage un attrait original.

Cap-Leucate. – *Description dans le guide Vert Michelin Pyrénées.*

Port-Leucate. – *Description dans le guide Vert Michelin Pyrénées.*

Port-Barcarès. - *Description dans le guide Vert Michelin Pyrénées.*

La COUVERTOIRADE *

Carte Michelin nº 80 - pli ⑮ – 6,5 km au Nord du Caylar – *Schéma p. 97.*

Au milieu du morne plateau du Larzac, ce curieux bourg fortifié *(illustration p. 29)*, ancienne possession des Templiers dépendant de la commanderie de Ste-Eulalie *(p. 85)*, surprend par son appareil militaire. L'enceinte fortifiée fut élevée vers 1450 par les chevaliers de St-Jean de Jérusalem *(voir tableau p. 22).*

La Couvertoirade, à l'exemple des autres villages du Larzac, se dépeuple rapidement. L'agglomération, qui comptait 362 habitants en 1880, en groupe moins de 30 aujourd'hui. Quelques artisans s'y sont installés (émaux, poterie, tissage).

■ CURIOSITÉS *visite : 3/4 h*

Laisser la voiture près de la porte Nord, extérieurement aux remparts. Entrée : 4 F.

Remparts. – Franchir la porte Nord et prendre l'escalier sans parapet qui s'amorce au pied d'une maison Renaissance. La tour Nord, très haute, de plan carré, semble avoir joué le rôle de tour de guet.

En suivant le chemin de ronde, à gauche, jusqu'à la tour ronde, on jouit d'une vue curieuse sur le bourg et la rue Droite.

Revenir au pied de la tour Nord et pénétrer dans le bourg en appuyant sur la gauche.

Église. – Église-forteresse édifiée à l'extrémité de la place d'armes, elle participait à la défense de la cité.

A l'entrée du chœur se dressent deux stèles discoïdales montrant différentes figurations de la croix.

Château. – Il a perdu ses deux étages supérieurs.

Devant le château, prendre à gauche jusqu'à une vaste place, ancienne mare asséchée, et là, par la droite, contourner un ensemble de maisons pour gagner la rue Droite.

Rue Droite. – Ses maisons forment un pittoresque spectacle avec leurs escaliers extérieurs desservant le balcon d'accès aux pièces d'habitation, la voûte abritant la bergerie du rez-de-chaussée.

Franchir la porte Sud dont la tour s'est effondrée. A gauche, bel exemple de lavogne *(voir p. 12). Longer extérieurement les remparts sur la droite pour regagner la voiture.*

DARGILAN (Grotte de) **

Carte Michelin nº 80 – Sud-Est du pli ⑤ – 8 km au Nord-Ouest de Meyrueis – *Schémas p. 97 et 102.*

Cette grotte aurait été découverte au 18e s. par l'ingénieur Samuel Blanquet, mais on avait perdu jusqu'à son souvenir. En 1880, le berger Sahuquet, qui poursuit un renard, le voit entrer dans une fissure de rocher. Agrandissant l'ouverture, il continue d'avancer et se trouve dans une immense salle obscure. Il la prend pour le vestibule de l'Enfer et détale. Un jeune géographe entend parler de cette aventure. Dès 1884, il pénètre dans la grotte qui prend le nom du hameau voisin : Dargilan. Mais la première visite complète n'en est faite qu'en 1888 par E.-A. Martel et six compagnons qui mettent quatre jours à l'explorer.

Sitôt connue, la grotte attire les visiteurs, mais son aménagement est des plus restreints. Puis Dargilan devient la propriété de la Société des Gorges du Tarn, qui, sous la direction de Louis Armand, aménage des escaliers de fer, des rampes et des passerelles permettant de circuler sans danger. En 1910, on installe l'éclairage électrique dans toutes les salles.

(D'après photo Apa-Poux, Albi.)

Grotte de Dargilan. – Le clocher.

VISITE *environ 1 h*

Visite du début des vacances de Printemps au 15 octobre, de 9 h à 12 h et de 14 h à 18 h (9 h à 12 h 20 et 13 h 30 à 18 h 20 du 1er juillet au 30 septembre). Entrée : 15 F.

On pénètre directement dans la Grande Salle, longue de 142 m, large de 44 m et haute de 35 m. C'est une salle d'effondrement dont la formation est postérieure à celle des autres parties de la grotte.

Elle se présente comme un chaos (1) souterrain sur lequel se trouvent des concrétions en cours d'édification.

Au fond de la Grande Salle : la salle de la Mosquée (2), de dimensions plus réduites, est très riche en belles stalagmites *(illustration p. 16)*. La Mosquée, représentée par une masse de stalagmites aux reflets nacrés, est flanquée du Minaret, belle colonne de 20 m de hauteur.

La « salle Rose » (3) contiguë à la Mosquée, doit son nom à la couleur de ses concrétions.

Revenu dans la Grande Salle, on entreprend alors la descente par des escaliers dans la partie profonde de la grotte.

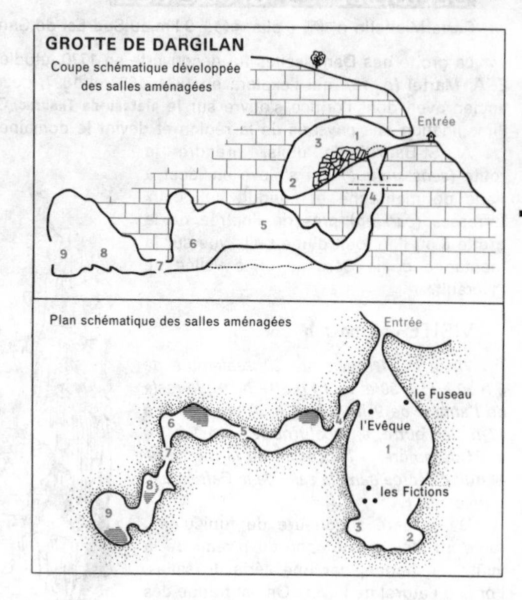

Un puits naturel de descente (4) conduit au couloir des Cascades pétrifiées (5) où une magnifique draperie de calcite, d'un brun rouge taché d'ocre jaune et de blanc, se déploie sur 100 m de longueur et 40 m de hauteur.

La salle du Lac (6) tire son nom d'une nappe d'eau peu profonde. Elle est ornée de draperies translucides minces et repliées. Par le Labyrinthe (7) et la salle des Gours (8), autrefois parcourus par un courant d'eau *(voir p. 15 : les rivières souterraines)* qui a laissé des traces sous forme de gours, on accède à la salle du Clocher (9), au centre de laquelle jaillit une pyramide élancée, haute de 20 m : c'est le Clocher, où se termine la visite.

DECAZEVILLE

Carte Michelin n° 80 - Nord du pli ① – 10 547 h. (les Decazevillois).

Decazeville est née au 19e s. quand a commencé l'exploitation industrielle du bassin houiller de l'Aveyron. En 1828 le **duc Decazes** (1780-1860), constatant la présence de minerai de fer et de houille, fonde, avec l'ingénieur Cabrol, les premières forges dans la vallée du Riou Mort. L'industrie métallurgique et l'exploitation de la houille et du fer se développant rapidement vont bientôt nécessiter l'implantation d'une cité au lieu-dit Lassalle. Le duc Decazes lui donnera son nom.

Depuis 1965, la houille est extraite uniquement en « découverte » (à ciel-ouvert).

La « découverte » de Lassalle. – Au Sud de Decazeville. Un belvédère aménagé pour les visiteurs permet d'en avoir une vue d'ensemble.

Elle se présente comme un vaste cirque aménagé en gradins, de 1 km de diamètre et de 192 m de profondeur, où s'agite une multitude d'engins dont l'activité incessante manifeste la vie de la carrière. Près de 300 t d'explosifs sont utilisées chaque année pour les travaux d'abattage. De gigantesques pelles mécaniques effectuent les chargements tandis que de puissants camions, remplaçant les wagonnets d'autrefois, évacuent terres et charbon vers les points de déchargement. Chaque jour plus de 13 000 m3 de roche stérile sont mis au terril.

(D'après photo Studio Robert Bou, Decazeville.)

Decazeville. – La « Découverte ».

La « découverte » de Lassalle produit annuellement 270 000 t de charbon, acheminé en grande partie (150 000 t) vers la centrale thermique de Penchot, le reste étant absorbé par la consommation locale et régionale.

Decazeville a vécu longtemps de ses richesses minières mais les exigences de l'économie contemporaine et la perspective d'un arrêt de l'extraction *(voir p. 28)* l'ont poussée à développer ses industries sidérurgiques et métallurgiques. Citons l'ensemble haut-fourneau et l'aciérie à oxygène exploités par S.E.S.D., la fonderie par A.F.D., les ateliers de mécanique et de chaudronnerie par M.M.S.R. La société Vallourec est spécialisée dans la production de tubes en aciers laminés à chaud.

Promeneurs, campeurs, fumeurs...
Soyez prudents !
Le feu est le plus terrible ennemi de la forêt.

DEMOISELLES (Grotte des) ***

Carte Michelin n° 80 - plis ⑯⑰ – 9 km au Sud-Est de Ganges – *Schéma p. 101.*

La grotte des Demoiselles fut découverte en 1770, étudiée et décrite dix ans plus tard. E.-A. Martel *(p. 16)*, qui l'explora en 1884, 1889 et 1897, découvrit que cette grotte est un ancien aven dont l'orifice s'ouvre sur le **plateau de Thaurac.** Ce gouffre béant mit en branle l'imagination des paysans de la région et devint le domaine des fées ou « demoiselles ».

A St-Bauzille-de-Putois, prendre la route *(sens unique)* qui s'élève en lacet à flanc de montagne et conduit aux deux terrasses *(parking)* près de l'entrée de la grotte d'où l'on jouit d'une belle vue sur la montagne de la Séranne et la vallée de l'Hérault.

Grotte des Demoiselles. – La Vierge à l'Enfant.

VISITE *environ 1 h*

Visite du 1er avril au 30 septembre de 8 h 30 à 11 h 30 et de 14 h à 18 h 30 ; le reste de l'année, de 9 h 30 à 11 h 30 et de 14 h à 17 h ; en outre, en nocturne (22 h à 1 h 30) le 24 décembre, à l'occasion de la messe de Minuit célébrée dans la salle de la Cathédrale. Entrée : 15 F.

De la gare supérieure du funiculaire, forée en pleine montagne au niveau de la voûte, on gagne, par une série de salles, l'orifice naturel de l'aven. On est frappé dès l'abord par l'abondance et les dimensions des concrétions qui tapissent les parois. La sensation d'écrasement que l'on éprouve devant cette grandiose architecture persiste durant toute la visite.

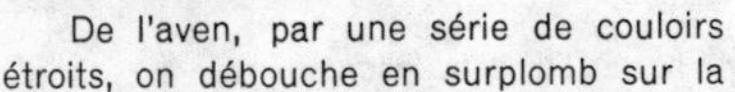

De l'aven, par une série de couloirs étroits, on débouche en surplomb sur la partie centrale de la grotte proprement dite : une immense salle longue de 120 m, large de 80 m et haute de 50 m. Ces dimensions imposantes, les énormes colonnes qui semblent soutenir la voûte, un silence impressionnant et jusqu'à la légère brume qui flotte dans l'atmosphère, composent le saisissant tableau d'une gigantesque « cathédrale ».

On fait le tour de cette salle magnifique en descendant par paliers jusqu'à l'élégante stalagmite de la Vierge à l'Enfant juchée sur son piédestal de calcite blanche.

On se retourne alors pour admirer l'imposant buffet d'orgue qui décore la paroi Nord de la grotte.

Le cheminement se poursuit entre de belles draperies soit translucides soit formant tribunes pour de curieux personnages de théâtre.

Quelques belvédères aménagés au-dessus du vide entretiennent jusqu'à la fin de la visite l'impression d'irréalité de ce décor de pierre.

DOURBIE (Vallée de la) **

Carte Michelin n° 80 - plis ⑭⑮.

En suivant la Dourbie, depuis sa naissance jusqu'à Millau où elle se jette dans le Tarn, on fait une très belle promenade. Sa vallée, toujours pittoresque, se resserre à deux reprises en gorges magnifiques, très différentes d'aspect.

La rivière naît dans le massif de l'Aigoual, au Sud de l'Espérou. Elle s'encaisse d'abord dans les schistes et les granits où ses gorges sauvages atteignent 300 m de profondeur, puis elle descend vers St-Jean-de-Bruel et arrose la large dépression verdoyante qui sépare les Grands Causses des contreforts cévenols.

En aval de Nant, le paysage se transforme encore. La rivière se glisse entre le causse Noir et le causse du Larzac, creusant dans les calcaires un canyon très profond, dont les parois escarpées se hérissent de rochers ruiniformes.

De l'Espérou à Millau – *68 km – environ 2 h 1/2 – schéma p. 83*

La route demande une certaine prudence, car il existe de nombreux virages brusques et les croisements sont souvent difficiles, en particulier entre le hameau des Laupies et le village de Dourbies.

A quelques kilomètres de l'Espérou *(p. 50)*, on atteint la Dourbie dont la vallée, d'abord à peine dessinée dans les pâturages, s'approfondit, se boise et se peuple.

Après Dourbies, la route parfois étroite et sinueuse domine, d'une très grande hauteur, les **gorges de la Dourbie**** (d'environ 300 m au rocher du Cade – c'est-à-dire du genévrier – situé à 5 km de Dourbies).

C'est un splendide parcours en corniche, souvent impressionnant et offrant des vues plongeantes de toute beauté sur le gouffre boisé, hérissé de roches granitiques et schisteuses, au fond duquel coule la rivière.

Changeant ensuite de versant, on découvre la profonde vallée du Trévezel, dominée par de hautes falaises calcaires.

Col de la Pierre Plantée. – Alt. 828 m. La vue se dégage sur la vallée de la basse Dourbie et, au-delà, sur la montagne du Lingas et le causse du Larzac.

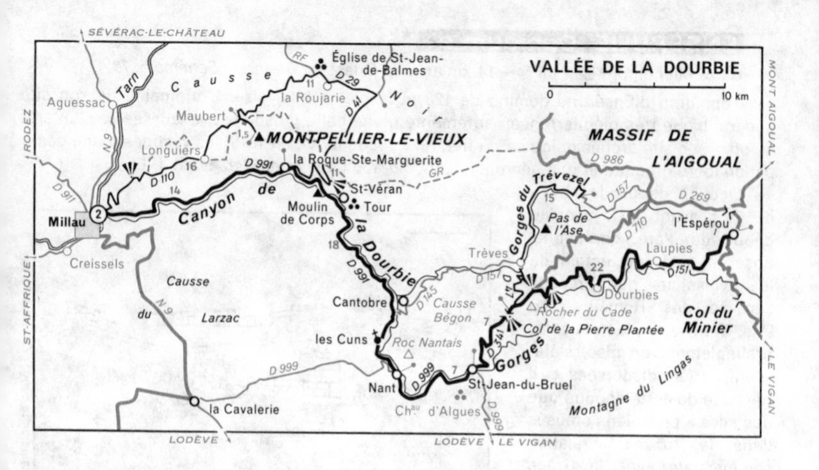

Gorges du Trévezel*. – *15 km au départ du col de la Pierre Plantée par le D 47, Trèves puis le D 157.* Le Trévezel coule dans un lit chaotique entre des versants escarpés que surmontent de hautes falaises aux colorations variées. La gorge, peu boisée, se resserre à mesure que l'on s'éloigne de Trèves et forme un magnifique défilé. Dans sa partie la plus étroite, appelée dans la langue du pays le « Pas de l'Ase » (le pas de l'âne), le canyon ne dépasse pas une trentaine de mètres de largeur.

La descente, très belle, sur St-Jean-du-Bruel s'effectue en corniche au flanc du petit causse Bégon.

St-Jean-du-Bruel. – *Page 145.*

Entre St-Jean et Nant, la vallée de la Dourbie est large et riante. Elle est dominée au Sud par les ruines du château d'Algues, au Nord par les escarpements du causse Bégon qui lance au-dessus de Nant un éperon rocheux, appelé le roc Nantais.

Nant. – *Page 127.*

En aval de Nant, la vallée s'encaisse de nouveau, cette fois entre les calcaires des Grands Causses.

Les Cuns. – Ancienne église Notre-Dame, du 12e s.

Cantobre. – Ce pittoresque village, situé au confluent du Trévezel et de la Dourbie, se dresse sur un promontoire du causse Bégon. Cette silhouette est extraordinaire et mérite bien son nom « quant obra » qui signifie « quelle œuvre ».

Canyon de la Dourbie.** – Ses versants s'élèvent et se hérissent de roches calcaires, curieusement sculptées par l'érosion.

A hauteur de **St-Véran**, hameau perché dans un site pittoresque sur la rive droite de la Dourbie, la route offre une belle **vue*** sur le village, la tour qui constitue le seul témoin de l'ancien château du marquis de Montcalm (1712-1759) qui mourut à Quebec, au Canada, en défendant la ville assiégée par les Anglais ; en contrebas se dressent les murs de l'église ruinée de Treilles.

Moulin de Corps. – Au débouché d'un ravin, il est alimenté par une résurgence, dans un site absolument enchanteur.

La Roque-Ste-Marguerite. – 158 h. Ce village s'étage à l'entrée du ravin du Riou Sec, au pied de la tour à mâchicoulis d'un château (17e s.) dont la chapelle romane sert aujourd'hui d'église ; on accède à cette église par des ruelles tortueuses. Le village est dominé par les rochers ruiniformes du Rayol et de Montpellier-le-Vieux.

La route d'itinéraire continue à suivre la Dourbie au fond de son magnifique canyon. De chaque côté de la rivière, avant d'arriver à Millau *(p. 114)*, le causse Noir et le causse du Larzac dressent de hautes falaises vivement colorées et surmontées de rochers très découpés.

Variante par le chaos de Montpellier-le-Vieux*.** – *Allongement de parcours de 27 km au départ de la Roque-Ste-Marguerite.* Suivre le D 41 qui s'élève en corniche sur la rive droite de la Dourbie en procurant de très belles perspectives sur le canyon. Parvenu sur le causse Noir, dont les pâtures pierreuses sont parsemées de pins, de genévriers et de buis, on aperçoit le massif de l'Aigoual.

A 11 km de la Roque-Ste-Marguerite, tourner à gauche dans le D 29.

St-Jean-de-Balmes. – Église ruinée des 11e-13e s.

Peu après la Roujarie, se détache à droite la route forestière vers la corniche du causse Noir *(p. 99)*.

Les rochers ruiniformes de Montpellier-le-Vieux et, plus à gauche, ceux de Roquesaltes sont bientôt visibles.

Chaos de Montpellier-le-Vieux*.** – *Page 125.*

La route qui relie Maubert à Millau en passant par le hameau de Longuiers parcourt les paysages du causse Noir, que des bois de pins rendent un peu plus amènes. La descente en lacet sur Millau *(p. 114)* offre de beaux points de vue sur la vallée du Tarn et ses plantations de peupliers.

Pour choisir un lieu de séjour à votre convenance, consultez la carte et le tableau p. 40 à 43.

ENSERUNE (Oppidum d') ★

Carte Michelin n° 83 - pli ⑭ – 14 km au Sud-Ouest de Béziers – *Schéma p. 78.*

L'oppidum d'Ensérune domine de 120 m la plaine biterroise. L'originalité de son site géographique très méditerranéen agrémenté d'une belle pinède est rehaussée par l'intérêt qu'offre son site archéologique. En effet, on a reconnu ici, en 1915, les vestiges d'une occupation ibero-grecque et une nécropole à incinération des 4e et 3e s. avant J.-C.

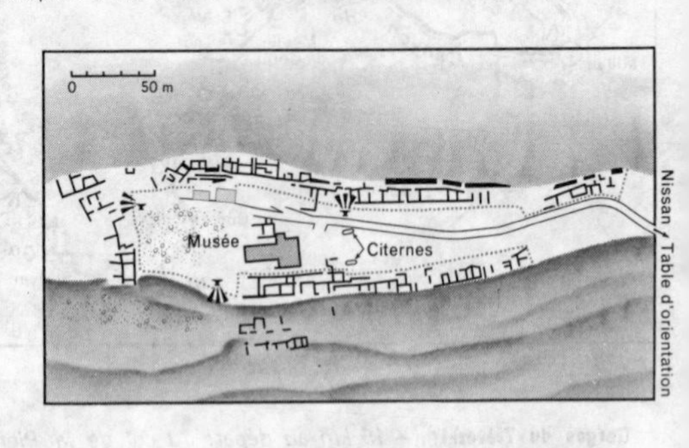

Occupé depuis le milieu du 6e s. avant J.-C. jusqu'au début de l'ère chrétienne, Ensérune est un témoin de la civilisation qui précéda l'arrivée des Romains. Au 9e s. avant J.-C., les maisons, probablement en pisé, s'étalaient, très dispersées ; il ne reste de cette époque que des silos à provisions creusés dans le tuf. En relation commerciale avec la Grèce par l'intermédiaire de Marseille, Ensérune se développe. Le vieux village devient une véritable cité où les maisons de pierre sont disposées suivant un plan en damier. Dans le sol de chaque maison, on enfonce une grande jarre (dolium) où sont déposées les provisions. Une enceinte est érigée et, à l'Ouest, un vaste espace est réservé aux incinérations funéraires.

Entre 300 et 240 avant J.-C., Ensérune se transforme au contact des Gaulois, peuple nouvellement arrivé. La cité s'agrandit, les pentes de la colline sont aménagées en terrasses, à l'Ouest on bâtit sur la nécropole. Riche d'une série de citernes qui collectent les eaux de ruissellement, et d'un grenier constitué de nombreux silos installés à l'Est, la place se protège par un nouveau rempart qui, au Sud, se termine dans la plaine.

A la fin du 3e s., l'oppidum est détruit. Il retrouve sa prospérité avec l'arrivée des Romains qui, en 118 avant J.-C., fondent leur première colonie à Narbonne. On construit des citernes, on aménage des égouts, on pave les sols, on enduit et peint les murs. Puis l'oppidum se dépeuple et meurt au cours du 1er s. après J.-C.

■ CURIOSITÉS *visite : 1 h 1/2*

A droite de la route d'accès à l'oppidum *(ouvert de 9 h à 19 h en été et de 10 h à 16 h en hiver)*, a été placé un autel wisigothique trouvé dans l'église voisine de Colombiers.

Musée★. – *Visite de 10 h à 12 h et de 14 h à 19 h (16 h du 1er octobre à Pâques). Fermé le mardi et les 1er janvier, 1er mai, 1er et 11 novembre, 25 décembre. Entrée : 7 F (3,50 F les dimanches et jours fériés).*

Ce musée *(1)* constitue une évocation archéologique qui embrasse l'évolution de l'art antique méditerranéen du 6e au 1er s. avant J.-C. Bâti sur l'emplacement de la vieille cité, il rassemble les objets trouvés au cours des fouilles.

Au rez-de-chaussée sont exposés des « dolia » (jarres) trouvées dans le sol des maisons, des céramiques, coupes, vases, amphores, des poteries sigillées, d'origine phocéenne, ibérique, grecque, étrusque, romaine et indigène. Remarquer (dans la vitrine 22) une petite cornaline, délicatement ciselée en creux ; dans la scène gravée, représentant un Grec armé qui terrasse une femme, les archéologues ont discerné l'évocation du combat d'Achille et de Penthésilée, la reine des Amazones.

Le 1er étage abrite le mobilier funéraire du 5e au 3e s. trouvé lors des fouilles de la nécropole : vases, cratères grecs ayant servi d'urnes à incinération ou d'ossuaires, magnifiquement décorés. Dans la salle Mouret (vitrine centrale), un œuf, symbole de la vie qui renaît, a été déposé ; il a été trouvé dans une tombe et s'est conservé intact. Dans une petite vitrine, remarquer la célèbre coupe attique de « Procris et Céphale ».

Panorama. – Des tables d'orientation aménagées aux quatre points cardinaux de l'oppidum et des abords des chantiers de fouilles, on découvre un vaste panorama, des Cévennes au Canigou, sur toute la plaine côtière. Observer aux premiers plans, les témoignages archéologiques restés en place et parfois protégés par une petite toiture : dolia, restes de colonnes, bases de murs antiques.

La **vue★** est surtout curieuse au Nord sur **l'ancien étang de Montady** asséché depuis 1247. La division rayonnante des parcelles est due à des fossés qui drainent ses eaux dans un collecteur. De là, par un aqueduc passant sous la colline, elles s'écoulent dans les bas-fonds de l'ancien étang de Capestang, asséché au 19e s.

Nissan-lez-Ensérune. – 2 515 h. Au Sud de la N 9. L'église, du 14e s., est de style gothique méridional. Sous le porche est exposée une pierre du 13e s. portant une inscription funéraire en langue d'Oc. L'intérieur possède de multiples œuvres d'art : la chapelle à droite du chœur abrite une belle Vierge de Miséricorde en pierre polychrome du 14e s., tandis qu'à gauche a été placé un autel à lobes en marbre datant de l'époque carolingienne.

La chapelle des fonts baptismaux a été constituée à l'aide d'éléments anciens, une vasque et des colonnes en marbre. Le Christ, espagnol, est du 15e s.

Dans le flanc Nord de l'église, un **musée** *(visite sur demande à M. Gouzy, 32, av. de Lespignan ☎ 37.04.98)* renferme des objets d'archéologie antique et médiévale, parmi lesquels le produit des fouilles de la ville romaine de Vivios, près de Lespignan ; le 1er étage est réservé à l'art sacré (chasubles du 16e s., calices du 17e s.).

---

(1) Pour plus de détails, lire les ouvrages de l'abbé J. Giry (en vente sur place).

ENTRAYGUES-SUR-TRUYÈRE ★

Carte Michelin n° 76 - Sud du pli ⑫ – *Schéma p. 106* – 1 590 h. (les Entrigots) – *Lieu de séjour, p. 42.*

Entraygues est bien situé au confluent du Lot et de la Truyère, entre des coteaux couverts de prairies, d'arbres fruitiers et de vignes qui produisent un excellent vin.

Une bonne vue sur le site du village et sur la vallée de la Truyère s'offre du belvédère de Condat, sur la route d'Aurillac, au Nord.

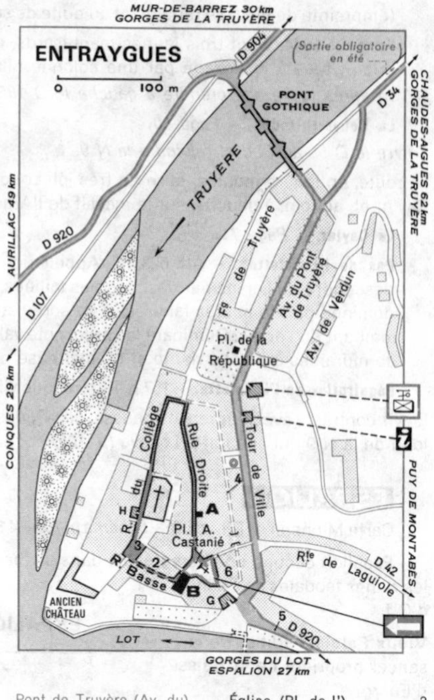

Pont de Truyère (Av. du)
Tour de Ville
Château (R. du) 2
Église (Pl. de l') 3
Horloge (R. de l') 4
Lot (Quai du) 5
St-Georges (R.) 6

■ CURIOSITÉS *visite : 1/2 h*

Pont gothique★. – Il date de la fin du 13ᵉ s.

Vieux quartier. – Pour le visiter et voir ses maisons pittoresques avec leurs étages en encorbellement et leurs fenêtres fleuries, partir de la petite place Albert-Castanié, dite place de la Croix, et suivre à pied la rue Droite : à droite, beau portail du 16ᵉ s. (A) ; poursuivre sur la gauche par la rue du Collège et la **rue Basse★** qui est la mieux conservée d'Entraygues.

Place A.-Castanié, à l'angle de la vieille maison Sabathier (B), des marques indiquent le niveau atteint par les principales crues du Lot et de la Truyère. Suivre le quai du Lot jusqu'au confluent : belle vue sur le château.

EXCURSIONS

Vallée du Lot★★ ; Conques★★★. – *Circuit de 62 km – environ 3 h. Sortir par le pont sur la Truyère et suivre le D 107 (Ouest du plan), sur la rive droite du Lot (description p. 106).*

Après la visite de Conques *(p. 73)*, suivre le D 42, au tracé mouvementé, puis le D 904 qui procure des vues dominantes sur la vallée du Lot et, au confluent du Lot et de la Truyère, sur le bassin cultivé d'Entraygues.

Gorges du Lot★★ ; Estaing★ ; Espalion★. – *27 km – environ 1 h 1/2.* Cartes 76 - pli ⑫ et 80 - plis ② ③. *Sortir par la route des gorges (p. 106) au Sud-Est du plan.*

Après Estaing (p. 91), remonter la vallée jusqu'à Espalion (p. 86). Revenir par la même route.

ESCALETTE (Route du Pas de l') ★

Cartes Michelin nᵒˢ 80 - plis ⑭⑮ et 83 - pli ⑤.

Entre Millau et Lodève, des enceintes, des tours, des portes fortifiées évoquent le souvenir des anciennes commanderies de Templiers et des Hospitaliers de St-Jean de Jérusalem, échelonnées sur l'une des grandes voies de pèlerinage du Languedoc.

La route du Pas de l'Escalette traverse le causse du Larzac *(p. 99)*.

De Millau à Lodève – *80 km – environ 3 h – schéma p. 97*

Quitter Millau (p. 114) par ③ du plan, N 9. La route franchit le Tarn et s'élève en corniche vers le causse du Larzac. Des vues superbes se dégagent sur Millau, le causse Noir, le canyon de la Dourbie. Après un virage (panorama) au-dessus d'une falaise, on découvre peu à peu l'immense surface dénudée du causse que l'on atteint bientôt. La route longe le camp du Larzac.

La Cavalerie. – 848 h. Autrefois, siège d'une vice-commanderie de Templiers, ce gros bourg rappelle le souvenir de « la chevalerie ». Animé par les installations du camp de Larzac, il conserve encore de vieux remparts.

Prendre à droite le D 999 vers St-Affrique ; à Roumegous, prendre à gauche puis de nouveau à gauche dans Lapanouse-de-Cernon.

Ste-Eulalie-de-Cernon. – 253 h. Dans la fraîche vallée du Cernon, Ste-Eulalie fut le siège de la commanderie des Templiers dont dépendaient la Cavalerie et la Couvertoirade *(voir p. 80)*. Au 18ᵉ s., le tribun révolutionnaire Mirabeau s'y rendit souvent, en visite chez son oncle l'amiral de Riqueti-Mirabeau, le dernier des commandeurs.

De son passé de place médiévale fortifiée, Ste-Eulalie a conservé la plupart de ses remparts, ses tours, ses portes (celle qui s'ouvre à l'Est est remarquable) et de pittoresques passages voûtés.

L'église, dont la porte d'entrée est surmontée d'une Vierge en marbre du 17ᵉ s., donne sur une charmante place ornée d'une fontaine de pierre.

Rejoindre la N 9 à l'Hospitalet-du-Larzac, par le D 77 et le D 23.

ESCALETTE (Route du Pas de l')★

La Pezade. – Ce hameau du causse marquant la limite départementale (ancienne frontière administrative entre le Bas-Languedoc et le Rouergue) devrait son nom à une « pezada » (empreinte de pied) se rattachant au culte de saint Fulcran, évêque de Lodève *(p. 105)*.

En août 1944, vingt-trois jeunes maquisards, arrivant en camion sur la N 9, furent surpris et tués à la Pezade par une colonne blindée allemande.

200 m après la Pezade prendre à gauche le D 185.

La Couvertoirade★. – *Page 80.*

Suivre le D 55 au Sud et rejoindre la N 9.

La route, en légère montée, offre un très joli coup d'œil sur le site extrêmement curieux du Caylar et, au loin, à gauche, sur le massif de l'Aigoual.

Le Caylar. – *Page 71.*

Pas de l'Escalette★. – Alt. 623 m. Appellation ancienne du passage qui permettait de descendre du Larzac par des marches taillées dans le rocher. C'est une brèche rocheuse dominée par de hautes falaises. A sa sortie, admirer à droite les cascades de la Lergue tombant du Larzac. Dominant la verdoyante vallée de la Lergue, la route descend au flanc de murailles à pic. La riante et prometteuse plaine du Languedoc se rapproche.

Pégairolles-de-l'Escalette. – 157 h. Pittoresque village de la haute vallée ; vieux château.

En vif contraste avec l'âpreté du causse, des vignes, des oliviers, des mûriers apparaissent le long de la N 9 qui conduit à Lodève *(p. 105)*.

ESPALION ★

Carte Michelin n° 80 - pli ③ – *Schéma p. 106* – 4 807 h. (les Espalionais) – *Lieu de séjour, p. 42.*

Espalion occupe un site agréable dans un bassin fertile arrosé par le Lot et dominé par les ruines féodales de Calmont d'Olt.

Vieux Palais. – Édifice Renaissance, propriété de la Caisse d'Épargne.

Vieux Pont (13e s.). – En grès rose. Vu du foiral, il forme avec le Vieux Palais un ensemble pittoresque.

Ancienne église St-Jean (M). – Elle abrite le musée folklorique Joseph-Vaylet *(visite de mai à novembre, de 10 h à 12 h et de 15 h à 19 h ; fermé le dimanche matin. Entrée : 5 F)*. Nombreuses collections d'arts et traditions populaires, préhistoire, armes, clés, verrerie, objets religieux (500 bénitiers), poteries, etc.

ESPALION

0 — 200 m

Droite (R.)
Guizard (Bd de)
Poulenc (Bd Joseph)
Affre (Quai H.) 2
Canel (R. Arthur) 3
Dr-Gabriac (R. du) 4
Estaing (Av. d') 5
Lagiole (Av. de) 7
Moulin (R. de) 12
Neuf (Pont) 13
Platanes (Place des) 14
Plô (R. du) 16
Puits (R. du) 18
St-Antoine (R.) 19
St-Côme (Av. de) 21
St-Georges (Pl.) 22
St-Joseph (R.) 23
St-Pierre (Av. de) 24

ENTRAYGUES 27 km GORGES DU LOT — CHAUDES-AIGUES 56 km — ST-FLOUR 88 km — AUBRAC 27 km — ST-GENIEZ-D'OLT 27 km — CHÂTEAU DE CALMONT D'OLT — BOZOULS 11 km RODEZ 30 km — GARE — ÉGL. DE PERSE

EXCURSIONS

Église de Perse★; château de Roquelaure; St-Côme-d'Olt★. – *Circuit de 39 km – environ 2 h 1/2. Quitter Espalion par l'avenue de la Gare, au Sud-Est.*

Église de Perse★. – *Visite de juillet à septembre de 10 h à 12 h et de 14 h 30 à 18 h 30.* Située à 1 km au Sud-Est de la ville, dans le cimetière, l'église de Perse ou chapelle St-Hilarian, construite près du lieu où fut décapité le saint, est un petit édifice roman en grès rose, d'un style très pur datant du 11e s.

L'église s'ouvre au Sud par un portail dont le **tympan★** représente le Jugement dernier. Remarquer également son clocher en forme de peigne.

A l'intersection avec le D 206, prendre à gauche vers St-Côme-d'Olt, puis aussitôt à droite la route étroite et en montée.

Château de Roquelaure. – *On ne visite pas.* Longtemps en ruine, il est aujourd'hui presque entièrement reconstruit. Dans un paysage coloré, il offre une belle vue sur la vallée du Lot au Nord tandis qu'au Sud s'étendent le causse de Gabriac et au loin les sommets du plateau du Lévézou.

Poursuivre jusqu'au D 6 que l'on prend à gauche, puis, presque aussitôt, tourner à droite; la route conduisant à St-Saby offre une vue sur la retenue de Castelnau-Lassouts.

Barrage de Castelnau-Lassouts. – D'une longueur à la crête de 182 m et d'une hauteur de 52 m, l'ouvrage est du type barrage-poids. La retenue a un volume de 41 millions de m^3 et s'étend jusqu'à Ste-Eulalie-d'Olt. La puissance de l'usine de pied est de 41 900 kW et sa production annuelle de 78 millions de kWh.

Faire demi-tour et, par le D 6, gagner St-Côme-d'Olt.

St-Côme-d'Olt★. – 1 103 h. St-Côme est une petite ville fortifiée. En faisant à pied le tour intérieur de l'enceinte par des ruelles pittoresques, on peut voir des maisons des 15e et 16e s., la chapelle de la Bouysse (10e s.) ; l'église gothique, dont le portail conserve des vantaux sculptés Renaissance, est surmontée d'un curieux clocher en vrille. Près de l'église, ancien hôtel du 13e s. des seigneurs de Calmont et de Castelnau.

Rentrer à Espalion par la route directe.

Vallée du Lot★★ ; Conques★★★. – *Circuit de 106 km - environ 5 h. Quitter Espalion par la route d'Entraygues (Nord du plan) et suivre l'itinéraire décrit p. 106.*

Après la visite de Conques *(p. 73)*, revenir à Espalion par Villecomtal et Estaing.

Bozouls★ ; Rodez★. – *34 km - environ 3 h. Quitter Espalion vers le Sud par le D 920 qui offre de belles vues sur la vallée du Lot.*

Entre Bozouls *(p. 65)* et Rodez *(p. 138)*, la grand-route traverse le causse du Comtal, aux vastes espaces nus.

ESPINOUSE (Monts de l') ★

Carte Michelin n° 83 - plis ②③④⑬⑭.

Les monts de l'Espinouse, sur la bordure méridionale du Massif Central, s'élèvent au-dessus des vallées du Jaur et de l'Orb à plus de 1 000 m. Au Nord ils sont limités par la haute vallée de l'Agout. Formés de trois ensembles (le mont du Somail à l'Ouest avec St-Pons pour capitale, au centre l'Espinouse où l'on peut excursionner au départ d'Olargues, à l'Est le massif du Caroux autour de Lamalou-les-Bains), ils constituent l'arrière-pays montagneux de la côte du Languedoc.

Le circuit du Somail (ci-dessous) et l'itinéraire 1 *de l'Espinouse (p. 89) peuvent être associés en utilisant comme route de raccordement le D 14, entre Fraisse-sur-Agout et le col de Fontfroide.*

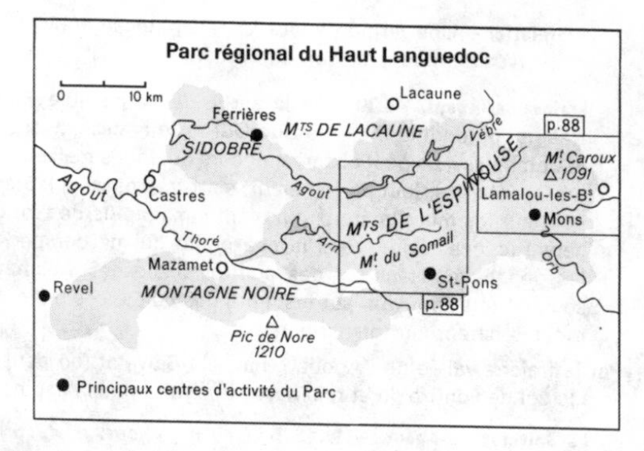

Le parc naturel régional du Haut Languedoc. – Créé officiellement en 1972 pour préserver l'intégrité des richesses naturelles d'une région qui comprend les monts de l'Espinouse, le Sidobre, une partie de la Montagne Noire et des monts de Lacaune, il devrait également donner une impulsion nouvelle à ces contrées si belles dans leur isolement, mais aussi à l'écart de toute conversion industrielle vivifiante.

Activités. – En saison d'été fonctionnent plusieurs bases ou centres de loisirs, favorisant en particulier les activités nautiques sur les lacs de barrage du haut Agout *(tableau p. 44). La base de plein air de Mons-la-Trivalle, ouverte toute l'année sauf du 15 septembre au 15 octobre, offre différents stages d'initiation et de perfectionnement : escalade, spéléologie, canoë-kayak, etc.*

De nombreuses suggestions de circuits, promenades et randonnées sont proposées par les syndicats d'initiative et les « maisons du parc ».

En outre la création du parc a suscité ou encouragé de nombreuses initiatives d'animation culturelle : mise en valeur des arts et traditions populaires, de l'architecture régionale. Le village de Ferrières constitue l'un de ces centres d'animation.

Pour tous renseignements généraux, s'adresser au Parc naturel régional du Haut Languedoc BP 9, 34220 St-Pons, ☎ (67) 97 02 10.

■ LE SOMAIL

C'est la partie la plus verdoyante des monts de l'Espinouse. Ses pentes boisées (châtaigniers, hêtres), parsemées de prairies fleuries, se couvrent de neige en hiver.

Circuit au départ de St-Pons – *85 km – environ 4 h – schéma p. 88*

Quitter St-Pons (p. 146) par la N 112. Dans Courniou, prendre à droite vers la gare.

Grotte de la Devèze★. – *Visite de Pâques au 30 septembre, de 8 h à 12 h et de 13 h à 18 h ; le reste de l'année, les dimanches et jours fériés seulement, de 14 h à 17 h. Durée ; 1 h. Entrée : 10 F.*

Cette grotte fut découverte en 1886 lors du percement de la montagne de la Devèze pour l'installation de la ligne de chemin de fer Bédarieux-Castres et explorée en 1893 par une équipe comprenant Louis Armand, le fidèle collaborateur de Martel *(voir p. 16)*. En 1932 une partie a été aménagée pour les visites touristiques. Située sous la gare de Courniou, elle est le témoin de l'ancien passage souterrain de la Salesse, affluent du Jaur.

La visite commence par l'étage inférieur. Belles draperies dues aux suintements sur la paroi inclinée et colorées en ocre par l'oxyde de fer, stalagmites et cristaux nichés au creux des roches. Un tunnel permet d'accéder au niveau moyen où abondent d'énormes blocs détachés des parois, de délicates stalactites fistuleuses, des excentriques. Dans la salle Derouville, l'une d'elles a pris la forme d'un anneau parfaitement dessiné. Par un long escalier, on rejoint l'étage supérieur ; les concrétions, formées de calcite presque pure, sont ici d'une blancheur éclatante.

ESPINOUSE (Monts de l') *

Gagner le D 907 par Marthomis et Brassac.

Le D 907, sinueux et pittoresque, offre de belles vues sur St-Pons et la vallée du Jaur, avant d'atteindre le col du Cabaretou.

Après le col, prendre à droite le D 169 qui traverse le plateau du Somail balayé par les vents, puis à droite, vers le lac de Vésole.

Dans un site boisé, égayé de champs de marguerites au printemps, on parvient au lac *(tableau des plans d'eau p. 44)*.

LE SOMAIL

Saut de Vésole. – *1/4 h à pied AR.* Dans un paysage austère, le Bureau tombait en cascade sur de gigantesques blocs granitiques avant de dégringoler dans le Jaur, happé par la forte pente du versant méditerranéen. Depuis la construction du barrage hydro-électrique qui alimente l'usine de Riols, la cascade est appauvrie *(sauf de Pâques à la Toussaint, les samedis, dimanches et jours fériés de 7 h à 19 h)*, mais le site conserve toute sa grandeur.

Faire demi-tour puis reprendre à droite le D 169 qui franchit le col de la Bane.

Pratalaric. – Une ferme typique de l'Espinouse couverte de genêts *(voir ci-après)* a été conservée comme « maison du Parc ».

Fraisse-sur-Agout. – 270 h. A la sortie de ce paisible village, notamment dans les prairies qui bordent le D 14, au Sud-Ouest de Fraisse, avant et après l'embranchement vers le Cambaïssy, on peut observer encore quelques maisons à toits de genêts. Ces anciennes grange-étables, tout en longueur, sont très basses, leurs toits fortement inclinés retombant sur les murs latéraux qui n'ont jamais plus de 2 m de hauteur. L'originalité de ces constructions réside dans la charpente qui ne comporte aucune poutre transversale ; les genêts reposent sur des poutres disposées en chevrons, réunies en croix à leur sommet et s'appuyant sur les murs des côtés. Les difficultés d'entretien que posent ces toitures hâtent leur disparition.

Par la fraîche vallée de l'Agout, gagner la Salvetat (on peut aussi prendre à droite le D 14 vers le col de Fontfroide et rejoindre l'itinéraire dans l'Espinouse, décrit p. 89).

La Salvetat-sur-Agout. – 1 115 h. *Lieu de séjour, p. 42.* Pittoresque station estivale perchée sur un promontoire dominant le confluent de la Sèvre et de l'Agout. Son nom

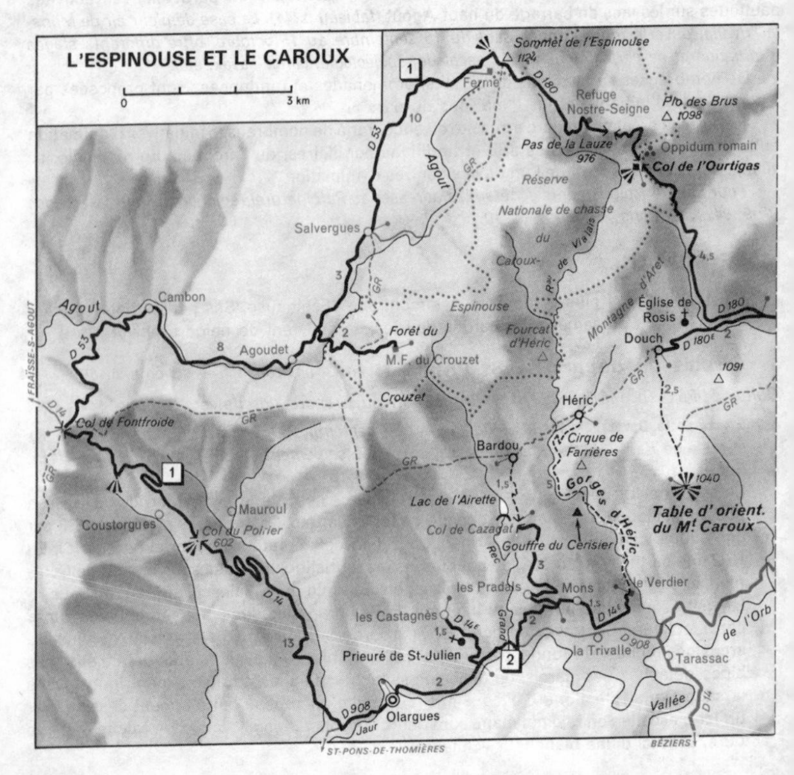

évoque le temps (11e et 12e s.) où prélats, abbés, commandeurs fondaient des « villes nouvelles » sur leurs terres, pour en assurer la mise en valeur. Les « hôtes » de ces « sauvetés » recevaient une maison et un lopin de terre. Plus tard, des raisons économiques et militaires conduisirent les autorités ecclésiastiques et les seigneurs laïcs à fonder des bastides *(voir p. 30)*.

Au départ de la Salvetat, une route fait le tour du lac de la Raviège.

Lac de la Raviège. – C'est l'ouvrage le plus important construit sur l'Agout. La route qui le cerne, dans un cadre verdoyant et boisé, offre quelques belles vues sur la retenue remarquablement aménagée pour le nautisme *(voir tableau p. 44)*.

Rentrer à St-Pons par le D 907 qui s'élève jusqu'au col de la Baraque, traverse le plateau du Somail puis plonge dans la vallée du Jaur.

L'ESPINOUSE

Séparée du Somail par le D 14 et du massif du Caroux par le ruisseau d'Héric et le Pas de la Lauze, l'Espinouse offre un aspect tour à tour raviné ou broussailleux et boisé. Le contraste est net entre les hautes régions septentrionales, à plus de 1 000 m d'altitude, verdoyantes et fraîches, et les paysages dénudés du versant Sud que l'on parcourt dans la vallée du Jaur, au-dessous de 200 m.

1 D'Olargues au col de l'Ourtigas – *38 km – environ 2 h 1/2 – schéma p. 88*

Olargues. – 551 h. *Lieu de séjour, p. 42.* Ce pittoresque village, aux ruelles escarpées, est situé au creux d'une boucle du Jaur, au pied d'une butte qui porte une tour-clocher du 11e s. On y accède par un escalier qui s'ouvre curieusement sur la rue par un porche. De la plate-forme proche de la tour, vue agréable sur le Jaur et son vieux pont en dos-d'âne (13e s.), sur le Caroux au Nord-Est et l'Espinouse.

Quitter Olargues par le D 908 à l'Ouest, puis prendre à droite le D 14.

La route d'accès au col de Fontfroide, le long du flanc occidental de l'Espinouse, commence dans un site méditerranéen où poussent la vigne, l'olivier, le chêne vert. Sur la droite, se creuse le ravin de Mauroul qui remonte jusqu'au hameau du même nom ; on découvre celui-ci, dans un virage niché au confluent de deux vallons venus des hauteurs de l'Espinouse. Au col du Poirier, la vue porte à gauche sur les monts du Somail, au-delà du ravin de Coustorgues. Elle prend encore de l'ampleur (faire halte à un belvédère aménagé) en direction du Sud, vers la vallée du Jaur.

Col de Fontfroide. – Alt. 971 m. Dans un site sauvage impressionnant le col de Fontfroide marque la limite du versant méditerranéen de l'Espinouse. En poursuivant vers Fraisse, on retrouverait les prairies verdoyantes et humides du Somail *(voir p. 87)*.

Prendre à droite le D 53, vers Cambon.

La route longe l'Agout, puis le traverse dans un site de montagne rude et solitaire.

Forêt du Crouzet. – *Seule la partie Ouest de la forêt, en dehors des limites de la réserve nationale de chasse du Caroux-Espinouse, est librement accessible aux promeneurs.* On y pénètre par un chemin qui s'embranche à droite après Agoudet. Ses 219 ha sont peuplés essentiellement de sapins, d'épicéas, de hêtres.

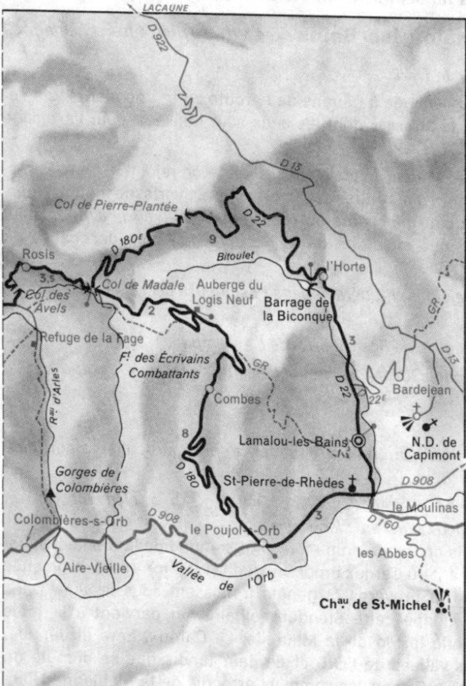

Après Salvergues, on aperçoit sur la droite le toit de la ferme du Rec d'Agout où la rivière prend sa source.

Prendre à droite le D 180.

Sur la gauche, près du passage du GR 71, l'Espinouse culmine à 1 124 m. Belle vue sur les monts de Lacaune, au Nord-Ouest. Puis, entre l'Espinouse et le **Plo des Brus** où des fouilles archéologiques ont permis de déceler l'existence d'un oppidum romain, on franchit le **Pas de la Lauze**.

Col de l'Ourtigas*. – Alt. 988 m. Un belvédère aménagé révèle une **vue*** intéressante sur l'âpre Espinouse sillonnée de ravins : à gauche, la montagne d'Aret et, sur la droite, les deux pitons du Fourcat d'Héric. Au loin, les Corbières puis le Canigou ferment l'horizon.

2 D'Olargues aux gorges d'Héric – *17 km – environ 4 h – schéma p. 88*

Quitter Olargues (p. 89) par le D 908 à l'Est puis, 1 km après le passage sous la voie ferrée, tourner à gauche.

Prieuré de St-Julien. – *On visite l'intérieur en juillet et août seulement.* Dans un site paisible, parmi les vignes, les collines boisées et les cyprès, le prieuré (12e s.), église paroissiale des Castagnés, se dresse sur le fond des cimes découpées du Caroux et de l'Espinouse. Son haut clocher carré, son abside romane à bandes lombardes, son portail d'entrée décoré d'incrustations noires sont intéressants.

Reprendre la route de Lamalou ; la quitter après 2 ponts pour tourner à gauche vers Mons puis de nouveau à gauche vers les Pradals.

La route, qui est une des rares voies de pénétration au cœur de l'Espinouse, permet de belles échappées sur la vallée du Jaur. Parmi les châtaigniers, elle longe les pentes du massif de la Gleyse à droite et des Castélas sur la gauche. Surplombant vertigineusement le torrent du Rec Grand, elle parvient au col de Cazagat (alt. 490 m).

Lac de l'Airette. – Enchâssé dans un site austère de montagnes, ce petit barrage retient 250 000 m^3 d'eau alimentant en eau potable les communes environnantes.

Le chemin continue, non revêtu, jusqu'à Bardou.

Bardou. – Ce pittoresque hameau aux toits de lauzes mourait de solitude. Il est à présent en cours de restauration.

Rejoindre Mons.

Mons. – *Lieu de séjour, p. 42.*

Gorges d'Héric*. – *5 km depuis le Verdier. Laisser la voiture à l'entrée des gorges (parc de stationnement). 4 h à pied AR.*

Le ruisseau d'Héric, formé par les ruisseaux de Vialais et des Paillargues qui prennent leur source dans la haute Espinouse à plus de 1 000 m, dévale en 8 km environ dans une gorge profonde, jusqu'à l'Orb qui coule à une altitude voisine de 200 m. « Formidable coup de sabre » dans la face méridionale des monts de l'Espinouse, les gorges d'Héric constituent un des lieux les plus remarquables de ce massif.

La route commence par suivre le torrent bouillonnant entre de hauts rochers déchiquetés. Mais c'est après avoir laissé l'auto que la promenade devient particulièrement intéressante. Le torrent dégringole en cascatelles tandis que le sentier s'agrippe à la paroi hérissée de blocs fantastiques. On parvient ainsi au **gouffre du Cerisier**, aux eaux limpides et vertes. On traverse le torrent et sur la droite s'ouvre le majestueux **cirque de Farrières**. Après avoir longé les pentes du roc du Caroux, on atteint **Héric**, hameau ne comptant officiellement qu'un seul habitant mais animé en été par des résidents temporaires.

■ LE CAROUX

Le massif du Caroux, au sens large, se dresse à 1 098 m au Plo des Brus. Formant coin entre les vallées de la Mare et de l'Orb, il est séparé de l'Espinouse par la coupure des gorges d'Héric *(voir ci-dessus)*. Dès avant la création du Parc naturel régional, ses sites, appréciés des naturalistes, des alpinistes, des randonneurs ont été défendus avec vigueur.

Circuit au départ de Lamalou-les-Bains – *44 km – environ 4 h – schéma p. 89*

Quitter Lamalou (p. 104) au Nord par le D 22.

Peu après l'Horte, une plate-forme aménagée à gauche de la route porte une pierre commémorant la construction du **barrage de la Biconque** dont les eaux sont utilisées pour l'arrosage des jardins de la vallée. Joli site.

Par une succession de cols – Pierre-Plantée, Madale, des Avels – on rejoint la route touristique de l'Espinouse. Elle s'élève, sinueuse, entre deux versants couverts de genêts, parsemés de rochers déchiquetés, jusqu'au belvédère du **col de l'Ourtigas** *(voir p. 89)*. On peut parfois apercevoir dans ce secteur des mouflons de la Réserve nationale de chasse du Caroux-Espinouse *(accès interdit)*.

Au-delà du col de l'Ourtigas on peut rejoindre l'itinéraire dans l'Espinouse décrit en sens inverse p. 89.

Faire demi-tour et redescendre vers l'église de Rosis (N.-D. de l'Assomption).

Église de Rosis. – *A droite de la route. Ouverte le dimanche seulement, pour les offices.* Site champêtre. Belle toiture de lauzes.

Tourner à droite vers Douch.

Douch. – Village caractéristique du Caroux où l'habitat a été particulièrement bien conservé.

Table d'orientation du mont Caroux**. – *Au départ de Douch, 2 h à pied AR par un petit sentier d'abord balisé en bleu, puis en blanc et rouge.*

On grimpe parmi les genêts, puis on traverse une forêt. Au sommet de la montée, apparaît sur la gauche le point culminant du Caroux proprement dit (1 091 m). Alors commence la traversée d'un vaste plateau où bruyères et genêts frémissent sous le vent. Dans l'extraordinaire silence qui enveloppe cette étendue solitaire, on parvient à la table d'orientation, laissant sur la droite le Plo de la Maurelle. Le Caroux, âpre et dénudé, surplombe vertigineusement les vallées de l'Orb et du Jaur tandis que se déroule un **panorama**** grandiose : d'Ouest en Est sur les sommets arrondis de la Montagne Noire où domine le pic de Nore, sur les Pyrénées avec le pic Carlit et le Canigou ; puis la vue porte sur les plaines de Narbonne et de Béziers jusqu'à la Méditerranée.

Redescendre à Douch ; au col de Madale, poursuivre à droite dans le D 180.

Forêt des Écrivains Combattants. – *Accès à pied par l'escalier qui part devant l'ancienne auberge du Logis Neuf ou en voiture par le chemin Jacques Prévost.*
A la suite des inondations catastrophiques de mars 1930, la nécessité apparut de reboiser les pentes du massif du Caroux. L'association des Écrivains Combattants, le Touring Club de France ainsi que les communes de Combes et de Rosis entreprirent de boiser les 78 ha qui constituent la forêt dédiée aux écrivains morts pour la France. L'escalier abrupt conduit d'abord sur le plateau, à un monument commémorant le sacrifice de 560 écrivains, tombés pendant la guerre de 1914-1918, puis au rond-point Charles Péguy marqué d'une gigantesque croix de guerre. Là convergent les allées qui, toutes, portent le nom d'un écrivain. Peuplée de magnifiques cèdres, de pins, de châtaigniers et de chênes, cette forêt offre de belles vues sur le Caroux et sur les versants orientaux des monts de l'Espinouse.

Le D 180, très pittoresque, puis le D 908 et le D 22 ramènent à Lamalou-les-Bains.

ESTAING ★

Carte n° 80 - pli ③ – *Schéma p. 106* – 677 h. (les Estagnols) – *Lieu de séjour, p. 42.*

Estaing groupe ses vieilles maisons au pied du château, berceau de la famille de ce nom. La présence du Lot et la proximité des bois font d'Estaing un centre agréable de villégiature d'où peuvent être effectuées les excursions indiquées à Entraygues *(p. 85)* et à Espalion *(p. 86)*.

UN PEU D'HISTOIRE

Le départ de la **famille d'Estaing** vers la gloire fut donné par Dieudonné d'Estaing à la bataille de Bouvines. Il sauva la vie du roi Philippe Auguste qui l'autorisa, par reconnaissance, à placer sur ses armes les fleurs de lys royales.

Des cardinaux et des guerriers se succèdent dans la famille, toujours en faveur à la cour, jusqu'au 18e s., où une branche particulièrement célèbre s'achève en beauté sur un personnage marquant, Charles-Hector, comte d'Estaing.

Ce marin s'illustre aux Indes, en Amérique, aux Antilles. Revenu en France, la Révolution lui est d'abord propice et le fait amiral. Mais Estaing, bien que de convictions républicaines, cherche à sauver la vie du roi et de sa famille, et échange avec Marie-Antoinette quelques lettres confidentielles. Il est arrêté, paraît comme témoin au procès de la reine, est lui-même condamné à mort et exécuté.

« Quand vous aurez fait tomber ma tête, dit-il à ses juges, envoyez-la aux Anglais, ils vous la paieront cher ».

■ CURIOSITÉS *visite : 1/2 h*

De la route d'Entraygues, l'ensemble formé par le Lot, le vieux pont et le château dominant la ville est très pittoresque. De la route de Laguiole, joli coup d'œil, surtout le matin, sur l'autre face du château, l'abside de l'église et les vieilles maisons.

Château★. – 15e et 16e s. – Il abrite une communauté religieuse. De sa terrasse Ouest, jolie vue sur la vieille ville. *Pour y accéder, s'adresser aux religieuses de 9 h à 12 h et de 14 h 30 à 18 h. La visite est interrompue du 16 au 24 mai.*

Estaing. – Château et pont gothique.

Pont gothique. – Il porte une statue de François d'Estaing, évêque de Rodez, qui fit construire le superbe clocher de la cathédrale de cette ville.

Maison Cayron. – Située dans la vieille ville, elle conserve des fenêtres Renaissance. Elle abrite aujourd'hui la mairie.

Participez à notre effort permanent de mise à jour.

Adressez-nous vos remarques et vos suggestions.

Cartes et Guides Michelin
46 avenue de Breteuil
75341 Paris Cedex 07

FLORAC

Carte Michelin n° 80 - pli ⑥ – *Schémas p. 71, 97, 107 et 159* – 2 077 h. (les Floracois) – *Lieu de séjour, p. 42.*

Cette petite ville s'élève dans la vallée du Tarnon, au pied des falaises dolomitiques du rocher de Rochefort. A l'entrée des gorges du Tarn, Florac est au contact du causse Méjean et des Cévennes. Elle a été choisie, de ce fait, comme siège de la direction et de l'administration du Parc national *(voir p. 21)*, installées au château.

Florac, qui fut la capitale d'une des huit baronnies du Gévaudan, sous la domination directe de l'évêque de Mende, a un passé extrêmement agité. Elle subit un régime féodal fort dur et sentit cruellement la vérité du proverbe « pays du Gévaudan, pays de tyrans ». Aux luttes, sans cesse renouvelées, contre les seigneurs, succéda la guerre religieuse.

Aujourd'hui, petite ville paisible, entourée de maisons enfouies au milieu des jardins, Florac est renommée pour ses primeurs.

FLORAC

Couvent de la Présentation (A). – Ancienne commanderie des Templiers ; belle façade et portail monumental datant de 1583.

Source du Pêcher. – Au pied du rocher de Rochefort, c'est une des principales résurgences du causse Méjean ; elle est demeurée impénétrable.

EXCURSION

Circuit cévenol. – *75 km. Schéma p. 71. Quitter Florac au Sud par la N 106.*
Le visiteur, au cours de ce circuit, découvrira des vallées profondes et enchevêtrées dominées par des serres ravinées, des toitures de schiste, des routes étroites bordées de châtaigniers, des villages qui tous gardent un souvenir de la guerre des Camisards. Ce sont les Cévennes intactes, à l'écart des grandes voies de passage.

La route suit d'abord la vallée de la Mimente, entre des falaises de schiste. Après les ruines perchées du château de St-Julien-d'Arpaon, à gauche de la route, jeter un coup d'œil à gauche sur la montagne du Bougès qui culmine à 1421 m d'altitude.

Peu avant le col de Jalcreste, prendre à droite le D 984 qui offre aussitôt une vue intéressante sur la vallée naissante du Gardon de St-Germain.

Passé le col, la descente vers St-Germain-de-Calberte commence parmi les châtaigniers, les chênes verts et les genêts. De caractéristiques maisons cévenoles bordent la route : leur toiture, où court une arête faite de lauzes disposées horizontalement, est surmontée d'une cheminée assez décorative.

Dans un virage apparaissent les ruines du château de Calbertette juchées sur un piton au fond d'une vallée.

Au-delà de St-Germain-de-Calberte, prendre à droite le D 13.

Après le hameau de Nogaret on peut observer à droite de la route de curieuses ruches faites d'un tronc de châtaignier évidé sur lequel on a simplement posé une plaque de schiste *(illustration p. 18)*.

Plan de Fontmort. – Alt. 896 m. Un monument y a été élevé en 1887 pour fêter le centenaire de l'édit de Tolérance, signé par Louis XVI *(voir p. 110)*. Il rappelle également les nombreux combats que les Camisards livrèrent dans cette région au maréchal de Villars. Belle vue à l'Est sur les serres cévennoles.

Continuer tout droit dans le D 13. De Plan de Fontmort à Barre-des-Cévennes on suit une crête étroite offrant de belles vues.

Barre-des-Cévennes. – 152 h. Cette petite ville commande l'accès de toutes les routes des Gardons. Son site des plus pittoresques permet de découvrir une très belle vue sur les Cévennes des Gardons et sur l'Aigoual. Sa position en a fait un centre de défense et de surveillance important pendant la guerre des Camisards. Sur la colline du Castelas, on voit encore des vestiges d'anciens retranchements.

On rejoint la route de la Corniche des Cévennes au col du Rey où l'on prend à droite le D 983 qui offre des vues à gauche sur le massif du mont Aigoual et à droite sur la massive dorsale du mont Lozère.

Regagner Florac par le D 907 dans la vallée du Tarnon.

FONTFROIDE (Abbaye de) **

Carte Michelin n° 86 - Nord-Est du pli ⑨ – *Schéma p. 78.*

(D'après photo M. Fagedey des Studios Henri, Narbonne.)

L'abbaye de Fontfroide.

Cette ancienne abbaye cistercienne, secrètement nichée au creux d'un vallon des Corbières, occupe un site silencieux, peuplé de cyprès, digne d'un paysage toscan. Les belles tonalités flammées, ocre et rose, du grès des Corbières dont l'édifice est construit, contribuent à créer, au soleil couchant, une atmosphère de sérénité.

Fondé en 1093 sur les terres d'Aymeric Ier, vicomte de Narbonne, l'abbaye se rattacha à l'ordre de Citeaux en 1146. En 1150 Fontfroide fit essaimer 12 cisterciens de l'abbaye pour aller fonder en Catalogne le monastère de Poblet. Aux 12e et 13e s. elle connut la prospérité. Le légat du pape, Pierre de Castelnau, dont l'assassinat fut à l'origine de la croisade contre les Albigeois *(voir p. 53)*, y résida après son séjour à Maguelone ; Jacques Fournier, élu pape à Avignon en 1334 et qui régna sous le nom de Benoît XII, y fut abbé de 1311 à 1317. Par la suite, l'abbaye périclita et tomba en commende. Désertée complètement en 1791, ses œuvres d'art furent éparpillées.

Devenue propriété privée en 1908, elle a été restaurée avec goût.

VISITE *environ 1/2 h*

Visite accompagnée du 1er avril au 30 septembre, de 9 h à 12 h et de 14 h 30 à 18 h ; le reste de l'année (sauf le mardi), de 9 h 30 à 12 h et de 14 h à 17 h. Entrée : 9 F.

L'essentiel des bâtiments a été érigé aux 12e et 13e s. Les bâtiments conventuels ont été restaurés aux 17e et 18e s. Ceux qui dominent le cloître au Nord sont occupés par les propriétaires. Odilon Redon, en 1910, décora la bibliothèque de grandes toiles *(on ne visite pas)*.

Des cours fleuries, aux allées soigneusement entretenues, de beaux jardins en terrasse lui font un cadre enchanteur.

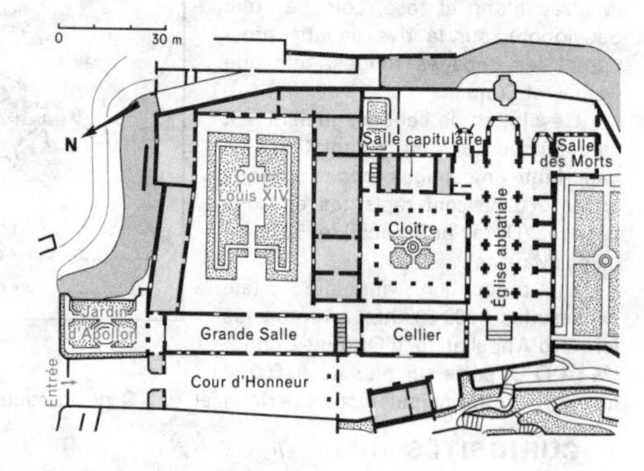

La visite commence par la cour d'honneur, œuvre des abbés commendataires au 17e s.

Dans la grande salle (13e s.) voûtée d'ogives, on remarque une belle grille en fer forgé du 18e s. et une cheminée monumentale.

On visite ensuite les bâtiments du Moyen Age, remarquables par la beauté de leur appareil très régulier.

Cloître. – Ses galeries sont voûtées d'ogives : celle qui jouxte l'église est la plus ancienne (milieu du 13e s.). Celle qui lui est opposée a été remaniée au 17e s. Elles s'ouvrent par des arcades reposant sur de fines colonnettes de marbre et encadrées d'un arc de décharge. Les tympans s'ajourent d'oculi ou d'une rose. L'ensemble est d'une extrême élégance.

Au-dessus des galeries courent des toits en terrasse.

Église abbatiale. – Commencée au milieu du 12e s., elles est de proportions admirables ; l'élégante simplicité cistercienne est rarement plus émouvante. La nef, en berceau brisé, est flanquée de collatéraux voûtés en quart de cercle ; observer la base des piliers, rehaussée pour permettre la mise en place des stalles. Les chapelles méridionales sont une adjonction des 14e-15e s. Dans la salle des Morts (13e s.), a été déposé un beau calvaire en pierre du 15e s. Dans le transept gauche s'ouvre la tribune qui permettait aux pères malades d'assister aux offices.

Salle capitulaire. – Elle est couverte de neuf voûtes romanes disposées sur des croisées d'ogives purement décoratives reçues par de délicates colonnettes de marbre.

Dortoir des moines. – Situé au-dessus du cellier et couvert d'une belle voûte du 12e s. en berceau brisé. La cage d'escalier qu'il dessert est couverte d'une charpente de bois.

Cellier. – Belle salle, de la fin du 11e s., séparée du cloître par une étroite ruelle, voûtée probablement au 17e s.

FRONTIGNAN

Carte Michelin n° 83 - plis ⑯⑰ – 7 km au Nord-Est de Sète – *Schéma p. 79* – 12 238 h. (les Frontignanais) – *Lieu de séjour : à Frontignan-Plage (p. 42).*

Frontignan a donné son nom à un muscat très réputé *(voir p. 27). La Coopérative du Muscat de Frontignan se visite de 8 h 30 à 11 h 30 et de 14 h à 17 h, ainsi qu'en période de vendanges. Fermée les samedis, dimanches et jours fériés.*

A la Distillerie cantonale s'opère la distillation des marcs.

La ville, située au bord de l'étang d'Ingril, desservie par le canal du Rhône à Sète, a pris de l'importance comme centre industriel.

A la raffinerie de la Mobil Oil Française, fut construit le premier cracking catalytique de France (hauteur : 100 m) ; elle dispose de réservoirs de stockage d'une capacité de 1 460 000 m^3 et peut traiter 6 000 000 de t de pétrole brut par an.

Le ravitaillement s'effectue par « sea-lines ». Le plus récent (1974), long de 7 km, permet de recevoir des pétroliers de 270 000 t et de 22 m de tirant d'eau. En outre des usines de produits chimiques, des raffineries de soufre ont été installées.

Église St-Paul. – De l'édifice roman préexistant, subsiste le mur méridional (12e s.). Au 14e s., l'église fut reconstruite dans le style gothique méridional, avec une seule nef et une abside pentagonale, les contreforts renforcés. Puis, intégrée dans les fortifications dont s'entoura la ville, sa tour-clocher à l'allure de donjon fut surélevée et couronnée d'une tourelle.

A l'intérieur le plafond de la nef a été rétabli dans ses dispositions du 14e s., après démolition de fausses voûtes de brique agencées au 19e s.

GAILLAC

Carte Michelin n° 82 - plis ⑨⑩ – 10 912 h. (les Gaillacois).

Sur la rive droite du Tarn, à un carrefour de routes, Gaillac vécut longtemps des activités commerciales de la navigation sur le Tarn. La vieille ville conserve de charmantes places à fontaines et d'étroites ruelles bordées de maisons anciennes où les briques et le bois sont harmonieusement utilisés.

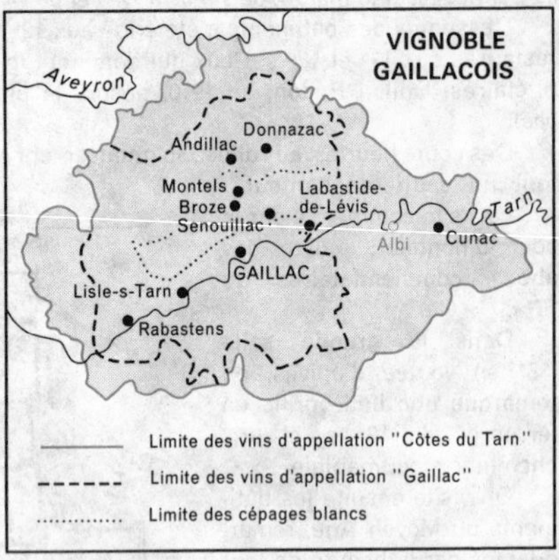

Le vignoble gaillacois. – S'étendant sur une superficie de 20 000 ha, le vignoble gaillacois produit des vins rouges, rosés et blancs.

Tandis que la rive droite du Tarn est surtout cultivée en cépages blancs (Mauzac blanc et rose, Loin de l'œil. Sauvignon), sur la rive gauche prospèrent les cépages rouges, tels que Gamay et Duras.

L'évolution de l'encépagement est caractérisée par une replantation plus importante en cépages rouges ; chaque année 200 ha sont replantés en bons cépages (Duras et Brancol), et 50 ha en blanc (Mauzac).

La production annuelle totale dépasse les 1 200 000 hl. La vente sous forme d'Appellation d'Origine Contrôlée (A O C) porte sur plus de 40 000 hl de vin blanc (principalement « perlé ») et 40 000 hl en rouge Primeurs et « à vieillir ».

■ CURIOSITÉS *visite : 1 h*

Église St-Michel. – Au 7e s., des moines bénédictins fondèrent à Gaillac une abbaye qu'ils placèrent sous l'invocation de saint Michel.

Les travaux d'édification de l'abbatiale débutèrent au 11e s. et, maintes fois interrompus, s'échelonnèrent jusqu'au 14e s.

A l'intérieur de l'église, belle statue en bois polychrome de la Vierge à l'Enfant (14e s.).

Parc de Foucaud. – Ses agréables jardins étagés en terrasses au-dessus du Tarn sont l'œuvre de Le Nôtre.

Dans le château, résidence au 18e s. de la famille de Foucaud d'Alzon, un **musée** (M1) abrite des œuvres de peintres locaux et quelques objets folkloriques. *Visite de Pâques au 31 octobre, de 15 h à 18 h ; le reste de l'année, les mercredis et dimanches de 15 h à 17 h. Fermé le mardi et les dimanches tombant les jours fériés.*

Musée d'histoire naturelle Philadelphe Thomas (M2). – *Visite les jeudis et dimanches de 14 h à 17 h 30 en saison (17 h hors saison).*

Nombreuses collections d'ornithologie, de minéralogie, de fossiles, etc.

EXCURSION

Lisle-sur-Tarn. – 3 391 h. *9 km au Sud-Ouest par ⑤, N 88.*

Sur la rive droite du Tarn, cette grosse bourgade de l'Albigeois a conservé de son passé de bastide (1248) une vaste place à couverts bordée de cornières *(voir p. 28)* et quelques vieilles maisons en briques et bois.

Du pont, vue agréable sur la ville et ses murailles de soutènement. Le **musée Raymond Lafage** *(visite le dimanche matin de 11 h à 12 h ; fermé à Pâques et à Noël)* abrite quelques peintures et des restes archéologiques retrouvés dans la région.

Pour voyager, utilisez les **Cartes Michelin** *à 1/200 000.*
Elles sont constamment tenues à jour.

GANGES

Carte Michelin n° 80 - pli ⑯ – *Schéma p. 101* – 3 858 h. (les Gangeois) – *Lieu de séjour, p. 42.*

Au confluent de l'Hérault et du Rieutord, la petite ville industrielle de Ganges est un bon centre d'excursions.

Le touriste pourra flâner sous les beaux platanes des promenades et dans le vieux quartier. Du château, il ne reste que quelques vestiges.

La tradition du bas de luxe. – Le bas de soie naturelle a fait la gloire de Ganges depuis l'époque de Louis XIV. Une main-d'œuvre hautement qualifiée s'y consacrait de père en fils, utilisant la matière première fournie par la région.

La rayonne puis le nylon ont remplacé la soie naturelle et des industries diverses, textiles et chimiques, assurent de meilleures conditions d'emploi à la main-d'œuvre. Une demi-douzaine d'usines continuent à fabriquer des bas fins en nylon à la renommée bien établie tant en France qu'à l'étranger.

UN PEU D'HISTOIRE

Un drame de famille. – Vers le milieu du 17e s., le château de Ganges a été témoin d'un drame dont le retentissement a été immense à l'époque. La victime en est **Diane de Roussan,** marquise de Ganges. C'est une des plus jolies femmes de la cour : on l'appelle la « Belle Provençale ». Le marquis est assez peu recommandable. Ses deux frères, l'abbé et le chevalier de Ganges, le sont encore moins. Tous deux poursuivent leur belle-sœur de leurs assiduités. Repoussés, ils combinent une horrible vengeance. Ils font miroiter aux yeux du marquis la très grosse fortune dont jouit sa femme : elle serait à lui si la marquise disparaissait.

Le crime est commis en 1667 pendant un séjour de Diane à Ganges. L'abbé et le chevalier pénètrent dans sa chambre au matin, alors qu'elle est couchée : l'un brandit une épée et un pistolet, l'autre tient un verre de poison. « Madame, dit l'abbé, c'est sans compliment que je vous fais savoir qu'il faut mourir tout à l'heure et choisir sans délai ce feu, ce fer ou ce poison. »

L'infortunée marquise, ses supplications restant vaines, prend le breuvage. Mais c'est une maîtresse femme : elle éloigne les deux bourreaux en les envoyant chercher un prêtre, s'habille rapidement, noue ses draps et se laisse glisser par la fenêtre. S'enfonçant sa tresse de cheveux dans la bouche, elle se débarrasse d'une partie du poison et s'enfuit dans la ville. Le chevalier et l'abbé la poursuivent jusque dans la maison où elle s'est réfugiée et la laissent pour morte avec sept coups d'épée dans le corps. Elle se remet de ses blessures, mais le poison a eu le temps d'exercer ses ravages : Diane meurt dix-neuf jours après. Ses deux assassins ont pris la fuite. Ils sont condamnés par contumace à être roués vifs. Quant au marquis, on lui inflige le bannissement.

Le combat du 24 août 1944. – Ce jour-là, une colonne d'environ 3 000 Allemands tente de forcer à Ganges le passage de l'Hérault. La ville est défendue par le maquis Aigoual-Cévennes *(voir p. 48).* Après dix heures d'une lutte très vive, le combat prend fin par la retraite de l'ennemi qui abandonne sur le terrain une trentaine de morts et un important matériel.

EXCURSIONS

Grotte des Demoiselles*.** – *8 km, puis 1 h de visite. Sortir au Sud par le D 986 ; à St-Bauzille tourner à gauche dans le chemin de la grotte. Description p. 82.*

Grand Arc*. – *20 km en empruntant le D 986 au Sud, jusqu'à la ferme de Mascla (dans la montée qui suit le pont sur le Lamalou), puis 1 h 1/4 à pied AR. Description ci-dessous.*

GRAND ARC *

Carte Michelin n° 80 - pli ⑯ – 20 km au Sud de Ganges – *Schéma p. 101.*

Le Grand Arc est une arche naturelle creusée par les eaux du Lamalou.

Accès. – *1 h 1/4 à pied AR. Prendre le D 986 au Nord-Est de St-Martin-de-Londres ; à 2 km, prendre à gauche (à droite si l'on vient de Ganges) à la ferme de Mascla. 500 m plus loin, tourner à droite aussitôt après la ferme « Lagarde », puis 100 m après, à gauche. Laisser l'auto sur le plateau et suivre, en tournant le dos au Pic St-Loup, le sentier qui s'élève légèrement.*

D'un promontoire où conduit le sentier, on découvre l'ensemble du « ravin des Arcs », étroit canyon aux parois hautes de 150 à 200 m. Il doit son nom à la multiplicité des portes et des arches naturelles façonnées par le Lamalou et dont la plus belle est appelée le Grand Arc.

La GRANDE MOTTE *

Carte Michelin n° 83 - Sud du pli ⑧ – *Schéma p. 79* – 2 366 h. (les Grands-Mottois) – *Lieu de séjour, p. 42.*

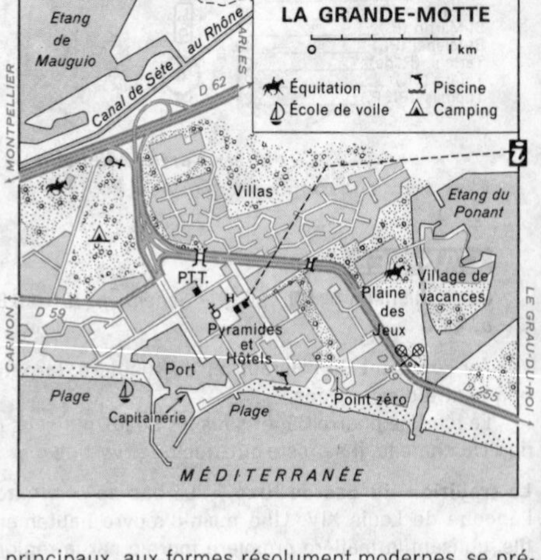

Dans la plaine littorale, au Sud-Est de Montpellier, les hautes pyramides de béton de la Grande Motte attirent le regard. Elles donnent à cette station nouvelle située dans un paysage de landes et de dunes, sa physionomie originale sur la côte méditerranéenne.

Un urbanisme contemporain... – Grâce à de larges voies qui la relient à l'autoroute A9, la station bénéficie de la proximité de Nîmes et Montpellier. De vastes parkings, installés au centre de la ville, réservent aux piétons la bordure de mer.

La station, créée de toutes pièces depuis 1967 *(voir p. 78)*, a été conçue comme un ensemble complet par une équipe d'ingénieurs et d'architectes. Les bâtiments principaux, aux formes résolument modernes, se présentent comme des **pyramides** alvéolées exposées au midi. Les **villas** adoptent un style provençal ou s'ordonnent autour de cours intérieures.

... conçu pour les loisirs. – Tout cet ensemble est organisé, face à la mer, en fonction de l'immense plage de sable fin qui s'étend sur 4 km, du port de plaisance *(tableau p. 44)* et des installations de nautisme. La pratique des sports de l'eau sur l'étang du Ponant, de la pêche sur celui de l'Or et en mer, les structures architecturales de **« Point Zéro »**, centre commercial de la Grande-Motte, retiendront les visiteurs. Entre autres attractions, les concours de pêche au « tout gros » (thons) attirent, lors du retour des bateaux et de la pesée des prises, l'affluence des curieux.

En 1979 la station pouvait accueillir 60 000 séjournants. Son développement se poursuit vers l'Ouest par le quartier piéton de la Motte du Couchant dont l'architecture présente des conques arrondies tournées vers la mer.

La Grande Motte. – Les « Pyramides ».

Les GRANDS CAUSSES ***

Carte Michelin n° 80 - plis ④⑤⑥⑭⑮.

Les Grands Causses *(lire les p. 10 à 14)* sont au nombre de quatre : le causse de Sauveterre, le causse Méjean, le causse Noir et le causse du Larzac. On les nomme Grands ou Majeurs pour les distinguer, d'une part, des causses du Quercy (causses Mineurs) qui les prolongent à l'Ouest, beaucoup moins élevés ; d'autre part, de la série des **Petits Causses** qui sont des annexes des Grands, isolés d'eux par le ruissellement des eaux et l'érosion : citons le petit causse de Blandas, annexe du causse du Larzac, isolé par la Vis ; celui de Campestre, autre annexe du Larzac, isolé par la Virenque ; le petit causse Bégon, séparé du Grand causse Noir par le Trévezel, etc.

Les Grands Causses offrent un visage différent suivant leur altitude, leur situation ou leur composition géologique. Celle-ci, uniquement calcaire, peut être dolomitique (la dolomie est une roche composée de calcaire et de magnésie) ou marneuse (argile et calcaire). Les roches dolomitiques se désagrègent facilement en arènes sous l'effet de l'érosion ; elles donnent alors une espèce de sable grossier nommé dans le pays le **grésou**, ces petits cailloux roulants qui rendent si pénible la marche sur le causse en certains endroits ; quand certaines parties de la roche sont plus magnésiennes que d'autres, elles résistent davantage et donnent naissance à des « cités ruiniformes ».

Les zones argileuses, permettant les cultures, confèrent au paysage une physionomie plus amène. De même, les couches géologiques qui constituent le causse et qui, toutes, appartiennent au système jurassique de l'ère secondaire, déterminent les divers aspects des paysages : ainsi, dans l'étage du jurassique moyen s'élèvent de formidables falaises, véritables murailles ; on peut citer, comme exemples, la falaise du Rajol qui domine la Dourbie *(p. 99)* ; celles des corniches du causse Méjean qui dominent la Jonte, au-dessus du Truel *(p. 102)* ; celle du rocher de Cinglegros, à pic sur le Tarn *(p. 161)*.

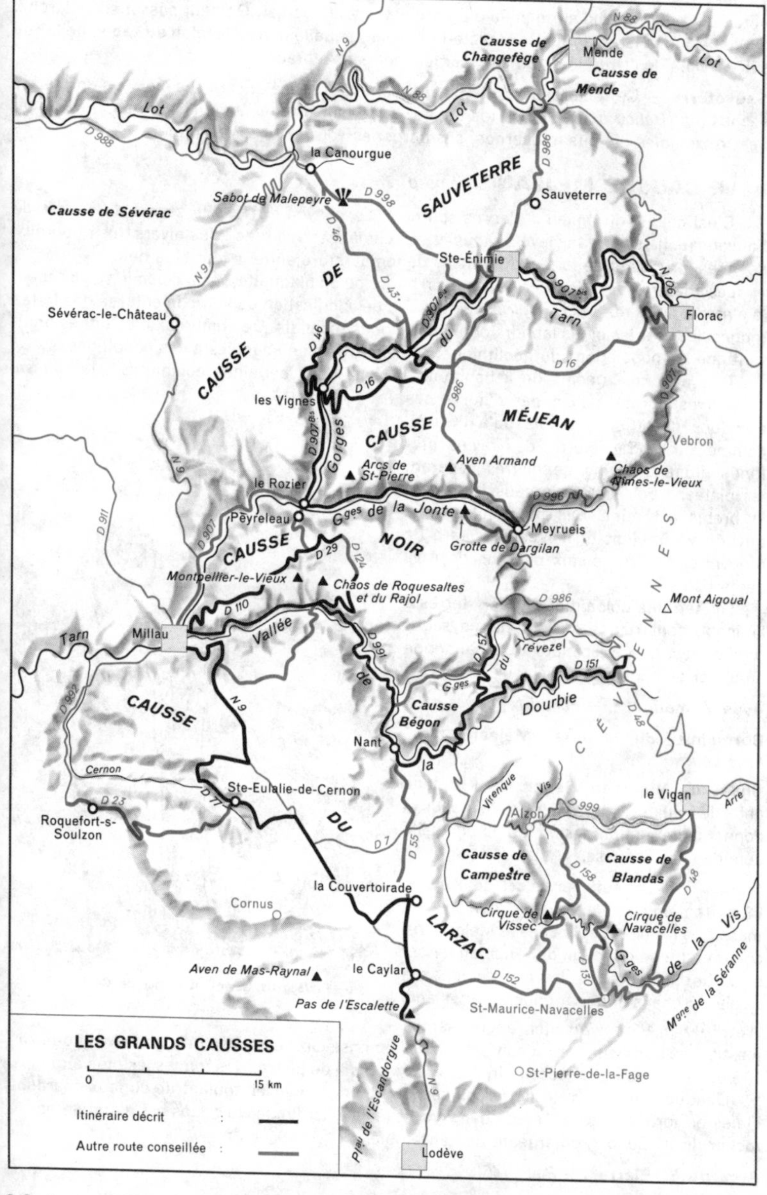

Les falaises de l'étage inférieur sont moins impressionnantes.

Enfin les Causses offrent de saisissantes différences entre les vallées encaissées, fraîches oasis verdoyantes et cultivées, et le désert des hauts plateaux. « Le contraste inouï que certains canyons font avec leurs causses est une des plus rares beautés de la belle France », écrivait Onésime Reclus au 19e s.

Nous décrivons ci-dessous les curiosités qui caractérisent chacun des Grands Causses. Sur la carte, nous indiquons les routes qui, permettant de passer d'un causse à l'autre par l'intermédiaire d'un canyon, laisseront au visiteur une impression de grandeur étrange. Il n'oubliera pas l'effet de la lumière captée par la blancheur des roches et jouant sur les nuances rousses des escarpements. Ces routes traversent le causse monotone, puis en quelques lacets souvent très serrés descendent au fond du canyon, franchissent la rivière, s'élèvent ensuite sur la rive opposée pour se hisser sur le causse voisin.

Les itinéraires qui empruntent le fond des grands canyons (du Tarn, de la Jonte, de la Dourbie, de la Vis) sont décrits séparément.

■ LE CAUSSE DE SAUVETERRE *schéma p. 97*

Limité au Nord par le Lot, il est le plus septentrional et le moins aride des Grands Causses. Il présente dans sa partie occidentale (au Sud-Ouest du D 998) de grands espaces boisés, assez accidentés. Ici les Caussenards ont tiré parti du moindre sotch *(p. 12)* ; pas une parcelle de terre arable qui n'ait été soigneusement mise en culture, formant çà et là de belles taches rougeâtres ou verdoyantes suivant les saisons.

Sabot de Malepeyre*. – *4 km au Sud-Est de la Canourgue.* On en a une vue très caractéristique du D 46, à proximité du tunnel.

Cet énorme rocher de 30 m de hauteur, également nommé « Pont naturel de Malepeyre », a été creusé et façonné par les eaux qui circulaient autrefois à la surface du causse. Il est percé d'une large baie surmontée d'un arc en anse de panier. On peut passer sous l'arche, haute de 3 m et large de 10. De la plate-forme, sur laquelle repose le talon du sabot, belle vue sur la vallée de l'Urugne et, au loin, sur les monts d'Aubrac.

Sauveterre. – Ce remarquable village caussenard possède encore ses maisons en pierres sèches *(illustration p. 32)*, couvertes de lauzes de calcaire (les « tioulassés »). On y voit de beaux exemples de toits à lucarnes, des bergeries voûtées, un ancien four.

■ LE CAUSSE MÉJEAN *schéma p. 97*

C'est celui « du milieu » d'après son nom. Le canyon du Tarn le sépare du causse de Sauveterre. Il est le plus élevé de tous et son climat est très rude : des hivers très rigoureux, des étés torrides et de fortes différences de température entre le jour et la nuit.

Les affleurements de calcaire franc, en bancs ou en plaquettes, et la dolomie se partagent le plateau. Dans les sotchs *(voir p. 12)*, là où la décalcification de la roche entasse des terres rouges, les prairies et les labours donnent de bons résultats. De nombreux mégalithes prouvent que les populations du néolithique s'étaient très bien adaptées à ces conditions.

Très dépeuplé (moins de 2 habitants au km^2 dans certaines communes), le causse Méjean est formé à l'Est par d'immenses étendues désertiques tandis qu'à l'Ouest, comme sur le Sauveterre, des ravins profonds d'une centaine de mètres séparent les plateaux boisés. Sur le causse Méjean, la brebis est reine. Dix neuf mille ovins environ y circulent et il n'est pas rare de rencontrer des troupeaux de plus de trois cents bêtes.

Les terrains dolomitiques, les « terres à lapins », sont riches surtout de paysages ruiniformes. Le Caussenard les abandonne au gibier et aux bois de résineux.

Vase de Sèvres et rocher de Capluc.

Aven Armand*.** – *Page 61.*

Corniches du causse Méjean*.** – *Page 160.*

Chaos de Nîmes-le-Vieux*. – Il s'étend entre les villages de l'Hom et Veygalier et donne toute la dimension de l'immensité dénudée du causse.

Accès. – On l'atteint par le **col de Perjuret,** où entrent en contact, presque de niveau, le massif de l'Aigoual et le causse Méjean. Au col, prendre en direction de l'Hom où laisser la voiture. Gagner, à travers champs, la partie du chaos située à gauche du village.

Visite. – *1 h 1/2 environ.* Ici, aucun sentier n'est balisé ; on peut errer à son gré dans l'immense cirque hérissé de rocs dolomitiques de 10 à 50 m de hauteur et découvrir, parmi les « rues » de pierres, les formes les plus étranges.

Obliquer vers la crête de la colline qui domine l'Hom et, foulant de curieux chardons étalés en forme de soleil, se diriger vers Veygalier. La limite du chaos est marquée par le rocher de « l'Oullo », émergeant de l'ensemble.

Arcs de St-Pierre*. – *Page 146.*

■ LE CAUSSE NOIR *schéma p. 97*

« Noir », à cause de ses anciennes forêts de pins. Avec ses 200 km^2, il est le moins étendu des Grands Causses, cerné au Nord par la Jonte, au Sud par la Dourbie. La dolomie y prédomine aussi recèle-t-il les plus beaux chaos de rochers ruiniformes ; depuis sa corniche, le canyon de la Jonte apparaît dans toute sa splendeur.

Chaos de Montpellier-le-Vieux*.** – *Page 125.*

Corniche du causse Noir.** – La corniche du causse Noir est constituée par un ensemble de sentiers et de routes forestières que l'on ne peut parcourir qu'à pied. Nous indiquons ci-dessous quelques points de vue accessibles aux automobilistes.

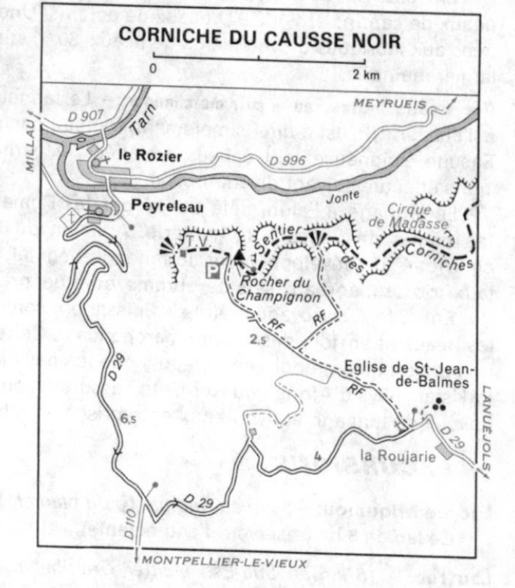

Accès. – *Par le D 29, au Sud de Peyreleau. Prendre, entre l'embranchement avec le D 110 – qui conduit à Montpellier-le-Vieux – et la Roujarie, la route forestière qui se détache du D 29 et dont l'entrée est marquée d'une stèle érigée par le Club Alpin Français. A 2,5 km environ, laisser l'auto au point de stationnement indiqué sur le schéma ci-contre, à proximité du rocher du Champignon.*

Points de vue :**

1) *1/4 h à pied AR.* A gauche du rocher du Champignon, le sentier conduit vers le relais de télévision d'où la vue est fort belle sur Peyreleau situé au confluent de la Jonte et du Tarn.

2) *1 h à pied AR.* A droite du rocher du Champignon, le sentier des corniches *(balisé en rouge)*, qui se poursuit jusqu'au cirque de Madasse, descend à travers bois. Des plates-formes permettent de s'avancer au bord de la falaise, procurant des vues sur la Jonte et le paisible village de Peyreleau. Puis, Peyreleau disparu, on découvre la solitude et la grandeur sévère du canyon de la Jonte.
Du cirque de Madasse, on peut prolonger l'excursion jusqu'aux ruines de l'ermitage St-Michel (3 échelles métalliques à gravir).

3) Plus à l'Est, on pourra se rendre, par une route forestière carrossable s'embranchant sur la route d'arrivée, jusqu'à un rocher surmonté d'un pin *(lieu dit « point sublime » sur le dépliant du SI du Rozier-Peyreleau)* : très beau point de vue sur le canyon de la Jonte.

Grotte de Dargilan.** – *Page 80.*

Chaos de Roquesaltes et du Rajol*. – *3 km au départ de St-André-de-Vézines, par un chemin non revêtu, puis 1 h à pied AR.*

Roquesaltes, les « roches hautes », est un véritable donjon naturel, haut d'une cinquantaine de mètres, qui domine le hameau de Roquesaltes. De ces remparts, la vue porte sur Montpellier-le-Vieux. Peu étendu, ce chaos ne constitue pas moins un ensemble remarquable de rochers ruiniformes dont une formidable porte naturelle.

En poursuivant à pied vers le Sud, on atteint le **chaos du Rajol** au-dessus de la Dourbie. Un Dromadaire, le menton délicatement appuyé sur un rocher, accueille le visiteur. Parmi les rochers fantastiques, il y a aussi la Colonne égyptienne, la Statue sans bras...

D'un belvédère naturel, la vue plonge dans l'extraordinaire vallée de la Dourbie.

■ LE CAUSSE DU LARZAC *(1) schéma p. 97*

Il est immense. Son assise calcaire, la plus continue et la plus épaisse de la série secondaire du « Jurassique », apparaît par décapage sur une aire très vaste. Sur plus de 1 000 km^2 à des altitudes variant de 560 à 921 m, le causse du Larzac s'étire du Nord au Sud, traversé dans toute sa longueur par la route du Pas de l'Escalette *(p. 85)*. Il se termine au Sud par la montagne de la Séranne et le plateau basaltique de l'Escandorgue. Il est séparé du causse de Blandas à l'Est par le canyon de la Vis et du causse Noir au Nord-Est par la Dourbie.

Le nom de Larzac vient d'arsat : desséché, brûlé, ou de larricium : territoire rocailleux, stérile, qui définit ce pays monotone et déboisé. De maigres pâturages le recouvrent ; par endroits, des sotchs argileux, qui retiennent l'humidité des pluies, ont permis l'installation de domaines agricoles. Cependant, ce sont encore les herbages et les immenses troupeaux de brebis qui dominent, faisant du Larzac le pays du roquefort.

Les eaux qui tombent sur le Larzac réapparaissent, au fond des vallées qui l'entament, par près de soixante résurgences. De même que les autres causses, le Larzac est troué d'avens. Celui de **Mas-Raynal,** à l'Ouest du Caylar, exploré en 1889 par une équipe réunissant E.-A. Martel, L. Armand, G. Gaupillat, E. Foulquier, s'avéra être un « regard » sur le trajet d'une rivière souterraine qui alimente la Sorgues.

Nous décrivons **la Couvertoirade***, *p. 80 ;* **Roquefort-sur-Soulzon***, *p. 140 ;* **le Caylar**, *p. 71 ;* **Ste-Eulalie-de-Cernon**, *p. 85.*

(1) *Pour plus de détails historiques sur le causse du Larzac, en particulier sur le souvenir des Templiers, lire : « La Couvertoirade », « Le Larzac autour de la Couvertoirade », « La Commanderie de Ste-Eulalie de Larzac », par André Soutou (en vente sur place).*

GRAULHET

Carte n° 82 - pli ⑩ – 14 110 h. (les Graulhétois) – *Plan dans le Guide Michelin France.*

Depuis le Moyen Age, Graulhet (prononcer Grauillet) est une cité « tannante », activité dont son nom tirerait origine (« groule » en langue d'Oc signifie « chaussure »).

Tannerie et mégisserie. – On distingue la tannerie, qui traite les peaux de bovins et d'équidés, de la mégisserie, spécialisée dans les peaux de moutons, de chèvres et de porcs.

Graulhet, capitale de la mégisserie. – Graulhet travaille, par vocation, les « cuirots » provenant de Mazamet *(voir p. 111)*. Sa production, d'abord spécialisée dans les peaux pour doublure de chaussures, trouve depuis quelques années un nouveau débouché dans la fabrication de peaux pour vêtements et dans la maroquinerie.

En 1980, ses 82 entreprises de mégisserie ont traité 15 840 000 peaux d'ovins, 4 910 000 peaux de caprins et 1 102 000 peaux de porcins. Une fois les peaux tannées, 50 % sont destinées aux fabriques de vêtements de peaux, 30 % aux manufactures de chaussures et 15 % à la maroquinerie.

Des « cuirs bruts » au « cuir marchand ». – Le tanneur commence à travailler sur des peaux à l'état brut, c'est-à-dire simplement traitées par salage pour assurer leur conservation. Ensuite, soigneusement épilées, trempées, écharnées, elles sont prêtes pour le tannage qui s'effectue suivant divers procédés.

Le tannage à l'alun, déjà utilisé par les Romains, est toujours pratiqué, surtout pour les pièces destinées à la ganterie. A la fin du 19e s., les progrès de la chimie ont contribué au développement du tannage végétal qui utilise les tanins extraits des végétaux, du tannage aux sels de chrome et d'un procédé qui combine les deux.

Enfin, le « corroyage » ou le « finissage » sont les opérations finales qui assouplissent les peaux et en font des « cuirs marchands ». Cette ultime phase de la fabrication acquiert une importance grandissante depuis que les pays fournisseurs de peaux à l'état brut (Inde, Pakistan, pays d'Afrique du Nord, etc.) assurent souvent eux-mêmes une partie des premiers travaux de tannage et livrent aux entreprises graulhétoises des peaux semi-finies.

EXCURSIONS

Lac de Miquelou. – *3 km au Sud par ④ du plan et, à 2,5 km, le chemin du lac, à gauche.*

Ce lac de 8 ha (réservoir d'eau potable), est recherché par les amateurs de voile.

Lautrec. – *15 km au Sud-Est. Quitter Graulhet par ③ du plan, D 83. Description p. 104.*

Les villes, sites et curiosités décrits dans ce guide sont indiqués en caractères noirs sur les schémas.

GRUISSAN

Cartes Michelin n° 83 - pli ⑭ et 86 - pli ⑩ – *Schéma p. 78* – 1 269 h. – *Lieu de séjour, p. 42.*

Le **bourg** de pêcheurs et de sauniers, aux maisons emboîtées en cercles concentriques, est dominé par les ruines de la tour Barberousse. A l'écart de la côte, entre les eaux dormantes des étangs, il semblait définitivement tourner le dos à la mer *(voir note p. 152).*

La **station nouvelle** de Gruissan *(sur le plan d'aménagement du littoral, voir p. 78)* s'est développée à la suite de l'ouverture d'un chenal maritime faisant communiquer l'étang du Grazel avec la mer. De petits immeubles disposés autour du bassin d'honneur du nouveau port de plaisance en forment, depuis 1975, le noyau. Leur crépi ocré, leurs toitures à faîtes multiples dessinés en berceaux les caractérisent.

Gruissan-Plage garde un curieux lotissement de chalets montés sur pilotis, à l'abri des inondations toujours possibles en période d'équinoxe.

Les installations de camping se développent surtout au Nord du chenal (les Aiguades du Pech Rouge), en direction de Narbonne-Plage.

L'attrait de la station nouvelle réside non seulement dans son ouverture vers le grand large mais aussi dans son site favorable aux promenades dans le massif de la Clape, l'une des beautés mal connues du pays languedocien.

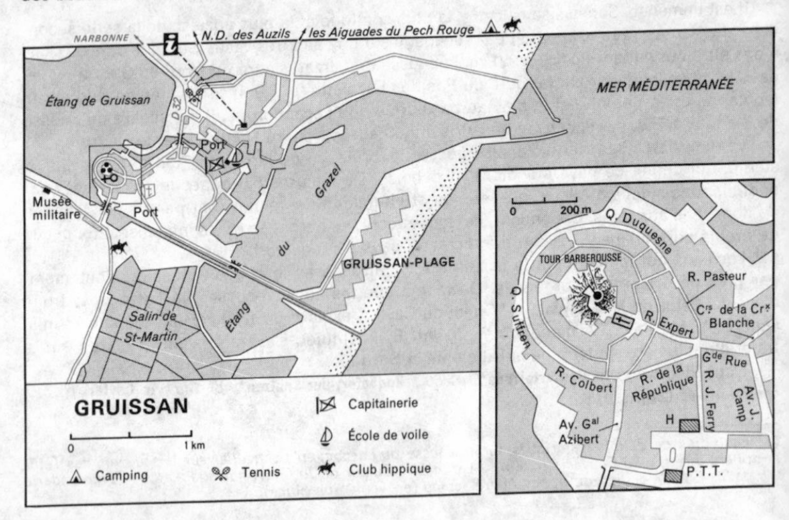

Musée militaire Roger Bosc. – *Route de Port-la-Nouvelle. Visite du 15 juin au 15 septembre de 9 h 30 à 12 h et de 14 h 30 à 19 h ; de 9 h 30 à 12 h et de 14 h à 18 le reste de l'année (après accord par ☎ 68.49.00.08). Fermé en novembre.*

Quelque 11 000 insignes, des fanions régimentaires, des décorations, plus de 30 mannequins en uniforme, ont été réunis ici par un Ancien de la Légion. Une collection d'armes blanches et de rares armes à feu des trois guerres attirent le regard mais aussi un mini-char allemand « Goliath », un canon de 75 modèle 1917 et un petit avion de reconnaissance monoplace en bois et en toile.

EXCURSION

Cimetière marin. – *4 km, puis 1/2 h à pied AR. Sortir de Gruissan par le D 32 vers Narbonne ; au carrefour suivant les tennis, prendre la route signalée N.-D.-des-Auzils qui pénètre dans le massif de la Clape. Appuyer toujours à gauche et quitter la voiture au parking proche de la pépinière du Rec d'Argent.*

Le long d'un chemin pierreux, parmi les genêts, les pins parasols, les chênes verts et les cyprès, d'émouvantes stèles rappellent le souvenir des marins disparus en mer. De la **chapelle N.-D.-des-Auzils**, au sommet de la montée, au cœur d'un bosquet, vue étendue sur le site de Gruissan et la montagne de la Clape.

HÉRAULT (Vallée de l') *

Cartes Michelin nos 80 - pli ⑯ et 83 - pli ⑥.

L'Hérault prend sa source au mont Aigoual et descend rapidement jusqu'à Valleraugue. En moins de 10 km, il passe de 1 400 m à 350 m d'altitude. Après Valleraugue, il coule entre des versants schisteux ou granitiques, où s'étagent en terrasses des châtaigniers et des vergers qui, aux abords de Ganges, sont remplacés par des vignes et des oliviers.

En aval de Pont-d'Hérault, où commence la description ci-dessous, le paysage change d'aspect : on passe des terrains cristallins aux terrains calcaires.

L'Hérault va traverser les garrigues en y creusant des défilés, des gorges pittoresques, ou en arrosant de larges bassins cultivés comme ceux de Ganges ou de Brissac. Les garrigues, avec leurs rocailles blanches, parsemées de quelques taillis de chênes, revêtent un aspect désertique.

Au Pont du Diable, l'Hérault débouche brusquement dans la plaine du Bas-Languedoc.

LES GORGES

De Pont-d'Hérault à Gignac – *69 km – environ 5 h – schéma ci-dessous*

Au Sud de Pont-d'Hérault, le D 999 suit le cours sinueux du fleuve entre des versants couverts de châtaigniers et de chênes verts. Au fond de la vallée, les vignes et les mûriers apparaissent.

On pénètre bientôt dans un beau défilé calcaire où débouche la Vis.

Ganges. – *Page 95.*

Après Ganges, la route s'engage dans une gorge creusée par l'Hérault, véritable canyon aux parois très abruptes. De St-Bauzille, situé au pied des falaises du plateau de Thaurac, on ira visiter la grotte des Demoiselles.

Grotte des Demoiselles*.** – *Page 82.*

A la sortie Sud de St-Bauzille, prendre à droite le D 108 et traverser l'Hérault.

Brissac. – 305 h. Village pittoresque dont la partie la plus ancienne est dominée par un vieux château et entourée de fortifications ruinées.

Le D 4 rejoint l'Hérault qui coule entre des escarpements calcaires. De la route, on aperçoit, à gauche, la chapelle romane de **St-Étienne d'Issensac** et un pont du 12e s. (*à franchir avec précaution*) qui enjambe la rivière.

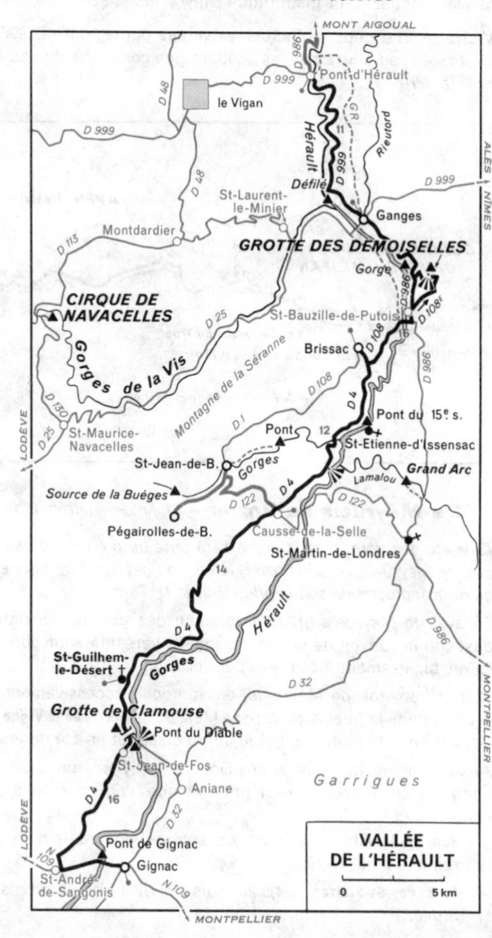

La route, en montée, offre une vue, à gauche, sur le ravin du Lamalou qui débouche dans la vallée de l'Hérault. Elle atteint le petit causse de la Selle et le village du même nom après un pittoresque trajet en corniche.

Après Causse-de-la-Selle, la route quitte bientôt le causse et s'engage dans une combe creusée par un cours d'eau aujourd'hui disparu. Par les journées torrides de plein été, ce passage d'éboulis de rochers, sans eau, est empreint d'une désolation intense.

Gorges de l'Hérault*. – Dominées par des versants escarpés, ces gorges, encore assez évasées jusqu'à St-Guilhem-le-Désert, se rétrécissent de plus en plus jusqu'au Pont du Diable. L'Hérault se creuse, au fond de la vallée, un canyon dans lequel il coule étroitement encaissé. Çà et là, une petite terrasse soutenue par un mur, quelques pans de vigne, un petit pré ou quelques oliviers accrochés au-dessus du fleuve représentent les seules cultures. Ce paysage dénudé, inondé de soleil, ne manque pas d'une certaine grandeur.

St-Guilhem-le-Désert*. – *Page 143.*

Grotte de Clamouse.** – *Page 72.*

Pont du Diable. – Ce pont construit au début du 11e s. fut l'œuvre de moines bénédictins. Élargi par la suite, il a gardé sa silhouette primitive. Du pont moderne construit près de l'ancien, vue sur les gorges de l'Hérault et le pont aqueduc qui permet d'irriguer les vignobles de la région de St-Jean-de-Fos.

Pont de Gignac. – La N 109 franchit l'Hérault sur le pont de Gignac, situé à 1 km à l'Ouest de la localité. Construit de 1776 à 1810, cet ouvrage est considéré comme le plus beau pont français du 18e s. *Un escalier permet d'accéder à une plate-forme, située en aval sur la rive gauche, d'où l'on peut admirer cette construction.*

La N 109 gagne Gignac.

JONTE (Gorges de la) **

Carte Michelin n° 80 - plis ④⑤⑮.

Les gorges de la Jonte, très pittoresques, n'offrent pas des dimensions aussi imposantes que celles du Tarn, mais les grands escarpements calcaires, qui couronnent les versants ou dominent la rivière, leur donnent des aspects aussi étonnants.

La Jonte naît à 1 350 m d'altitude, sur les pentes Nord du massif de l'Aigoual. Elle descend d'abord dans une jolie vallée boisée, puis sépare le causse Méjean, désertique, du pays cévenol, couvert de pâturages et de châtaigniers. A partir de Meyrueis, la rivière se fraye un chemin entre les murailles du causse Noir et les escarpements ruiniformes du causse Méjean, creusant un magnifique canyon jusqu'au Rozier, où elle se jette dans le Tarn.

Visite. – Elle peut s'effectuer **en voiture** par la route D 996 de Meyrueis au Rozier, décrite ci-dessous, ou **à pied** par les sentiers des corniches du causse Méjean *(p. 160)* et du causse Noir *(p. 99)*.

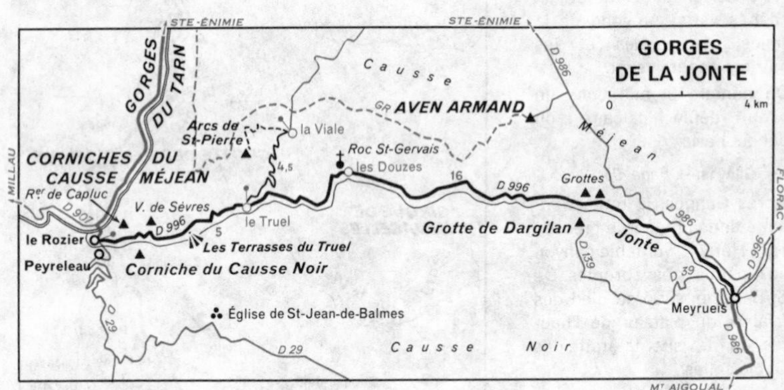

De Meyrueis au Rozier – *21 km – environ 1 h – schéma ci-dessus*

La visite des gorges de la Jonte sera faite de préférence dans le sens de la descente, c'est-à-dire de Meyrueis vers le Rozier, le canyon devenant de plus en plus impressionnant à mesure qu'on s'approche de son confluent avec le Tarn.

En aval de Meyrueis *(p. 113)*, la route des gorges, constamment tracée sur la rive droite, descend le canyon de la Jonte dont les versants sont surmontés de hautes murailles calcaires bizarrement façonnées par l'érosion.

A 5 km environ de Meyrueis, on aperçoit successivement, sur la droite, l'entrée de deux grottes dans la falaise du causse Méjean : la **grotte de la Vigne** et la **grotte de la Chèvre.** Le canyon devient ensuite plus étroit et la Jonte disparaît en été dans les crevasses de son lit.

Aux approches du hameau des Douzes, la rivière, après un long trajet souterrain, réapparaît dans un second canyon si profond que l'on aperçoit à peine les grands peupliers qui l'habitent.

Roc St-Gervais. – Ce gros roc isolé qui domine le hameau des Douzes porte la chapelle romane de St-Gervais.

Arcs de St-Pierre*. – *4,5 km puis 1 h 1/2 à pied AR. Accès au départ du Truel et description* *p. 146.*

Les Terrasses du Truel*. – 1,5 km en aval du Truel, de deux belvédères aménagés, la vue est superbe sur les gorges de la Jonte dont les versants présentent deux étages de murailles calcaires, séparés par des pentes marneuses. Ce sont les « terrasses du Truel ».

En aval de ces belvédères, le causse Noir dresse deux énormes falaises hautes de 190 m et 160 m : les rochers Fabié et Curvelié. Sur le bord de la corniche du causse Méjean se détache un bloc très curieux, en forme de vase : le « Vase de Sèvres » *(illustration p. 98)*.

Le rocher de Capluc *(p. 160)*, à droite, puis le village de Peyreleau *(p. 133)*, à gauche, et celui du Rozier *(p. 141)* apparaissent enfin.

LACAUNE

Carte n° 83 - pli ③ - *Schéma ci-dessous* – 3 532 h. (les Lacaunais) – *Lieu de séjour, p. 42.*

Dans un site verdoyant et boisé, Lacaune aux toits d'ardoise est une station climatique qui accueille principalement des enfants. Elle constitue un excellent point de départ pour des randonnées à travers les monts environnants et dans la fraîche vallée du Gijou. Outre l'élevage des ovins, l'essentiel des activités lacaunaises consiste en l'exploitation d'ardoisières et en fabriques de salaisons.

Fontaine des « Pissaïres ». – Groupe du 16ᵉ s., en acier noirci, surmontant deux vasques de pierre.

MONTS DE LACAUNE

Circuit des lacs – *77 km – environ 3 h 1/2 – schéma ci-dessous*

Les monts de Lacaune constituent, avec les monts de l'Espinouse et le Sidobre, le massif de l'Agout, séparé de la Montagne Noire et du Minervois par le sillon où coule le Thoré. Soumis à l'influence atlantique, ils offrent un visage agréable de prairies verdoyantes et fraîches. L'élevage ovin tient une place importante dans l'économie de la région. La race de Lacaune compte près de 800 000 brebis réparties sur les départements du Tarn, de l'Aveyron, de l'Aude et de la Lozère et recherchées surtout pour leurs aptitudes laitières. De judicieux croisements et une alimentation choisie permettent à une bonne productrice de fournir jusqu'à 300 litres par période de lactation (décembre à juin). La production laitière est acheminée vers Roquefort *(voir p. 140)*. Les jeunes agneaux, sevrés à un mois, sont vendus pour l'engraissement.

Quitter Lacaune au Sud-Ouest par le D 607 ; prendre à droite le D 52.

Belles échappées à gauche sur les monts de l'Espinouse et sur les monts de Lacaune calmement vallonnés. Au cours de la descente vers le lac de la Raviège, parmi les forêts, la vue porte jusqu'à la Montagne Noire.

Brassac. – 1 629 h. *Du barrage de la Raviège, 13 km au Nord-Ouest par le D 62.* A la limite des monts de Lacaune et du Sidobre, Brassac, joliment situé, est resté un petit centre d'industrie lainière. Son vieux pont gothique, les tours de son château plongeant dans l'Agout lui confèrent beaucoup de charme.

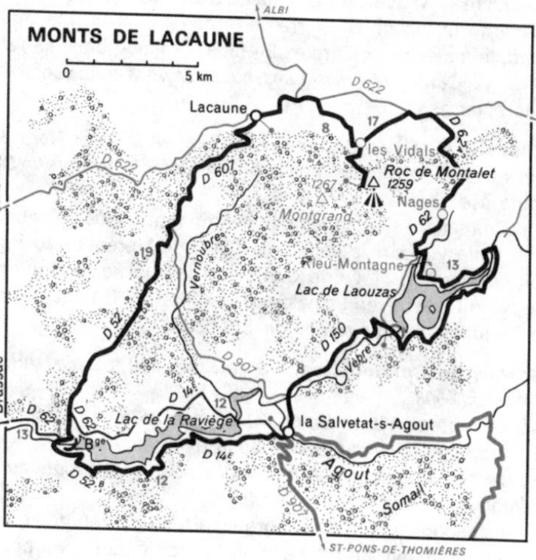

La route d'itinéraire fait ensuite le tour du lac de la Raviège par le Sud, offrant de belles vues sur l'étendue d'eau et les îles.

Lac de la Raviège. – *Page 89.*

La Salvetat-sur-Agout. – *Page 88.*

Poursuivre par le D 907 au Nord, puis prendre à droite le D 150 dans la vallée de la Vèbre.

Lac de Laouzas. – *Voir tableau p. 44.* Construit par EDF sur la Vèbre, affluent de l'Agout, ce barrage retient 45 millions de m³ d'eau destinés à alimenter l'usine souterraine de Montahut, non loin d'Olargues dans la vallée du Jaur. Les eaux captées sur le versant atlantique sont stockées puis « basculées » sur le versant méditerranéen sous 600 m de hauteur de chute pour produire environ 260 millions de kWh en année moyenne.

Les rives du lac, découpées, sont appréciées des baigneurs, pêcheurs et amateurs de voile (base de loisirs de Rieu-Montagné). Le site de collines boisées est agréable.

Prendre ensuite le D 62 puis le D 62ᴬ qui rejoint le D 622 que l'on suit à gauche. Puis tourner à gauche vers les Vidals où l'on prend, de nouveau à gauche, l'étroite mais pittoresque route qui conduit au pied du roc de Montalet.

Roc de Montalet. – *1/2 h à pied AR.* Le Montgrand à l'Ouest (1 267 m) et le roc de Montalet (1 259 m) sont les sommets les plus élevés des monts de Lacaune.

De la butte qui porte une statue de la Vierge, on découvre une vue intéressante au Sud sur les formes adoucies des monts de Lacaune, moins accidentés que les monts de l'Espinouse au Sud-Est. Au premier plan, on aperçoit le barrage de Laouzas.

Retourner aux Vidals et prendre à gauche. Le D 622 ramène à Lacaune.

LAMALOU-LES-BAINS

Carte Michelin n° 83 - pli ④ – *Schéma p. 89* – 2 787 h. – *Lieu de séjour, p. 42.*

Les sources de Lamalou ont été pour la plupart découvertes lors de l'exploitation des gisements métallifères environnants, aux 11e et 12e s. ; on s'aperçut de leur pouvoir sédatif et, dès le siècle suivant, un établissement de bains fut organisé. Aujourd'hui, la station exploite les sources de l'Usclade, Bourgès, Capus et Vernière. Elle s'est spécialisée aussi dans les soins des maladies de la motilité, notamment la poliomyélite et les séquelles des accidents de la route. Lamalou s'enorgueillit d'avoir reçu d'illustres curistes : Mounet-Sully, Alphonse Daudet, André Gide...

Lamalou-les-Bains est un bon point de départ pour des excursions dans le Caroux. Vu des hauteurs environnantes, son site, étiré le long du Bitoulet, est pittoresque.

Trou de l'Aigle. – *Accès par un sentier qui part du parc thermal, derrière le centre Ster. 1/4 h à pied AR.* Gagner le plateau de l'Usclade où se trouve le trou de l'Aigle : vue sur la verdoyante vallée de l'Orb ; sur l'autre versant de la rivière, ruines de St-Michel.

St-Pierre-de-Rhèdes. – *1,5 km au Sud-Ouest de Lamalou, près du cimetière en bordure du D 908. Demander la clé (prévenir à l'avance) à la mairie de Lamalou.*

Dans l'enceinte du cimetière, cette chapelle d'un ancien prieuré, construite en grès, datée de la première moitié du 12e s., a une charmante allure campagnarde. A l'extérieur, remarquer l'élégante abside décorée d'arcatures lombardes, avec son curieux personnage sculpté. Peut-être faut-il y voir représenté un pèlerin avec son sac et son bâton. Les pèlerins qui venaient de St-Guilhem-le-Désert et qui se dirigeaient vers St-Jacques-de-Compostelle pouvaient emprunter la vallée de l'Orb et du Jaur ou la voie de la plaine par Béziers.

Sur la façade Sud, un linteau monolithe curieusement orné de caractères coufiques surmonte le portail aux décorations de basalte.

L'intérieur, très simple, renferme un bas-relief en marbre (fin du 12e s.). Les banquettes de pierre disposées autour de la nef et dans le chœur sont caractéristiques des églises de la région.

EXCURSIONS

Château de St-Michel*. – *4 km, puis 1 h à pied AR. Quitter Lamalou au Sud, traverser le D 908 et l'Orb puis tourner à gauche dans le D 160 ; au Moulinas prendre à droite jusqu'aux Abbes où il faut laisser l'auto.*

Le sentier grimpe à travers un sous-bois. Le château, en ruines, de St-Michel faisait probablement partie de la commune de Mourcairol aujourd'hui disparue et se serait trouvé sur une voie gallo-romaine (Béziers-Cahors), sans doute encore fréquentée au Moyen Age.

Arrivé au pied des ruines perchées sur un piton rocheux, laisser le sentier qui continue jusqu'au pic de la Coquillade et grimper sur la plate-forme où s'élève une croix. La **vue*** découvre la vallée de l'Orb jusqu'à Bédarieux sur la droite tandis que dans la verdure on discerne le toit de St-Pierre-de-Rhèdes, puis le site pittoresque du Poujol et, en toile de fond, le majestueux Caroux. En face, Lamalou dans sa vallée et, dans un bouquet d'arbres, N.-D. de Capimont *(voir ci-dessous)* ; le vent quelquefois porte jusqu'à St-Michel les chants des pèlerins.

Chapelle N.-D. de Capimont. – *5 km. A la sortie Nord de Lamalou, prendre à droite le D 22E qui traverse le Bitoulet et passe par Bardejean, puis le D 13 vers Hérépian, enfin la première route à droite.*

Cette modeste chapelle de pèlerinage, érigée dans un site agréable de chênes verts, offre une belle vue sur la vallée de l'Orb, de Hérépian au Poujol ; depuis la chapelle Ste-Anne (située derrière N.-D. de Capimont) la vue porte amplement sur les monts de l'Espinouse au Nord-Ouest avec Lamalou et la vallée du Bitoulet au premier plan ; au Sud sur le pic de la Coquillade et les ruines de St-Michel.

Gorges de Colombières. – *9 km, puis 1/2 h à pied AR. Quitter Lamalou au Sud et prendre à droite le D 908.*

La route suit la vallée de l'Orb, encaissée entre la façade méridionale du Caroux entaillée de gorges et le versant boisé de la rive gauche.

Le sentier des gorges se détache de la grand-route au pont sur le ruisseau d'Arles, face à l'embranchement vers Aire-Vieille.

La section amont de la gorge, surtout, est réputée pour ses rochers d'escalade. Pour une simple incursion, on peut arrêter la promenade à un petit barrage.

LAUTREC

Carte Michelin n° 82 - pli ⑩ – 1 393 h.

Dans un site pittoresque, Lautrec est une ancienne place forte dont on a une belle vue du D 83 au Nord-Ouest. Sa place centrale, ses ruelles aux vieilles maisons (remarquer celle où est installée l'Auberge des chevaliers de Malte) lui confèrent un charme paisible.

Une partie de ses habitants s'adonne à la culture de l'ail rose, ce qui lui vaut une certaine renommée.

Porte de la Caussade. – Du 12e s., elle est un des rares vestiges des fortifications.

Église St-Rémy. – Elle renferme un beau lutrin et un retable en marbre (15e au 18e s.).

Musée. – *Visite du 15 juin au 15 septembre, de 13 h 30 à 17 h 30 ; entrée : 3 F.*

Installé à la mairie, il abrite des objets archéologiques trouvés au cours de fouilles effectuées dans la région et quelques documents relatifs à l'histoire de Lautrec.

Calvaire de la Salette. – *1/4 h à pied AR.* Site de l'ancien château disparu. Il domine le village et offre une vue étendue à l'Est sur les monts de Lacaune, au Sud sur la Montagne Noire et à l'Ouest sur la plaine que traverse l'Agout.

LODÈVE*

Carte Michelin n° 83 - pli ⑤ - *Schémas p. 78 et 97* – 8 184 h. (les Lodévois).

Lodève s'étage dans un gracieux cadre de collines au confluent de la Lergue et de la Soulondres. Ses activités principales résident dans l'industrie du bois et, traditionnellement, l'industrie textile.

Les résultats des prospections entreprises depuis 1975 au Sud de la ville (gisement de Mas Lavayre) ont permis l'exploitation d'un gisement d'uranium représentant près du tiers des réserves connues en France. Une usine de traitement a été construite à proximité.

UN PEU D'HISTOIRE

Les évêques de Lodève. – Lodève est une ville très ancienne : Néron y faisait frapper la monnaie nécessaire à la paye et à l'entretien des légions romaines. Au Moyen Age la cité et le diocèse ont pour seigneurs les évêques. 84 prélats se succèdent de 506 à 1790. Au 10e s., l'évêque Fulcran est célèbre par sa sainteté. Très riche, il nourrit les pauvres, soigne les malades. C'est aussi un guerrier qui construit des forteresses, défend la ville contre les brigands.

Au 12e s., l'un de ses successeurs introduit l'industrie à Lodève : il installe un des premiers moulins utilisés pour la fabrication du papier de chiffons. Au siècle suivant, les évêques développent le commerce du drap.

La ville, ayant participé à la révolte de Gaston d'Orléans et de Henri de Montmorency en 1632 *(voir p. 68)*, est en partie détruite par Richelieu. Les évêques, dorénavant nommés par le roi, n'auront plus qu'une autorité religieuse.

La ville des draps. – Les moutons de la région de Lodève ont longtemps constitué la principale ressource du pays. Aussi l'industrie de la laine y fut-elle prospère dès le 13e s. Plus tard, Henri IV transporte dans la ville les fabriques de drap de Semur. Puis, Louvois adopte ses tissus pour l'habillement des troupes. Sous Louis XV, le cardinal de Fleury accorde à sa ville natale le monopole des fournitures militaires. Cette haute protection a des répercussions sur la qualité. Les surveillants de la fabrication ferment les yeux sur les malfaçons. Les tissus de Lodève se déprécient. Un rapport de 1754 s'exprime ainsi à leur sujet : « Ces draps habillent plutôt qui veut être couvert que qui veut être paré ». La fabrication a cessé en 1960.

Cette industrie traditionnelle est relayée aujourd'hui par d'autres branches du textile, la bonneterie en particulier.

Lodève possède aussi un atelier de tissage de tapis produisant, surtout pour les services du Mobilier National, des copies d'anciens modèles.

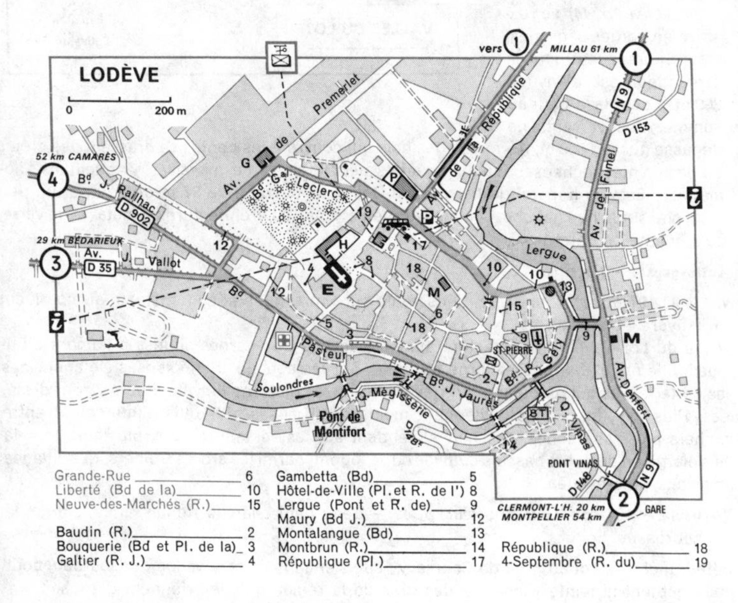

■ CURIOSITÉS *visite : 1/2 h*

Ancienne cathédrale St-Fulcran* **(E).** – La cathédrale primitive constitue la crypte actuelle. L'édifice fut reconstruit une première fois au 10e s. par saint Fulcran et, à nouveau, au 13e s., mais pour l'essentiel, c'est une œuvre de la 1re moitié du 14e s. Après les guerres de Religion, elle a dû être fortement restaurée, mais dans le style primitif.

Les deux tours à échauguettes encadrant la façade, les contreforts montrent son aspect défensif.

L'intérieur se signale par l'ampleur de son vaisseau comportant une courte nef à bas-côtés et un vaste chœur. Ce dernier, entouré de boiseries du 18e s. et d'une balustrade de marbre, est couvert à son extrémité par une élégante voûte en rayons. A l'opposé, orgues du 18e s.

Dans la 1re chapelle du bas-côté droit, reposent les 84 évêques de Lodève. De la 3e chapelle, placée sous le vocable de N.-D.-des-Sept-Douleurs – à la voûte en réseau, caractéristique du gothique finissant – une porte donne accès à l'ancien cloître (14e-17e s.) aménagé en dépôt lapidaire.

LODÈVE*

Pont de Montifort. – Il enjambe la Soulondres en faisant un dos d'âne très prononcé.

Musée Jacques Audibert (M). – *Visite du dimanche avant l'Ascension au 30 septembre de 9 h à 12 h et de 13 h 30 à 17 h 30 ; fermé les samedis, dimanches et jours fériés. Le reste de l'année, les mercredis, jeudis et vendredis seulement, aux mêmes heures. Ouvert le dimanche en août. Entrée : 2 F (gratuite la semaine de l'Ascension).*

Ce musée d'histoire naturelle, installé dans l'ancienne chapelle des Carmes, est consacré à la géologie, à la paléontologie, à l'archéologie de l'âge de la pierre.

Remarquer en particulier les empreintes fossilisées de flore et les curieuses traces de reptiles ou de batraciens de l'ère primaire ainsi que celles des grands dinosaures de l'ère secondaire.

LOT (Vallée du) **

Cartes Michelin nos 76 - plis ⑪⑫ et 80 - plis ②③.

Aux confins de l'Auvergne et du Rouergue, le Lot a creusé profondément sa vallée dans les gneiss et les granits.

La route décrite ci-après, très pittoresque, suit constamment la rivière entre Espalion et le pont de Coursavy.

D'Espalion à Conques – *56 km – environ 3 h – schéma ci-dessous*

A partir d'Espalion *(p. 86)*, la grand-route d'Aurillac suit la rive droite du Lot. La vallée, d'abord large et fertile (prairies, vignes, arbres fruitiers), devient étroite et se couvre de bois.

Estaing*. – *Page 91.*

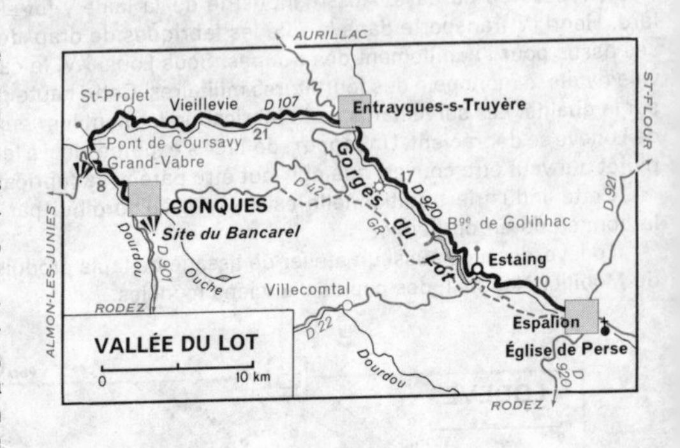

En quittant Estaing, la route offre une jolie vue sur le Lot, le vieux pont et le château qui domine la petite ville.

Gorges du Lot.** – Après s'être élargie durant quelques kilomètres, la vallée, d'abord noyée par la retenue du **barrage de Golinhac**, *(voir tableau p. 44)* se resserre en gorges sauvages, très pittoresques, dont la profondeur est d'environ 300 m et dont la largeur au sommet des versants ne dépasse guère 1 500 m. Au milieu des bois qui couvrent les pentes se dressent des crêtes ou des pointes rocheuses, aux silhouettes déchiquetées ou massives. A quelques kilomètres d'Estaing apparaît le barrage de Golinhac, ouvrage de 37 m de haut, et un peu plus loin, sur la rive gauche, l'usine hydro-électrique, à l'architecture de métal et de verre, qu'alimente ce barrage.

Entraygues*. – *Page 85.*

Suivre le D 107 qui offre une vue d'ensemble sur Entraygues et son château, au confluent de la Truyère et du Lot.

La vallée du Lot n'a plus le caractère âpre et sauvage des gorges situées à l'amont d'Entraygues. Elle est d'abord assez large et riante. Sur les coteaux bien exposés s'étagent des vignes en terrasses qui produisent un très bon vin. Des maisons de viticulteurs y sont disséminées. Plus loin, les vignes deviennent moins nombreuses, des buis s'intercalent entre les rochers plus rapprochés, des bois s'étendent sur les versants ; mais, plusieurs fois, la vallée s'élargit en de petits bassins cultivés où se logent, parmi les arbres fruitiers, des villages aux maisons pittoresques.

Vieillevie. – 194 h. – *Lieu de séjour, p. 42.* – Beau petit château Renaissance, couronné de hourds en bois.

La route franchit le Lot au pont de Coursavy ; elle s'engage dans la vallée du Dourdou, dont les eaux gardent la teinte rougeâtre des grès de la région qu'elles viennent d'arroser.

Grand-Vabre. – 513 h. – *Lieu de séjour, p. 42.*

De Grand-Vabre, on peut, en prenant à droite la petite route d'Almon-les-Junies, découvrir, à environ 1 km, un beau point de vue sur la vallée du Lot et celle du Dourdou avant d'atteindre Conques *(p. 73)*.

Pour organiser vous-mêmes vos itinéraires :

— Tout d'abord consultez la carte des p. 4 à 6. Elle indique les parcours décrits, les régions touristiques, les principales villes et curiosités.

— Reportez-vous ensuite aux descriptions, à partir de la p. 47. Au départ des principaux centres, des buts de promenades sont proposés sous le titre « Excursion ».

— En outre les cartes Michelin indiquées sur le schéma de la p. 3 signalent les routes pittoresques, les sites et les monuments intéressants, les points de vue, les rivières, les forêts...

LOZÈRE (Mont) **

Carte Michelin n° 80 - plis ⑥⑦.

C'est au mont Lozère que culmine – compte non tenu des pointements volcaniques, comme le puy de Sancy, surgis à l'ère tertiaire – le socle du Massif Central (1 699 m au Finiels). Mis en valeur par les coupures du Tarn, du Lot, de l'Altier et de la Cèze, ce puissant bloc de granit, alignant sur 35 km ses croupes à peine mamelonnées, toutes désignées, en hiver, pour le ski de randonnée et de fond, dresse dans le paysage cévenol sa masse majestueuse.

Le mont Lozère présente aussi un intérêt pour les préhistoriens : un vaste champ de menhirs a été découvert parmi les pacages à l'Ouest du village de la Vayssière.

LE COL DE FINIELS

De Florac à Mende – *74 km – environ 2 h – schéma ci-dessous*

Quitter Florac (p. 92) au Nord par le D 907. A droite, le D 998, très tortueux, s'engage dans la haute vallée du Tarn, resserrée bientôt en gorges sauvages.

Variante par Runes. – *Allongement de parcours de 17 km, plus 1/4 h à pied AR. Après Cocurès prendre à gauche vers Ruas.* Au Sud de Runes, un sentier conduit à une belle cascade sur le Mirals. Le D 35, bordé de frênes et de champs de narcisses, offre de jolies vues sur la vallée du Tarn et ramène, par Fraissinet-de-Lozère, au D 998.

Le Pont-de-Montvert. – 312 h. *Lieu de séjour, p. 42.* Ce bourg a été le théâtre, au 18e s., des premières escarmouches de la révolte des Camisards *(voir p. 110).*

Après le pont sur le Rieumalet, prendre le D 20 à gauche. Cette route bordée de sorbiers s'élève sur le versant méridional (l'« Adrecht ») vers le col de Finiels et, après le village de ce nom, traverse de grandes étendues désertes jonchées çà et là de blocs de granit.
L'horizon est fermé, au Sud, par la montagne du Bougès et par le causse Méjean, fortement ondulé.

Col de Finiels*. – Alt. 1 541 m. Des abords du col, et particulièrement des « sommets » qui encadrent le passage, la **vue*** peut par temps clair porter jusqu'à l'Aigoual et aux causses.
Au début de la descente, le massif du Tanargue (Vivarais cévenol) est visible, en avant et à droite.

Chalet du mont Lozère. – De décembre à avril, c'est un centre de ski.

Plus loin, au moment où le D 20 va quitter le ravin de l'Altier pour repasser sur le versant de l'Atlantique, les monts de la Margeride se déploient au Nord.
Le versant Nord (l'« Abes ») devient plus accueillant : il se couvre de pâturages et de bois. La vallée du Lot naissant, rejointe au Bleymard, s'encaisse en défilés rocheux et boisés. Les ruines du château du Tournel se campent fièrement sur un éperon rocheux que contourne le torrent.

Bagnols-les-Bains. – *Page 62.*

Le paysage change de caractère, avec l'apparition des escarpements calcaires du causse de Mende. Peu après le pont sur le Lot, prendre à gauche la N 88 qui longe la rive droite de la rivière et conduit à Mende *(p. 112).*

LE VERSANT VIVAROIS

Du Bleymard au Pont-de-Montvert par le Mas-de-la-Barque – *86 km – environ 3 h – schéma ci-dessous*

A l'Est du Bleymard le D 901 laisse bientôt la vallée du Lot pour suivre, après le col des Tribes, celle de l'Altier. Pittoresque après le village de ce nom, la route, très sinueuse, longe puis franchit le lac de barrage de Villefort.

Description de Villefort, du barrage et de ses abords dans le guide Vert Michelin Vallée du Rhône.

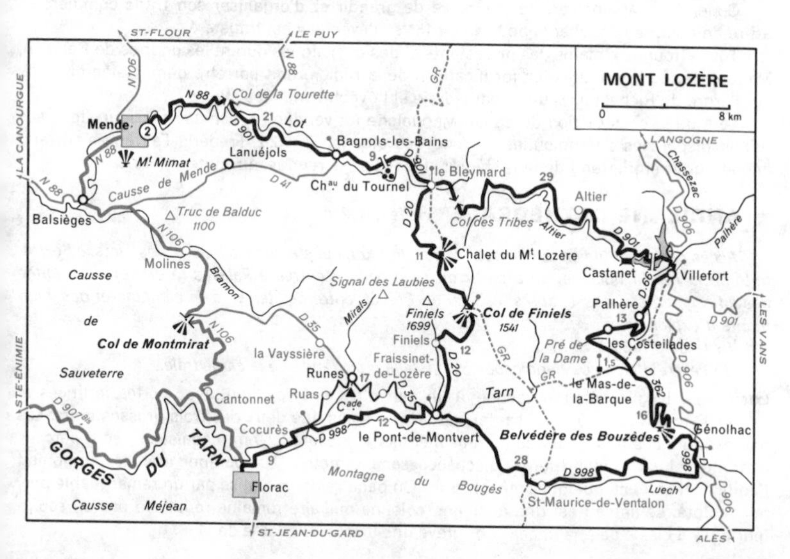

LOZÈRE (Mont) **

Au départ de Villefort, le D 66 s'élève au-dessus d'un ravin ombragé de châtaigniers ; il traverse les villages de Palhère et des Costeilades, entourés de jardinets en terrasses et dont les maisons sont couvertes de lauzes ; remarquer la disposition en épi des lauzes faitières.

Peu à peu se dégagent au Nord-Est les plateaux qu'entaillent les gorges de la Borne et du Chassezac ; lors de la traversée d'un chaos de blocs granitiques, les échappées portent jusqu'aux massifs du Tanargue et du Mézenc, avec les Alpes à l'horizon.

La route atteint le replat du Pré de la Dame, encombré de gros blocs granitiques.

Le Mas-de-la-Barque. – *1,5 km. Au Pré de la Dame, se détache, à droite, la route du Mas-de-la-Barque.* Cette maison forestière (gîte d'accueil pour randonneurs), dans un cadre reposant de prairies et de taillis, peut constituer un but de pique-nique. De janvier à mars, c'est un centre de ski.

La descente sur Génolhac se fait presque continuellement sous les hêtres et les conifères.

Belvédère des Bouzèdes*. – Alt. 1 232 m. La route décrit ici un lacet en terrain découvert, sur le flanc d'une croupe plongeant vers Génolhac, à 800 m en contrebas.

La route reprend la descente sur Génolhac, avec de nombreux lacets serrés. Çà et là, des aiguilles de granit surgissent de la forêt. Des points de vue se découvrent vers l'Aigoual, le bassin de Bessèges enfumé par ses usines, la trouée de l'Ardèche.

Génolhac. – *Description dans le guide Vert Michelin Vallée du Rhône.*

Puis l'itinéraire, pittoresque jusqu'à St-Maurice-de-Ventalon, suit la vallée du Luech et mène au Pont-de-Montvert *(p. 107).*

ROUTE DU COL DE MONTMIRAT

De Mende à Florac – *Description p. 120.*

MAGUELONE *

Carte Michelin n° 83 - pli ⑰ – 16 km au Sud de Montpellier – *Schéma p. 79.*

Curieusement bâtie sur une avancée du cordon littoral qui souligne le fond du golfe du Lion, entre les étangs de Pierre Blanche et du Prévost, Maguelone, qu'un mince chemin relie à Palavas, possède le charme paisible et silencieux que lui confère sa situation. Les restes de son ancienne cathédrale se dressent sur une légère éminence, au milieu d'un bouquet de pins parasols, de cèdres et d'eucalyptus.

Le canal du Rhône à Sète, à travers les étangs, a interrompu le chemin qui, jusqu'en 1708, unit Maguelone à la terre-ferme. Un arc gigantesque a été élevé au 19e s. pour marquer la limite du domaine de Maguelone.

Un peu d'histoire. – Les vestiges les plus anciens trouvés à Maguelone datent du 2e s. de notre ère et ne permettent donc pas de confirmer les nombreuses hypothèses émises sur l'origine de Maguelone qui aurait été un comptoir phénicien pour certains, une colonie de navigateurs grecs pour d'autres. Au 6e s., Maguelone reçoit son évêché. La prospérité de la ville épiscopale est interrompue au 8e s. quand elle tombe aux mains des Sarrasins. A cette époque, le port, au Sud de la cathédrale, communiquait avec la mer par un grau.

Charles Martel reprend la ville aux Infidèles, mais craignant qu'ils ne l'utilisent à nouveau comme port d'attache, la détruit aussitôt (737). En 1030, l'évêque Arnaud Ier réédifie la cathédrale à l'emplacement de l'église antérieure et la fortifie puissamment ; il construit un chemin de Maguelone à Villeneuve, ainsi qu'un pont de 2 km et ferme le grau du port sarrasin, afin de se préserver des attaquants éventuels.

Au 12e s., l'église est reconstruite pour être agrandie, ses fortifications renforcées. Durant la querelle du Sacerdoce et de l'Empire, de nombreux papes y trouvent asile. Pierre de Castelnau, dont la mort déclenche la croisade des Albigeois *(voir p. 53)*, fit partie du chapitre de Maguelone. Du 13e au 14e s. Maguelone est en plein essor. Une communauté d'une soixantaine de chanoines y vit, réputée pour sa générosité et son hospitalité.

Cependant Montpellier, qui ne cesse de grandir et d'organiser son trafic commercial, attire de nombreux habitants de l'île ; au 16e s., l'évêché y est transféré.

Tour à tour aux mains des protestants et des catholiques durant les guerres de Religion, Maguelone, comme toutes les fortifications de la région, finit par être démantelée en 1622, sur l'ordre de Richelieu. Seuls la cathédrale et l'évêché ont subsisté.

Lors de la construction du canal, Maguelone fut vendue et rachetée plusieurs fois, ses ruines dispersées ou englouties au fond des étangs. En 1852, Frédéric Fabrège s'en rend acquéreur et entreprend de la restaurer. L'église est rendue au culte en 1875.

■ ANCIENNE CATHÉDRALE* *visite : 1/2 h*

Accès par une route en cul-de-sac, longue de 4 km, qui s'amorce à Palavas-les-Flots, à l'extrémité de la rue Maguelone, ou à partir du rond-point d'entrée à Palavas (à droite) ; elle longe des lotissements et passe, après le Grau du Prévôt, entre des terrains de camping et des bâtiments d'exploitation.

Visite de 9 h 30 à 18 h.

Un centre d'aide aux handicapés est installé à proximité de la cathédrale.

Extérieur. – L'église était rattachée à un mur d'enceinte continu, avec portes fortifiées et tourelles, que Richelieu a fait sauter, en même temps que deux des trois grosses tours. Les hautes murailles très épaisses (le mur méridional mesure 2,50 m d'épaisseur) sont percées d'étroites et rares meurtrières, disposées sans symétrie. Un parapet crénelé surmontait l'édifice : il en reste quelques mâchicoulis. On pénètre dans l'église par un remarquable portail sculpté. Le linteau est une ancienne colonne milliaire romaine réutilisée par un sculpteur qui y a ciselé de fins rinceaux et gravé une inscription datée de 1178.

Le tympan aux tons blancs et gris en arc légèrement brisé, composé de claveaux de marbre, daterait du 13e s.; il porte en son centre un Christ bénissant entouré des saints Marc, représenté par le lion, Matthieu par un être humain ailé, Jean par l'aigle et Luc par le bœuf.

Les bas-reliefs des piédroits, figurant saint Pierre et saint Paul, et les têtes des deux apôtres soutenant le linteau, sont des réemplois datant du milieu du 12e s.

Intérieur. – A gauche de l'entrée, une porte, aujourd'hui murée, donnait accès à la salle capitulaire. Dans le mur méridional, des fragments de pierres tombales ont été encastrés : certains sont de l'époque romaine, d'autres appartiennent à des bourgeois de Montpellier et datent du 11e s. ; à cette époque, le pape Urbain II accorda la rémission de tous les péchés à ceux qui demanderaient à être ensevelis à Maguelone.

Ancienne cathédrale de Maguelone. Le tympan.

La nef, rectangulaire, faite de gros blocs calcaires, est couverte sur deux travées par une vaste tribune qui la coupe à mi-hauteur et qui masque sa voûte en berceau brisé.

Les traces marquées au sol dans la troisième travée ont été effectuées par Frédéric Fabrège pour délimiter l'édifice préroman ; celles dans la croisée du transept indiquent les limites de la cathédrale construite par Arnaud Ier.

Le chœur est sobrement décoré. L'abside, de faibles dimensions, polygonale à l'extérieur, demi-circulaire à l'intérieur, est flanquée de deux absidioles ménagées dans l'épaisseur du mur. Elle s'orne d'arceaux aveugles et s'ajoure de trois baies en plein cintre. Un fin bandeau en dents d'engrenage surmonte l'ensemble.

Au 12e s., pendant les guerres du Sacerdoce et de l'Empire, les papes, réfugiés à Maguelone, avaient érigé la cathédrale en basilique majeure. Pour rappeler cette dignité, on a placé, sur le maître-autel, deux flabelli – éventails de plumes de paon –, accessoires liturgiques réservés au Saint-Père.

A droite du maître-autel, a été déposé un beau coffre, qui daterait du 13e s.

Les croisillons du transept sont couverts de voûtes d'ogives. Dans le croisillon méridional, s'ouvre la chapelle Ste-Marie, renfermant des tombeaux romains et des pierres tombales du 14e s. La chapelle du Saint-Sépulcre, dans le croisillon Nord, abrite un sarcophage en marbre finement sculpté.

La MALÈNE

Carte Michelin no 80 - pli ⑤ – *Schéma p. 158* – 232 h. – *Lieu de séjour, p. 42.*

Au point de jonction des routes qui traversent les causses de Sauveterre et Méjean, la Malène ou « mauvais trou » fut de tout temps un lieu de passage. Au printemps et à l'automne, d'immenses troupeaux transhumants y franchissaient le Tarn et s'y désaltéraient. Au 12e s., les barons de Montesquieu y élevèrent un château et, jusqu'au 18e s., le prestige de leur nom donna de l'importance à cette petite ville.

Dans toute cette région des gorges du Tarn, la Révolution mit le pays à feu et à sang. Les nobles, cruellement pourchassés, se réfugiaient dans les grottes qui s'ouvrent dans les falaises du canyon. En 1793, un détachement de troupes révolutionnaires fusilla vingt et un habitants et mit le feu à la Malène. Cet incident laissa, sur la falaise de la Barre qui domine le village, un dépôt noir indélébile, dû, paraît-il, à la fumée huileuse d'une maison remplie de noix.

Les touristes pourront voir l'**église** romane (11e s.) et la ruelle bordée de vieilles maisons, que surplombe le roc de la Barre.

EXCURSION

Roc des Hourtous.** – *Circuit de 34 km – environ 2 h. Quitter la Malène par le pont sur le Tarn et le D 43 qui s'élève au-dessus de la rive gauche de la rivière.*

A droite de la route, s'élèvent la chapelle de la grotte et la statue de la Vierge d'où l'on découvre une vue sur le village et ses environs. La montée au-dessus de la Malène est très impressionnante : dix lacets serrés offrent de très belles vues sur l'« entonnoir » de la Malène.

A la Croix Blanche, prendre à droite le D 16 ; 5 km plus loin, pénétrer dans le village de Rieisse en contrebas de la route à droite. Laisser l'auto à l'entrée du village, près d'un calvaire.

Suivre (1/2 h à pied AR) le chemin de gauche qui conduit au bord du causse.

Le **roc des Hourtous**** surplombe la grotte de la Momie, en aval de laquelle commence le défilé des Détroits, l'endroit le plus resserré du canyon. De là, **vue**** superbe sur le canyon du Tarn, du hameau de l'Angle au cirque des Baumes et au Point Sublime.

Reprendre le D 16 qui, à droite, parcourt le causse et descend sur les Vignes par un tracé de corniche impressionnant qui passe près des ruines du **château de Blanquefort.**

Rentrer à la Malène par la route des gorges, décrite en sens inverse p. 159.

La promenade peut aussi être faite entièrement à pied (circuit balisé au départ du pont de la Malène – 3 h environ).

Le tableau de la page 46 donne la signification des signes conventionnels employés dans ce guide.

Le MAS SOUBEYRAN *

Carte Michelin n° 80 - pli ⑰ – 8 km au Nord d'Anduze.

Le Mas Soubeyran domine le Gardon. Quelques pauvres maisons, serrées en silence les unes contre les autres, couvrent le petit plateau entouré de montagnes déboisées. Le paysage est âpre et sévère. Le hameau, par son **musée du Désert**, est un lieu sacré du protestantisme. Il intéressera, en outre, de nombreux touristes simplement curieux d'histoire. *D'autres lieux du souvenir camisard sont mentionnés sur la carte p. 23.*

C'est toute l'histoire de la lutte protestante, particulièrement dans les Cévennes, qui est évoquée au musée du Désert, pour la période qui va de la révocation de l'édit de Nantes (1685) jusqu'à l'édit de Tolérance (1787).

Sous les chênes et les châtaigniers proches du musée a lieu chaque année, le 1er dimanche de septembre, une « assemblée » qui attire au Mas 10 000 à 20 000 protestants.

La révocation de l'édit de Nantes. – La paix d'Alès *(voir p. 57)* a laissé aux protestants la liberté du culte. Mais, à partir de 1661, Louis XIV fait entreprendre une vive campagne contre la R.P.R. (religion prétendue réformée). Tous les moyens sont mis en œuvre pour obtenir des conversions. Un des plus rudes est la « dragonnade » : des dragons sont logés chez les réformés avec licence d'opérer comme en pays conquis.

En 1685, sur les rapports tendancieux des intendants, la cour croit, à tort, qu'il ne reste plus qu'une poignée d'hérétiques. La révocation de l'édit de Nantes est prononcée : le culte interdit, les temples démolis, les pasteurs chassés du royaume.

L'émigration commence aussitôt et l'importance de l'exode montre l'erreur commise sur le nombre des protestants non convertis. On essaye, par des peines draconiennes, d'arrêter l'hémorragie. Mais 300 000 à 500 000 religionnaires parviennent à quitter la France, privant l'agriculture, le commerce, l'industrie, la science et les arts d'excellents éléments.

La révolte des Camisards. – Les dragonnades s'amplifient ; on emprisonne ; on bâtonne ; on enlève les enfants aux parents. C'est alors que les pasteurs et les fidèles adoptent, pour leurs assemblées, des lieux retirés dans la montagne. Le nom de Désert, donné à la région, doit être pris à la fois au sens propre et au sens figuré.

En juillet 1702, l'abbé du Chayla, inspecteur des missions dans les Cévennes, arrête un petit groupe de fugitifs et les enferme dans le château du Pont-de-Montvert qui lui sert de presbytère. Une cinquantaine de paysans entreprennent de délivrer les prisonniers. Au cours de l'opération, l'abbé est tué. C'est le signal d'une insurrection générale des montagnards, les « Camisards » (du patois languedocien « camiso », chemise), pauvres gens qui partent en guerre avec leurs fourches ou leurs faux. Ils s'arment en pillant les châteaux ou en prenant les armes de leurs adversaires. Mais ils connaissent admirablement le pays, éminemment propre à la guérilla, et ils conservent partout des intelligences parmi les populations.

Cavalier et Roland. – Leurs chefs sont des paysans ou des artisans, de foi ardente, qui passent pour inspirés. Les deux plus célèbres sont Cavalier et Roland. Pour venir à bout de ces 3 000 à 5 000 Camisards, il ne faudra pas moins de 30 000 hommes et trois maréchaux, dont Villars. Celui-ci est assez habile pour entrer en pourparlers avec Cavalier et obtenir sa soumission. Le chef protestant est nommé colonel avec une pension de 1 200 livres. Il est autorisé à former un régiment de Camisards qui iraient combattre en Espagne.

Accusé de trahison par ses compagnons, Cavalier prend du service en Angleterre et devient gouverneur de Jersey. Roland continue la lutte, mais, livré par un traître, il est abattu en 1704. C'est la fin de la résistance camisarde.

Les persécutions se prolongent, avec quelques accalmies, jusqu'en 1787. A cette date, Louis XVI signe l'édit de Tolérance : les protestants désormais peuvent exercer un métier, se marier légalement et faire constater les naissances devant les officiers publics.

En 1789, cette tolérance sera transformée en pleine liberté de conscience.

■ LE MUSÉE DU DÉSERT * *visite : 1 h*

Visite du 1er juillet au 31 août, de 9 h 30 à 18 h 30 (14 h à 18 h 30 le dimanche) ; du 1er mars au 30 juin et du 1er septembre au 30 novembre, de 9 h 30 à 12 h et de 14 h 30 à 18 h (14 h à 18 h le dimanche). Fermé le dimanche matin. Entrée : 8 F.

On visite, principalement, deux parties : la maison de Roland et les salles commémoratives. Dans l'une des salles d'accueil, remarquer le « jeu de l'Oye» destiné à enseigner les principes catholiques aux jeunes huguenotes retenues dans les couvents.

La maison de Roland. – Elle est telle qu'elle existait aux 17e et 18e s.

Divers documents, déclarations, arrêts, ordonnances, cartes anciennes retracent la période qui précéda les persécutions, la lutte des Camisards, la restauration du protestantisme, le triomphe des idées de tolérance.

Dans la cuisine, on peut voir la bible du chef des Camisards et la cachette où il se dissimulait à l'arrivée des dragons. La chambre de Roland a conservé son ameublement.

La salle suivante évoque le souvenir des assemblées du Désert, ces réunions clandestines que les protestants organisaient dans les ravins isolés pour célébrer leur culte. Dans la salle des Bibles sont présentées de nombreuses bibles du 18e s. et des éditions rares des réformateurs. Une série de psautiers, de belles reliures complètent cette exposition.

Salles commémoratives. – Dans une maison attenante ont été aménagées quatre salles à la mémoire des « Martyrs du Désert » : pasteurs et prédicants exécutés, réfugiés, galériens, prisonniers et prisonnières. Dans les vitrines est conservée une intéressante collection de coupes de communion.

La salle des Galériens rappelle la souffrance des 2 500 protestants condamnés aux galères. On voit aussi de curieuses chaires mobiles et démontables qui servaient aux prédicants.

La visite se termine par la reconstitution d'un intérieur cévenol, à l'heure où la famille réunie écoute la lecture de la Bible, et par un hommage rendu aux prisonnières de la tour de Constance d'Aigues-Mortes.

D'une esplanade à l'entrée du village, belle vue sur le Gardon.

Carte Michelin n° 83 - pli ⑪ – *Schéma p. 119* – 14 874 h. (les Mazamétains).

Au pied de la Montagne Noire *(p. 116)*, Mazamet est un grand centre manufacturier et une des plus importantes places bancaires de France.

Hautpoul-Mazamet. – Au 5e s. les Wisigoths construisirent Hautpoul dans un site perché qu'aucun assaillant ne semblait pouvoir atteindre. Pourtant, en 1212, Simon de Montfort réduisit la place forte et les guerres de Religion achevèrent sa destruction. En bas, dans la vallée, l'industrie textile naquit, profitant de la pureté des eaux de l'Arnette pour le lavage de la laine. Quand les machines firent leur apparition, la proximité de la rivière s'avéra indispensable à la production de force motrice. Alors, les Hautpoulois abandonnèrent leur nid d'aigle pour fonder Mazamet.

La capitale du délainage. – Au contact des plaines où l'on cultivait les précieuses matières tinctoriales qu'étaient le pastel, la garance, le safran, et de la Montagne Noire où l'on élevait des moutons, arrosée par les eaux de l'Arnette et du Thoré, Mazamet affirma sa vocation de centre lainier dès le 18e s. En 1851, la maison Houlès Père et Fils et Cormouls importa des peaux de Buenos-Aires qu'elle fit délainer. C'est le point de départ de la nouvelle industrie du délainage.

La laine est séparée de la peau, lavée puis utilisée par l'industrie textile dans les opérations de cardage, peignage, filage, tissage. La peau, le « cuirot », est dirigée vers les mégisseries.

Remarquablement organisée commercialement, Mazamet importe des peaux lainées principalement d'Australie, d'Afrique du Sud et d'Argentine, exporte la laine surtout vers l'Allemagne et l'Italie tandis que les « cuirots » sont expédiés vers l'Espagne, la Belgique, l'Italie et les États-Unis. En 1980, des usines de Mazamet sont sorties 1 312 935 douzaines de « cuirots » et 29 197 t de laine lavée à dos (c'est-à-dire lavée alors qu'elle est encore sur la peau ; tandis que la laine lavée à fond est détachée de la peau et entièrement débarrassée de ses impuretés).

Des mégisseries, des usines de filature et de tissage installées dans le sillon de l'Arnette et le long du Thoré jusqu'à Labastide-Rouairoux font de Mazamet un centre industriel de la laine de première importance.

■ CURIOSITÉS *visite : 3/4 h*

Église du Sacré-Cœur (Y). – Elle a été construite à Aussillon-Plaine en 1959. A l'intérieur, on remarque une Vierge à l'Enfant en plomb et la tenture du sanctuaire, tissée par Simone Prouvé. Dans le baptistère, vitrail de Dom Ephrem, moine de l'abbaye d'En Calcat *(117)*.

Belvédère du Plo de la Bise. – *3 km au Sud, sur le D 118, par ② du plan.* Il offre une vue intéressante sur les ruines d'Hautpoul et sur Mazamet développé en éventail à l'issue des gorges de l'Arnette ; on distingue la vieille ville serrée autour de l'église St-Sauveur et, sur la rive gauche, la cité moderne aux avenues bien tracées, ceinturée par les zones industrielles de Bonnecombe et d'Aussillon.

Hautpoul. — *4 km au Sud, par le D 54 et la première route à droite. Description p. 119.*

MENDE ★

Carte Michelin n° 80 - plis ⑤⑥ – *Schémas p. 97 et 107* – 11 977 h. (les Mendois).

Cette préfecture, capitale du Gévaudan, est un des meilleurs points de départ pour la visite des Causses *(p. 97)* et des gorges du Tarn *(p. 156)*.

UN PEU D'HISTOIRE

L'épisode le plus saillant de l'histoire de Mende est la prise de la ville, en 1579, par le **capitaine Merle.**

Issu d'une famille d'Uzès, noble mais désargentée, Merle (1548-1590) embrasse de bonne heure la carrière des armes. Il se signale par une bravoure extraordinaire : « Avec lui, dit un de ses chefs, j'attaquerais l'Enfer, fût-il plein de 50 000 diables ». Ce soldat intrépide, protestant fanatique, est, par ailleurs, cruel et rapace.

Après la St-Barthélemy (24 août 1572), le capitaine Merle prend la campagne avec une poignée d'hommes et mène une lutte sans merci contre les catholiques. Dans la nuit de Noël de 1579, il attaque Mende. La ville épiscopale fête la naissance du Sauveur ; les murs sont dégarnis de leurs défenseurs ; les cloches, qui sonnent à toute volée, couvrent les bruits de la troupe en marche. Les murailles sont escaladées ; la place est prise sans résistance et livrée au pillage.

Quelques mois après, les catholiques viennent mettre le siège devant Mende. Mais le capitaine Merle, spécialiste des attaques de nuit, les surprend tout ensommeillés dans leur camp, les taille en pièces et rentre à Mende avec 200 chevaux et un énorme butin.

Cependant, Merle a des envieux et des rivaux chez les protestants. Un de leurs autres chefs, Châtillon, réclame son aide pour le siège d'une place et, profitant de son absence, s'empare de Mende. Le capitaine Merle reprend la ville. Henri de Navarre, le futur roi Henri IV, l'en nomme gouverneur.

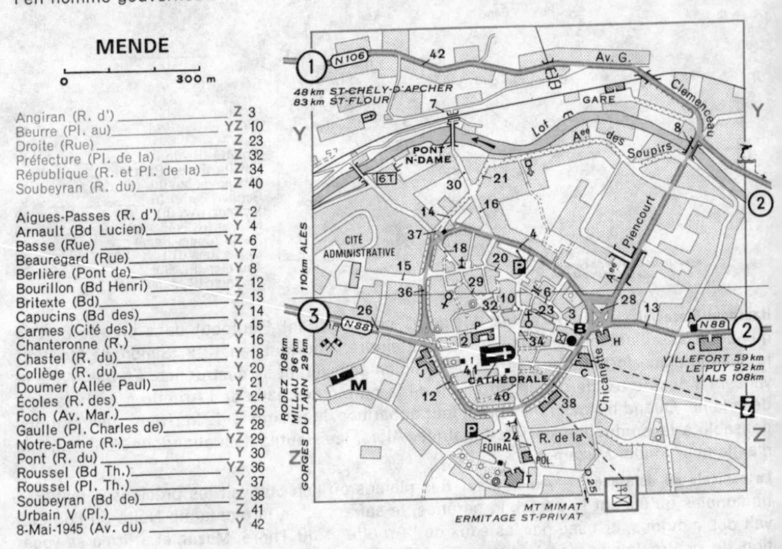

■ PRINCIPALES CURIOSITÉS *visite : 1/2 h*

Cathédrale★ (Z). – Plusieurs églises ont précédé la cathédrale actuelle, construite en majeure partie au 14e s., par le pape Urbain V. Ses clochers datent seulement du début du 16e s. Quand le capitaine Merle s'empare de Mende en 1579, il fait sauter les piliers de la cathédrale ne laissant debout que les clochers, les murs latéraux du Nord et les chapelles du chevet.

La cathédrale a été restaurée au début du 17e s.

Extérieur. – La façade Ouest, précédée d'un porche construit en 1900 dans le style flamboyant, est encadrée par deux clochers. Celui de gauche, le « clocher de l'Evêque », présente dans les parties hautes des éléments italiens très marqués.

Intérieur. – Par le grand portail, on pénètre dans la cathédrale dont les trois nefs sont flanquées de quinze chapelles latérales.

Les restes du jubé décorent actuellement la chapelle des Fonts baptismaux (2e chapelle latérale gauche). Les boiseries des stalles hautes et basses du chœur, de chaque côté de la stalle de l'évêque, sont de la même époque (1692). Elles représentent des sujets de l'Histoire Sainte et diverses scènes de la vie de Jésus-Christ.

Au-dessous des hauts vitraux du chœur, huit tapisseries d'Aubusson (1708) reproduisent les principales scènes de la vie de la Vierge.

De chaque côté du maître-autel, de grands candélabres en bois sculpté datent du 16e s.

La chapelle du chevet (près de la sacristie), dédiée à N.-D. de Mende, abrite la Vierge Noire, statue antique sculptée par les moines du Liban et rapportée de Palestine par les Croisés.

La cathédrale de Mende possédait jadis la plus grande cloche de la Chrétienté, « la Non Pareille », qui pesait 20 t. Brisée par les hommes de Merle en 1579, il n'en reste que l'énorme battant, haut de 2,15 m, placé sous les orgues (17e s.), à côté de la porte du clocher de l'Evêque *(on ne visite pas)*.

Au-dessous de la nef centrale, dans la crypte de St-Privat, une des plus anciennes de France, se trouvent les restes de la première église de Mende. On y voit des vestiges romains, un autel antique et le tombeau de saint Privat, évêque de Mende, patron du Gévaudan, martyrisé vers l'an 265.

Pont Notre-Dame* (Y). – Ce pont, très étroit, qui remonte au 14e s., a pu résister aux terribles crues du Lot, grâce à son arche principale largement ouverte.

(D'après photo Roger Clavel.)

Mende. – Le pont Notre-Dame.

■ AUTRES CURIOSITÉS

Musée Ignon Fabre (Z M). – *Visite de 10 h à 12 h et de 15 h à 18 h (19 h du 1er juillet au 15 septembre). Fermé le mardi, les dimanches et jours fériés. Entrée : 5 F.*

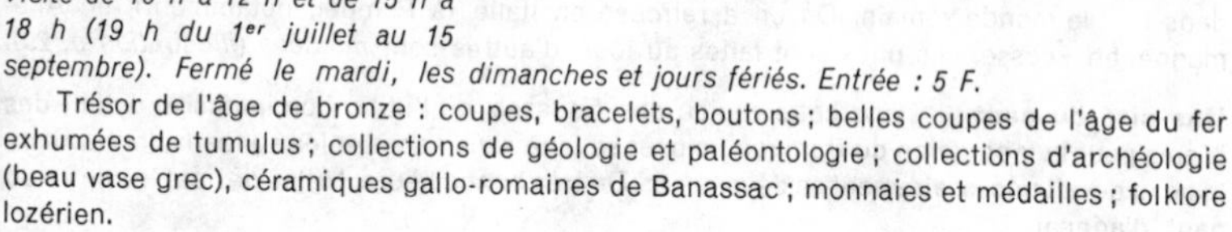

Trésor de l'âge de bronze : coupes, bracelets, boutons ; belles coupes de l'âge du fer exhumées de tumulus ; collections de géologie et paléontologie ; collections d'archéologie (beau vase grec), céramiques gallo-romaines de Banassac ; monnaies et médailles ; folklore lozérien.

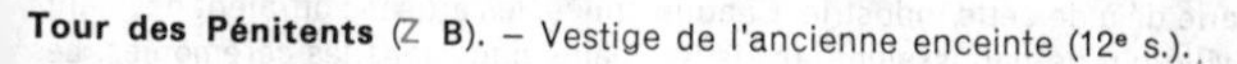

Tour des Pénitents (Z B). – Vestige de l'ancienne enceinte (12e s.).

EXCURSION

Belvédère du mont Mimat : Ermitage St-Privat. – *4,5 km par le D 25 au Sud. A la Croix-Neuve, prendre, à droite, le chemin qui conduit au belvédère du mont Mimat.*

Belvédère du mont Mimat. – De la table d'orientation, belle vue sur Mende, la vallée du Lot, les monts d'Aubrac et les contreforts de la Margeride.

On atteint, en contrebas, l'ermitage de St-Privat.

Ermitage St-Privat. – Ce sanctuaire de pèlerinage, curieusement plaqué au versant du mont Mimat, et les deux grottes-chapelles supérieures sont dédiées à saint Privat, évangélisateur du Gévaudan. Les Lozériens y viennent nombreux.

Vous trouverez, de la p. 37 à la p. 39, un choix d'itinéraires de visites régionaux.
Pour organiser vous-mêmes votre voyage, consultez la carte des principales curiosités, de la p. 4 à la p. 6.

MEYRUEIS

Carte Michelin n° 80 - plis ⑤⑮ – *Schémas p. 48, 97 et 102* – 1 083 h. (les Meyrueisiens) – *Lieu de séjour, p. 42.*

Ce petit bourg, agréablement situé au confluent du Bétuzon, de la Brèze et de la Jonte, se dresse à l'entrée du canyon de la Jonte, aux confins du causse Noir, du causse Méjean et de l'Aigoual.

Son altitude (706 m), une atmosphère très pure, enfin les curiosités environnantes, multiples et variées, font qu'il est fréquenté par de nombreux touristes.

En flânant sur le quai Sully, aux vieux platanes, et dans les ruelles, on pourra voir la maison Belon, qui a conservé de très élégantes fenêtres Renaissance, et la tour de l'Horloge, vestige des anciennes fortifications.

EXCURSIONS

Aven Armand***. – *11 km, puis 3/4 h de visite. Sortir au Nord de Meyrueis par le D 986 dont se détache, à 9,5 km, le chemin de l'aven. Description p. 61.*

Hures-la-Parade. – 157 h. *Allongement de parcours de 4 km au départ de l'aven Armand.* C'est à Hures-la-Parade, petit village du causse Méjean, que les Nazis attaquèrent le 28 mai 1944, jour de la Pentecôte, le maquis de Bir-Hakeim. Un monument a été élevé, au bord du D 986, à la mémoire des trente-deux résistants tombés au cours du combat. Les vingt-sept survivants, faits prisonniers, furent emmenés à Mende et fusillés le lendemain matin dans un petit ravin près de Badaroux, à 7 km de cette ville.

Grotte de Dargilan**. – *8,5 km, puis 1 h 1/4 de visite. Prendre le D 39 sur 7 km, puis le D 139. Description p. 80.*

Forêt domaniale de Roquedols. – *4 km. Schéma p. 48. Sortir au Sud de Meyrueis par le D 986. A 1 200 m, prendre à gauche le chemin de Ferrussac.* Au cours de cette agréable et fraîche promenade, la route côtoie de très près le Bétuzon. Sur la droite s'élève le **château** de Roquefols, dans son beau cadre de verdure. Puis le paysage se dénude et apparaissent les rochers.

MILLAU ★

Carte Michelin n° 80 - pli ⑭ – *Schémas p. 83 et 97* – 22 576 h. (les Millavois).

Cette ville animée, au confluent du Tarn et de la Dourbie, dans une vallée riche et verdoyante, est un bon point de départ d'excursions, notamment dans les Causses et les gorges du Tarn.

Une belle vue sur son site s'offre depuis la N 9 qui s'élève sur le causse du Larzac *(sortir par ③ du plan).*

UN PEU D'HISTOIRE

Des poteries célèbres. – Les Romains, établis à Millau en 121 avant J.-C., fondent, près d'un gisement d'argile très fine, les ateliers de poteries de **la Graufesenque** (ce site est accessible par la N 9 au Sud de Millau puis par un chemin s'embranchant à gauche, 900 m environ après le pont sur le Tarn). Des fouilles, effectuées sur les bords de la Dourbie, ont ramené quantité de belles pièces intactes (un bon nombre d'entre elles sont exposées au musée Fenaille de Rodez) : vases, coupes, urnes, etc. Les plus estimées sont les poteries dites samiennes ; leur pâte est protégée par un vernis rouge que les siècles n'ont pas terni. Les pièces portent la marque de la fabrique ou le nom de l'artisan qui les a modelées.

Au premier siècle de notre ère, les poteries de luxe de la Graufesenque étaient célèbres dans tout le monde romain. On en a retrouvé en Italie (à Pompéi, notamment), en Allemagne, en Écosse. Les unes sont faites au tour, d'autres sont moulées *(illustration p. 29).*

Une cité du gant. – Dans cette région des Causses, où l'utilisation intensive du lait des brebis pour la fabrication du fromage ne peut se faire sans sacrifier les agneaux, le travail de la peau devait nécessairement se développer. De très bonne heure, Millau devient le centre du gant d'agneau.

Au 12e s., on parle déjà de cette industrie. Chaque année, les artisans offraient des gants aux consuls de la ville qui ne paraissaient jamais les mains nues dans les cérémonies. Les procès-verbaux commençaient par la formule : « Nous, consuls, tous gantés et assistés du greffier consulaire aussi ganté... ».

La révocation de l'édit de Nantes et l'émigration qui s'ensuivit désorganisèrent l'industrie gantière.

Cette activité a repris son essor au 19e s. La fabrication comporte trois phases : la mégisserie ou préparation de la peau, la teinturerie, la ganterie ou confection du gant lui-même. Avant d'être achevé, un gant doit passer par 70 mains différentes. Qu'il s'agisse du gant « glacé » et « suède » ou des gants de sport « tannés lavables » et « fourrés », Millau, en 1980, a fabriqué 704 000 paires de gants (production française : 2 280 000 paires environ) exportés dans le monde entier.

De nos jours, Millau trouve dans des activités nouvelles – imprimerie, confection, fabrique de vêtements de peau, etc – une diversification d'industries qui consolide son économie.

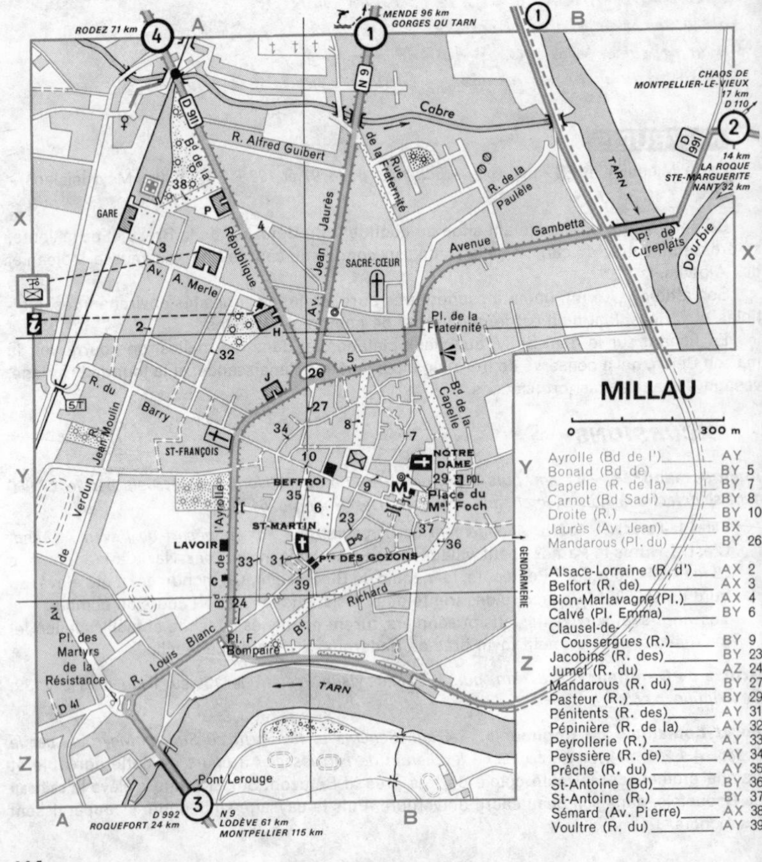

■ CURIOSITÉS *visite : 1 h 1/2*

Place du Maréchal-Foch (BY). – C'est la partie la plus pittoresque du vieux Millau, avec ses arcades (12e-16e s.), soutenues par des colonnes cylindriques. Dans la galerie située à l'Ouest, appelée le « Couvert », on voit encore une pierre quadrangulaire, reste de l'ancien pilori, et la colonne qui lui fait suite au Nord porte sur son chapiteau l'inscription romane (assez peu distincte) « Gara qué faras », c'est-à-dire « Fais attention à ce que tu feras ».

Église Notre-Dame (BY). – *Fermée pour travaux.* Cet ancien édifice roman fut entièrement reconstruit au 17e s. Les tribunes et les chapelles latérales ont été ajoutées aux 18e et 19e s. Les fresques qui décorent l'abside et le chœur (1939) sont dues à Jean Bernard.

Musée (BY M). – *Visite en juillet et août de 10 h à 12 h et de 15 h à 19 h ; le reste de l'année, les mercredis et samedis seulement, de 15 h à 18 h. Fermé le dimanche et les jours fériés. Entrée : 5 F.*

Il conserve une collection intéressante de poteries gallo-romaines de la Graufesenque.

Beffroi (ABY). – *Mêmes conditions de visite que le musée ci-dessus.*

Dans la rue Droite, commerçante, cette tour de style gothique est un reste de l'ancien hôtel de ville. La tour carrée inférieure (12e s.) servit de prison au 17e s. ; la tour octogonale qui la surmonte date du 17e s. On en a une jolie vue de la place Emma-Calvé.

Église St-Martin (ABY). – A l'intérieur, au-dessus du maître-autel, magnifique Descente de Croix attribuée au peintre flamand de Crayer (17e s.).

Porte des Gozons (ABY). – Ancienne porte fortifiée.

Lavoir (AY). – Surmonté d'un joli toit, il date du 18e s.

EXCURSION

Chaos de Montpellier-le-Vieux***. – *18 km par ② et, à la sortie de Millau, le D 110. Schéma p. 83.*

La route s'élève en lacet au-dessus de la ville et des gorges du Tarn où prospèrent des futaies de peupliers, à l'assaut des falaises du causse Noir. *Description p. 125.*

MINERVE

Carte Michelin n° 83 - pli ⑬ – 106 h.

Le causse de Minerve est situé entre les terrains primaires du Haut Minervois au Nord, boisés, couverts de châtaigniers et de buis, et la plaine qui, de Carcassonne à Béziers, est presque entièrement occupée par la vigne.

Située au confluent de la Cesse et du Briant, Minerve (en langue d'Oc : Menerba) domine un paysage aride, entaillé de gorges sauvages.

Avec Cabaret *(p. 118)* et Termes *(voir le guide Vert Michelin Pyrénées)*, Minerve, érigée en vicomté depuis la fin du 9e s., constitua une place forte redoutable pendant la guerre des Albigeois *(p. 52)*. Simon de Montfort en vint à bout en juin-juillet 1210.

Le **canyon de la Cesse** sillonne le plateau calcaire d'Ouest en Est. Au début du quaternaire, les eaux de la Cesse ont creusé leur vallée en canyon *(voir p. 15)*, agrandi les grottes existantes, en ont percé de nouvelles. 6 km en amont de Minerve, la vallée se resserre ; les eaux, abandonnant les terrains primaires imperméables, s'infiltrent sur une longueur de 20 km, ne reprenant leur lit superficiel qu'en période de gros orages en hiver. Les gorges du Briant, que la Cesse reçoit à Minerve, sont impressionnantes. Cette rivière a achevé son travail d'érosion des terrains tertiaires et coule à présent sur les roches primaires (schistes et calcaires durs), ce qui lui permet de conserver son eau.

Les ponts naturels. – *Visite : 1/4 h.* Il faut se rendre au Sud-Ouest du village pour avoir une vue sur leurs extrémités.

Ils ont été ouverts au début du quaternaire quand la Cesse a abandonné les deux méandres qu'elle décrivait avant de rencontrer le Briant, pour attaquer la paroi calcaire ; en empruntant les failles qui la sillonnaient et qu'elle a agrandies, elle a percé deux véritables tunnels : le **Grand Pont**, le premier que traverse la rivière, mesure 250 m de longueur et se termine par une ouverture d'une quarantaine de mètres de hauteur ; le **Petit Pont**, que la Cesse emprunte en aval sur une longueur de 110 m pour une quinzaine de mètres de hauteur. *En période de sécheresse, on peut suivre à pied le lit de la rivière.*

Remparts. – *Au centre du village, prendre la rue des Martyrs, étroite et pittoresque, qui descend vers les remparts.*

Les vestiges de la double enceinte qui protégeait Minerve datent du 12e s. On franchit la porte Sud, munie d'un arc brisé (13e s.).

Suivre à gauche le chemin qui longe le pied des remparts.

Puits St-Rustique. – Pendant le siège de 1210 organisé par Simon de Montfort, son importance devait être capitale. Relié aux remparts par un chemin couvert (dont on peut encore voir deux pans de murs en ruines), il devait assurer le ravitaillement en eau des assiégés. Mais Simon de Montfort, conscient de l'importance stratégique de ce puits, fit installer de l'autre côté de la rivière une puissante catapulte ; la destruction du puits St-Rustique et du passage y conduisant provoqua la chute de la place forte et la mort d'une centaine de « Parfaits » qui refusèrent d'abjurer la foi cathare.

Le sentier contourne le village, offre une belle vue sur la vallée encaissée du Briant et parvient à l'emplacement du château des vicomtes dont ne subsistent que peu de traces. La tour ruinée qui domine Minerve serait un reste du donjon, reconstruit au milieu du 13e s.

MINERVE

Église St-Étienne. – *Pour visiter, s'adresser préalablement à M. le Curé de Minerve, résidant à Siran 34210 Olonzac, ☎ (68) 43 42 18.*

Petite église romane. A gauche en entrant, la colonne qui sert de bénitier est le pied d'un autel roman ; la table de marbre qu'il supportait a été déposée à côté.

La table du maître-autel, au centre de l'église, porte une inscription indiquant qu'elle fut consacrée par l'évêque de Narbonne, Rustique, en 456. On y relève une centaine de graffiti (5e-9e s.) : le « livre d'or » signé par les personnalités de passage, en quelque sorte.

Musée. – *Visite de 9 h à 12 h et de 14 h à 19 h. S'adresser à Mme Caffort. Entrée : 2 F.*

Consacré essentiellement à la préhistoire et à l'archéologie jusqu'à la période romaine et wisigothique, il abrite notamment le relevé des traces de pas humains que des spéléologues ont découvertes en 1948 gravées dans l'argile du sol de la **grotte d'Aldène** sur la rive droite de la Cesse, en amont de Minerve. Ces traces seraient celles d'un homme du début du paléolithique supérieur (15 000 ans environ, probablement de la période aurignacienne).

EXCURSION

Chapelle de Centeilles; Rieux-Minervois. – *24 km au Sud-Ouest. Sortir de Minerve par le D 10. A Azillanet, prendre le D 168 à droite ; à Siran, demander la clé de la chapelle de Centeilles à M. le Curé (adresse téléphonique ci-dessus) ou à M. l'abbé Giry : ☎ (67) 37 01 46; tourner à droite dans le village.*

Chapelle de Centeilles. – Cette chapelle de la fin du 13e s. est un lieu de pèlerinage entouré de cyprès, de chênes verts et de garrigues. A la limite du causse de Minerve et du pays de la vigne, elle offre une belle vue sur la basse plaine méridionale, sur la Livinière avec son clocher curieusement surmonté d'une coupole, jusqu'à Carcassonne et la chaîne des Pyrénées. A l'intérieur, mosaïque du 3e s., exhumée à Siran ; les murs sont recouverts de fresques des 14e et 15e s.

Revenir au D 168 et le suivre à droite. Le D 52 et la 1re route à gauche après la limite départementale Hérault-Aude mènent à Rieux-Minervois.

Rieux-Minervois. – 1 881 h. Ce gros village, tout occupé à l'exploitation du vignoble, possède une curieuse **église★** construite sur plan circulaire. Elle date de la fin du 11e s. A l'extérieur remarquer son clocher heptagonal, remanié au cours des siècles, et l'élégante petite porte Sud. L'intérieur, faiblement éclairé, est construit sur un plan polygonal à quatorze côtés. Le centre de l'édifice est occupé par une coupole soutenue par sept arcades formant un cercle. Le maître-autel est en marbre de Caunes-Minervois (18e s.). Dans la nef principale, circulaire, s'ouvrent les chapelles latérales. Plusieurs d'entre elles ont été ajoutées au 15e s. et de nos jours. Celle à gauche de la porte Sud abrite une belle Mise au tombeau de l'École bourguignonne, probablement du 15e s. Les chapiteaux, nombreux, sont intéressants et très beaux. Ils représentent des personnages ou une décoration florale.

La MONTAGNE NOIRE ★

Cartes Michelin nos 82 - pli ⑳ et 83 - plis ⑪⑫.

La Montagne Noire constitue l'extrême Sud-Ouest du Massif Central. Elle est séparée du massif de l'Agout (Sidobre, monts de Lacaune, monts de l'Espinouse) par le sillon du Thoré que prolongent les vallées du Jaur et de l'Orb supérieur. Elle se caractérise par un fort contraste entre son versant Nord qui s'élève brusquement au-dessus du Thoré et son versant Sud, doucement incliné vers les plaines du Lauragais et du Minervois, en vue des Pyrénées. Sur l'abrupt versant Nord, culmine le pic de Nore (1 210 m).

Sur ce relief diversifié, les vents se transforment : ceux de l'Ouest chargés de pluie se font violents et secs quand ils atteignent la plaine du Bas-Languedoc ; le « marin », venu de l'Est chargé d'humidité, devient le sec vent d'autan du Haut Languedoc. C'est ainsi que la Montagne Noire reçoit plus d'un mètre d'eau par an.

Végétation. – Le versant Nord, le plus arrosé, se couvre de sombres forêts (chênes rouvres, hêtres, sapins, épicéas), tandis que le versant Sud prend un aspect méditerranéen, âpre et dénudé, où se mêlent garrigue, genêt, châtaignier, vigne et olivier.

La vie dans la Montagne Noire. – L'élevage et la culture ne représentent que de maigres ressources ; et depuis longtemps on ne tisse plus la laine ou le chanvre. Salsigne continue d'exploiter ses mines d'or *(voir p. 118)*, Caunes-Minervois d'extraire ses marbres, mais les principales activités sont concentrées dans la vallée du Thoré, industrialisée sous l'impulsion de Mazamet *(voir p. 111)*. D'abondantes réserves en eau, de beaux paysages sont aujourd'hui les richesses de la Montagne Noire.

LES EAUX CAPTIVES

Circuit au départ de Revel – *114 km – environ 5 h – schéma p. 117*

Quitter Revel (p. 137) par le D 629 au Sud-Est.

Bassin de St-Ferréol★. – *Lieu de séjour, p. 42.* Encadré de collines boisées, il s'étend sur 70 ha ; sa digue de retenue mesure 800 m de longueur. Ce magnifique plan d'eau permet la pratique de la voile, la baignade et attire une foule de promeneurs. Situé sur le versant océanique, il est le principal réservoir du canal du Midi *(voir p. 24 et 44)*. Le bassin de St-Ferréol est lui-même alimenté par le bassin de Lampy et la rigole de la Montagne, constituée par la prise d'eau d'Alzeau.

Dans le parc, cascades et « gerbe d'eau » de 20 m de hauteur.

Dans un site verdoyant, la route se poursuit en longeant le Laudot. *Après les Cammazes, prendre à gauche la route conduisant au barrage.*

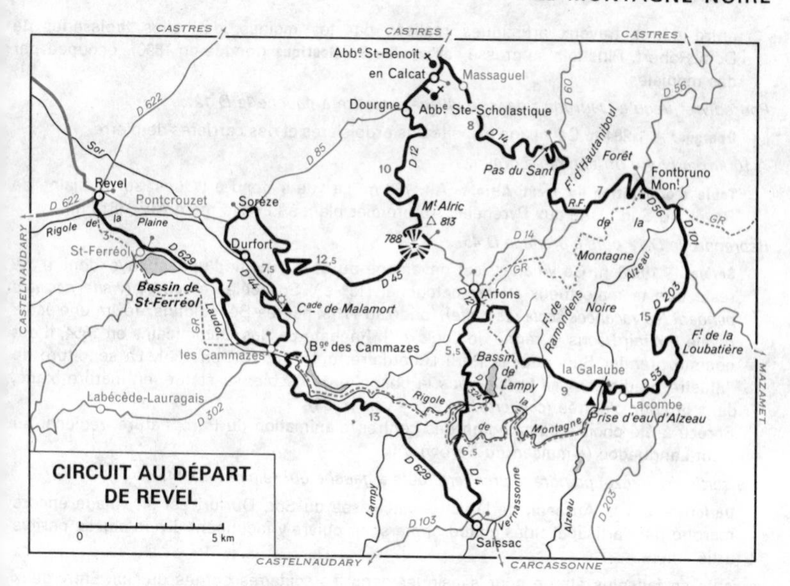

Barrage des Cammazes. – *Voir tableau p. 44.* Cette retenue de 90 ha ne fait pas partie des réserves d'eau du canal. Constituée par un barrage-voûte de 70 m de hauteur, elle alimente en eau potable 116 communes et a permis l'irrigation de toute la plaine du Lauragais à l'Est de Toulouse. Des sentiers permettent de descendre au bord du Sor.

Reprendre le D 629.

Saissac. – 659 h. Le village est perché au-dessus du ravin de la Vernassonne que dominent les ruines d'un château du 14e s. Une petite route, contournant le village au Nord, offre une bonne vue sur ce site pittoresque.

Pour contempler le panorama lointain, monter à la plate-forme de la plus grosse tour de l'ancienne enceinte. *Accès par les salles d'un petit musée d'Arts et traditions populaires (visite du 15 juin au 15 septembre, de 11 h à 12 h et de 15 h à 18 h ; entrée : 5 F ; s'adresser à la Mairie).*

Prendre le D 4 à l'Ouest de Saissac, puis à droite le D 324.

Bassin de Lampy. – *Voir tableau p. 44.* Cette retenue de 1 672 000 m³ d'eau sur le Lampy se déverse dans la rigole de la Montagne qui, de la prise d'eau d'Alzeau, se poursuit jusqu'au bassin de St-Ferréol. Un chemin, agréable à parcourir à pied, longe cette rigole sur 23 km, jusqu'au bourg des Cammazes.

Le barrage fut construit de 1778 à 1782 pour assurer la sécurité d'alimentation du canal du Midi, après l'ouverture de l'embranchement de la Robine de Narbonne. De magnifiques hêtraies, sillonnées de sentiers ombragés, font du bassin de Lampy un but de promenade apprécié.

Reprendre le D 4.

Arfons. – 212 h. Propriété des Hospitaliers de St-Jean de Jérusalem ou de Malte, Arfons a aujourd'hui l'aspect d'un paisible village de montagne aux toits d'ardoise. Entouré de forêts, il est le point de départ de belles promenades à pied *(sentier G R 7).*

A l'angle d'une maison de la rue principale, belle Vierge de pierre du 14e s.

Faire demi-tour ; à 1,5 km prendre à gauche dans la forêt de la Montagne Noire.

Forêt domaniale de la Montagne Noire. – Cette forêt de 3 650 ha, essentiellement peuplée de hêtres et de sapins, regroupe les forêts de Ramondens et d'Hautaniboul.

La route franchit l'Alzeau à la Galaube dans un beau site forestier.

Aussitôt après le pont, prendre à droite puis un chemin encore à droite.

Prise d'eau d'Alzeau. – Un monument élevé à la mémoire de Riquet *(voir p. 24)* retrace les étapes de la construction du canal du Midi. Il marque l'origine de la rigole de la Montagne qui capte les eaux de l'Alzeau, de la Vernassonne et du Lampy, les conduit dans le Laudot qui alimente le bassin de St-Ferréol. Ensuite, le **poste des Thommasses** (au Sud de Revel, sur le D 624) capte les eaux arrivant de St-Ferréol ainsi que celles du Sor, elles-mêmes captées à Pontcrouzet et acheminées par une rigole qui traverse Revel. Les eaux ainsi réunies sont ensuite dirigées vers le Seuil de Naurouze.

Revenir au D 53 et, par Lacombe, rejoindre le D 203.

Forêt de la Loubatière. – Le D 203 qui la traverse est particulièrement agréable à parcourir, parmi les hêtres, essence noble de cette forêt, les chênes et les sapins.

Fontbruno. – A un carrefour de belles routes forestières, au-dessus d'une crypte, se dresse le monument aux morts du maquis de la Montagne Noire.

Aussitôt après le monument, tourner à gauche dans la forêt d'Hautaniboul.

La route s'élève pour atteindre, à la croisée de trois routes, le **Pas du Sant.** *Prendre à gauche le D 14 et, après Massaguel, à gauche, le D 85.*

En Calcat. – Deux abbayes bénédictines y sont installées. Le fondateur de l'**abbaye St-Benoît,** Dom Romain Banquet, originaire d'En Calcat, reçut la bénédiction abbatiale en 1896. Cette abbaye présente le visage d'une communauté active. On peut y admirer, entre autres travaux artistiques réalisés par les moines, de belles tapisseries de Dom Robert. Plus loin se dresse l'**abbaye Ste-Scholastique** (fondée en 1890), occupée par des moniales.

Poursuivre jusqu'à Dourgne ; dans le village, prendre à gauche le D 12.

Dourgne. – 1 284 h. Ce village exploite des ardoisières et des carrières de pierre.

A 10 km, prendre un chemin à droite.

Table d'orientation du mont Alric. – Alt. 788 m. La vue s'étend à l'Ouest sur la plaine de Revel, au Sud jusqu'aux Pyrénées. Au premier plan, à l'Est, le mont Alric (813 m).

Reprendre le D 12 puis à droite le D 45.

Sorèze. – 1 888 h. Ce village s'est développé au 8e s. autour d'une abbaye dont il ne reste que le majestueux **clocher** octogonal (13e s.). Son célèbre **collège** *(visite possible pendant les vacances scolaires d'été)*, fondé au 17e s. par les Bénédictins, devint une école royale militaire sous le règne de Louis XVI. Racheté par les Dominicains en 1854, il eut comme premier Supérieur le Père Lacordaire, qui y mourut en 1861. La sépulture de l'illustre prédicateur se trouve sous la chapelle de l'école, sa statue, en marbre blanc, dans la cour d'entrée *(concerts, en été – voir p. 33)*.
Sorèze a été choisie comme l'un des centres d'animation du Parc naturel régional du Haut-Languedoc (« maison du Parc »).

A la sortie de Sorèze, prendre la première route à gauche qui rejoint le D 44.

Durfort. – 274 h. Au seuil de la vallée encaissée du Sor, Durfort est un village encore marqué par l'artisanat : des chaudronniers sur cuivre y façonnent divers objets, parfois artistement.

La route se fait plus étroite pour s'insinuer dans les solitaires gorges du Sor. Entre deux versants abrupts, le Sor prend l'allure d'un torrent impétueux.

A l'usine électrique de Malamort, à gauche de la route, laisser l'auto.

Cascade de Malamort. – *1/2 h à pied AR par un sentier étroit et malaisé en certains endroits.* Le sentier, parfois remplacé par une passerelle, longe ou surplombe la rivière. Le Sor, amaigri par le retenue des Cammazes à 3 km en amont, fait une belle chute dans un gouffre, puis s'écoule en cascatelles entre les rochers.

La route rejoint le D 629 en procurant de belles échappées sur les gorges et ramène à Revel.

LE CABARDÈS

1 Circuit au départ de Mazamet – *91 km – environ 5 h – schéma p. 119*

Cet itinéraire traverse le Cabardès sur le versant Sud de la Montagne Noire, strié de rivières encaissées dans de profondes et étroites gorges.

Quitter Mazamet (p. 111) par ② du plan, D 118.

Aussitôt sorti de la ville, faire un arrêt au belvédère du Plo de la Bise *(voir p. 111)*.

Sur le D 118 s'embranche bientôt à droite une petite route qui conduit au lac des Montagnés.

Lac des Montagnés. – Ce lac artificiel, fréquenté des pêcheurs, retient 1 100 000 m^3 d'eau et alimente en eau potable Mazamet et Aussillon.

Poursuivre par le D 118 et, aux Martys, prendre à gauche le D 101.

Des versants boisés, où dominent d'impressionnants rochers, bordent la route très pittoresque. Sur la droite, ruines gothiques de l'église de St-Pierre-de-Vals.

Mas-Cabardès. – 310 h. Ce village a gardé une fière allure, blotti au pied des ruines de son château fort. A une intersection de rues, une croix de pierre du 16e s., sur laquelle on distingue une navette sculptée, emblème des tisserands, témoigne de l'existence d'une activité textile dans la vallée de l'Orbiel.
Le clocher de **l'église**, terminé par une tour octogonale, bien que datant du 15e s., a conservé l'empreinte romane. L'église elle-même a été reconstruite au 16e s. sur un édifice du 14e s. dont il reste à l'intérieur (à gauche en entrant) une colonne à chapiteau roman et un bas-relief. Dans la chapelle Notre-Dame, à gauche du chœur, remarquer une belle statue en pierre de la Vierge à l'Enfant (14e s.) et un retable en bois doré.

Poursuivre par le D 101 et, 2 km après les Ilhes, laisser l'auto.

Châteaux de Lastours. – *Accès par un sentier s'amorçant à droite du D 101 ; 3/4 h à pied AR.* Entre les profonds vallons de l'Orbiel et du ruisseau du Grésillou, une arête rocheuse porte les ruines de quatre châteaux dans un **site*** sauvage. Nommés Cabaret, Tour Régine, Fleur d'Espine et Quertinheux, ces châteaux constituaient au 12e s. la **forteresse de Cabaret.** Pendant la croisade des Albigeois (*voir p. 52*), Simon de Montfort, en 1210, dut reculer devant ces murailles, alors que Minerve (*voir p. 115*) puis Termes (au Sud-Est de Carcassonne) capitulèrent. Lastours assiégé ne tomba qu'en mars 1211.

Dans Lastours, prendre à droite le D 701 puis, au sommet d'une montée, un chemin à droite qui conduit à un belvédère : **vue** sur les ruines de Cabaret qui dressent leurs silhouettes squelettiques, en harmonie avec le paysage parsemé de cyprès effilés.

L'itinéraire se poursuit dans un décor de garrigue et de genêts.

Salsigne. – 571 h. Les **mines d'or** auraient été exploitées dès le 2e s. avant J.-C. Actuellement, la production est assurée par l'exploitation de deux filons qui ont donné 905 kg d'or en 1980. On extrait aussi l'argent (1 411 kg en 1980), le cuivre (473 t). De même, des usines de Lacombe-du-Sault, qui reçoivent et traitent le minerai, sont sorties 5 201 t d'arsenic, 10 155 t d'acide sulfurique et 50 t de bismuth.
Le D 111, au Sud-Est de Salsigne, côtoie le câble transporteur qui naguère encore véhiculait le minerai.

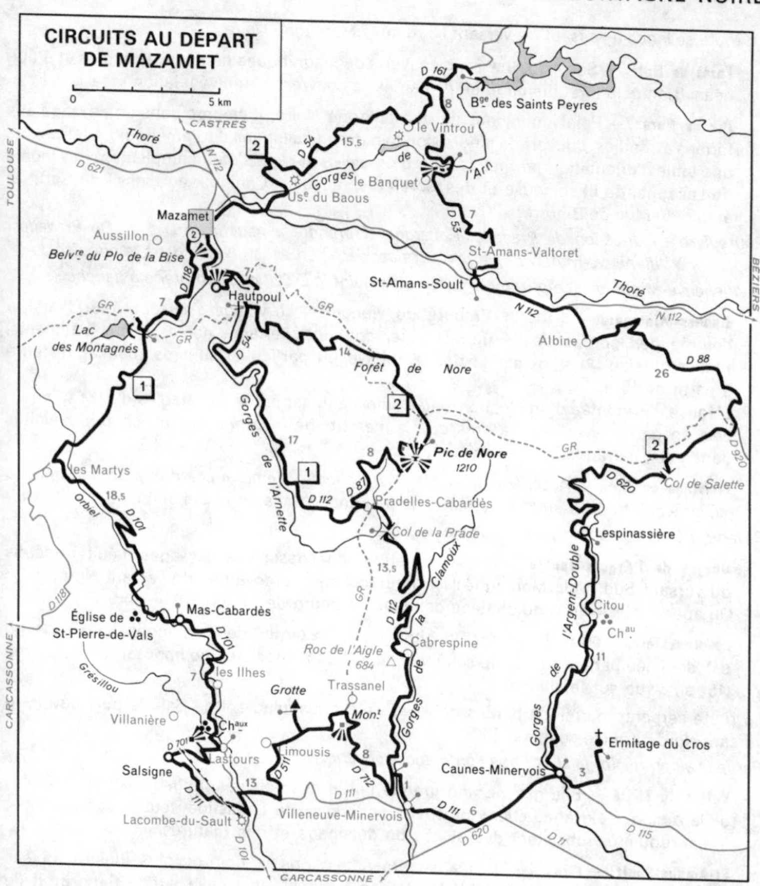

Au croisement avec le D 101, prendre à gauche, puis à droite le D 111 et à gauche le D 511.

Grotte de Limousis. – Dans un paysage calcaire, aride et dénudé, où poussent la vigne et l'olivier, la grotte de Limousis mérite une visite.

Visite du 1er juin au 30 septembre de 9 h à 12 h et de 14 h à 19 h. Du 1er octobre au 15 mai de 14 h à 18 h les dimanches et fêtes seulement. Tous les jours de 14 h à 18 h durant les vacances de Pâques et du 15 au 30 mai. Durée : 3/4 h. Entrée : 10 F.

Découverte en 1811, cette grotte a été exploitée en 1910. On visite d'abord une suite de salles qui s'étirent environ sur 600 m et où se succèdent concrétions curieusement ouvragées et miroirs d'eau limpide. Mais l'intérêt de la grotte réside dans la dernière salle qui renferme un énorme **bouquet*** de cristaux d'aragonite de 10 m de circonférence, d'une remarquable blancheur transparente.

Poursuivre le long du D 511 ; laisser à gauche l'accès à Trassanel et prendre à droite le D 712.

Du monument aux morts du maquis de Trassanel, une vue étendue s'offre sur le pied de la Montagne Noire qui s'achève en pentes douces dans la dépression de la basse Aude.

Prendre ensuite à gauche le D 112.

Gorges de la Clamoux. – Elles permettent de saisir le contraste qui marque les deux versants de la Montagne Noire. La route suit d'abord le fond du vallon cultivé en vergers et vignes. Elle atteint Cabrespine, dominée par le roc de l'Aigle à gauche, puis s'élève rapidement en lacets à travers les châtaigniers et surplombe de profonds ravins au creux desquels se nichent quelques rares hameaux.

Au col de la Prade, la route franchit la ligne de partage des eaux et quitte le versant méditerranéen.

Gorges de l'Arnette. – Elles se peuplent d'usines à mesure que l'on approche de Mazamet.

Hautpoul. – Bâti sur un éperon qui porte les ruines de son château et de son église, ce hameau est à l'origine de l'installation de Mazamet *(voir p. 111)*. Son site à pic sur les gorges de l'Arnette permet une belle vue sur Mazamet et la vallée du Thoré.

AUTOUR DU PIC DE NORE

2 Circuit au départ de Mazamet – *123 km – environ 5 h – schéma ci-dessus*

Quitter Mazamet (p. 111) par le D 54 au Sud.

La route suit le fond de la vallée de l'Arnette où s'égrènent les usines.

A 4,5 km, prendre à droite.

Hautpoul. – *Description ci-dessus.*

Reprendre le D 54 et, au premier embranchement, tourner à gauche.

La MONTAGNE NOIRE*

La route se lance à l'assaut du versant Nord de la Montagne Noire.

Forêt de Nore. – Ses 1 700 ha sont couverts de magnifiques hêtraies, de sapins et d'épicéas. Bientôt la forêt disparaît et les pentes se couvrent d'une végétation rase.

Pic de Nore*. – Point culminant de la Montagne Noire, il émerge dans un paysage aux formes arrondies, couvert de lande. Non loin des installations de l'émetteur de télévision, une table d'orientation permet de jouir d'un **panorama*** qui s'étend amplement des monts de Lacaune, de l'Espinouse et des Corbières, jusqu'au Canigou, au massif du Carlit et au pic du Midi de Bigorre.

Poursuivre en direction de Pradelles-Cabardès et prendre à gauche le D 112. De Pradelles-Cabardès à Villeneuve-Minervois, le parcours est décrit en sens inverse dans le circuit 1.

A Villeneuve-Minervois, emprunter le D 111 qui rejoint le D 620 que l'on prend à gauche.

Caunes-Minervois. – 1 517 h. Entouré de vignobles, ce village à l'aspect méridional, à l'entrée des gorges de l'Argent-Double, doit une certaine noblesse aux bâtiments, reconstruits au 18e s., de son ancienne abbaye, en particulier au logis abbatial, restauré à partir de 1974.

L'église, surmontée d'un clocher roman imposant, est parée de retables du 18e s., agencés, en partie, avec les marbres de Caunes (rouge incarnat, blanc), encore exploités dans deux carrières.

Ermitage du Cros. – *Accès par le D 115 et un chemin s'embranchant à gauche.* Chapelle *(ouverte du 1er juillet au 30 septembre)* de pèlerinage dans un site champêtre.

Revenir à Caunes où l'on prend à droite le D 620.

Gorges de l'Argent-Double. – Elles permettent de passer des paysages méditerranéens du versant Sud de la Montagne Noire aux collines verdoyantes du versant Nord.

On aperçoit les ruines du château dominant le bourg de Citou.

Lespinassière. – 90 h. Bâtie sur un piton dans un cirque de montagnes, Lespinassière est dominée par les ruines de son château fort dont subsiste une imposante tour carrée (15e s.) : vue sur le village.

La route serpente parmi les pentes boisées, s'élève jusqu'au col de Salette puis dévale le versant Nord parmi les genêts.

Par le D 88 on rejoint la N 112 que l'on prend à gauche.

Vallée du Thoré. – Elle groupe une grande partie des activités industrielles et agricoles de la région. L'élevage laitier y prospère tandis que, de Labastide-Rouairoux à Mazamet et Labruguière, subsistent des usines de délainage et des filatures.

St-Amans-Soult. – 1 741 h. St-Amans-la-Bastide a pris le nom du plus illustre de ses enfants, le maréchal Soult (1769-1851). Son tombeau se trouve sur le flanc droit de l'église.

Prendre à droite le D 53 qui franchit le Thoré sur un vieux pont, puis s'élève, après St-Amans-Valtoret, parmi les prairies.

1 km après le Banquet, laisser l'auto à gauche.

Gorges de l'Arn. – On en a une belle vue du belvédère auquel on accède par un sentier de 150 m.

Après avoir franchi l'Arn, tourner à droite puis de nouveau à droite dans le D 161.

Barrage des Saints-Peyres. – *Voir tableau p. 44.* Dans un site boisé, ce barrage de l'EDF, construit sur l'Arn, retient 34 670 000 m³ d'eau qui alimentent les centrales hydro-électriques du Vintrou et du Baous, dont la productibilité totale est de 114 millions de kWh.

Revenir au Vintrou et prendre le D 54 qui ramène à Mazamet.

MONTMIRAT (Route du col de) **

Carte Michelin n° 80 - plis ⑤⑥.

A l'extrémité Est du causse de Sauveterre, la route du col de Montmirat est une belle voie d'accès aux gorges du Tarn.

De Mende à Florac – *39 km – environ 1 h 1/2 – schéma p. 107*

Quitter Mende (p. 112) par ③ du plan. La N 88 longe le Lot entre les escarpements boisés des causses de Mende et de Changefège.

Balsièges. – 352 h. Le village est dominé au Sud par les falaises du causse de Sauveterre au sommet duquel se dressent deux gros rochers calcaires dont l'un est appelé, en raison de sa forme, le lion de Balsièges.

A Balsièges, prendre à gauche la N 106. On remonte la vallée du Bramon qui s'élargit et offre des vues lointaines sur les contreforts du mont Lozère puis sur le Truc de Balduc, petit causse aux escarpements abrupts. Après le hameau de Molines, la route s'élève vers le col de Montmirat et procure de belles vues.

Col de Montmirat*. — Alt. 1 046 m. Il s'ouvre entre le mont Lozère, granitique, et le causse de Sauveterre, calcaire. Vers le Sud, on embrasse un immense **panorama*** : au premier plan se creusent les « valats » qui vont rejoindre la vallée du Tarn, au-delà de laquelle apparaissent les escarpements du causse Méjean ; plus à gauche se dessinent les crêtes des Cévennes ; par temps clair, on aperçoit l'Aigoual.

A la fin d'une très belle descente en corniche, laisser à droite la route des **gorges du Tarn***** *(p. 157).* Bientôt, le rocher de Rochefort signale les approches de Florac *(p. 92).*

MONTPELLIER **

Carte Michelin n° 83 - pli ⑦ – 195 603 h (les Montpelliérains) – *Schéma p. 79 – Plan d'agglomération dans le guide Michelin France.*

Située aux confins d'une région fertile, sous un ciel d'une rare pureté, Montpellier, capitale du Languedoc méditerranéen (Bas Languedoc) et grande cité universitaire, est une ville prospère et animée, avec de larges artères et des jardins magnifiques. Ses musées et ses vieux hôtels réjouiront l'amateur d'art.

UN PEU D'HISTOIRE

Naissance de la ville. – Vers le 9e ou le 10e s., des commerçants, importateurs d'épices du Proche-Orient, se fixèrent près de la côte, sur une colline qui prit le nom de « Monspistillarius » ou montagne des épiciers : c'est l'amorce de la ville actuelle. L'agglomération comprend bientôt deux bourgades : à l'Ouest et au Nord, Montpellier qui appartient aux seigneurs Guillaume ; à l'Est et au Sud, Montpelliéret qui dépend de l'évêque de Maguelone.

La « danse du chevalet ». – En 1206, la reine Marie d'Aragon, souveraine de Montpellier, délaissée par le roi Pierre, se retire dans un château des environs. Comme elle n'a pas d'héritier, les consuls de Montpellier s'inquiètent des troubles qui peuvent surgir à la mort du roi. Ils s'efforcent de réconcilier les deux époux. Après une partie de chasse, Pierre, de joyeuse humeur, accepte de se rendre auprès de sa femme. Touché par sa tristesse, il la ramène en croupe sur son cheval. Le peuple manifeste sa joie et son espérance en dansant autour d'eux. L'espérance n'est pas déçue : un fils naît l'année suivante. La « danse du chevalet » s'est perpétuée jusqu'à nos jours. Un homme, le corps passé au travers d'un petit cheval de carton, caracole au milieu d'une troupe de danseurs vêtus de blanc, aux chapeaux ornés de rubans et de plumets.

Une vénérable université. – Montpellier, relié à la mer par un bras du Lez, est un port actif, en relation avec l'Orient. Ses marchands d'épices connaissent les vertus thérapeutiques des produits qu'ils vendent et certains, plus curieux et plus instruits, lisent des traductions d'Hippocrate et initient à la science médicale des élèves attirés par leur savoir. Ainsi se créent, à Montpellier, les premières « écoles » de médecine. Au début du 13e s., les maîtres de ces écoles se groupent et fondent une « Universitas medicorum » à laquelle viennent s'ajouter une école de droit et une école des arts. Une bulle du pape Nicolas IV reconnaît tous ces établissements et constitue la charte de fondation de l'Université de Montpellier.

C'est une véritable corporation de maîtres et d'étudiants, gouvernée par un chancelier que choisit l'évêque de Maguelone. Tout d'abord, c'est lui seul qui délivre la licence d'enseignement. Au 14e s., le pape décide qu'il devra obtenir l'assentiment des maîtres.

De 1530 à 1532 et de 1537 à 1538, **Rabelais** quitte sa Touraine natale pour terminer ses études à la célèbre université. Il y conquiert son grade de docteur en médecine. Il s'y amuse aussi, joue la comédie et déguste « ce bon vin de Languedoc qui croît à Mirevaulx – probablement le Mireval d'aujourd'hui –, Canteperdrix et Frontignan ».

Un cierge monstre. – Toute la fin du 14e s. est marquée, à Montpellier, par des désastres multiples : attaques des routiers, tremblements de terre, inondations, peste, disette. Le peuple implore Notre-Dame ; les processions se succèdent ; les pénitents parcourent les rues en se flagellant jusqu'au sang. La ville décide de faire confectionner un cierge aussi long que son enceinte fortifiée : 3 888 m. Une bougie flexible, ayant cette longueur, est enroulée sur un cylindre que l'on déroule, à mesure que la cire brûle, devant l'autel de Notre-Dame. La mauvaise passe prend fin. Le commerce redevient florissant. Montpellier est l'un des centres de l'activité économique de Jacques Cœur, l'argentier du roi Charles VII. Mais la réunion de la Provence à la France, en 1481, est un coup très dur : c'est Marseille qui devient le grand port de l'Orient.

Montpellier capitale. – Au 16e s., protestants et catholiques sont successivement les maîtres de la ville. On se bat jusque dans la cathédrale St-Pierre. Une des tours est démolie et entraîne dans sa chute une partie de la façade. L'édit de Nantes reste sans effet. Au lieu de supprimer cette place de sûreté, les réformés construisent de nouvelles fortifications. La situation se prolonge jusqu'en 1622. Les armées royales viennent, à ce moment, mettre le siège devant Montpellier qui capitule après trois mois de résistance. Louis XIII fait abattre les défenses et construire la citadelle qui surveillera la cité rebelle. La paix d'Alès *(détails p. 57)* marque la fin des malheurs de la ville. Richelieu, puis Louis XIV font de Montpellier la capitale administrative du Bas-Languedoc. D'autre part, l'Université, sous l'autorité royale, se développe de plus en plus. Depuis 1593, la chaire de botanique dispose d'un « jardin des Plantes ».

La ville est maintenant assez riche pour envisager d'importants travaux d'embellissement. De grands architectes : d'Aviler, qui quitte Rome en 1691 pour regagner sa ville natale, les trois Giral, rivalisent de talent. La promenade du Peyrou, l'Esplanade, de gracieuses fontaines donnent à la ville un aspect gai, accueillant et largement décoratif. De riches financiers, les hauts fonctionnaires se font construire de beaux hôtels particuliers.

Le Peyrou. – Le château d'eau.

Montpellier d'aujourd'hui. – Le morcellement en départements de l'ancienne province du Languedoc dont Montpellier fut capitale avec Toulouse, le tracé des nouvelles voies ferrées, au début du 19e s., vers Clermont-Ferrand, vers Graissessac et son bassin houiller, au départ de Nîmes et de Béziers, ont porté un rude coup à l'activité montpelliéraine.

Cependant l'Université a gardé sa primauté, la vie intellectuelle reste intense et, aujourd'hui encore, elle confère à la ville une certaine distinction.

Le commerce, surtout celui du vin, prospère. La foire internationale de la Vigne et du Vin a lieu chaque année en octobre au parc des Expositions. La viticulture garde naturellement une place dans la recherche scientifique à Montpellier : École Nationale d'Agriculture, Institut Agronomique international à vocation méditerranéenne et tropicale, etc.

L'industrie bénéficie de plusieurs zones industrielles dont une, au Sud de la ville, est pourvue d'un marché-gare. L'installation de la société I B M qui a permis celle d'usines sous-traitantes, une grande activité dans l'industrie du bâtiment contribuent à l'expansion économique. Au Nord-Ouest de l'agglomération, la Paillade, satellite de Montpellier, pourra accueillir 35 000 personnes.

Capitale administrative, Montpellier occupe près des trois quarts de sa population active dans des emplois du secteur tertiaire.

■ PRINCIPALES CURIOSITÉS *visite : 2 h 1/2*

Les vieux hôtels sont groupés sur l'emplacement de la cité du Moyen Age. S'adresser aux concierges pour voir les cours et les escaliers qui offrent plus d'intérêt que les façades.

Promenade du Peyrou** (ABV). – En 1688, le conseil de la ville décide d'établir une promenade au point culminant de Montpellier. Les travaux sont exécutés à la fin du 17e s. et au 18e s. par les architectes d'Aviler, Jean-Antoine Giral et Jacques Donnat.

La promenade comporte deux étages de terrasses. De la terrasse supérieure, décorée d'une statue équestre de Louis XIV, moderne, on a une très belle **vue*** au Nord sur les Garrigues et les Cévennes, au Sud sur la mer, les étangs et, par temps clair, sur le Canigou.

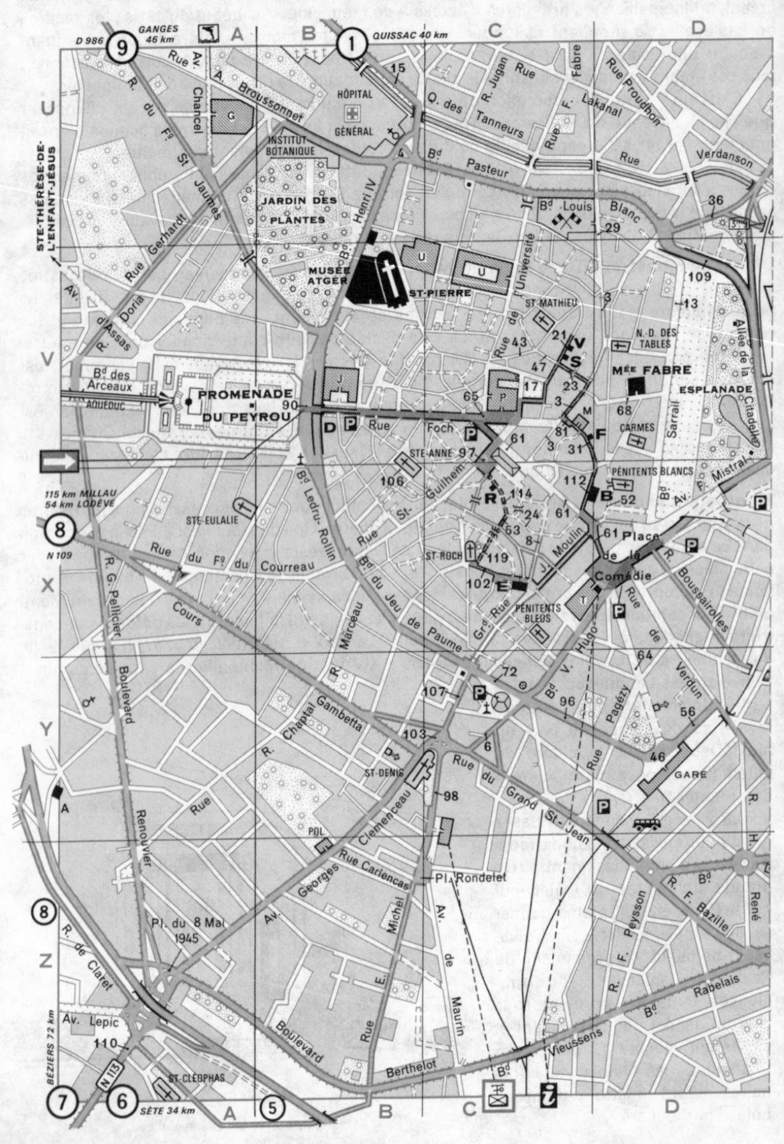

Des escaliers monumentaux conduisent aux terrasses basses ornées de belles grilles en fer forgé.

La partie la plus originale du Peyrou est constituée par le château d'eau et l'aqueduc. Le problème édilitaire qui consiste à faire arriver l'eau dans une ville a été traité ici avec une maîtrise dont il n'existe pas d'autre exemple en France. Le château d'eau est un délicieux édifice du 18e s. *(il sert de cadre à des concerts enregistrés, chaque soir, en juillet et août).*

L'aqueduc St-Clément, de 880 m de long et de 22 m de haut, avec ses deux étages d'arcades, rappelle le pont du Gard. Il termine les canalisations qui amènent l'eau de la source du Lez jusqu'au château d'eau (9 km).

Arc de Triomphe (BV D). – Fin du 17e s. Il est décoré de bas-reliefs figurant les victoires de Louis XIV et des épisodes de son règne.

Suivre la rue Foch, la rue de la Loge et à droite la rue des Trésoriers-de-la-Bourse.

(D'après photo Claude Breteau, Ed. J. Delmas et Cie.)

Montpellier. – Hôtel de Rodez-Bénavent.

Hôtel de Rodez-Bénavent (CX R). – Début 18e s. *Par les rues Joubert et Voltaire, gagner l'église St-Roch puis tourner à gauche.*

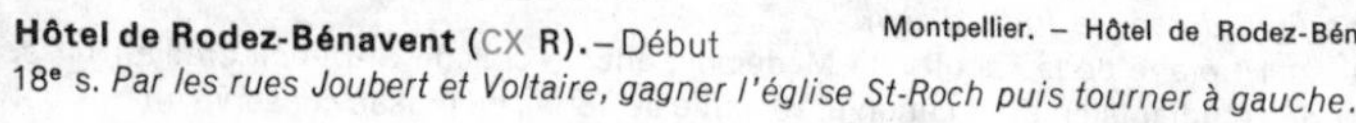

Hôtel St-Côme (CX E). – 17e s. Son linteau porté par des colonnes, et faisant entablement, illustre la technique habituelle avant l'arrivée de Charles d'Aviler.

La Grand-Rue Jean-Moulin et la rue de la Loge mènent place de la Comédie.

Place de la Comédie (CDX). – Centre animé de Montpellier. Le terre-plein, appelé l'Œuf à cause de sa forme, est orné de la fontaine des Trois Grâces (18e s.) du sculpteur Etienne Antoine.

Prendre la rue de la Loge puis, à droite, la rue des Trésoriers-de-France.

Hôtel du Lunaret (CDX B). – *Sté Archéologique, 5, rue des Trésoriers-de-France.*

Dans cet hôtel (17e s.) ont été installées les collections de la Société Archéologique *(musée ouvert le samedi, de 14 h à 17 h ; fermé en août)* qui présentent des objets préhistoriques, grecs, gallo-romains, médiévaux, et des 16e, 17e et 18e s. Belle bibliothèque.

Poursuivre par la rue Embouque-d'Or.

Hôtel St-André (CDV F). – Il date du 17e s.

Place Pétrarque, prendre à droite la rue de l'Aiguillerie puis, à gauche, la rue Carbonnerie et, de nouveau à droite, la rue du Cannau.

Hôtel Beaulac (CV S). – Il fut construit au 18e s. et est encore appelé hôtel de Villeneuve-Bargemon.

Hôtel Jean Deydé (CV V). – Avec son arc surbaissé ou « davilerte » et son fronton triangulaire, il donne une bonne vue d'ensemble des innovations architecturales introduites à la fin du 17e s. par d'Aviler.

Gagner la place Aristide-Briand puis la place des Martyrs-de-la-Résistance.

MONTPELLIER

0 — 300 m

Argenterie (R. de l')	CX	8
Comédie (Pl. de la)	DX	
Grand-Rue-J.-Moulin	CX	
Jeu-de-Paume (Bd du)	BCX	
Loge (R. de la)	CVX	61
Maguelone (R. de)	DY	64
Polygone (Le)	EX	
St-Guilhem (R.)	BCX	
Sarrail (Bd)	DVX	
Saunerie (R. de la)	CY	107
Verdun (R. de)	DXY	
Aiguillerie (R. de l')	CDV	3
Albert-1er (Pl.)	BU	4
Anatole-France (R.)	CY	6
Bonnes-Nouvelles (Bd)	DV	13
Bouisson-Bertrand (Av.)	BU	15
Briand (Pl. A.)	CV	17
Cannau (R. du)	CV	21
Carbonnerie (R.)	CV	23
Cauzit (R.)	CX	24
Écoles-Laïques (R.)	DU	29
Embouque-d'or (R.)	CV	31
Fg-de-Nîmes (R. du)	DU	36
Fournarie (R.)	CV	43
Gibert (Pl. Aug.)	DY	46
Girone (R. de)	CV	47
Henry II de Montmorency (Av.)	EV	50
Jacques-Cœur (R.)	DX	52
Joubert (R.)	CX	53
Jules-Ferry (R.)	DY	56
Martyrs-de-la-R. (Pl. des)	CV	65
Montpelliéret (R.)	DV	68
Moulin-de-l'Évêque (R.)	EY	70
Observatoire (Bd de l')	CY	72
Pétrarque (Pl.)	CV	81
Pont-de-Lattes (R. du)	EY	84
Prof.-L.-Vialleton (Bd)	BV	90
République (R. de la)	CY	96
Résistance (R. de la)	CVX	97
Rondelet (R.)	CY	98
St-Côme (R.)	CX	102
St-Denis (Pl.)	BCY	103
Ste-Anne (R.)	BX	106
Sully (R. de)	DV	109
Toulouse (Av. de)	AZ	110
Trésoriers-de-France (R. des)	CX	112
Trésoriers-de-la-Bourse (R. des)	CX	114
Voltaire (R.)	CX	119

■ AUTRES CURIOSITÉS

Esplanade (DV). – Contemporaine du Peyrou, cette promenade est plantée de beaux platanes.

Musée Fabre** (DV). – *Visite de 9 h à 12 h et de 14 h à 17 h 30 (17 h les dimanches et jours fériés). Fermé le lundi et les 1er janvier, 1er mai, 14 juillet, 15 août, 1er et 11 novembre, 25 décembre.*

Ce magnifique musée a été créé, entre 1825 et 1837, grâce à la générosité du peintre montpelliérain François-Xavier Fabre, élève de David. A son retour d'Italie, il offrit à la ville ses très riches collections de livres, tableaux, dessins et estampes.

On y joignit les tableaux que possédait Montpellier, puis en 1836 et 1868 des donations de riches amateurs, Antoine Valedau et Alfred Bruyas. Véronèse, Zurbaran, les petits maîtres hollandais, Téniers le jeune, Sébastien Bourdon, Greuze, David, Ingres, Géricault, Delacroix, Courbet, Frédéric Bazille pour la peinture, Houdon et Barye pour la sculpture, y ont une représentation de choix.

Cathédrale St-Pierre (BV). – C'est la seule église de Montpellier qui n'ait pas été entièrement détruite pendant les guerres de Religion. Restaurée au 17e s. puis au 19e s., cette ancienne chapelle du collège St-Benoît (14e s.), devenue cathédrale au 16e s. lorsque le siège du diocèse fut transféré de Maguelone à Montpellier, a gardé son caractère primitif. Ses tours lui donnent l'aspect d'une forteresse et, malgré son style gothique, elle rappelle les églises romanes à une seule nef du littoral. Le porche est formé de deux tourelles du 14e s. qui précèdent une voûte s'appuyant sur la façade.

A l'intérieur, le chœur et le transept, reconstruits au 19e s., contrastent avec la nef du 14e s., sévère et obscure. Les arcs, d'une portée de 14 m, ne dépassent pas 27 m de haut.

Musée Atger* (BV). – *Visite de 10 h à 12 h et de 13 h 30 à 19 h 30. Fermé les samedis, dimanches et fêtes ainsi que durant le mois d'août.*

Installé au 1er étage de la Faculté de Médecine, ancien collège St-Benoît créé au 14e s. pour abriter des étudiants en droit canon et remanié au 18e s., ce musée conserve un très bel ensemble de dessins d'artistes méridionaux (Bourdon, Mignard, Rigaud, Fragonard, Natoire, J.-M. Vien), italiens et flamands.

Jardin des Plantes (BUV). – *Visite de 8 h à 12 h et de 14 h à 18 h. Fermé les samedis, dimanches et jours fériés.*

Visite guidée (5 F) sur demande quinze jours à l'avance (s'adresser à la Direction, 163 rue Auguste-Broussonet).

Fondé en 1593 par Henri IV et réalisé par Richer de Belleval, il a été agrandi au 19e s. Ce jardin, d'une superficie de près de 5 ha, est doté de serres tempérées et tropicales. Diverses essences méditerranéennes y sont rassemblées. Micocouliers, chênes verts, phyllaires, glycines ornent les allées et les massifs. Une serre renferme une belle collection de plantes grasses.

Le jardin possède une importante « école » consacrée à l'étude de la classification des plantes suivant la méthode du botaniste de Candolle (1778-1841). Elle est bordée par une orangerie du début du 19e s. et entourée de bustes représentant de célèbres naturalistes de l'« École de Montpellier ».

Autres vieux hôtels. – L'amateur qui s'intéresse aux maisons anciennes, aux détails archéologiques, pourra parcourir les rues Fournarié, de Girone, Jacques-Cœur qui se trouvent sur la droite de la rue de la Loge (en partant de la place de la Comédie) et la Grand-Rue Jean-Moulin, les rues St-Côme, de l'Argenterie, Cauzit, qui sont sur la gauche de cette même grande artère.

Église Ste-Thérèse-de-l'Enfant-Jésus. – *Par l'avenue d'Assas* (AUV). Intéressante église moderne, surmontée d'une coupole que recouvre une verrière aux riches coloris. Les vitraux supérieurs retracent la vie de sainte Thérèse ; les vitraux inférieurs, plus petits, représentent les sanctuaires, sites ou monuments du Midi. Remarquer les mosaïques de l'intérieur.

EXCURSIONS

Grotte des Demoiselles***. – *42 km au Nord par ⑨, D 986 jusqu'à St-Bauzille-le-Putois. Accès et description* *p. 82.*

Pic St-Loup**. – *22 km au Nord par ⑨, D 986 et D 113 vers Cazevieille, puis 2 h 1/2 à pied AR. Accès et description* *p. 145.*

Grotte de Clamouse**. – *28 km au Nord-Ouest par ⑧, N 109, D 27 et Aniane. Description* *p. 72.*

Maguelone*. – *16 km, puis 1/2 h de visite. Quitter Montpellier au Sud, par ⑤.*

Le D 986 franchit l'autoroute, passe à proximité du village de Lattes où un port gallo-romain a été mis au jour *(on ne visite pas)*, longe les étangs de Pérols et de l'Arnel et enjambe le canal du Rhône à Sète.

Palavas-les-Flots. – *Page 79.*

Maguelone*. – *Page 108.*

Château de Castries* ; Sommières. – *28 km – environ 2 h. Sortir de Montpellier par ②, N 113 ; à Vendargues, prendre à gauche la N 110.*

Château de Castries*. – *Visite du 15 mars au 14 décembre de 10 h à 12 h et de 15 h à 18 h ; fermé le lundi (sauf les lundis fériés). Du 16 janvier au 14 mars, visite les samedis et dimanches seulement, de 15 h à 18 h. Fermé du 15 décembre au 15 janvier. Entrée : 10 F.*

A l'emplacement d'un castrum romain puis d'un château gothique, fut édifié par Pierre de Castries (prononcer Castres) le château Renaissance dont la vaste cour d'honneur conserve un buste de Louis XIV par Puget. L'escalier d'honneur présente des toiles (1760) de l'école de Boucher ; la grande salle des États du Languedoc abrite un remarquable poêle en faïence de Nuremberg et une très fine pièce de porcelaine de Meissen (fin 18e s. début 19e s.) représentant le Jugement de Pâris. Dans la bibliothèque, beaux portraits de famille et admirables reliures ; dans la salle à manger, buffet Louis XV provençal en bois d'olivier et tableau de Rigaud représentant le cardinal de Fleury. A la fin de la visite, on peut, des terrasses, jeter un coup d'œil sur les jardins dessinés par Le Nôtre.

Du D 26 au Nord, vue intéressante sur l'impressionnant aqueduc construit par Riquet.

Sommières. – *Page 154.*

Château de la Mogère. – *5 km, puis 1 h de visite. Partir de la place de la Comédie par le Polygone et l'avenue du Pont-Juvénal. Après le pont sur le Lez, suivre tout droit la route de Vauguières (D 172 E) en direction de l'hôtel « Demeure des Brousses ».*

L'entrée du château se trouve à gauche après le pont sur l'autoroute.

Le château, du 18e s., s'élève dans un bouquet d'arbres.

Visite de Pâques au 15 octobre, de 14 h 30 à 18 h 30 ; le reste de l'année, seulement les mercredis, samedis, dimanches et jours fériés, de 14 h à 18 h. Entrée : 8 F.

Nombreux portraits de famille, meubles, salon Louis XVI décoré de gypseries. Dans le parc, buffet d'eau et aqueduc.

*Avec votre **guide Michelin** il vous faut des **cartes Michelin**. Çà va de soi !*

MONTPELLIER-LE-VIEUX (Chaos de)***

Carte Michelin n° 80 - pli ⑭ – 18 km au Nord-Est de Millau – *Schémas p. 83 et 97.*

Montpellier-le-Vieux n'est pas une ville mais un extraordinaire ensemble rocheux dû à l'ancien ruissellement des eaux à la surface du causse Noir dont il recouvre environ 120 ha Ce sont les bergers des troupeaux transhumants du Languedoc qui, apercevant de loin ce gigantesque amas de rochers, lui auraient donné son nom, par analogie d'aspect avec une grande ville ruinée *(détails p. 13).*

Jusqu'en 1870, ce chaos, masqué par une forêt impénétrable, était considéré par les habitants d'alentour comme une « cité maudite », hantée par le diable. Les brebis et les chèvres qui s'aventuraient un peu trop près disparaissaient à la nuit, happées par les loups très nombreux. Des coupes ont été effectuées, qui ont fait disparaître ces hôtes indésirables et dégagé la « ville ».

Montpellier-le-Vieux fut découvert en 1883 par MM. J. et L. de Malafosse et M. de Barbeyrac-Saint-Maurice. En 1885, E.-A. Martel en leva le plan.

« Tout cet enchevêtrement de rues, de voûtes, de cheminements, de saillies sur corniches, tantôt se croisant à angle droit comme une ville tirée au cordeau, tantôt formant un vrai labyrinthe où l'on erre quelquefois avec un grand embarras, tout cet ensemble comme ces détails ne peuvent se décrire », dit M. de Malafosse.

Accès. – L'accès au chaos de Montpellier-le-Vieux se fait à partir de l'auberge du Maubert. On l'atteint :

- au départ de Millau *(p. 115)* par le D 110 – *16 km ;*
- au départ du Rozier *(p. 141)* ou de Peyreleau *(p. 133)* par le D 29 et le D 110 – *10 km ;*
- au départ de Nant *(p. 127)* par le D 991, la Roque-Ste-Marguerite, la route étroite au Nord du village et le D 110 – *26 km.*

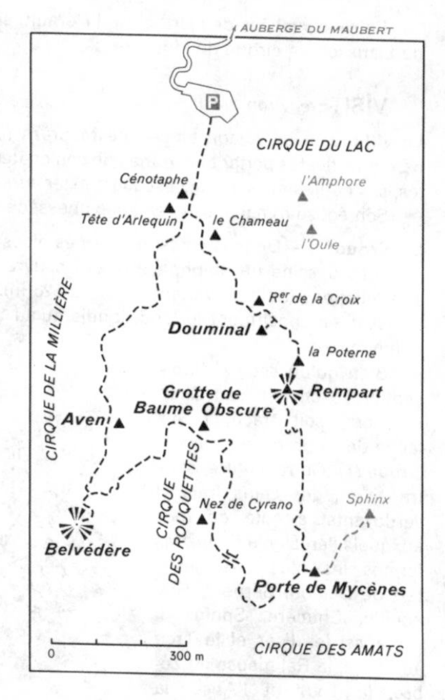

VISITE *environ 1 h 1/2*

A l'auberge du Maubert, prendre le billet d'entrée (3 F) et demander le plan schématique du chaos ou le « guide touristique de Montpellier-le-Vieux »,

Suivre en auto la route privée (1,5 km) qui aboutit au parking. Prendre le chemin à droite en arrivant (sentier bien tracé et abondamment balisé).

Le **site** de Montpellier-le-Vieux est si curieux et si attachant, la végétation y est si belle que bien des touristes aimeront sans doute à s'y attarder plus longtemps que ne l'exige la visite normale. Une journée passée à flâner parmi ces rochers ombragés de pins sylvestres et de chênes, ces colonnes et ces murailles laissera à tous les amis de la nature un très agréable souvenir.

Les rochers de Montpellier-le-Vieux ont presque tous reçu, d'après leur forme, leur silhouette, des noms évocateurs : il y a le Lapin, le Navire, le Juge, l'Amphore, la Porte de Mycènes, le Sphinx, la Tête de Chien, etc.

A 300 m du départ, après les rochers du Cénotaphe et de la Tête d'Arlequin, prendre le sentier de gauche qui passe près du Chameau et conduit au belvédère du Douminal.

MONTPELLIER-LE-VIEUX (Chaos de)***

Douminal. – Véritable donjon naturel commandant quatre cirques irréguliers (le Lac, les Amats, les Rouquettes, la Millière) séparés par de hautes crêtes rocheuses et entourés par les falaises du Causse Noir, cette plate-forme offre un panorama étendu. De là, le regard embrasse au Nord le rocher de la Croix et, sur la droite, le cirque du Lac couvert de pins (au loin, on distingue les falaises nettement découpées du canyon du Tarn) ; au Sud, la vallée de la Dourbie et la corniche du causse du Larzac ; à l'Ouest, le cirque des Rouquettes ; à l'Est, le chaos de Roquesaltes.

Une fois franchi le rocher de la Poterne, le sentier offre presque aussitôt, du **Rempart** (alt. 830 m), une vue d'ensemble particulièrement impressionnante sur le chaos. La descente vers le cirque des Amats conduit à la Porte de Mycènes.

Porte de Mycènes. – Elle évoquait, pour E.-A. Martel, la célèbre porte de la Grèce antique. Par ses dimensions et par la hauteur de son arche naturelle (12 m), elle se classe parmi les sites les plus originaux de Montpellier-le-Vieux.

Le sentier franchit un ponceau et conduit à la grotte de **Baume Obscure** où E.A. Martel mit au jour des ossements d'ours des cavernes. Des abords de la grotte, un regard à gauche découvre le Nez de Cyrano. Puis on monte vers le Belvédère.

Montpellier-le-Vieux. – La porte de Mycènes.

Belvédère. – Vue sur le cirque des Rouquettes que l'on vient de contourner, au Sud, la vallée encaissée de la Dourbie et, au Nord, le cirque de la Millière.

Le sentier revient ensuite vers le point de départ en longeant, à mi-hauteur, le cirque de la Millière. Sur la droite, à quelque 200 m du belvédère, s'ouvre l'Aven.

Aven. – Sa profondeur atteint 53 m.

De là, le sentier ramène directement à la voiture.

Sur le circuit principal peuvent se greffer des itinéraires secondaires beaucoup plus longs, permettant de visiter plus en détail chacun des quatre cirques.

MOURÈZE (Cirque de) **

Carte Michelin n° 83 - pli ⑤ – 8 km à l'Ouest de Clermont-l'Hérault – *Schéma p. 78.*

Entre les vallées de l'Orb et de l'Hérault, se creuse, sur le versant Sud de la montagne de Liausson, le cirque de Mourèze.

VISITE *environ 3/4 h*

Le village. – Le village ancien de Mourèze *(illustration p. 13)*, dominé par un rocher aux parois verticales portant les ruines de son château, est très pittoresque avec ses ruelles étroites, ses petites maisons aux escaliers extérieurs, sa fontaine de marbre rouge.

Son église romane, très remaniée, possède une abside du 15e s.

Le cirque**. – De tous côtés, d'énormes blocs l'entourent. Ce vaste chaos de rochers dolomitiques dessine un amphithéâtre qui couvre une surface de 340 ha, offrant de grandes dénivellations (altitude variant de 170 à 526 m). Les strates jurassiques de la montagne de Liausson en constituent le fond, tandis qu'au Sud le vallon verdoyant de la petite Dourbie le limite.

Bien qu'un seul véritable sentier, le chemin des Charbonniers, soit tracé, il est facile de se promener dans le cirque *(1)*. On rencontre, sans transition, des coins frais et verdoyants, à côté de rocs auxquels l'érosion a donné les formes les plus étranges : tête de Démon, Serpent, Grenouille, Chimère, Sphinx. Il y a aussi les Fées et le Trou aux Fées, la Religieuse, le Zèbre, la Tour et l'Anse, la Sirène. C'est le matin et le soir que le spectacle est le plus impressionnant.

Cirque de Mourèze. – Rochers dolomitiques.

(1) Lire : « Mourèze, chef-d'œuvre de la dolomie et haut-lieu de la préhistoire », par G. Combarnous (chez l'auteur, Clermont-l'Hérault).

NAJAC ★

Carte Michelin nº 79 - pli 20 – 931 h. (les Najacois) – *Lieu de séjour, p. 42.*

Dressé sur un piton que contourne une boucle de l'Aveyron, à la limite du Rouergue et du Quercy, le vieux bourg de Najac occupe un **site**★★ remarquable. Les ruines de son château fort dominent les toits d'ardoises du bourg.

Deux importants « villages de vacances » des environs concourent à l'animation locale. C'est du D 239, à l'Est, que l'on découvre la meilleure **vue**★ d'ensemble sur Najac : au-delà de la longue rue étroite et tortueuse dont on a une vue d'enfilade, s'inscrivent à l'arrière plan les tours du château qui occupe une position stratégique de premier ordre.

Najac et l'hérésie albigeoise. – Bertrand de St-Gilles, fils du comte de Toulouse Raymond IV, ordonna la construction du château primitif et fit de Najac le siège de l'administration de la province du Rouergue. En 1182, Philippe Auguste confirme Najac comme fief de son vassal, le comte de Toulouse Raymond V de Saint-Gilles ; trois ans plus tard, les Anglais s'emparent de la forteresse et y signent, avec le roi d'Aragon, un traité d'alliance contre le comte de Toulouse ; en 1196, Najac redevient le fief de Raymond VI de Toulouse. Peu après 1200, l'hérésie cathare *(voir p. 53)* gagne Najac. Détruit par les troupes de Simon de Montfort, le château fut reconstruit par Alphonse de Poitiers, frère de Saint Louis. Les habitants, taxés d'hérésie, sont, alors, condamnés à bâtir l'église.

Le bourg. – Gagner les ruines du château en suivant la rue principale, bordée de maisons construites pour la plupart entre le 13ᵉ et le 16ᵉ s. On voit au passage deux fontaines à vasque, la deuxième taillée dans un énorme bloc monolithe de granit, portant la date de 1344 et les armes de Blanche de Castille.

Ruines du château★. – *Visite des Rameaux au 30 septembre de 10 h à 12 h et de 14 h à 19 h ; en octobre, les dimanches et fêtes seulement de 10 h à 12 h et de 14 h à 17 h. Durée : 3/4 h. Entrée : 5 F.*

Cette forteresse, chef-d'œuvre de l'art militaire du 13ᵉ s., surveille la vallée de l'Aveyron. Des trois enceintes primitives subsiste un important système fortifié flanqué de grosses tours rondes. Le château proprement dit, défendu par d'épaisses murailles, a la forme d'un trapèze. La plus puissante des tours, au Sud-Est, constituait le donjon.

Après avoir franchi, par des poternes, les enceintes successives, on atteint la plate-forme du donjon. De là, magnifique **vue**★ sur le château, la pittoresque vallée de l'Aveyron, l'église, bâtie entre le château et la rivière, au cœur de la bourgade primitive.

Église. – *Ouverte des Rameaux à la Toussaint.* Malgré des adjonctions, c'est un intéressant édifice de style gothique. La façade Ouest est surmontée d'une rosace, la nef unique, terminée par un chevet plat. Le long du mur de la nef, à droite, est conservée une curieuse cage en fer forgé du 14ᵉ s., destinée à renfermer la « chandelle Notre-Dame » (cierge pascal). Dans le chœur remarquer l'autel primitif constitué par une vaste dalle de grès fin ; un Christ de l'École espagnole du 15ᵉ s. ; deux statues : la Vierge et Saint Jean, du 15ᵉ s.

NANT

Carte Michelin nº 80 - pli 15 – *Schémas p. 83 et 97* – 959 h. (les Nantais) – *Lieu de séjour, p. 42.*

Ce vieux bourg s'élève sur les bords de la Dourbie, à l'entrée des gorges, dans un « jardin » qui couvre toute la région de St-Jean-du-Bruel à Nant. En face se dresse le roc Nantais. Ce fertile « **Jardin de l'Aveyron** » a été créé par les moines du monastère de Nant.

La fondation du monastère remonte au 7ᵉ s. A peine installés dans cette région marécageuse, les moines commencent les travaux d'assèchement de la vallée. Mais, vers 730, le monastère est détruit par les Sarrasins ; les religieux sont dispersés.

Deux siècles plus tard, le couvent est reconstruit et la tâche d'assèchement est reprise : le Durzon est canalisé (les canalisations subsistent encore). La région, autrefois couverte d'ajoncs, devient un véritable jardin planté de vignes, entouré de belles prairies.

La colonie bénédictine reçoit de nombreuses donations. Les moines construisent, au milieu de la vallée, de vastes bâtiments abbatiaux et l'église St-Pierre.

En 1135, le pape Innocent II érige le monastère en abbaye. L'église St-Pierre est reconstruite, plusieurs églises sont édifiées aux environs : St-Martin-du-Vican, N.-D.-des-Cuns, etc. Les abbés attirent un noyau de population qui forme peu à peu une petite ville dont ils sont les seigneurs. Cette ville, entourée de fortifications, devient aux 14ᵉ et 15ᵉ s. une solide place forte qui, au cours des guerres de Religion, sera un pilier du catholicisme.

A la fin du 16ᵉ s., l'abbaye est mise en commende. Les abbés qui la détiennent ne songent qu'à en tirer des revenus. Ils paraissent rarement à Nant. L'abbaye reste cependant assez prospère jusqu'à la Révolution. Son collège, créé en 1662, qui enseigne les belles lettres et la philosophie, est le plus fréquenté du Rouergue.

Église abbatiale St-Pierre. – 12ᵉ s. Elle offre le caractère sévère d'une forteresse dominée par son donjon. Celui-ci, après la démolition, en 1794, du clocher qui s'élevait à la croisée du transept, fut surmonté d'une flèche, refaite en 1960.

Un narthex s'ouvrait par trois grandes arcades. Deux sont murées depuis le 14ᵉ s. Dans celle du centre, a été inséré un portail gothique. Une arcature trilobée plaquée sur la façade le surmonte.

Intérieurement la masse carrée des piliers flanqués sur chaque face de colonnes jumelées, le nombre et la qualité des chapiteaux, le chœur et sa série d'arcatures, deux tribunes, l'une au-dessus du narthex, l'autre sur pendentifs au carré du transept retiendront l'attention.

Vieille halle. – Elle faisait partie de la cour de l'ancien monastère. Ses cinq arcades trapues datent du 14ᵉ s. Elle abrita un marché qui fut longtemps prospère.

Pont de la Prade. – 14ᵉ s. Très belle arche ; on en a une bonne vue de la chapelle du Claux (mémorial érigé en souvenir des Nantais victimes des guerres de Religion).

NARBONNE*

Carte Michelin n° 83 - pli ⑭ – *Schéma p. 78* – 40 543 h. (les Narbonnais).

Narbonne, capitale antique de la Gaule narbonnaise, résidence des rois wisigoths, ancienne cité archiépiscopale, offre de nos jours le visage d'une ville méditerranéenne animée par son rôle de centre viticole actif et de carrefour routier et ferroviaire.

Un ensemble architectural, à la fois civil, militaire et religieux, les richesses conservées dans ses musées, les agréments des berges de la Robine et de ses boulevards ombragés font son attrait touristique.

UN PEU D'HISTOIRE

Un port de mer. – Narbonne occuperait l'emplacement du marché maritime d'un oppidum gaulois établi 7 siècles avant J.-C. au Nord de la ville actuelle, sur la colline de Montlaurès.

La ville, « Colonia Narbo Martius », fondée en 118 avant J.-C. par un décret du Sénat romain devient un port florissant. Par là s'exportent l'huile, le lin, le bois, le chanvre, les plantes tinctoriales et aromatiques, les fromages, la viande et le beurre des Cévennes dont les Romains sont friands. Le fret de retour se compose de marbre et de poteries. La ville s'orne de bâtiments magnifiques.

Une capitale. – En 27 avant J.-C., Narbonne donne son nom à la province que constitue Auguste. C'est « la plus belle » écrit Martial et, avec Lyon, la ville la plus peuplée de la Gaule. Cicéron proclame que « la Narbonnaise constitue le boulevard de la latinité ».

Le flot des invasions barbares vient battre l'Empire romain. Après la mise à sac de Rome en 410 par les Wisigoths, Narbonne devient leur capitale. Plus tard, elle tombe aux mains des Sarrasins ; en 759 Pépin le Bref la leur reprend après un long siège.

Charlemagne crée le duché de Gothie dont Narbonne reste la capitale. Elle est divisée en plusieurs seigneuries : la Cité, avec la cathédrale et l'archevêché, appartient à l'archevêque ; le bourg, avec l'église St-Paul-Serge relève du Vicomte ; la Ville neuve enfin est laissée aux Juifs. L'administration municipale est aux mains des consuls.

Au 12e s., un troubadour, Bertrand de Bar, dans une chanson de geste : « Aimeri de Narbonne » décrit la ville et « les grands navires cloutés de fer, les galères pleines de richesses qui font l'opulence des habitants de la bonne ville ».

A partir du 14e s., le changement du cours de l'Aude, les ravages de la Guerre de Cent ans, la peste, le départ des Juifs font péricliter Narbonne.

L'arrestation de Cinq-Mars et de Thou (1642). – Le jeune Cinq-Mars, grand écuyer de France, a su conquérir l'amitié de Louis XIII. Grisé par sa réussite, il entreprend de renverser Richelieu. Son ami de Thou, conseiller d'État, est au courant de ses projets. Comme toute la noblesse de France, Cinq-Mars participe au siège de Perpignan, alors tenue par les Espagnols ; mais il a entamé des négociations avec l'Espagne. Le cardinal, alité à Narbonne – il y rédigera son fameux testament –, se procure le texte de l'accord conclu avec l'ennemi et fait arrêter Cinq-Mars ; de Thou est pris aussi. Jugés à Lyon, les deux amis sont décapités le 12 septembre 1642.

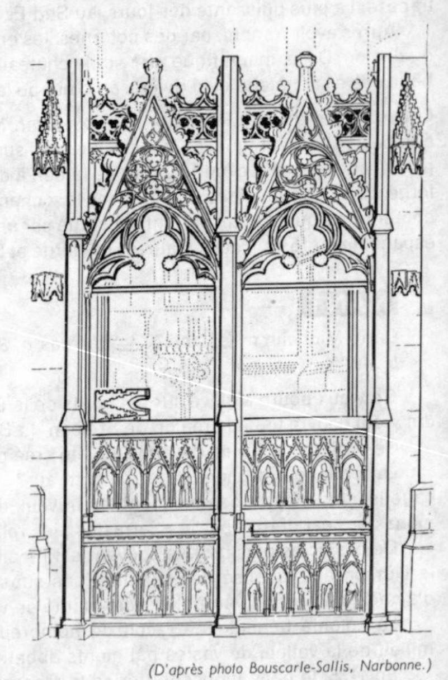

(D'après photo Bouscarle-Sallis, Narbonne.)

Cathédrale St-Just. – Un tombeau.

Ensablement, déclin et renouveau. – Jusqu'au 14e s., Narbonne était restée une cité maritime ; mais progressivement les alluvions des cours d'eau et le sable comblèrent sa baie. L'étang de Bages et de Sigean, reste de l'antique golfe marin, présente sur ses rives de nombreux marais salants. A la Révolution Narbonne ne compte plus que quelques milliers d'habitants et perd son archevêché.

De nos jours la richesse viticole de la région a rendu à la ville une importante activité et un dynamisme économique manifeste ; des quartiers nouveaux se développent. Sur la zone industrielle de Plaisance une base de roulage pour les pneus Michelin utilise une importante flotte de voitures de série.

LE CENTRE MONUMENTAL* *visite : 2 h 1/2*

Le musée archéologique, le musée d'Art et d'Histoire, le musée lapidaire, l'Horreum et la crypte St-Paul sont ouverts, du 15 mai au 30 septembre, de 10 h à 12 h et de 14 h à 18 h (17 h 15 le reste de l'année). Fermé le lundi du 1er octobre au 14 mai, et les 1er janvier, 1er mai, 14 juillet, 1er novembre, 25 décembre. Droit d'entrée global : 3 F.

Place de l'Hôtel de ville (BX). – Sur cette place animée au cœur de la cité, donne la façade de l'hôtel de ville qui occupe une partie de l'ancien palais fortifié des archevêques. Cette façade comporte 3 tours carrées datant des 13e et 14e s. : à droite, la plus ancienne, la tour de la Madeleine ; au centre, la tour St-Martial ; à gauche, le donjon Gilles Aycelin. Entre celui-ci et la tour du centre, Viollet le Duc a construit l'hôtel de ville actuel dans un style néogothique.

Cathédrale St-Just** (BX). – La cathédrale actuelle est la 4e église élevée à cet emplacement depuis l'époque de Constantin. La première pierre en fut posée le 3 avril 1272, elle avait été envoyée de Rome par le pape Clement IV, ancien archevêque de la cité. En 1354 le chœur rayonnant était terminé dans le style des grandes cathédrales du Nord mais la construction du transept et de la nef qui aurait entraîné la démolition partielle du rempart ancien, encore utile aux périodes médiévales troublées, fut remise à plus tard... et tout juste ébauchée au 18e s.

Le tour extérieur. – Faire le tour extérieur de la cathédrale, en partant par la rue Droite puis la rue Armand-Gautier, pour en admirer le chevet aux lancettes flamboyantes, les grands arcs surmontés de merlons à meurtrières qui surmontent les terrasses du déambulatoire, les arcs boutants à double volée, les tourelles et les puissants contreforts défensifs, la haute tour Nord.

Parvenu devant le mur qui clôt le chœur on est frappé par la puissance des piliers du 18e s. sur lesquels devaient prendre appui le transept et les 2 premières travées de la nef. et qui composent la cour St-Eutrope.

Du **jardin du musée,** ancien jardin des évêques (18e s.) ; belle vue sur les arcs boutants et la tour Sud de la cathédrale et le bâtiment du Synode, cantonné de 2 tours rondes.

Cloître. – 14e s. Au pied de la face Sud de la cathédrale ; observer les hautes voûtes gothiques de ses galeries et dans la cour des gargouilles sculptées disposées dans ses contreforts.

Intérieur. – Le chœur, seul achevé, frappe par ses belles proportions. La hauteur de ses voûtes (41 m) n'est dépassée que par celles d'Amiens (42 m) et de Beauvais (48 m). Son élévation est d'une grande pureté architecturale : grandes arcades dominées par un triforium dont les colonnettes prolongent les lancettes des grandes verrières.

Long de 4 travées, entouré d'un déambulatoire et de chapelles rayonnantes, il abrite de nombreuses œuvres d'art. Les cinq chapelles et les fenêtres hautes de l'abside, de même que la 2e fenêtre haute sur le côté droit conservent de beaux vitraux du 14e s.

La chapelle de l'Annonciade, hors œuvre, datant du 15e s. est l'ancienne salle capitulaire ; elle contient, face à l'entrée, un beau tableau de Nicolas Tournier (17e s.) Tobie et l'Ange.

1 – Maître-autel (1694), à baldaquin et colonnes corinthiennes, dessiné par J. Hardouin-Mansard. De part et d'autre de l'autel, les premiers piliers du chœur portent des peintures murales anciennes.
2 – Stalles du 18e s.
3 – Buffet d'orgues à deux corps (18e s.).
4 – Statue funéraire en marbre, du chevalier de la Borde (17e s.).
5 – Tombeau du cardinal Briçonnet ; œuvre Renaissance en marbre blanc.
6 – Sur l'autel, Vierge à l'Enfant en albâtre, œuvre méridionale du 14e s. Derrière un rideau *(éclairage)*, haut relief du 14e s. représentant l'Enfer. A droite une charrette apporte des damnés ; à gauche, dans la gueule du Leviathan un diable est assis entre des marmites où souffrent des réprouvés.
7 – Tombeau flamboyant du cardinal Pierre de Jugie.
8 – Tapisseries d'Aubusson et des Gobelins des 17e et 19e s.
9 – Mise au Tombeau en pierre polychrome de la fin du 15e s., provenant de Bavière.

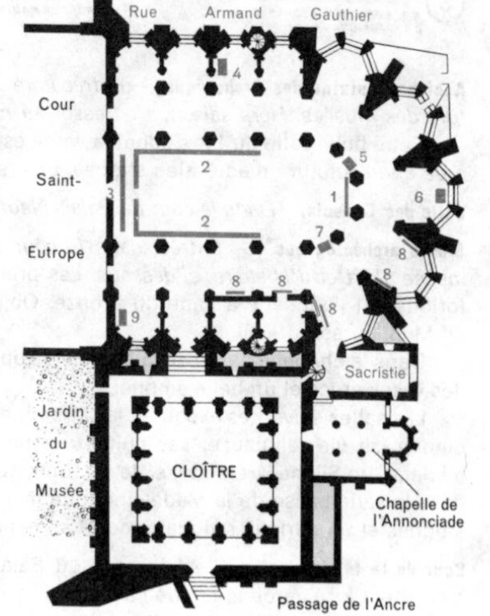

Plan de la cathédrale.

Trésor. – *Visite en saison de 9 h à 12 h et de 14 h (15 h les dimanches et fêtes) à 18 h ; hors saison, s'adresser au sacristain. Entrée : 1 F.*

Il est installé dans une salle, au-dessus de la chapelle de l'Annonciade, dont la voûte possède une curieuse propriété acoustique.

Il possède des manuscrits enluminés, des pièces d'orfèvrerie religieuse dont un beau calice en vermeil de 1561. Et surtout l'admirable tapisserie flamande de la fin du 15e s. représentant la **Création**** ; tissée d'or et de soie. La douceur des coloris, la finesse du dessin, la physionomie des trois personnes de la Sainte Trinité créant les éléments et l'homme, la beauté de la composition sont exceptionnelles. C'est la seule qui subsiste d'un lot de 9 pièces offertes au chapitre par l'archevêque François Fouquet.

Admirer aussi la finesse d'une plaque d'évangéliaire en ivoire sculpté de la fin du 10e s. et un coffret de mariage en cristal de roche, orné d'intailles antiques qui servit de reliquaire.

Sortir de la cathédrale par le cloître et les marches qui conduisent au passage de l'Ancre.

Passage de l'Ancre (BX). – Sorte de rue fortifiée aux murs impressionnants, ce passage s'ouvre entre la tour St-Martial et la tour de la Madeleine. Il sépare le Palais Vieux (12e s.) à gauche du Palais Neuf (14e s.) à droite.

Palais des Archevêques (BX). – Cette résidence ecclésiastique, modeste à l'origine, compose un ensemble architectural religieux, militaire et civil où les siècles ont laissé leur empreinte : 12e s. au Palais Vieux, 13e s. aux donjons de la Madeleine et Aycelin, 14e s. à la tour St Martial et au Palais Neuf, 17e s. à la résidence des archevêques et 19e s. à la façade de l'hôtel de ville. Le Palais Vieux au Nord du passage de l'Ancre et le Palais Neuf au Sud enserrent de belles cours intérieures.

Ancienne cuisine des Archevêques. – *Entrée libre du 15 juin au 30 septembre, aux heures d'ouverture des musées. Hors saison, s'adresser au musée archéologique.*

Cette belle salle du 14e s., dont la voûte est portée par un énorme pilier central est consacrée à la sculpture médiévale : statues, bas-reliefs, inscriptions...

Salle des Consuls. – *Dans la cour du Palais Neuf.* Belle rangée centrale de piliers.

Musée archéologique★. – *Entrée, dans la cour du Palais Neuf. Ouvert en nocturne comme le musée d'Art et d'Histoire, ci-dessous.* Les premières salles intéressent les antiquités préhistoriques et l'outillage à l'âge du bronze. Objets découverts dans les fouilles de l'oppidum de Montlaurès.

Dans la chapelle haute de la Madeleine on observe des fresques du 14e s. (Annonciation), des vases grecs et un belle amphore.

Les salles suivantes évoquent la Narbonne romaine à travers ses institutions, sa vie quotidienne, sa vie religieuse, ses cultes : remarquer en particulier une très ancienne borne milliaire, un Silène ivre du 1er s., le sarcophage des Amours vendangeurs (3e s.),des stèles et, dans la salle basse de la Madeleine, une mosaïque païenne, des sarcophages historiés ou à strigiles et un curieux reliquaire du 5e s. monolithe en marbre.

Cour de la Madeleine. – C'est la cour du Palais Vieux. Elle est entourée d'un petit donjon à clocher carré carolingien, de l'abside de la chapelle de l'Annonciade que domine au Nord le chevet de la cathédrale. à l'Est, d'une tourelle d'escalier carrée cantonnant une façade romane ajourée d'arcatures, du donjon de la Madeleine portant à l'étage une porte romane et au Sud d'une façade percée d'ouvertures romanes, gothiques et Renaissance.

Salle des Synodes. – *Cour du Palais Neuf.* On y accède par un grand escalier à balustres construit en 1628 par l'archevêque Louis de Vervins. La salle du Synode, où se tinrent les États Généraux du Languedoc abrite quatre belles tapisseries d'Aubusson.

Musée d'Art et d'Histoire★. – *Ouverture en nocturne de 21 h à 23 h les mercredis et samedis du 3 juillet au 28 août.*

Il est aménagé au 2e étage, dans les anciens appartements des archevêques où séjourna Louis XII, lors du siège de Perpignan. Remarquer d'abord les plafonds à caissons représentant les neuf Muses et une mosaïque romaine aux couleurs magnifiquement conservées, à dessin géométrique, dans la chambre du Roi. Aux murs, peintures du 17e s. (portraits par Rigaud, Mignard, entre autres).

Dans la grande galerie belle collection de pots de pharmacie en faïence de Montpellier. Des collections de peinture, des faïences des plus grandes fabriques françaises, des émaux, un buste de Louis XIV par Coysevox retiendront aussi le visiteur.

Donjon Gilles Aycelin★. – *Accès libre du 15 juin au 30 septembre aux mêmes heures que les musées. Hors saison, s'adresser au musée archéologique.*

Ce donjon aux murs en bossage est établi sur les restes de rempart gallo-romain qui défendait jadis le port de Narbonne. Il affirmait la puissance épiscopale face à celle des vicomtes.

C'est un bel exemple de donjon de la fin du 13e s. au dispositif intérieur très soigné.

Voir au passage la « salle du Trésor » hexagonale et couverte d'une voûte en éventail.

De la plateforme *(179 marches)*, le **panorama★** se développe sur Narbonne et sa cathédrale, la plaine alentour, la Clape, les Corbières et les Pyrénées à l'horizon.

AUTRES CURIOSITÉS

Basilique St-Paul (AY). – Elle a été édifiée à l'emplacement d'une nécropole constituée aux 4e et 5e s. autour du tombeau du premier évêque de la ville.

A l'intérieur, près de la porte Sud se trouve le célèbre et curieux bénitier « à la grenouille ». Le **chœur***, construit en 1229, est remarquable par son élévation (grandes arcades, double triforium, fenêtres hautes), ses voûtes champenoises et son élégance. Dans le croisillon Nord du transept, contre le mur, deux beaux vantaux en bois sculpté (16e s.) sont surmontés de tapisseries d'Aubusson.

La perspective de la nef est coupée par 3 arcs massifs en anse de panier. Sous les grandes orgues, deux sarcophages chrétiens primitifs sont encastrés dans le mur, un troisième sert de linteau.

Crypte paléo-chrétienne. – *Accès par le portail Nord de l'église.* C'est une partie de l'importante nécropole constituée au début du 4e s. sous Constantin. Les restes d'un édifice composé d'une chambre carrée et d'une abside constituent une crypte dans laquelle sont conservés six sarcophages. L'un avec acrotères, un autre à rinceaux de l'école d'Aquitaine, et un troisième en marbre blanc qui évoque les sarcophages païens sont le plus intéressants.

Maison des Trois Nourrices (AY). – Du 16e s. Une légende la donne comme le lieu de l'arrestation de Cinq-Mars. Elle doit sa dénomination imagée aux formes généreuses des cariatides qui supportent le linteau d'une magnifique fenêtre Renaissance.

Musée lapidaire* (BX). – *Voir conditions de visite p. 128.* Il est installé dans l'église désaffectée de N. D. de la Mourguié, du 13e s., ancienne église d'un prieuré rattaché en 1086 à l'abbaye bénédictine de St-Victor de Marseille. L'extérieur a fière allure avec ses contreforts saillants et son chevet crénelé.

A l'intérieur, la vaste nef est couverte d'une toiture apparente supportée par des arcs doubleaux brisés.

Près de 1 300 inscriptions antiques, des stèles, des linteaux, des bustes, des sarcophages, d'énormes blocs sculptés sont réunis là, entassés sur quatre rangées, provenant pour la plupart des remparts de la cité et témoignant du passé prestigieux de l'ancienne capitale de la Gaule narbonnaise.

Berges de la Robine (BY). – Le canal de la Robine est une dérivation de l'Aude. Ses cours plantés de platanes, le pont vieux et la pittoresque rue piétonne du Pont des Marchands qui le franchit, la passerelle et la promenade des Barques composent un quartier propre à la flânerie.

Maison vigneronne (BX). – *Expositions temporaires.* Ancienne poudrière du 17e s. aux puissants contreforts bas.

Horreum (Entrepôt romain) (BX). – *Voir conditions de visite p. 128.* Cet entrepôt public comprend deux galeries actuellement prospectées et ouvertes à la visite sur lesquelles s'ouvrent des petites cellules facilitant le classement des marchandises.

Situé près du forum, sous le marché auquel il était relié par des monte-charges, il présentait une destination exclusivement utilitaire. Quelques sculptures et des bas-reliefs y évoquent la civilisation antique.

Place Bistan (BX). – Elle occupe l'emplacement du forum et du capitole antiques. Des fûts de colonnes, des bases de pilastres, des fragments de chapiteaux évoquent, par leurs dimensions, le temple du 2e s.

Église St-Sébastien (BX). – Elle occuperait l'emplacement de la maison natale du saint. Édifiée au 15e s., elle fut agrandie au 17e s. Au maître-autel, tableau de Mignard : L'Extase de Sainte Thérèse.

EXCURSIONS

Réserve africaine de Sigean*. – *17 km au Sud par ③ du plan, la N 9. Description p. 154.*

Montagne de la Clape ; Gruissan. – *Circuit de 44 km – environ 3 h. Sortir par ② du plan, puis prendre à gauche le D 168 vers Narbonne-Plage.*

Le massif calcaire de la Clape domine de ses 214 m la mer, les étangs littoraux autour de Gruissan et la plaine de la basse vallée de l'Aude couverte de vigne.

La route, sinueuse et accidentée, offre de belles vues sur les falaises et les versants de la Clape.

Narbonne-Plage. – *Lieu de séjour, p. 42.* La station s'étire en bordure du littoral ; elle est caractéristique des stations traditionnelles du littoral languedocien.

Gruissan. – *Page 100.*

A la sortie de Gruissan, prendre à droite et aussitôt à gauche une petite route signalée vers N.-D.-des Auzils.

Cimetière marin. – *Page 101.*

Poursuivre la petite route tracée sur les dernières pentes de la Clape. En débouchant sur le D 32 prendre à droite vers Narbonne. A la Ricardelle, prendre, à droite, une petite route étroite et en forte montée.

Coffre de Pech Redon. – Point culminant de la montagne de la Clape, il apparaît au sommet de la montée. Vue pittoresque sur les étangs et Narbonne d'où émergent la cathédrale St-Just et le palais des Archevêques.

Faire demi-tour; regagner Narbonne par le D 32.

Ginestas. – 769 h. *17 km au Nord-Ouest. Sortir par ⑤ du plan, D 607 ; après avoir traversé le canal du Midi, prendre à gauche.* Entouré de vignes, ce village possède une église paroissiale *(ouverte le matin seulement)* faiblement éclairée, qui renferme quelques belles pièces dont un retable en bois doré du 17e s., la statue de N.D.-des-Vals, une Vierge à l'Enfant d'une facture simple et une Sainte Anne, naïve statue polychrome du 15e s.

Capestang. – 2 550 h. *18 km au Nord. Sortir par ① du plan ; à la sortie de l'agglomération, prendre à gauche le D 13 puis, à Cuxac-d'Aude, le D 413.*

Traversé par la grande route qui relie Béziers à Carcassonne, Capestang est dominé par la silhouette de son église de pierre ocre, qui aurait été bâtie par l'architecte de la cathédrale de Narbonne.

Commencée à la fin du 13e s., elle se distingue par son chevet avec ses contreforts à ressauts, mais surtout par son clocher (début du 14e s.). L'étage qui le termine est particulièrement élégant avec ses minces contreforts et sa balustrade ajourée. La tourelle d'escalier octogonale domine l'ensemble. Seul le chœur a été achevé : abside de lignes très pures, ajourée de baies à remplages.

NAUROUZE (Seuil de)

Carte Michelin n° 82 - pli ⑲ – 12 km à l'Ouest de Castelnaudary.

L'automobiliste imagine avec peine que ce « col » (alt. 194 m) fut longtemps un obstacle majeur pour les prédécesseurs de Riquet. *Lire « Le canal du Midi » p. 24.*

Obélisque de Riquet. – *Accès, de la N 113, par un chemin non revêtu.* L'obélisque, élevé en 1825 par les descendants de Riquet, se dresse sur le socle naturel des « pierres de Naurouze ». Selon la légende, quand les fissures qui les strient viendront à se fermer, la société sombrera dans la débauche et la fin du monde surviendra.

Montferrand. – 395 h. *1 km au Nord-Ouest. Laisser la voiture au Sud du village, près de la N 113, sur le côté d'une chapelle jouxtant un cimetière planté de cyprès.*

Une salle contiguë à la chapelle *(visite provisoirement suspendue)* abrite des croix discoïdales et des chrismes. Le chrisme, monogramme du Christ dessiné par un X et un P entrelacés, s'accompagne souvent des lettres alpha et oméga, la première et la dernière de l'alphabet grec. Le chrisme apparaît fréquemment dans le Sud-Ouest au tympan des chapelles romanes. Ce motif fait partie, depuis le Moyen Age, du répertoire symbolique du compagnonnage, il est connu sous le nom de « pendule de Salomon ».

Au Nord de la chapelle une ancienne nécropole révèle la pérennité de ce site choisi comme champ de repos et donc l'ancienneté de l occupation humaine en ces lieux. Dans un enclos *(entrée à gauche au-delà du cimetière)*, un abri sert de dépôt de fouilles aux Monuments Historiques. On y voit d'anciens sarcophages généralement dépourvus de motifs sculptés.

NAVACELLES (Cirque de)***

Carte Michelin n° 80 - pli ⑯ – *Schémas p. 97 et 101.*

Le Cirque de Navacelles est le site le plus prestigieux de la vallée de la Vis *(p. 169)* qui sépare, là, les causses de Blandas au Nord et du Larzac au Sud.

C'est un immense et magnifique méandre *(illustration p. 169)*, profondément encaissé, dont les parois calcaires sont surmontées de falaises escarpées et blanchâtres tachées seulement de maigres touffes de buis. Ce méandre qui enserrait un petit promontoire a été abandonné par la Vis qui a coupé par une cascade son pédoncule étroit, là où s'est installé le hameau de Navacelles.

Le fond de la vallée, horizontal et demeuré humide, a pu être cultivé.

De Blandas à la Baume-Auriol – *13 km – environ 1 h 1/4 – schéma ci-dessous*

Le D 713 qui s'embranche sur le D 158 atteint le rebord du causse de Blandas.

Belvédère Nord. – Alt. 613 m. Sur le rebord même du plateau, il offre la révélation du cirque et une vue intéressante sur le canyon de la Vis. A l'horizon la vue s'arrête à la longue chaîne de la Seranne.

La route de descente, très bien tracée, dessine quelques lacets à hauteur de la falaise, puis une ample boucle dans la combe du Four ; elle plonge jusqu'au fond du cirque et gagne le village de Navacelles.

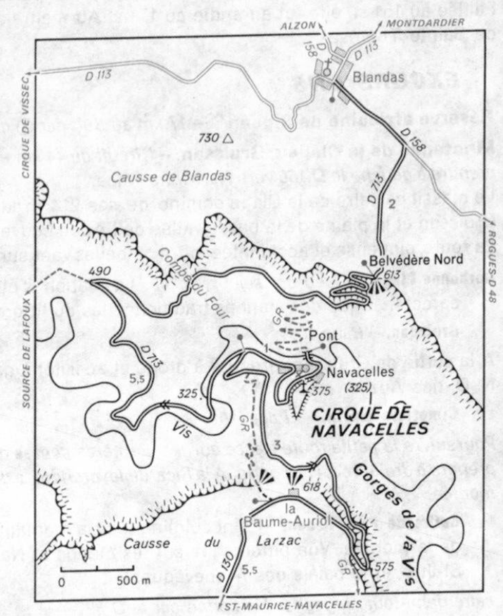

Navacelles. – 220 h. A 325 m d'altitude ce petit village possède un joli pont à une seule arche sur la Vis.

Le D 130 gravit la paroi Sud du canyon.

La Baume-Auriol – Alt. 618 m.

La face Nord de la ferme offre une vue saisissante sur le cirque. Le canyon est splendide avec ses méandres resserrés qui emboîtent leurs pédoncules effilés aux hautes parois très abruptes vers l'amont. Au loin se profilent les montagnes du Lingas et de Lesperou.

Un peu plus loin, sur la droite, un sentier mène à un point de vue.

ORB (Vallée de l')

Carte Michelin n° 83 - plis ④ ⑭ – *Schéma p. 78.*

Né dans les terrains calcaires de la bordure méridionale du causse du Larzac, l'Orb (145 km) côtoie le bassin houiller de Graissessac dont l'exploitation est abandonnée, oblique vers l'Ouest dans la vallée qui prolonge le sillon du Thoré, reçoit le Jaur et bifurque vers le Sud ; enfin il rejoint la plaine du Bas-Languedoc en aval de Cessenon. La vigne est partout présente. Tantôt voisinant avec le chêne vert, tantôt cultivée en terrasses parmi les oliviers et les figuiers, elle marque les paysages d'une empreinte méditerranéenne.

D'Avène à Roquebrun – *72 km – environ 3 h 1/2*

Barrage d'Avène. – *Voir tableau p. 44.* Lac artificiel dont on a une vue agréable depuis la digue. En période sèche, il alimente l'Orb et permet l'irrigation des terres voisines.

Le D 8 traverse l'Orb aux **Bains d'Avène** dont les eaux soignent les maladies de la peau. Jusqu'en aval de Truscas, la route serpente entre des versants boisés de châtaigniers puis elle longe le pied de hautes parois rocheuses. Déjà la vigne et les chênes verts apparaissent. On laisse le roc Mendic à droite et la vallée s'élargit.

Poursuivre par le D 35. Les abords industriels du Bousquet d'Orb rappellent la proximité de l'ancien bassin houiller de Graissessac. *A la Tour-sur-Orb, laisser le D 35 et prendre le D 23ᴱ qui passe sous le viaduc du chemin de fer.*

Boussagues. – Boussagues aurait été un oppidum romain, édifié par César au temps de la guerre des Gaules et destiné à empêcher les Ruthènes cantonnés sur la rive droite de l'Orb, au Nord de Boussagues, de tenter une expédition vers la Méditerranée pour couper la route d'Espagne aux légions romaines. Une belle vue sur cet ancien village fortifié s'offre du D 23ᴱ au Nord-Est. Dominé par les ruines de sa citadelle, il a conservé son château du 14ᵉ s., son église romane ainsi que l'élégante maison du bailli (16ᵉ s.), reconnaissable à sa tour ronde et qui aurait appartenu à Toulouse-Lautrec.

Rejoindre le D 23 au Nord-Est, que l'on prend à gauche ; au terme d'une descente, prendre à gauche pour traverser la voie ferrée et descendre la vallée de la Mare.

Pont du Diable. – Ce petit pont assez délabré, datant probablement des 12ᵉ-13ᵉ s., enjambe la Mare en une arche très prononcée.

Villemagne. – 291 h. Villemagne fut le siège d'une abbaye bénédictine du 7ᵉ s. à la fin du 18ᵉ s. Ses mines de plomb argentifère la firent nommer Villemagne l'Argentière.
L'**église St-Majan** est une ancienne abbatiale de style gothique rayonnant. Reconstruite au 13ᵉ s. sur les murs d'une église romane dont faisait partie la tour clocher, elle ne fut jamais achevée. La belle abside à cinq pans date du 14ᵉ s.
L'**église St-Grégoire** a conservé son portail roman.
Dans la ruelle derrière le bureau de tabac, belle **maison romane** du 12ᵉ s., à la décoration raffinée et improprement nommée « hôtel des monnaies ».

Pénétrer dans Hérépian pour traverser l'Orb (direction de Béziers). Aussitôt après le pont, prendre à droite le D 160 jusqu'au Moulinas et, de là, gagner les Abbes.

Château de St-Michel*. – *Page 104.*

Poursuivre la descente de la vallée ; traverser à nouveau l'Orb pour en suivre la rive droite (D 908). La route, pittoresque, longe le versant méridional du Caroux.

Gorges de Colombières. – *Page 104.*

Traverser la rivière par le pont suspendu de Tarassac et poursuivre par le D 14 sur la rive gauche.

Le paysage devient nettement méditerranéen. L'Orb serpente en terrain calcaire et les roches blanchâtres affleurent. Oliviers étincelants, figuiers et chênes verts se mêlent à la vigne et aux cultures en terrasses. Quelques villages accrochés aux rochers et c'est Roquebrun.

Roquebrun. – 569 h. *Lieu de séjour, p. 42.* Ce village, étagé au-dessus de la rivière, est dominé par sa tour du Moyen Age. A l'abri des vents du Nord, il bénéficie d'un climat tout à fait exceptionnel qui lui permet de faire pousser en pleine terre des mimosas (floraison en février), des orangers, des citronniers et des mandariniers. Les ruelles escarpées sont bordées de lauriers-roses et d'arbres exotiques.
Une « maison du Parc » (Parc naturel régional du Haut-Languedoc), installée dans un ancien moulin, seconde son développement *(ouverte en saison).*

PEYRELEAU*

Carte Michelin n° 80 - Sud du pli ④ – *Schémas p. 97, 102, 158 et 161* – 110 h.

Peyreleau est séparé du Rozier *(p. 141)* par la Jonte *(illustration p. 13).*

De la route, on aperçoit le **château de Triadou** (commencé en 1470) qui appartint à la famille d'Albignac jusqu'à la Révolution. En 1628, Simon d'Albignac rêve d'ajouter une aile au bâtiment. Mais sa bourse est plate. Viennent à passer des troupes protestantes du duc de Rohan *(détails p. 59)* ; Simon les attaque, les défait et pille le trésor de guerre qu'elles transportent. Peu après, l'aile tant désirée s'élève. En action de grâces, une belle chapelle est dédiée à la Vierge. Une partie de l'argent est cachée sous une marche du grand escalier. A la Révolution, les paysans, alléchés par la légende du « trésor de Triadou », font une descente au château, sondent l'escalier marche par marche et découvrent deux caisses de plomb contenant des pièces d'or et d'argent. Pendant ce temps, émigré à Londres, le marquis d'Albignac gagne largement sa vie, grâce à son talent particulier pour assaisonner la salade. Il court de dîner en dîner et, les manches retroussées, brasse à pleines mains, dans une sauce savante, la scarole ou la laitue.

Le village. – Étagé sur les pentes escarpées d'une butte, il est dominé par son église moderne et une vieille tour carrée et crénelée, dernier vestige d'un château fort. Les ruelles de Peyreleau sont amusantes à parcourir.

PEYRUSSE-LE-ROC *

Carte Michelin n° 79 - pli ⑩ – 15 km au Sud-Est de Capdenac – 383 h.

Sur les planèzes qui séparent les vallées de l'Aveyron et du Lot, Peyrusse jouait jadis le rôle d'une place forte isolée sur un versant escarpé surveillant la vallée de l'Audiernes. Aussi connut-elle un passé mouvementé dont témoignent encore les vestiges de ses anciens monuments. Conquise en 767 par Pépin le Bref, rattachée en 781 par Charlemagne au royaume d'Aquitaine, passée en 1152 aux mains de l'Angleterre après le divorce de Louis VII et d'Éléonore d'Aquitaine, l'antique Petrucia occupa le rang de chef-lieu de baillage jusqu'au début du 18e s. A partir de ce moment se développa sur le plateau le village actuel de Peyrusse-le-Roc lorsque les habitants se mirent peu à peu à déserter la ville basse fortifiée pour s'établir en des lieux plus faciles.

Place St-Georges. – Belle croix de pierre du 15e s. où se distingue une Vierge à l'Enfant sous un dais.

Porte du Château. – Vestige de l'enceinte médiévale.

Église. – Édifiée au 18e s. elle se signale par sa grande nef unique de cinq travées et ses voûtes à pénétration portées par des piliers carrés.

Place des Treize-Vents. – Occupée au Moyen-Age par le château des seigneurs de Peyrusse dont il ne reste aujourd'hui qu'une salle qui servit de prison et une tour (le clocher de l'église).

■ PEYRUSSE-LA-MORTE *visite : 1 h 1/2*

Sur la gauche de l'église, franchir la porte Neuve et les fortifications. Le sentier sur la gauche (accès : 3 F) descend vers les ruines de la ville basse ; au-delà du cimetière, appuyer à droite (escalier).

Roc del Thaluc. – *Accès par des échelles métalliques.* En haut de ce roc, hérissé des deux tours carrées du château inférieur et dominant de 150 m la vallée de l'Audiernes on comprend, au mieux, le rôle de vigie et l'importance stratégique de Peyrusse durant ces périodes médiévales troublées.

Poursuivre le sentier qui dévale vers le fond de la vallée.

Tombeau du Roi. – Abrité sous un édicule, c'est un mausolée richement sculpté et datant probablement du 14e s.

N.-D.-de-Laval. – De cette ancienne église paroissiale subsistent, à l'aplomb des 2 tours du Roc del Thaluc, les imposants arcs ogifs de la nef effondrée, les vestiges des 5 chapelles latérales droites et du chœur à trois pans adossé au rocher et d'un tombeau, avec gisant, à gauche.

N.D. de Pitié
Audiernes
Hôpital
Synagogue
Tombeau du Roi
Tours du château inférieur
N.D. de Laval
Roc del Thaluc
Beffroi
Porte de la Barbacane
Ancien marché
Pisarate
Pl. des Treize-Vents
Porte Neuve
Porte du château du Roi
Tour
Pl. St-Georges
PEYRUSSE-LE-ROC
0 100 m
D 87
D 87
CAPDENAC / MONTBAZENS

Synagogue. – Des juifs y auraient trouvé refuge au 13e s. ; mais peut-être aussi s'agit-il de la base d'une tour ayant appartenu au château inférieur.

Hôpital des Anglais. – 13e s. Il comptait 3 étages ; il a conservé sa belle cheminée extérieure ronde.

Chapelle N.-D.-de-Pitié. – 1874. Au bord de la rivière, elle marque l'emplacement d'un oratoire. Elle abrite une Pietà du 15e s.

Rebrousser chemin et regagner le tombeau du Roi.

Beffroi. – Cette haute tour carrée est l'ancien clocher de N.-D.-de-Laval ; avec la porte de la Barbacane (bel arc ogival de décharge) qui marque le terme de la visite de Peyrusse-la-Morte, il défendait la ville au Nord-Ouest.

En regagnant le village, remarquer à gauche les caves voûtées.

PÉZENAS*

Carte Michelin n° 83 - pli ⑮ – *Schéma p. 78* – 8 058 h. (les Piscénois).

Autrefois appelée « Piscenae », cette petite ville est bâtie dans une plaine fertile, où s'étendent les vignobles. Pézenas tire surtout sa gloire de son passé, inscrit dans ses ruelles pittoresques, dans ses hôtels, restés intacts depuis le 17e s.

Vidal de la Blache, fondateur de l'école géographique française, naquit à Pézenas en 1845.

Un marché lainier. – Ville fortifiée au temps des Romains, Pézenas est déjà un important marché pour les draps. Seigneurie royale à partir de 1261, ses foires prennent une extension nouvelle. Il y en a trois chaque année. Tout est mis en œuvre pour en assurer le succès : les marchandises sont exemptes des droits pendant trente jours ; les marchands ne peuvent être saisis pour dette ; par ordre du roi, les seigneurs du voisinage doivent les protéger pendant leur voyage. Pour ces faveurs, la ville paie au trésor royal une redevance de 2 500 livres.

PÉZENAS

Conti (R.) 8
Jaurès (Cours Jean) 15
République (Pl. de la) 25
Trois-Six (Pl. des) 29

Alliès (R. A.-P.) 2
Anatole-France (R.) 3
Bonnet (Pl.) 4
Briand (Av. A.) 5
Combes (Av.) 6
Combescure (Bd) 7
Cordeliers (Fg des) 9
Denfert-Rochereau (R.) 12
Guérin (Av. C.) 14
Joliot-Curie (Bd F. et I.) 16
Leclerc (Av. du Mar.) 17
Ledru-Rollin (Pl.) 18
Mazel (Av. G.) 19
Mistral (Pl.) 21
Montagne (Av.) 22
Montagne (Allées Gén.) 23
St-Jean (R.) 26
Sarazin (Bd) 27
Victor-Hugo (R.) 30
Vidal de la Blache (Av. P.) 31
Voltaire (Bd) 33
8-Mai (Av. du) 34
14-Juillet (Pl. du) 35

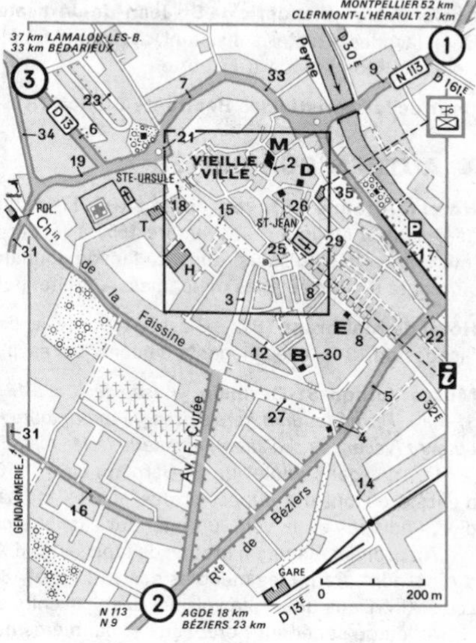

Le « Versailles » du Languedoc. – Pour la première fois, en 1456, les États Généraux du Languedoc tiennent leurs séances à Pézenas. La ville devient plus tard la résidence des gouverneurs du Languedoc : les Montmorency, puis Conti. Armand de Bourbon, prince de Conti, fait de Pézenas le « Versailles » du Languedoc. Installé dans le domaine de la Grange des Prés, célèbre pour la beauté de ses jardins, de ses parterres, de ses jeux d'eau, il s'entoure d'une véritable cour de gentilshommes, d'artistes et d'écrivains. Chaque session des États est marquée par des fêtes somptueuses.

Molière à Pézenas. – A l'occasion d'une de ces fêtes, Molière, attiré par la réputation de la ville, vient à Pézenas avec son « illustre Théâtre ». En 1650, admis à jouer devant Conti, il a tant de succès que le grand seigneur lui donne le titre de « Comédien de S.A.S. le prince de Conti ».

Molière joue aussi devant le peuple, sur la place couverte. Son répertoire comprend des pièces empruntées à la comédie italienne et des farces de sa composition.

Habitant dans la maison d'un barbier de la ville, Gély, il s'installe tous les jours dans sa boutique, observe les caractères et fait provision de traits piquants qu'il utilisera par la suite dans ses œuvres. Molière revient plusieurs fois à Pézenas entre 1653 et 1656. La partie nomade de sa carrière se termine : l'auteur-comédien s'installe à Paris.

La mort d'Armand de Bourbon en 1666 marque la fin des splendeurs de Pézenas.

■ LA VIEILLE VILLE** *visite : 3/4 h*

Les portes de style, les vieux hôtels souvent ornés de beaux balcons sont nombreux à Pézenas. Certaines rues : rue de la Foire, jadis artère principale de la ville, cours Jean-Jaurès, rue Conti, rue St-Jean, présentent des ensembles remarquables. De vieilles échoppes sont aujourd'hui occupées par des artisans (sculpteurs sur bois, ébénistes d'art, céramistes, peintres, etc.). En été, à l'occasion de la « Mirondela dels Arts », ils exposent leurs œuvres ; des manifestations folkloriques, des représentations théâtrales, des concerts sont organisés.

La visite de la vieille ville n'acquiert tout son intérêt que si l'on pénètre dans les cours intérieures des hôtels particuliers (accès libre).

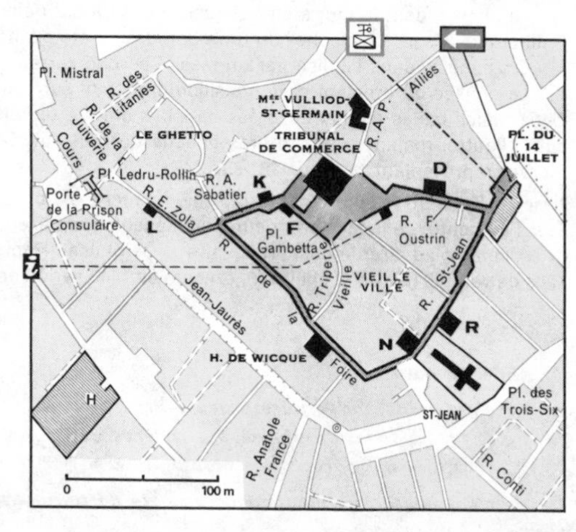

Place du 14-Juillet. – Sur un des côtés de la place, dans un square s'élève le monument de Molière par Injalbert (1845-1933).

Hôtel de Lacoste* (D). – Cet ancien hôtel (15e s.) garde un grand escalier et des galeries à voûtes gothiques. Une salle du 1er étage possède un beau plafond à poutrelles.

Tribunal de Commerce. – *Entrer par les grilles à gauche de la façade.* Il occupe l'ancienne Maison consulaire (1552) et possède un bel escalier du 16e s. ; la façade, refaite au 17e s., est ornée de belles ferronneries. Les États du Languedoc y tinrent souvent leurs séances, entre autres la réunion d'où partit la révolte de Henri II de Montmorency contre l'autorité royale (1632).

La maison du barbier Gély (siège du Syndicat d'Initiative), où habita Molière, est de l'autre côté de la place. A l'angle Sud débouche la curieuse rue Triperie-Vieille (au no 11, vestibule et escalier intéressants).

Hôtel de Flottes-de-Sébasan (F). – *Rue Alfred-Sabatier.* Il possède une belle niche d'angle Renaissance ; sa façade est du 18e s. A droite, fenêtres Renaissance. Au no 8, la **maison des Pauvres** (K) possède un bel escalier du 17e s.

Hôtel Jacques-Cœur (L). – *No 7 rue Émile-Zola.* Il a conservé quelques culs-de-lampe du 15e s.

Hôtel de Wicque. – Cette maison conserve une gracieuse façade Renaissance. Le couloir qui s'ouvre à gauche mène à une cour de même style conservant encore ses fenêtres et ses médaillons sculptés. Au fond, galerie du 15e s.

Ancienne commanderie de St-Jean-de-Jérusalem (N). – Cet édifice fut construit au 16e s. Deux façades intactes subsistent, avec leurs fenêtres à meneaux. Gracieuse tourelle d'angle. Heurtoir Renaissance à la porte.

Cour de la sacristie des Pénitents Blancs (R). – Cour élégante du 15e s.

■ AUTRES CURIOSITÉS

Hôtel d'Alfonce* (E). – Bel ensemble du 17e s., l'un des mieux conservés de Pézenas. Il servit de théâtre à Molière de novembre 1655 à février 1656. Dans la cour d'entrée, jolie terrasse intérieure ornée de balustrades. La façade donnant sur la seconde cour présente un portique surmonté de deux étages de loggias. A droite, bel escalier à vis du 15e s.

Hôtel de Malibran* (B). – C'est le type de la demeure aristocratique de l'époque ; belles façades du 18e s. avec élégants balcons, bel escalier du 17e s.

Musée Vulliod-St-Germain. – *Visite de 10 h à 12 h et de 14 h à 19 h (17 h du 1er octobre au 31 mai). Fermé le lundi hors saison, le mardi toute l'année et aussi en décembre, janvier, février ou avril (vacances scolaires), ainsi que le 1er mai. Entrée : 3 F.*

Installé dans l'hôtel de St-Germain (16e et 18e s.). Au rez-de-chaussée, à côté du hall d'entrée où ont été déposées des pierres tombales et quelques sculptures provenant de divers édifices de la ville, un intérieur rustique piscénois a été reconstitué.

Au premier étage, un groupe de tapisseries d'Aubusson du 17e s. représentent le triomphe d'Alexandre. Parmi les meubles des 16e, 17e et 18e s., il faut distinguer deux belles armoires Louis XIII. Dans une salle voisine, des souvenirs de Molière ont été rassemblés.

A l'étage supérieur : drapeaux et bannières de corporations du 17e au 19e s. et peintures des 19e et 20e s. Collection de faïences.

Ghetto. – Constitué par les rues de la Juiverie et des Litanies, il est resté intact depuis le 14e s. La porte de la prison consulaire (16e s.), qui y donne accès, de la place Ledru-Rollin, est intéressante.

QUARANTE

Carte Michelin no 83 - pli ⑭ – *Schéma p. 78* – 1 460 h. (les Quarantais).

A la limite des monts du Minervois, Quarante est situé en plein pays de la vigne.

Église Ste-Marie*. – *Visite l'après-midi du dernier dimanche du mois (tous les dimanches en été) et des jours fériés.* Bâtie sur un édifice antérieur dont on a conservé les murs des bas-côtés, cette église fut consacrée en 1053 en présence de l'archevêque de Narbonne, des évêques de Béziers et d'Agde et dédiée à la Vierge.

Le chevet, dont le mur a été rehaussé dans un but défensif, est antérieur à celui de St-Guilhem-le-Désert. Le clocher du croisillon droit a été ajouté à l'époque gothique.

On pénètre dans l'église par un massif porche carré.

La croisée du transept et le croisillon droit sont surmontés d'une coupole sur trompes. Deux belles tables d'autel décorées de lobes ont été réutilisées, l'une, de 1053, au maître-autel, l'autre, romane, dans le bras gauche du transept. Dans l'abside, devant d'autel en marbre représentant la Cène (18e s.).

Trésor. – Dans un local à côté du croisillon gauche est présenté un sarcophage antique du 3e s. ; au centre de la face antérieure, un médaillon représente un couple.

A l'étage, admirer le buste reliquaire de saint Jean-Baptiste en feuilles d'argent rehaussées de vermeil (barbe et cheveux), exécuté en 1440 par un orfèvre de Montpellier.

Aimer la nature,
c'est respecter la pureté des sources,
la propreté des rivières,
des forêts, des montagnes...
c'est laisser les emplacements nets de toute trace de passage.

RABASTENS

Carte Michelin n° 82 - pli ⑨ – 4 220 h. (les Rabastinois).

Sur la rive droite du Tarn, couverte de céréales, de vignes, de primeurs et d'arbres fruitiers, Rabastens est une ville active. De nouvelles industries (compteurs électriques, sous-vêtements indémaillables, confection de « prêt à porter ») s'ajoutent à celle du meuble qui perpétue la tradition des ateliers d'ébénisterie et de sculpture sur bois du 17e s.

Du pont, on a de jolies vues sur les maisons anciennes qui dominent la rivière.

Église N.-D.-du-Bourg. – Fondée au 12e s., par les Bénédictins de Moissac dans la ville basse (le bourg), l'église de Rabastens se présente comme une forteresse dont la puissante façade est percée d'un portail aux beaux **chapiteaux*** romans ; richement décorés de rinceaux, de feuilles d'acanthe et de personnages, ils représentent des scènes de la vie du Christ et de la Vierge : de gauche à droite, l'Annonciation, la Visitation, la Naissance du Christ, les Rois Mages, la Présentation au temple, le Massacre des Innocents, la Fuite en Egypte, la Tentation.

Notre-Dame-du-Bourg. – Portail.

A l'intérieur, les peintures de la nef, découvertes et restaurées au 19e s., sont du 13e s., comme celles du chœur. Celui-ci est surtout remarquable pour son élégant triforium.

EXCURSION

Château de St-Géry. – *4,5 km, puis 3/4 h de visite. Quitter Rabastens au Nord-Est par la N 88, puis tourner dans la première route à droite.*

Visite de Pâques à la Toussaint, à partir de 14 h 30, sur demande préalable à M. O' Byrn à Rabastens ☎ (63) 33.70.43. Entrée : 8 F.

Trois corps de bâtiment encadrent une cour d'honneur, gardée par deux sphinx. La façade sur la cour date de la fin du 18e s. ; la partie la plus ancienne est l'aile Est (14e s.). Dans l'ancien oratoire ont été découvertes des peintures des 16e et 17e s. Dans l'aile méridionale, salons, chambres et galeries, richement meublés, témoignent du passé du château. Remarquer la chambre où s'arrêta Richelieu en 1629, parée de meubles du 17e s. et de belles boiseries, ainsi que l'insolite salle à manger avec sa décoration de stucs sur fond bleu.

REVEL

Carte Michelin n° 82 - pli ⑳ – *Schéma p. 117* – 7 329 h. (les Revélois).

A la limite de la Montagne Noire et du Lauragais, Revel est la patrie de Vincent Auriol, président de la République de 1947 à 1954. Son passé de bastide lui vaut un réseau de rues disposées géométriquement autour de la place centrale à « couverts ».

Des fabriques de meubles, des ateliers d'ébénisterie et de marqueterie, le travail du bronze, de la dorure, de la laque ainsi que des distilleries sont ses principales activités.

Halle. – Du 14e s. Elle a conservé sa charpente de bois et son beffroi (remanié au 19e s.).

EXCURSIONS

Le Lauragais. – *Circuit de 53 km – environ 2 h 1/2.* Dans la plaine de Revel, on cultive le blé, l'orge, le colza et surtout on élève bovins, ovins et volailles. Cette dernière activité a permis l'installation de manufactures de plumes et duvets.

Quitter Revel au Nord-Ouest par le D 1 et, aussitôt après avoir traversé la voie ferrée, prendre à droite le D 79 F qui se poursuit par le D 45. 2 km après le village d'Auvezines prendre à gauche.

Montgey. – 212 h. De ce modeste village, très belle vue sur la plaine de Revel avec la Montagne Noire pour toile de fond.

A la sortie du village, prendre à gauche la route étroite qui rejoint le D 48 que l'on prend à droite. Au premier carrefour, prendre à gauche jusqu'au D 1 puis à droite et à gauche.

St-Julia. – 370 h. L'église possède un curieux clocher-mur.

St-Félix-Lauragais. – *Page 142.*

Sortir de St-Félix au Sud. Traverser le D 622 puis rejoindre le D 43. A 3,5 km après les Cassés, prendre à gauche le D 1.

Château de Montmaur. – *On ne visite pas.* C'est une massive bâtisse datant du 16e s., remaniée au 17e s. et flanquée de tours d'angle. Une statue en pierre de la Vierge surmonte la porte.

La Montagne Noire*. – *Circuit des Eaux captives.* *Description p. 116.*

RIEUPEYROUX (Chapelle de)

Carte Michelin n° 80 - pli ① – 2 km au Nord-Ouest de Rieupeyroux.

Perchée sur une des buttes qui donnent aux plateaux du Ségala sa physionomie ondulée, la chapelle de Rieupeyroux fut bâtie par un seigneur de la région pour remercier Dieu de l'avoir sauvé des mains de bandits qui l'avaient attaqué en cet endroit.

De la **table d'orientation**, panorama sur les monts d'Aubrac et du Cantal au Nord-Est et, du Sud-Est au Sud, sur les Cévennes, les monts de Lacaune et la Montagne Noire.

RODEZ *

Carte Michelin n° 80 - pli ② – 28 165 h. (les Ruthénois).

Ancienne capitale du Rouergue, Rodez est située aux confins de deux régions très différentes, les plateaux secs des Causses et les collines humides du Ségala. Perchée sur une butte, la ville ancienne domine de 120 m le lit de l'Aveyron.

Comtes et évêques. – Au Moyen Age, deux pouvoirs se partageaient la ville. Les évêques, qui furent longtemps les plus puissants, occupaient la Cité ; les comtes avaient le Bourg pour domaine.

Ces deux quartiers voisins étaient séparés par de hautes fortifications et leur rivalité fut, pendant plusieurs siècles, un sujet de luttes presque incessantes entre les Ruthénois. Les places de la Cité et du Bourg rappellent cette dualité de pouvoirs et de quartiers.

A l'avènement de Henri IV, le comté de Rodez fut réuni à la couronne ; les évêques profitèrent de cette circonstance pour prendre eux-mêmes le titre d'évêques et comtes de Rodez et introduire dans leurs armoiries la couronne comtale.

L'affaire Fualdès. – Sous la Restauration, Rodez fut le théâtre d'un crime qui eut dans toute la France un extraordinaire retentissement.

Un Bonapartiste convaincu, Fualdès, ancien procureur de Rodez sous l'Empire, avait été révoqué par Louis XVIII. Un matin de mars 1817, son cadavre fut découvert flottant sur l'Aveyron et l'enquête révéla que l'ancien magistrat avait été assassiné dans un bouge de la ville, par deux de ses amis, royalistes notoires.

Le procès se déroula à Rodez, puis à Albi. Il fut fertile en incidents et en coups de théâtre. Le lieu suspect où le meurtre avait été commis, les circonstances grandguignolesques qui l'avaient entouré, la présence insolite d'une « dame de bien » dans la maison du crime, enfin, et surtout, les divergences politiques qui séparaient la victime et les accusés, tout concourut à donner aux débats un caractère scandaleux et passionné qui défraya longuement la chronique et donna matière à la complainte de Fualdès, restée longtemps populaire.

■ CATHÉDRALE NOTRE-DAME ** *visite : 1 h*

La cathédrale (BY) construite en grès rouge, a été mise en œuvre en 1277 à la suite de l'effondrement, un an plus tôt, du chœur et du clocher de l'édifice précédant. Un demi siècle plus tard l'abside et deux travées du chœur étaient achevées, au 14e s. un transept et deux travées de la nef, au 15e s. l'ensemble de l'édifice.

Extérieur. – La façade Ouest donnant sur la place d'Armes frappe par son allure de forteresse avec son mur nu jusqu'à mi-hauteur, sans porche, percé de rares meurtrières, ses contreforts massifs, ses tourelles aux ouvertures ébrasées et ses deux tours dépourvues d'ornements. Cette façade austère, édifiée en dehors du mur d'enceinte, jouait en quelque sorte le rôle de bastion avancé pour la défense de la cité. Seule la partie haute entre les deux tours, achevée au 17e s., présente une décoration Renaissance surmontée d'un fronton classique.

(D'après photo Emile Sudres.)

Rodez. – Cathédrale Notre-Dame.

Faire le tour de l'église par la gauche.

Le portail Nord s'ouvre sous trois rangées d'archivoltes et un galbe aigu ; ses sculptures mutilées représentent au linteau la Nativité, l'Adoration des bergers et des mages, la Présentation au temple et, au tympan, le Couronnement de la Vierge.

Le magnifique **clocher***** édifié sur une tour massive du 14e s. et haut de 87 m compte six étages. Le 3e, élevé au 16e s. offre de grandes ouvertures fortement moulurées, au 4e, de plan octogonal, les statues des apôtres garnissent les niches qui cantonnent les baies, au 5e, des tourelles, des arcatures flamboyantes, des pinacles enrichissent encore la décoration. La partie supérieure avec sa terrasse à balustrade, son dôme et son lanternon porte une statue de la Vierge.

L'abside vaut par ses chapelles et son déambulatoire couverts en terrasses sur lesquelles des arcs boutants à double volée reçoivent au niveau des retombées des voûtes les poussées exercées par les parties hautes du chœur.

Au portail Sud observer le fenestrage élégant qui garnit le tympan.

Intérieur. – L'élégance du gothique apparaît dans la verticalité du chœur aux fines lancettes, dans la légèreté des piliers de la nef à peine moulurés à l'emplacement des chapiteaux, dans l'élévation des grandes arcades surmontées d'un triforium dont l'ordonnance reprend celle des fenêtres hautes.

La beauté de la grande nef et de ses vastes bas-côtés, flanqués de chapelles latérales très éclairées apparaît, au mieux, en se plaçant derrière l'autel paroissial, à l'extrémité Ouest de la nef.

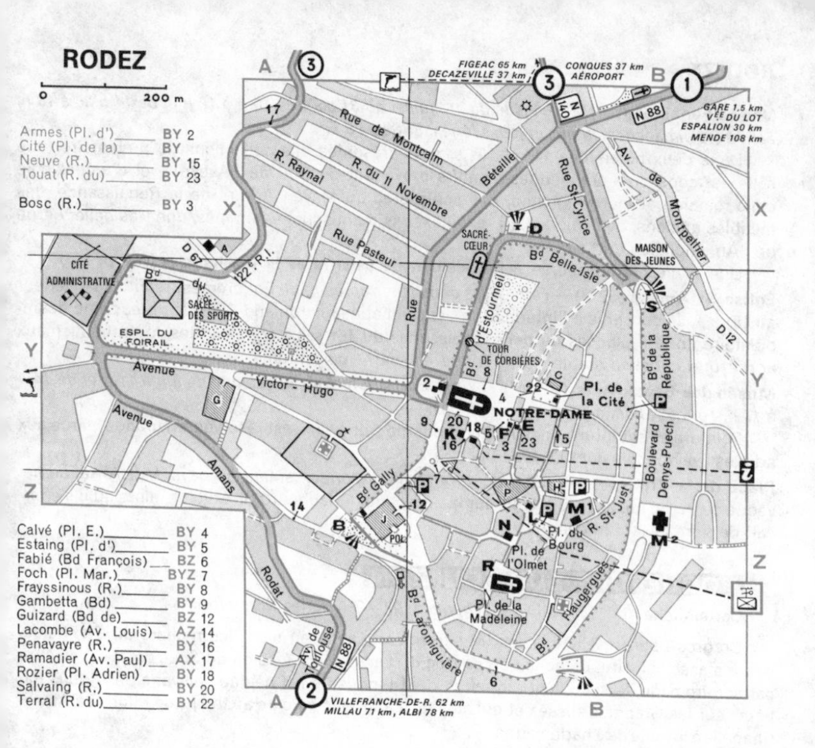

La 3e chapelle latérale du bas-côté droit est fermée par une belle **clôture de pierre*** du 16e s., dont les sculptures ont été malheureusement très mutilées. Sur les piliers figuraient douze statues de sibylles, prophétesses de l'antiquité qui, selon la tradition chrétienne, prédirent certains événements sacrés. Quatre seulement de ces statues subsistent, ainsi qu'un Ecce Homo, sur la face intérieure de la clôture. Cette chapelle contient, en outre, un autel Renaissance, orné de peintures et surmonté d'un grand retable dont le **Saint-Sépulcre*** est célèbre dans l'histoire de la sculpture du 16e s.

Dans la chapelle suivante on peut admirer un beau retable du 15e s., « le Christ au jardin des Oliviers ». Dans le bras droit du transept a été transporté le grand **jubé*** qui rompait la perspective de la nef : c'est une œuvre très riche du 15e s. Dans le bras gauche, le **buffet d'orgues*** est une superbe boiserie sculptée du 17e s.

Sur le maître-autel, remarquer une belle statue de la Vierge à l'Enfant (fin 14e s.). Le chœur (stalles du 15e s.) est entouré d'un déambulatoire sur lequel s'ouvrent les chapelles ; dans la première travée des collatéraux du chœur, ont été disposés deux beaux sarcophages en marbre ; dans les chapelles se trouvent les tombeaux de plusieurs évêques de Rodez : parmi ceux-ci, il faut remarquer celui de l'évêque Gilbert de Cantobre (mort en 1349) dans la chapelle située dans l'axe de la nef principale ; il est surmonté d'une table d'autel romane en marbre à pourtour de lobes. La chapelle Renaissance à l'entrée de la sacristie mérite également l'attention.

■ AUTRES CURIOSITÉS

Maisons anciennes*. – Autour de la place du Bourg (BZ) et de la cathédrale se pressent de nombreuses maisons anciennes. Les plus intéressantes sont signalées ci-dessous :

Maison d'Armagnac (BZ N). – *4 place de l'Olmet.* Bel édifice du 16e s., dont la façade est ornée de charmants médaillons ; un vestibule, couvert d'une voûte gothique, donne accès à la cour, où s'ouvre une jolie porte d'escalier. De la place de l'Olmet, on aperçoit, dans la rue d'Armagnac, une maison du 16e s., occupée par une pharmacie.

Maison de l'Annonciation (BZ L). – *Place du Bourg.* Elle date du 16e s.

Maison dite des Anglais (BY E). – Tour massive du 14e s.

Maison Benoît (BY F). – *Rue Bosc.* Construction Renaissance dont la cour *(entrée : 2 place d'Estaing)* présente sur deux côtés une galerie gothique.

Maison Molinier (BY K). – *Place Adrien-Rozier et 2 rue Penavayre.* Cette maison du 16e s. est précédée d'un mur de clôture, surmonté d'une galerie et de deux loggias gothiques (15e s.) ; dans la cour, vieux puits.

Tour de ville. – *En dehors des jours d'affluence (foires, marchés) on pourra entreprendre au départ de la place d'Armes un tour de ville en auto en suivant les boulevards établis sur l'emplacement des anciens remparts.* Il offre une vue étendue sur les paysages des environs. Suivre d'abord le boulevard d'Estournel. A droite, vestiges des anciens remparts (16e s.) et terrasses de l'évêché se terminant à la tour Corbières (15e s.).

Square Monteil (BX D). – Vue sur le causse du Comtal, les monts d'Aubrac et du Cantal.

Square des Embergues (BY S). – Vues vers le Nord et l'Est. *Table d'orientation.*

Square François-Fabié (AZ B). – Vues vers le Ségala. Monument à la mémoire du poète rouergat Fabié.

Longer l'ancien lycée Foch – le jeune Ferdinand Foch en fut l'élève – dont la chapelle, en retrait sur la place Foch, remonte à l'établissement du collège des Jésuites au 17e s.

Musée Fenaille★ (BZ M¹). – *Visite du 1er juillet au 31 août de 10 h à 12 h et de 14 h 30 à 18 h. Fermé les dimanches, lundis et jours fériés. Entrée : 5 F.*

Dans deux hôtels des 14e et 16e s. sont présentés des collections de préhistoire (une salle est consacrée aux statues-menhirs provenant du Sud de l'Aveyron) et d'archéologie gallo-romaine et mérovingienne, des sculptures du Moyen Age et de la Renaissance, des meubles anciens, des objets d'art religieux, des manuscrits enluminés, une très belle Vierge de l'Annonciation (16e s.).

Une pièce est consacrée à l'exposition de **poteries de la Graufesenque** *(voir p. 114).*

Église St-Amans (BZ R). – *Fermée les dimanches après-midi.* Entièrement refaite à l'extérieur au 18e s., elle conserve à l'intérieur de beaux chapiteaux romans. Dans le chœur et le déambulatoire ont été placées de belles tapisseries du 16e s. La chapelle des fonts baptismaux abrite une curieuse statue de la Trinité en pierre polychrome.

Musée des Beaux-Arts (BZ M²). – *Visite du 1er juillet au 30 octobre, de 9 h à 11 h et de 14 h à 17 h. Fermé les dimanches et jours fériés.*

Peinture et sculpture ancienne et moderne ; une salle est réservée en grande partie aux artistes aveyronnais dont Denys Puech.

Place de la Cité (BY). – Statue de bronze d'un glorieux enfant du pays, Mgr Affre, archevêque de Paris, tué le 25 juin 1848, sur la barricade du faubourg St-Antoine, alors qu'il s'efforçait de faire cesser le combat.

ROQUEFORT-SUR-SOULZON ★

Carte Michelin n° 80 - pli ⑭ – *Schéma p. 97* – 910 h. (les Roquefortais).

Ce gros bourg est bâti, dans un site remarquable, au pied des rochers du Cambalou, haute masse calcaire, détachée du causse du Larzac par l'érosion du Soulzon. Il est célèbre par son fromage, le succulent roquefort, dont l'industrie est née de l'élevage des brebis laitières sur les Grands Causses et qui était déjà apprécié à Rome au temps de Pline et à Aix-la-Chapelle à la table de Charlemagne.

L'agglomération, formée d'une longue rue bordée de maisons grises, ne révèle pas sa vie industrieuse : toute l'activité est concentrée sous terre, dans les flancs de cette montagne sillonnée de fissures appelées « fleurines », aménagées en caves superposées où s'affairent les « cabanières ». A l'heure actuelle Roquefort compte 12 entreprises d'affinage.

(D'après cliché Delon-Castelet.)

Roquefort-sur-Soulzon. – Une cave.

Le roquefort. – Les laiteries, réparties sur les territoires de production, collectent le lait de brebis cru et entier dans une zone délimitée appelée le **rayon** (département de l'Aveyron dans son entier et, pour partie, départements limitrophes, soit Gard, Hérault, Tarn et Lozère), et provenant aussi des Pyrénées Atlantiques et de la Corse. Ces laiteries transforment d'abord le lait en fromage simplement ensemencé d'une moisissure noble : le Peniccilium roqueforti, originaire des failles du Cambalou.

Les pains (ou formes), transportés à Roquefort, sont alors disposés en longue file sur des étagères de chêne dans les cavernes naturelles aménagées en caves. Le Peniccillium roqueforti se développe donnant les marbrures bleu-vert bien connues, grâce à l'air froid et humide soufflé par les fleurines. Après une lente maturation de trois mois au minimum, le roquefort, roi des fromages, est prêt.

La production annuelle dépasse 16 000 tonnes. L'exportation, essentiellement aux U.S.A. et dans les pays du Marché Commun, représente environ 10 %.

Caves de Roquefort. – *Visite des caves du Roquefort Société de 9 h à 11 h et de 14 h à 17 h (prolongations d'horaire en saison touristique — se renseigner : ☎ (65) 60 23 05 - Poste 364). Durée : 1 h. Fermeture à l'occasion des fêtes de Noël et du Nouvel An. Se munir de vêtements chauds. Animaux non admis.*

La qualité exceptionnelle et très particulière du roquefort est due aux caves célèbres où il s'affine.

Une masse considérable de calcaire provenant de la montagne de Cambalou, après glissement sur des assises argileuses humides, s'est éboulée le long de la faille de Roquefort, formant un immense chaos. Les vides qui se trouvaient entre les rocs, d'abord agrandis par l'érosion des eaux, puis par les habitants, devinrent des caves et furent aménagées.

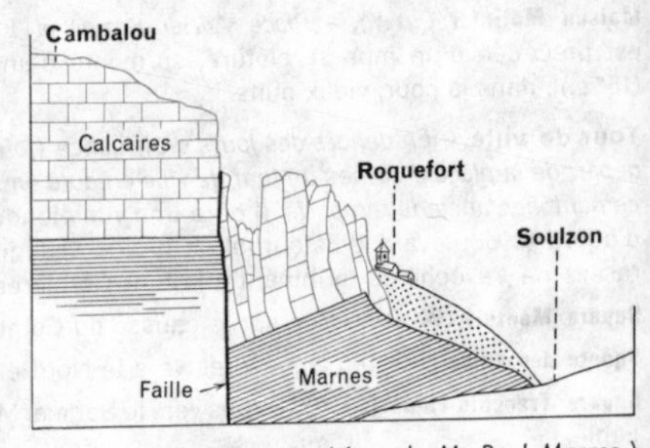

(D'après un schéma de M. Paul Marres.)

L'éboulement de Roquefort.

Dans toute cette masse disloquée passent des courants d'air froid chargés d'humidité qui créent des conditions très favorables à l'affinage du roquefort.

Rocher St-Pierre. – *169 marches.*

Adossé à la falaise du Cambalou, ce belvédère (alt. 690 m) offre une **vue★** *(table d'orientation)*, à gauche jusqu'aux monts du Lévezou, à droite sur la vallée du Soulzon et le cirque de Tournemire, en face sur les falaises tabulaires du causse du Larzac, et au pied sur le village de Roquefort.

Musée. – *Visite de 9 h à 12 h et de 14 h à 18 h (17 h en hiver). Entrée : 5 F.*

Il est consacré à la préhistoire. Le produit des fouilles (poteries, objets en bronze et en cuivre, etc.) révèle que la région de Roquefort et des Causses connut des périodes de peuplement dense entre le début du néolithique et l'époque gallo-romaine.

Le ROZIER ★

Carte Michelin n° 80 - Sud du pli ④ – *Schémas p. 97, 102 et 158* – 114 h. – *Lieu de séjour, p. 42.*

Le visiteur des gorges du Tarn passe inévitablement au Rozier, village bâti au confluent du Tarn et de la Jonte, au pied des escarpements des grands causses de Sauveterre, Noir et Méjean.

Au Rozier, survit en automne une tradition gourmande. Les grives des Causses prises aux « tindelles », sortes de petits pièges, ont un fumet délicat et les truffes des environs sont renommées.

A proximité du Rozier se trouve le charmant village de Peyreleau *(p. 133)*.

EXCURSIONS

Corniche du Causse Noir★★. – *Excursion (25 km AR) décrite p. 99.*

Liaucous ; Mostuéjouls. – *Circuit de 18 km – environ 1 h. Traverser le Tarn et prendre vers Millau. Quitter aussitôt la grande route pour monter à Liaucous, à droite.*

Liaucous. – Ce village, bien situé, possède une charmante église romane.

Par un chemin en descente vers le fond du vallon, regagner la route de Millau ; la quitter presque aussitôt pour monter à Mostuéjouls à droite.

Mostuéjouls. – 217 h. Vieux village dominé par son château et construit dans un joli site, au pied de la falaise qui limite au Sud le causse de Sauveterre.

Reprendre la route de Millau ; la quitter de nouveau, 1 km plus loin, pour un chemin en descente, à gauche.

Église St-Pierre. – 11ᵉ s. Construite dans un site charmant, restaurée, elle est surmontée d'un beau clocher à peigne.

Corniches du Causse Méjean★★★. – *7 h à pied AR. Description p. 160.*

ST-AFFRIQUE

Carte Michelin n° 80 - pli ⑬ – 9 215 h. (les St-Africains).

L'évêque saint Affrique (ou saint Affricain ou saint Fric) trouva refuge dans le Rouergue quand les Wisigoths le chassèrent de St-Bertrand-de-Comminges. Une petite ville naquit autour de son tombeau et prit son nom.

Située au contact de régions très diverses (le Ségala, l'Albigeois, les monts de Lacaune et les Causses) et desservie par de nombreuses routes, elle est un foyer actif d'échanges commerciaux, en relation avec Roquefort et Millau. Signalons en outre la présence d'une fabrique de rubans pour machines à écrire.

Arrosée par la Sorgues, affluent du Dourdou, elle offre aux pêcheurs ses rivières et ruisseaux où abondent truites, tanches, gardons et carpes. C'est un bon point de départ pour de multiples excursions.

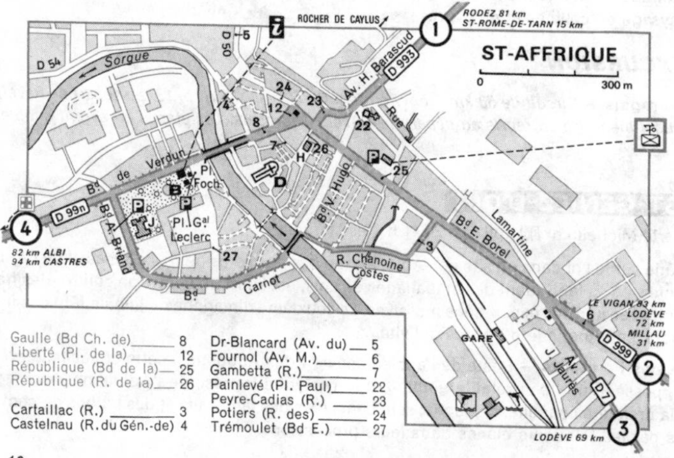

Église (D). – Elle renferme une statue de la Vierge en bois doré, probablement du 15e s.

Statue du général de Castelnau (B). – Elle a été érigée dans le jardin public. St-Affrique a vu naître le général de Castelnau (1851-1944) qui s'illustra lors de la guerre de 1914-1918, notamment lors de la défense de Nancy.

Rocher de Caylus. – *1,5 km au Nord, par l'étroite avenue de Caylus, s'amorçant place Paul Painlevé.*

Cet énorme bloc déchiqueté aurait porté le château des comtes de Caylus, connus pour la résistance qu'ils opposèrent en vain au comte de Toulouse en 1238. Non loin de là, **table d'orientation.**

EXCURSIONS

Roquefort-sur-Soulzon*. – *14 km à l'Est par ②, D 989 puis D 25 après Lauras. Description p. 140.*

Dolmen de Tiergues. – *7 km. Quitter St-Affrique par ① du plan puis, après Tiergues, prendre à gauche le D 250.*

Il constitue un exemple imposant de monument mégalithique trouvé dans la région.

ST-ANDRÉ-DE-VALBORGNE

Carte Michelin n° 80 - Nord du pli ⑯ – *Schéma p. 49* – 429 h.

Dans la vallée Borgne que ferme la crête des Cévennes et qu'arrose le Gardon de St-Jean, St-André est une petite ville aux rues étroites, bordées de sévères maisons anciennes, qui témoignent de la prospérité économique engendrée, naguère, par le développement de l'industrie de la soie.

Quelques faits historiques
Le tableau p. 22 évoque
les principaux événements de l'histoire de la région.

ST-FÉLIX-LAURAGAIS

Carte Michelin n° 82 - pli ⑲ – 1 110 h. – *Lieu de séjour, p. 42.*

Dans un **site*** dominant la plaine du Lauragais, St-Félix est entré dans l'histoire (dans la légende disent certains) en 1167, quand les cathares y tinrent concile, pour organiser leur église.

Déodat de Séverac. – De sa musique Debussy a dit qu'elle « sentait bon ». St-Félix est fière d'avoir vu naître ce compositeur (1873-1921) à qui l'on doit surtout des mélodies qui évoquent la beauté de la terre et de la nature.

■ CURIOSITÉS *visite : 3/4 h*

Château. – 14e-15e s. Il est entouré d'une agréable promenade qui procure des vues étendues à l'Est sur la Montagne Noire au pied de laquelle s'étend Revel ; au Nord, on distingue le clocher de St-Julia et le château perché de Montgey. Non sans raison, les Révolutionnaires avaient rebaptisé St-Félix « Bellevue ».

Église. – Cette collégiale date du 14e s. et fut reconstruite au début du 17e s. On reconnaît à sa droite la sobre façade de la maison capitulaire.

A gauche du portail d'entrée un puits est creusé dans le mur. La légende le dit aussi profond que le clocher (de style toulousain : octogonal, avec deux étages de baies inscrites dans des arcs en mitre) est haut (42 m).

L'intérieur vaut surtout par l'élégance de l'abside à sept pans éclairée de fenêtres à remplage trilobé. La nef principale est surmontée d'une voûte en bois peinte, du 18e s. Dans la troisième chapelle à droite, belle Vierge à l'Enfant en bois polychrome, du 14e s. Les orgues sont du 18e s.

Promenade. – Non loin de l'église, un passage voûté y conduit : vue à l'Ouest sur un paisible paysage de collines et de cyprès.

EXCURSION

Le Lauragais. – *Circuit de 53 km – environ 2 h. Ce circuit, décrit p. 137 au départ de Revel, peut tout aussi bien être entrepris au départ de St-Félix-Lauragais. Les étapes en seront simplement décalées.*

ST-GENIEZ-D'OLT

Carte Michelin n° 80 - pli ④ – 2 241 h. (les Marmots).

Bâtie sur le Lot dans un site agréable, en vue des dernières pentes du massif de l'Aubrac, St-Geniez, où se fabriquent des emballages en bois, est aussi un centre de culture des fraises alimentant en juin des expéditions massives. Le deuxième dimanche de juin, la fête des fraises consacre cette période d'intense activité.

Église des Pénitents. – Reste de l'ancien couvent des Augustins, cette chapelle, élevée au 14e s., possède un beau retable gothique : le triptyque représente l'Adoration des mages ; dans la première chapelle, à gauche, sont conservés des lanternes et des bâtons de confrérie portés par les Pénitents blancs dans leurs processions.

Rive droite. – Elle est bordée de maisons anciennes et dominées par le **monument Talabot** élevé sur une terrasse d'où la vue est pittoresque sur St-Geniez et le Lot. Riche mausolée orné de bas-reliefs de Denys Puech, ce monument a été érigé à la mémoire de la femme de Paulin Talabot, premier directeur général de la Compagnie des chemins de fer P. L. M.

Église. – On y accède par un escalier monumental à double révolution, du 18e s. Cet édifice du 12e s. a été complètement remanié au 17e s. La chapelle du Sacré-Cœur abrite un beau retable en bois doré, du 17e s. Dans une chapelle, à droite de l'entrée, le mausolée de Mgr Frayssinous (1765-1841) a été élevé au 19e s. par Gayrard, sculpteur aveyronnais, et offert par le duc de Bordeaux, comte de Chambord, dont Mgr Frayssinous fut le précepteur. Un bas-relief illustre la présentation du jeune duc à son maître en présence du roi Charles X.

ST-GUILHEM-LE-DÉSERT *

Carte Michelin n° 83 - pli ⑥ – *Schémas p. 78 et 101* – 274 h.

Ce village, très pittoresque, est bâti autour d'une ancienne abbaye *(1)*, au confluent du Verdus et de l'Hérault, dans un **site*** curieux, à l'entrée de gorges sauvages. L'histoire de ses origines est étroitement mêlée à la légende, propagée par la chanson de geste de Guillaume d'Orange (12e s.).

Le petit marquis au court nez. – Petit-fils de Charles Martel par sa mère, Guilhem naît vers 755. Élevé avec les fils de Pépin le Bref, il se fait remarquer de bonne heure par son habileté dans les armes, son intelligence et sa piété. Les jeunes princes, qui l'appellent « le petit marquis au court nez », lui sont très attachés : son amitié avec l'un d'eux, Charles, futur Charlemagne, ne cessera qu'avec la mort.

En 768, Charlemagne monte sur le trône. Guilhem est un de ses plus vaillants lieutenants ; il conquiert l'Aquitaine et en reçoit le gouvernement. Une invasion des Sarrasins lui permet de remporter de nouvelles victoires à Nîmes, Orange, Narbonne, et lui vaut le titre de prince d'Orange. Il gagne sa dernière bataille à Barcelone. Quand il revient en France, il a 48 ans. Sa femme, qu'il aimait tendrement, est morte. Dès lors, le guerrier aspire à la solitude. Il laisse à son fils aîné la principauté d'Orange et vient, à Paris, en aviser son roi.

La relique de la Vraie Croix. – Charlemagne ne veut pas laisser partir son ami d'enfance. Il le garde auprès de lui comme conseiller. Guilhem accompagne l'empereur à Rome. C'est là que le prêtre Zacharius remet à Charles une relique insigne : « un morceau long de 3 pouces du bois sacré de la Croix, déposé par sainte Hélène en l'église de Jérusalem ».

A son retour, Guilhem, visitant ses terres aux environs de Lodève, pénètre dans le val de Gellone. Ce coin perdu lui semble un lieu choisi pour une sainte retraite. Il fait élever un monastère et s'y installe avec quelques religieux. Rappelé encore une fois par Charlemagne au moment du partage de ses biens, Guilhem assiste l'empereur puis lui fait ses adieux : ils s'embrassent et pleurent longuement. Charles lui fait don de la relique de la Croix qui, déposée dans l'église de l'abbaye, sera l'objet d'un pèlerinage assidu. Actuellement, elle est exposée à la vénération des fidèles sur l'autel de St-Guilhem (abside Nord de l'église) et portée en procession sur la place du village, chaque année, le 3 mai.

La fin du héros. – Guilhem regagne son monastère. Pendant un an encore, il s'occupe à l'améliorer, crée des jardins, facilite les communications, amène l'eau dans le couvent.

Ayant abandonné définitivement le monde, le héros se retire dans sa cellule et termine sa vie en 812, dans le jeûne et la prière. Il est enterré solennellement dans l'église abbatiale. Au 12e s., le village de Gellone prend le nom de St-Guilhem-le-Désert.

■ ÉGLISE ABBATIALE* *visite : 1/2 h*

De l'abbaye, fondée en 804 par Guilhem, il ne reste que l'église consacrée en 1076, désaffectée à la Révolution ; ses bâtiments monastiques furent dépecés et les colonnes du cloître reléguées dans un jardin.

Depuis décembre 1978, une communauté de religieuses de l'ordre du Carmel a redonné à l'abbaye une certaine animation.

Donnant sur une place ombragée d'un magnifique platane, le large portail à voussures de l'abbatiale est surmonté d'un clocher du 15e s. Les colonnettes des piédroits et les médaillons incrustés sont des fragments gallo-romains. Ce portail donne accès au narthex, « lo gimel », dont la voûte sur croisées d'ogives a été édifiée à la fin du 12e s.

Intérieur. – La nef (11e s.) est d'une grande sobriété ; la cuve baptismale au fond du bas-côté Nord à gauche, provient de l'ancienne église paroissiale St-Laurent. L'abside et le transept, ajoutés à la fin du 11e s., sont disproportionnés par rapport au reste de l'édifice. L'abside, voûtée en cul-de-four, est décorée par sept grandes arcatures.

Dans la chapelle gauche du transept sont réunis :

– un bel **autel roman*** (12e s.), dédié à saint Guilhem ;

– un **sarcophage*** antique (6e ou 7e s.), totalement restauré, qui aurait contenu les restes des sœurs de saint Guilhem. Sur la face principale, on voit le Christ entouré des apôtres ; les faces latérales représentent Adam et Eve tentés par le serpent et les trois jeunes Hébreux dans la fournaise. Sur le devant du couvercle, le prophète Daniel dans la fosse aux lions ;

– un second sarcophage gallo-romain (fin 4e s.), qui fut retaillé au 12e s. sur l'une de ses faces et qui reçut les reliques de saint Guilhem lors du transfert de son corps de la crypte dans la grande abside,

– des pierres tombales d'abbés et diverses sculptures provenant du 1er étage du cloître.

---

(1) Pour plus de détails, lire : « Saint Guilhem » par G. Alzieu et R. Saint-Jean (Zodiaque – Coll. La Carte du Ciel – Exclusivité Weber).

ST-GUILHEM-LE-DÉSERT *

Cloître. – *Accès par la porte qui s'ouvre dans le bras droit du transept.* Du cloître à deux étages, il ne reste que les galeries Nord et Ouest du rez-de-chaussée, ornées de fenêtres géminées dont les arcatures reposent sur un mufle d'animal aux sculptures naïves.

Une partie des sculptures et colonnes du cloître, achetées par le sculpteur George Grey Barnard en 1906, ont permis de le reconstituer au célèbre musée des Cloîtres de New York.

Le **réfectoire**, revoûté au 17e s., s'ouvre sur le cloître.

Dans le réfectoire et l'absidiole Nord de l'église, sont rassemblés les éléments sculptés retrouvés dans la région.

St-Guilhem-le-Désert. – Église abbatiale.

Abside. – *Pour la voir, contourner l'église sur la gauche.* De la ruelle bordée de maisons anciennes, on peut admirer la richesse de sa décoration. Flanquée de deux absidioles, elle est éclairée par trois baies. Une suite d'arcades séparées par de fines colonnettes aux curieux chapiteaux les surmontent. Elle est soulignée par une frise en dents d'engrenage qui rappelle celle du portail.

■ AUTRES CURIOSITÉS

Château. – *1 h à pied AR.* Franchir les vestiges du mur d'enceinte qui s'élevait au flanc de la montagne.

Des ruines de ce château perché, excellente **vue*** sur le site de St-Guilhem, les gorges du Verdus et le cirque de l'Infernet.

Point de vue. – De la terrasse de l'hôtel Fonzes, on a une vue très curieuse sur le cours de l'Hérault, encaissé entre des parois calcaires creusées de nombreuses marmites d'érosion.

EXCURSIONS

Source de la Buèges. – *23 km, par le D 4 au Nord-Est de St-Guilhem-le-Désert. Schéma p. 101. De St-Guilhem à Causse-de-la-Selle, l'itinéraire est décrit en sens inverse, p. 101 et 102.*

A Causse-de-la-Selle prendre à gauche le D 122.

Après un passage sur le causse, on découvre une belle vue sur St-Jean-de-Buèges et sa fraîche vallée.

St-Jean-de-Buèges. – 123 h. Le village, tassé au pied de son château ruiné, est dominé par les hautes falaises calcaires du causse de la Selle.

Gorges de la Buèges. – *1 h 1/4 à pied AR au départ de St-Jean.* Le sentier *(départ sous le château)* permet de descendre les gorges jusqu'au pont du 15e s. sur la Buèges, avant Vareilles.

Vallée de la Buèges.

Faire demi-tour ; aussitôt après le pont sur la Buèges, prendre à droite le D 122.

Source de la Buèges. – Peu avant Pégairolles-de-Buèges, dominé par les ruines d'un château, prendre à droite le chemin du Méjanel qui traverse le ruisseau de Coudoulières. Après le pont, un chemin, à droite, conduit à la source de la rivière. Dans cette vallée aux versants brûlés, qui se creuse entre les escarpements de la montagne de la Séranne et ceux du causse de la Selle, cette résurgence apporte la fraîcheur. Vigne, mûriers, oliviers y sont cultivés et offrent un contraste saisissant avec les montagnes environnantes.

Forêt domaniale de St-Guilhem-le-Désert. – *15 km par le D 4 au Sud. La route forestière s'amorce sur le D 141, au Sud-Ouest de St-Jean-de-Fos et rejoint le D 122.* Forêt d'environ 2 000 ha, elle est peuplée notamment de pins laricios de Salzmann.

ST-JEAN-DU-BRUEL

Carte Michelin n° 80 - pli ⑮ – *Schéma p. 83* – 831 h. – *Lieu de séjour, p. 42.*

Ce bourg est situé à l'extrémité Est de cette verte vallée, surnommée le « jardin de l'Aveyron ». C'est un centre fruitier qui produit surtout des pommes et des prunes. Un **vieux pont** en dos d'âne unit les deux rives de la Dourbie.

Les bois de châtaigniers qui l'entourent, les eaux vives, la fraîcheur des nuits en font une agréable station estivale.

Les artisans fabriquent des comportes, cuves en bois utilisées pour les vendanges.

Du Pont Neuf, vue pittoresque sur la chaussée du moulin et les rives de la Dourbie.

ST-JEAN-DU-GARD

Carte Michelin n° 80 - pli ⑰ – *Schémas p. 60 et 71* – 2 626 h. – *Lieu de séjour, p. 42.*

Cette petite ville déjà méridionale, avec sa Grand'Rue étroite bordée de hautes maisons, s'élève sur la rive gauche du Gardon, au milieu de vergers.

Le gardon de St-Jean est comme les autres gardons (de Mialet, d'Alès), sujet à des crues subites (les « gardonnades ») dues aux pluies torrentielles causées par le refroidissement brutal des nuages venant de la Méditerranée au contact des montagnes cévenoles.

C'est ainsi qu'en 1958, le pittoresque **vieux pont** en dos d'âne qui franchissait le Gardon fut en partie détruit. Ce pont, dont les six arches en plein cintre, de hauteur inégale, reposent sur des piles protégées par des éperons à bec, est aujourd'hui reconstruit. Belle vue en arrière sur les pentes boisées.

Une tour de style roman, la tour de l'Horloge, domine la vieille ville.

EXCURSIONS

Corniche des Cévennes*.** – *53 km. Sortir de St-Jean par le D 907, au Nord-Ouest ; à 2 km, prendre le D 260. Description en sens inverse p. 71.*

Route du col de l'Asclier** – *44 km. Description p. 59.*

ST-LOUP (Pic) **

Carte Michelin n° 80 - pli ⑰ ou n° 83 - pli ⑦ – *Schéma p. 79.*

Le pic St-Loup est le point culminant (658 m) d'une longue arête dominant les Garrigues montpelliéraines *(illustration p. 18).* Il dresse presque verticalement ses couches calcaires et rompt de façon surprenante la monotonie des étendues qui l'entourent.

Accès. – *Par le D 113 ; 500 m à l'Est de Cazevieille, laisser la voiture. Le sentier, bien tracé, s'amorce à gauche : 2 h 1/2 à pied AR; se diriger vers le calvaire érigé au sommet du pic.*

Panorama.** – Du pic St-Loup, magnifique panorama circulaire. La face Nord tombe verticalement dans un ravin qui sépare le pic St-Loup de l'arête rocheuse de la montagne de l'Hortus ; au-delà, au Nord-Ouest et au Nord, la vue s'étend sur les Cévennes. A l'Est, on découvre les ruines de Montferrand, la plaine de Nîmes et, au-delà de la vallée du Rhône, le Ventoux, les Alpilles, le Lubéron ; au Sud-Est, la Camargue ; au Sud, la plaine de Montpellier, la Méditerranée et sa côte lagunaire; au Sud-Ouest, le causse de Viols et, à l'horizon, le Canigou et les Corbières ; à l'Ouest, les montagnes de la Celette, de Labat et de la Suque et, au-delà, la Séranne.

ST-MARTIN-DE-LONDRES

Carte Michelin n° 80 - pli ⑯ – *Schémas p. 79 et 101* – 855 h. (les St-Martinois)

Accolé à la bordure orientale du causse qui limite la plaine de Londres (du mot celtique « lund » : marais), St-Martin-de-Londres a conservé presque intact le charmant décor de son ancien prieuré. Au centre du vieux village, dont il subsiste des vestiges de murailles élevées au 14e s., on retrouve, avec quelques modifications, l'ancien « enclos », fortifié au 12e s. par le seigneur du lieu et limité par une porte, qui fut appelé plus tard le « vieux fort ».

L'église, dans un cadre de maisons anciennes, en occupe le centre. On y accède par un escalier. La maison claustrale, actuellement presbytère, s'élève derrière le chevet de l'église au-dessus d'un passage voûté aboutissant au portail du cloître.

Église. – *Fermée en septembre.* Bâtie à la fin du 11e s. par les moines de St-Guilhem, elle subit de fâcheuses transformations dans la seconde moitié du 19e s. Son clocher fut démoli ainsi que sa façace par suite de l'adjonction d'une travée à la nef et l'abside fut revêtue de lambris.

Elle reste néanmoins une réussite et un bel exemple d'art roman avec ses croisillons et son abside en hémicycle voûtés en cul-de-four, sa sobre corniche dentelée surmontant de petits arcs qui retombent de trois en trois sur des pilastres plats, ses ouvertures petites et peu nombreuses, et ses harmonieuses proportions.

EXCURSIONS

Pic St-Loup.** – *11 km, puis 2 h 1/2 à pied AR. Quitter St-Martin-de-Londres par le D 986; à 5 km, prendre à gauche le D 113. Description ci-dessus.*

Grand Arc*. – *2,5 km au Nord par le D 986, puis 1 h 1/4 à pied AR. Description p. 96.*

Notre-Dame-de-Londres. – 193 h. *6 km au Nord-Est par le D 986 et le D 1E.*

Visite du château du 1er juillet au 30 septembre de 15 h à 18 h 45 ; du 1er mai au 30 juin et du 1er octobre au 14 novembre, les dimanches et jours fériés seulement de 15 h à 19 h. Entrée : 8 F.

Ancienne demeure fortifiée du 14e s. On admire le salon pour son pavement du 16e s. en pierres artistement disposées et son plafond à la française à poutres sculptées.

ST-PIERRE (Arcs de) ★

Carte Michelin n° 80 - Sud-Ouest du pli ⑤ – *Schéma p. 161.*

Le site des Arcs de St-Pierre est un amas de rochers ruiniformes, sur le causse Méjean.

Accès. – *Deux accès sont possibles :*

1°) Par le D 63 qui s'embranche sur le D 986 à Hures-la-Parade; à 3 km, prendre à droite vers St-Pierre-des-Tripiers puis 1 km après ce village, de nouveau à droite, dans le chemin non revêtu face à l'embranchement vers la Viale.

2°) Par la route étroite, sinueuse et en montée qui s'embranche sur le D 996, au Truel, dans a vallée de la Jonte. A hauteur de l'embranchement vers la Viale, prendre à gauche le chemin non revêtu.

Visite. – *1 h 1/2 à pied AR.*

S'engager dans le sentier en descente *(balisé en rouge)* qui gagne d'abord la **Grande Place.** Au centre de ce cirque rocheux s'élève une colonne monolithe haute de 10 m. Le sentier s'élève légèrement sur la gauche et atteint la grotte de **la Balmelle.** On peut encore y voir des murs de pierres sèches, longtemps entretenus par les bergers qui abritaient là leurs brebis. On remarque un petit arc naturel à proximité de l'entrée de la grotte.

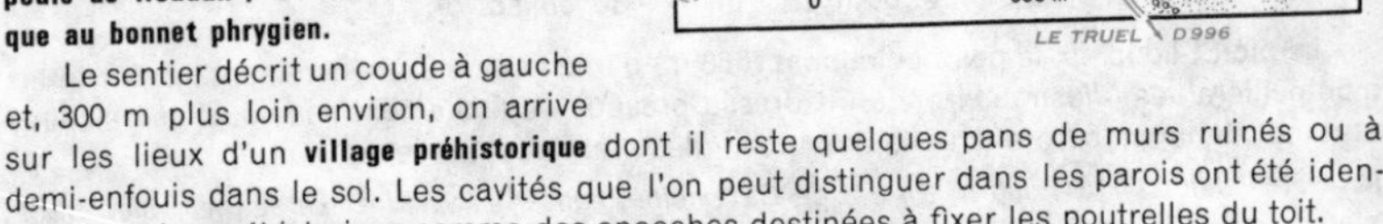

Revenir à la Grande Place d'où le sentier balisé conduit à la **Caverne de l'homme mort ;** cinquante squelettes humains s'apparentant à celui de l'homme de Cro-Magnon y furent découverts; la plupart d'entre eux avaient été trépanés au moyen de silex.

On découvre ensuite sur la gauche d'énormes rochers aux formes évocatrices : l'un d'eux a été surnommé **la poule de Houdan ;** un autre **la République au bonnet phrygien.**

Le sentier décrit un coude à gauche et, 300 m plus loin environ, on arrive sur les lieux d'un **village préhistorique** dont il reste quelques pans de murs ruinés ou à demi-enfouis dans le sol. Les cavités que l'on peut distinguer dans les parois ont été identifiées par les préhistoriens comme des encoches destinées à fixer les poutrelles du toit.

On atteint enfin les trois arches naturelles des **Arcs de St-Pierre :** la première, munie d'un éperon en avancée, compte parmi les plus belles des Causses. La deuxième, très régulière, s'ouvre sur un espace boisé de fragiles pins élancés vers la lumière. Le vent et les intempéries les ont quelquefois courbés ou brisés. C'est que les terres sur le causse Méjean ne sont jamais bien épaisses. La troisième abrite sous sa voûte un ancien atelier de savetier.

ST-PONS-DE-THOMIÈRES

Carte Michelin n° 83 - pli ⑬ – *Schéma p. 88* – 3 417 h. (les St-Ponais) – *Lieu de séjour, p. 42.*

Dans la haute vallée du Jaur, St-Pons est installé dans un site pittoresque de montagnes. En 936 Raymond Pons, comte de Toulouse, et son épouse Garsinde y fondèrent une abbaye érigée en évêché en 1318.

La ville a été choisie comme siège du Parc naturel régional du Haut-Languedoc, qui y entretient un bureau central d'accueil et de documentation *(13 rue du Cloître). Voir p. 87.*

Église. – *Visite : 1/2 h.* Ancienne abbatiale, puis cathédrale, elle a été construite au 12e s. et transformée aux 15e, 16e et 18e s.

Le côté droit, au Nord, présente un aspect fortifié : deux des quatre tours crénelées qui s'élevaient à chaque angle de l'édifice subsistent et une rangée de meurtrières court audessus des fenêtres.

Le portail, connu sous le nom de « porte des Morts », très richement décoré, reposait sur de fines colonnettes ; au-dessus de l'archivolte, la signification de la très curieuse pierre à sept niches et quatre personnages constitue une énigme.

La façade Ouest dans laquelle était percée autrefois l'entrée principale, retient l'attention par ses deux tympans sculptés, malheureusement peu visibles : à gauche, la Cène et le Lavement des pieds. A droite, la Crucifixion : à côté du Christ, on distingue la Vierge et saint Jean ; la représentation du supplice des deux larrons est particulièrement originale (leurs bras sont tordus et engagés dans des trous percés sur la traverse de la croix).

La façade par laquelle on pénètre dans l'église a remplacé au 18e s. le chœur gothique du 16e s. L'intérieur, aux dimensions imposantes, a subi de nombreux remaniements.

Les stalles sont du 17e s., à l'exception de la cathèdre, du 19e s. Elle fut offerte à l'évêque de Béziers par Sahuc, historien de la ville et du pays de St-Pons.

Le chœur, fermé par une élégante grille, est orné de nombreuses décorations en marbre : remarquer les angelots et le Christ en médaillon, au-dessus de l'autel.

Sacristie. – *Provisoirement fermée ; s'informer au Syndicat d'Initiative.*

Dans ce local ont été déposés des vestiges archéologiques.

Chapelle des Pénitents. – Des photos des chapiteaux du cloître, dispersés, y sont exposées.

Source du Jaur. – *Accès par la rive droite de la rivière.* Du pont qui franchit le Jaur, on aperçoit la tour crénelée du comte de Pons qui appartenait à l'enceinte fortifiée de l'évêché.

Au pied d'un rocher, le Jaur naissant s'étale paisiblement.

EXCURSIONS

Circuit dans le Somail. – *Page 87.*

Chapelle N.-D. de Tredos. – *17 km. Quitter St-Pons par le D 908, à l'Est. A l'entrée de St-Étienne d'Albagnan, prendre à droite le D 176E.*

La petite route tortueuse s'élève jusqu'à Sahuc dans un site farouche, dominant le ravin de l'Esparasol.

Parvenu à un col, 1 km au-delà de Sahuc, monter à la chapelle, à droite.

N.-D. de Tredos, parmi les sapins, est un lieu de pèlerinage. Belle vue sur les monts de l'Espinouse au Nord-Ouest et du Minervois au Sud-Ouest.

ST-SERNIN-SUR-RANCE

Carte Michelin n° 83 - pli ② ou n° 80 - pli ⑫ – 696 h. – *Lieu de séjour, p. 42.*

Sur un promontoire au-dessus du Rance, St-Sernin a conservé quelques maisons du 15e s. et d'étroites ruelles qui dévalent vers la rivière où abondent truites et écrevisses.

Église. – Ancienne collégiale gothique, elle renferme de belles boiseries. Clés de voûte et culs-de-lampe bien décorés.

EXCURSION

Laval-Rocquecezière. – 596 h. *15 km, par le D 33 au Sud puis le D 607 et un chemin s'amorçant sur la gauche de celui-ci.*

Le rocher de Roquecezière est dominé par une statue de la Vierge. Une table d'orientation offre un vaste panorama : au Nord sur la vallée du Rance où se niche N.-D. d'Orient ; à l'Est sur Belmont-sur-Rance, reconnaissable à son clocher, tandis qu'au loin le regard se perd sur le plateau du Larzac ; au Sud-Est sur les monts de Lacaune, d'où émerge le roc de Montalet (1 259 m) ; au Sud-Ouest sur la Montagne Noire et, par temps très clair, jusqu'à la chaîne des Pyrénées.

STE-ÉNIMIE *

Carte Michelin n° 80 - pli ⑤ – *Schémas p. 97 et 158* – 636 h. – *Lieu de séjour, p. 42.*

Le bourg de Ste-Énimie s'étage au bas des falaises escarpées qui bordent une boucle du Tarn, à l'un des passages les plus resserrés du canyon. Elles y forment un véritable couloir de 500 à 600 m de profondeur sur 2 km d'écartement. Le fond de la gorge est très verdoyant. Chacun de ces petits jardins qui montent en larges escaliers, depuis le bord du Tarn, a été créé par les paysans. La terre végétale, apportée sac après sac, a permis d'entourer Ste-Énimie de vergers plantés de vigne, de pêchers et d'amandiers dont la couleur fraîche et reposante contraste avec les falaises ocrées et arides qui les surmontent. Du D 986, 5 km avant Ste-Énimie en venant de Mende, les automobilistes auront un beau point de vue sur la petite ville et son site.

Ste-Enimie.

Le Tarn en crue monte, à Ste-Énimie, à des hauteurs impressionnantes. On verra, dans l'église, près du bénitier, la marque du niveau atteint le 29 septembre 1900. L'autel baignait dans l'eau. La dernière crue exceptionnelle remonte à 1965.

La légende de Sainte Énimie. – Énimie était une princesse mérovingienne, fille de Clotaire II et sœur du roi Dagobert. Tous les seigneurs de la cour en sont épris, car elle est d'une beauté merveilleuse ; mais elle repousse les demandes en mariage les plus flatteuses : elle désire se consacrer à Dieu. Le roi s'y refuse et fiance Énimie à l'un de ses barons. Aussitôt, la lèpre atteint la jeune fille et écarte le prétendant. Tous les remèdes sont sans effet. Un jour, dans une vision, un ange ordonne à Énimie de partir pour le Gévaudan : une fontaine lui redonnera sa beauté passée.

Accompagnée d'une nombreuse escorte, elle parvient, après plusieurs jours d'un pénible voyage, dans un lieu où les malades viennent se baigner (Bagnols-les-Bains). Elle veut s'arrêter, mais l'ange apparaît et lui dit de continuer sa route. Enfin, dans une vallée profonde et sauvage, elle apprend, par des pâtres, qu'une fontaine – celle de Burle – est toute proche.

La princesse se plonge dans l'eau miraculeuse qui fait aussitôt disparaître les traces de son mal. Dans la plus grande allégresse, elle prend, avec sa suite, le chemin du retour. Mais à peine est-elle sortie de la vallée que la lèpre couvre à nouveau son corps. Elle revient à la fontaine qui accomplit le même miracle. Chaque fois qu'elle essaye de quitter ces lieux, la maladie reprend. Comprenant la volonté du Seigneur, elle décide de s'établir à Burle.

Désormais, vivant dans une grotte avec sa filleule, elle répand les bienfaits autour d'elle, fait bâtir un monastère de femmes, lutte contre le diable qui s'attaque à son œuvre et détruit les murs qui s'élèvent. Elle arrive à le chasser *(voir au Pas de Souci, p. 159)*.

Saint Hilaire, évêque de Mende, ayant entendu l'histoire merveilleuse d'Énimie, vient lui rendre visite et la consacre abbesse du couvent de Burle. Elle termine sa vie dans la sainteté, aux environs de 628.

On l'enterre dans la grotte-ermitage, dans une belle châsse d'argent, et ce lieu, hanté désormais par les pèlerins, voit se multiplier les miracles. Au-dessous du rocher sur lequel était bâti le monastère, un petit village s'est développé.

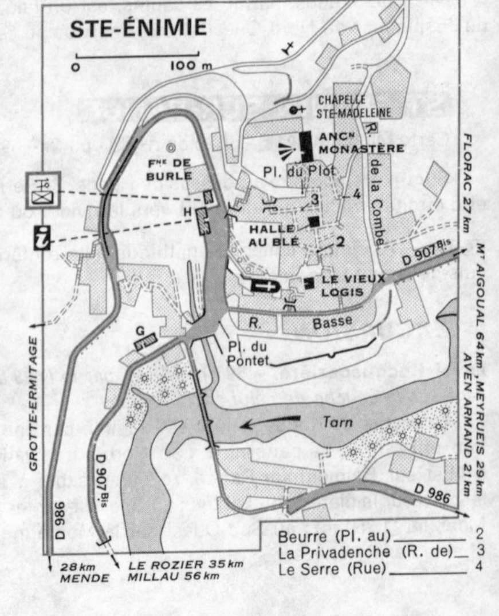

■ CURIOSITÉS *visite : 1 h*

Une flânerie au hasard des ruelles pittoresques du village permet d'en apprécier le charme anachronique.

Ancien monastère. – *Accès au départ de la place du Plot : traverser la maison (fléchée nº 13), monter l'escalier extérieur et suivre le sentier le long du plateau d'éducation physique, situé à l'emplacement du monastère. Au fond de l'allée, se trouve la porte d'entrée de la salle capitulaire.*

On peut voir encore une salle capitulaire romane. De l'intérieur de la salle, un escalier conduit à une terrasse : vue sur le bourg et les gorges. Autour du monastère, les ruines d'anciennes fortifications subsistent.

La chapelle Ste-Madeleine, située derrière le monastère, présente une belle voûte romane.

« Le vieux Logis ». – *Visite du 1er juillet au 31 août de 10 h à 12 h 30 et de 14 h 30 à 20 h ; du 1er avril au 30 juin et durant le mois de septembre de 10 h à 12 h et de 14 h 30 à 18 h. Entrée : 4 F.*

Ce petit musée folklorique, qui ne comprend qu'une salle contenant l'alcôve, l'âtre, la table et divers ustensiles, donne une idée des conditions de vie d'autrefois.

Place au Beurre et halle au Blé. – Au cœur du village ancien, la place présente une jolie maison ancienne, tandis que la halle a conservé une mesure à froment.

Église. – *S'adresser au presbytère.* Du 12e s., elle a souvent été transformée. Des panneaux de céramique moderne, de Henri Constans, illustrant la légende de sainte Énimie, y ont été placés.

Fontaine de Burle. – Résurgence des eaux de pluie tombées sur le causse de Sauveterre. Ce sont les eaux de la fontaine de Burle qui, selon la légende, guérirent de la lèpre sainte Énimie.

EXCURSIONS

Grotte-Ermitage. – *3/4 h à pied AR au départ de Ste-Enimie par un sentier (situé derrière les gîtes St-Vincent) ; ou bien : 2,5 km par le D 986 en direction de Mende, puis 1/2 h à pied AR. La chapelle proprement dite n'est plus accessible aux touristes mais la promenade est agréable.*

Nous recommandons de monter à la grotte le matin de très bonne heure de façon à assister au lever du soleil. A l'entrée de la grotte, deux pierres creusées en forme de fauteuil servaient, dit-on, de siège à sainte Énimie.

Tout près de la chapelle construite dans la grotte même de la sainte, une plate-forme porte une croix appelée Croix de la St-Jean ; de là, vue remarquable sur le Tarn et la ville.

Points de vue sur le canyon du Tarn.** – *6,5 km. Quitter Ste-Énimie au Sud par le D 986.*

La route franchit le Tarn et, s'élevant sur le causse Méjean, offre sur le canyon du Tarn, le cirque de St-Chély et celui de Pougnadoires des vues extraordinaires, qui justifient cette « pointe » hors des gorges.

SAUVETERRE-DE-ROUERGUE

Carte Michelin nº 80 - Sud-Est du pli ① – 891 h. (les Sauveterrats).

Guillaume de Mâcon, sénéchal de la province du Rouergue au 13e s., fonda cette bastide, en 1281, au cœur du Ségala pour protéger les populations des bandes de brigands qui sévissaient dans la région. Dès son origine, **la ville** fortifiée fut un centre administratif et commercial. Bâtie sur plan rectangulaire, Sauveterre a gardé sa vaste **place centrale** bordée de « couverts » appelés ici « Chistats », dont les voûtes ogivales remontent pour la plupart aux 14e et 15e s.

La collégiale gothique du 14e s., la maison Unal avec ses encorbellements, ses colombages et ses pierres de taille, l'Oustal rouergat (intérieur régional) et les vieilles maisons de la rue St-Vital retiendront aussi l'attention.

Sur la promenade qui a remplacé l'enceinte fortifiée dont il subsiste quelques vestiges, s'élève une croix du 13e s.

Carte Michelin n° 83 - pli ⑯ – *Schéma p. 79* – 40 179 h. (les Sétois).

Sète est construite sur les pentes et au pied du mont St-Clair, promontoire calcaire qui se dresse à 175 m en bordure du bassin de Thau ; ancienne île, il n'est réuni à la terre que par deux étroites langues de sable. La ville neuve, à l'Est et au Nord-Est du mont, arrive jusqu'à la mer, traversée en tous sens par des canaux.

Une belle plage de sable fin s'étend jusqu'au Cap d'Agde.

« Je suis né dans un de ces lieux où j'aurais aimé de naître ». – **Paul Valéry** (1871-1945) rend ainsi hommage à Sète, sa ville natale. En 1925, au conseil municipal de Sète qui l'avait félicité pour son élection à l'Académie Française, il écrit : « Il me semble que toute mon œuvre se ressent de mon origine ». Dans « Charmes », paru en 1922, le poète immortalise le cimetière marin où il sera inhumé en juillet 1945. Au pied de ce lieu paisible, la mer s'étale, tel un immense toit : « Ce toit tranquille où marchent des colombes
Entre les pins palpite, entre les tombes ;
Midi le Juste y compose de feux
La mer, la mer, toujours recommencée !
O récompense après une pensée
Qu'un long regard sur le calme des dieux ! ».

LA VIE SÈTOISE

Avec ses ports de commerce, de pêche et de plaisance, Sète est le foyer d'une activité maritime très vivante.

Septième port français pour le trafic des marchandises, Sète est le premier port de pêche fraîche de la côte française de la Méditerranée. L'agglomération sétoise (y compris Frontignan, la Peyrade et Balaruc) forme une enclave industrielle dans la plaine du Bas-Languedoc vouée essentiellement à la viticulture.

De nombreuses activités sont liées à cette vocation portuaire : industrie chimique (engrais), cimenteries, scieries, industries alimentaires (confiseries d'olives et de condiments, conserveries de poisson). Le raffinage du pétrole s'effectue à Frontignan.

Les réjouissances. – Sète organise, depuis sa fondation en 1666, de célèbres joutes nautiques.

Les joutes nautiques. – Deux barques, une rouge et une bleue, portent à l'arrière la « tintaine », plate-forme qui s'avance de trois mètres au-dessus de l'eau. Dix rameurs manœuvrent chacune des embarcations qui s'élancent l'une vers l'autre. Les jouteurs, vêtus de blanc, la poitrine protégée par un pavois, sont campés sur la plate-forme, armés d'une lance d'environ 3 m, que termine un fer à trois pointes. Chacun cherche, par un coup bien ajusté, à culbuter son adversaire. Le plongeon du vaincu soulève les rires et les lazzi tandis que le vainqueur, appuyé sur sa lance, bombe le torse sous les acclamations. A l'avant de chaque barque, un hautbois et un tambour jouent l'air des joutes, vieux de 300 ans.

Festival de théâtre. – Depuis 1960, il anime la ville dans le cadre du théâtre de plein air de plus de 2 000 places, aménagé dans un ancien fort construit par Vauban, bien situé au bord de la mer, au pied du cimetière marin.

LE PORT

Des fouilles effectuées à la pointe du Barrou, au Nord du mont St-Clair, ont révélé que l'île de Sète était habitée à l'époque gallo-romaine. Mais la ville elle-même naît au 17e s. quand Colbert décide de réaliser la construction d'un port, déjà envisagée par Henri IV : Sète sera le débouché sur la Méditerranée du canal des Deux-Mers. La première pierre est posée le 29 juillet 1666. Dès lors, l'histoire de la ville se confond avec celle de son port.

Dès 1669, **Pierre-Paul Riquet** *(voir p. 24)* est chargé de terminer les travaux. Sète ne comprend alors que quelques cabanes de pêcheurs. Pour favoriser son développement, Louis XIV, en 1673, permet « à toutes personnes, de bâtir des maisons, vendre et débiter toutes sortes de marchandises avec exemption du péage ». En quelques années, une ville industrielle et commerçante se crée. Pendant ce temps, Riquet fait construire les deux jetées qui protègent l'avant-port, creuser le canal de Sète qui réunit l'étang de Thau à la mer.

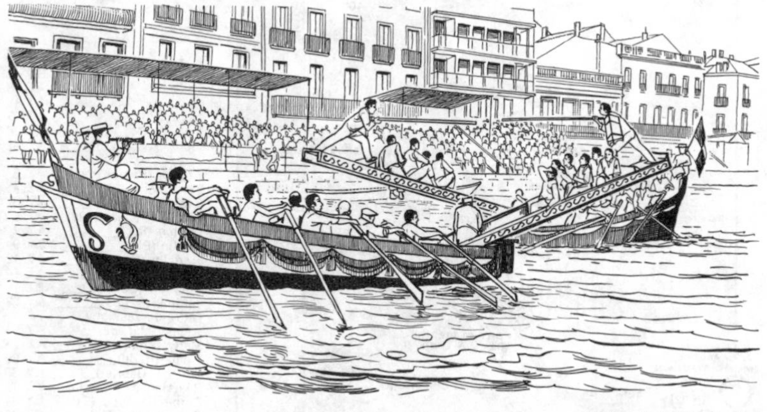

(D'après photo Clément, Sète.)

Sète. – Les joutes.

Il n'empêche que la ville et le port croissent lentement pendant tout le 18e s., Montpellier, puissante place commerciale, dirigeant l'activité sétoise. C'est au 19e s. que Sète connaît son âge d'or. Pour éviter les ensablements, on construit en 1821 une jetée isolée ou « brise-lames » qui, presque parallèle au rivage, protège l'entrée du port. Dès 1839, on entreprend le creusement du nouveau bassin et du canal maritime, tandis que les compagnies de chemins de fer relient Sète au réseau P.L.M. et au réseau du Midi. Vers 1840 Sète occupe le 5e rang parmi les ports français. Après la conquête de l'Algérie, Sète, spécialisée dans le commerce des vins, trouve ses principaux débouchés en Afrique du Nord.

Le port industriel et commercial d'aujourd'hui. – Le volume du trafic (7,9 millions de tonnes en 1980) est largement tributaire des pétroles traités à Frontignan. Mais l'aspect du port montre que les autres marchandises sont en progression. Sète accueille tous les trafics : vins, stockés dans des chais d'une capacité de 1 530 000 hl, pondéreux (phosphates du Maroc et du Sénégal), manganèse, bois en grumes de la Côte Occidentale d'Afrique et de l'Asie du Sud-Est, bois sciés de Scandinavie, pâte à papier. Les exportations sont soutenues par les cimenteries locales, les céréales du Lauragais et du bassin rhodanien.

Depuis la réouverture du canal de Suez en 1975, les relations maritimes se sont développées avec le Moyen Orient : le trafic de conteneurs avec l'Arabie Saoudite et la plupart des pays du Moyen Orient en donne l'image.

Enfin Sète est devenue un port de passagers : une liaison par car-ferry est assurée avec le Maroc et deux avec l'Algérie.

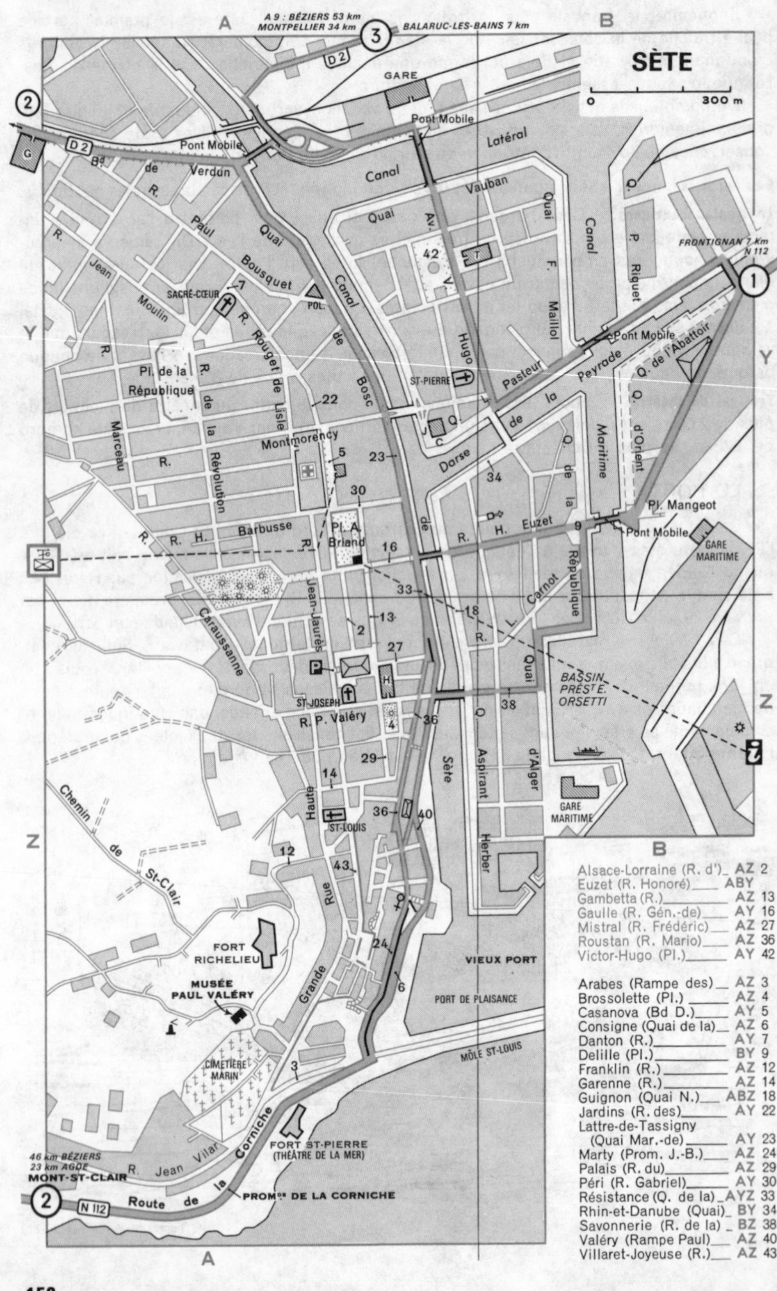

Les installations portuaires. – Un bassin d'évolution et un chenal où peuvent accéder les navires de haute mer prolongent le chenal maritime dans le bassin de Thau pour desservir le port industriel. Le môle Masselin, à l'entrée du port, permet la réception de navires de commerce de 11 m de tirant d'eau.

Plus à l'Est, la darse nº 1 (fonds de 12 m) accueille les grands minéraliers, le trafic RO/RO (chargement direct des camions et attelages routiers, par des rampes, dans des car-ferries spécialisés), etc.

Encore plus à l'Est, des travaux sont en cours qui permettront le doublement de la capacité de ce port.

■ CURIOSITÉS *visite : 2 h 1/2*

Vieux Port (BZ). – Avec ses embarcations de plaisance et ses bateaux de pêche, c'est la partie la plus pittoresque du port de Sète.

Du môle St-Louis, belle vue sur la ville qui s'étage au flanc du mont St-Clair. L'activité des autres bassins et des canaux pourra retenir le flâneur.

Musée Paul Valéry (AZ). – *Visite de 10 h à 12 h et de 14 h à 18 h (ou 17 h du 1er octobre au 31 mars). Fermé le mardi et les jours fériés.*

Face à la mer et tout près du cimetière marin, il abrite de nombreux documents sur l'histoire de Sète. Les diverses salles, séparées par des panneaux mobiles, permettent de varier la présentation des expositions.

Au rez-de-chaussée, sont disposés les vestiges archéologiques résultant des fouilles effectuées au Barrou et des documents sur les joutes nautiques ; animés et colorés, ces jeux ont été un sujet de choix pour les peintres et ont offert au fil des siècles une variété de costumes dont on peut suivre l'évolution de 1666 à 1891. On admire quelques dessins d'Albert Marquet, de Gromaire, de Matisse.

Au premier étage une salle est consacrée à Paul Valéry, évoqué depuis son enfance sétoise. Poète et philosophe, il s'exprima aussi admirablement par le dessin, la sculpture, la peinture. La visite se termine par une collection de tableaux parmi lesquels on peut distinguer des œuvres de Courbet, Dufy, Lothe etc.

Promenade de la Corniche (AZ). – Cette promenade fréquentée qui conduit à la plage de la Corniche, située à 2 km de la ville, entaille la base du mont St-Clair aux pentes couvertes de villas.

Mont St-Clair*. – *Circuit de 8 km.* Le meilleur souvenir qu'un touriste puisse emporter de Sète est l'excursion au mont St-Clair. Cette colline, autrefois couverte de forêts de pins et de chênes, s'élève à 175 m au-dessus de la mer.

Quitter Sète par ②, route de la Corniche, traverser la place Herriot, suivre l'avenue du Tennis, prendre à droite le chemin des Pierres Blanches puis tourner à gauche dans la voie conduisant aux Pierres Blanches.

Pierres Blanches. – De là, ample **vue*** sur la partie Ouest du bassin de Thau, la basse plaine de l'Hérault, la pleine mer, la Corniche, la plage.

Continuer la promenade en suivant la route étroite qui fait le tour du mont St-Clair, jusqu'à la chapelle.

Chapelle N.-D.-de-la-Salette. – Le mont doit son nom au saint qui, dès le haut Moyen Age, était vénéré en ce lieu. Au 17e s., un ermitage existe encore près du fortin dit « la Montmorencette » édifié par le duc de Montmorency contre les Barbaresques. Le duc s'étant révolté, le roi fit démanteler le fort et transformer une ancienne casemate en chapelle expiatoire. En 1864, elle fut dédiée à N.-D.-de-la-Salette. Des fresques modernes, dues à l'artiste biterrois J. Bringuier, décorent ses murs. Elle attire de nombreux pèlerins, surtout le 19 septembre (le « Grand 19 ») et le 19 octobre (le « 19 des Vendangeurs »). *Quand le 19 tombe un dimanche les cérémonies se déroulent le lendemain.*

Points de vue. – De l'esplanade, face à la chapelle, où une grande croix est illuminée toutes les nuits, la **vue*** est très belle sur Sète, la partie Est du bassin de Thau, les Garrigues, les Cévennes, le pic St-Loup, la montagne de la Gardiole, la côte avec ses étangs et ses petites villes. Valéry Larbaud écrivit après une montée au mont St-Clair : « De là-haut on voit tout le paysage comme une carte murale, et le port tel que les architectes l'ont dessiné. »

D'une tour d'orientation aménagée sur la terrasse du presbytère, le **panorama**** est splendide. Si les premiers plans vibrent de lumière et de couleur, dans les lointains formes et teintes se fondent en nuances douces. Par temps clair, la vue s'étend vers le Sud-Ouest, au-delà des lagunes et de la mer, jusqu'aux Pyrénées et, vers l'Est, jusqu'aux Alpilles.

Poursuivre par le chemin de St-Clair en très forte descente.

A droite, s'étagent le cimetière marin chanté par Paul Valéry et le musée qui lui est dédié.

On regagne Sète par la Grande Rue Haute et la rampe des Arabes.

EXCURSION

Bassin de Thau ; abbaye de Valmagne*. – *Circuit de 74 km – environ 4 h.* S'étendant sur 8 000 ha, c'est le plus vaste des étangs de la côte du Languedoc. Toute une vie s'est organisée sur ses rives ; à l'Est, s'est installé un complexe industriel en plein essor ; la rive méridionale est formée par le cordon littoral, de Sète au cap d'Agde, tandis que sur la rive Nord, quelques villages, nés de la pêche, s'adonnent à l'élevage des huîtres et des moules. Pendant longtemps, les pêcheurs vécurent isolés, dans des cabanes de roseaux, puis ils se groupèrent en villages, tels Marseillan ou Mèze.

Ostréiculture et mytiliculture. – Ces deux activités, l'élevage des huîtres et celui des moules, sont regroupées sous le nom plus général de conchyliculture. En Méditerranée, on élève des huîtres plates et des « Creuses ». Celles qui proviennent du bassin de Thau sont commercialisées sous l'appellation d'huîtres de Bouzigues, du nom du village où naquit l'ostréiculture sur le bassin. Fixées au moyen de ciment sur des cordes ou des barres de palétuvier, elles sont ensuite immergées jusqu'à ce qu'elles aient atteint la taille comestible.
4 500 t ont été produites en 1980. Les moules a l'état de naissain (lorsque leur taille ne dépasse pas 2 cm) sont placées par grappes et suspendues le long de cordes ou de filets-tubes, formant ainsi de gigantesques chapelets qui seront ensuite immergés.

Quitter Sète par ③ et longer la rive orientale du bassin de Thau (D 2E) marquée d'une empreinte industrielle. Suivant toujours le littoral gagner le promontoire de Balaruc.

Balaruc-les-Bains ; Balaruc-le-Vieux. – *Page 62.*

Sortir de Balaruc-le-Vieux par le Nord. Suivre, en pénétrant dans la zone d'un échangeur, la voie se raccordant à la N 113, en direction de Béziers.

Loupian. – 934 h. Parmi les vignes, ce petit village possède deux églises. Dans le village même, l'**église St-Hippolyte,** du 12e s., fut incorporée dans les fortifications du château construit au 14e s. Elle est actuellement fermée au culte.

A la sortie Sud, **Ste-Cécile**, au bel appareil de pierre ocre, ne manque pas de majesté. Elle a été construite au 14e s. Ses contreforts très saillants sont caractéristiques de l'art gothique du Languedoc, de même que la large nef unique ; voûtée sur croisée d'ogives, elle se termine par une élégante abside polygonale.

Au Sud-Ouest du village, des travaux de dégagement entrepris sur près de 3 ha ont mis au jour des mosaïques gallo-romaines, ayant fait sans doute partie d'une « villa ». Plus de 15 pièces ont été reconnues.

Pour visiter les églises et les mosaïques, s'adresser à la Mairie les jours ouvrables (visites accompagnées à 10 h 30, 15 h 30 et 17 h du 1er juillet au 31 août – 10 h 30 et 14 h le reste de l'année).

Suivre, au Nord de Loupian, la route de Villevayrac par les collines ; à Villevayrac, tourner à gauche dans le D 5 en direction de Montagnac.

Abbaye de Valmagne*. – *Page 163.*

Faire demi-tour ; prendre aussitôt à droite le D 161 vers Mèze.

Mèze. – 5 508 h. Centre animé de conchyliculture. Son église gothique date du 15e s.

Prendre à gauche le D 51.

Marseillan. – 3 488 h. *Lieu de séjour : à Marseillan-Plage (p. 42).* Probablement fondé au 6e s. avant J.-C. par des marins massaliotes *(1)*, Marseillan compte toujours des pêcheurs. Le port constitue une escale agréable pour la navigation de plaisance intérieure.

Regagner Sète par les Onglous et la N 112 qui longe l'immense plage de sable fin de Sète.

L'estimation de temps indiquée pour chaque itinéraire correspond au temps global nécessaire pour bien apprécier le paysage et effectuer les visites recommandées.

SÉVÉRAC-LE-CHATEAU *

Carte Michelin n° 80 - pli ④ – *Schéma p. 97* – 3 030 h. (les Séveraguais).

Ce bourg, autrefois fortifié, s'élève sur les flancs d'une colline isolée au milieu de la dépression qu'arrosent l'Aveyron et ses affluents. Il est dominé par un rocher abrupt qui porte les restes d'un château imposant. Carrefour routier et gare d'embranchement, Séverac doit une partie de son activité à son industrie du meuble et à ses ateliers de mécanique.

Le plus étonnant des seigneurs de Sévérac. – C'est **Louis d'Arpajon,** guerrier fameux et mari meurtrier. Sa bravoure et ses talents lui valent, en 1637, le titre de général d'armée et, plus tard, le comté de Rodez. Sa popularité s'accroît encore quand il part au secours de l'Ordre de Malte, en guerre contre les Turcs. Le marquisat de Sévérac est érigé en duché ; Louis est nommé ministre d'État. Il loge, dans son hôtel parisien, Cyrano de Bergerac. C'est en se rendant chez le duc que le poète reçoit sur la tête la bûche fatale.

Arpajon se retire dans son château à l'apogée de sa gloire, en 1663, et finit ses jours en philosophe, ne s'occupant plus que de ses terres.

Il s'est marié en 1622 avec Gloriande de Thémines, qui lui a été destinée dès le berceau. Très fière de son « vaillant seigneur », Gloriande transforme le château en une brillante demeure où les fêtes se succèdent. Sa belle-mère, austère calviniste convertie au catholicisme, ne le lui pardonne point. Louis d'Arpajon résiste longtemps à la pression de sa mère, aux calomnies qu'elle accumule. En 1632, un fils naît. La famille, liguée par la belle-mère, parvient à lui faire croire que l'enfant n'est pas de son sang. Fou de jalousie, il tue son rival supposé et séquestre sa femme jusqu'à l'époque du pèlerinage à N.-D.-de-Ceignac.

Gloriande entreprend le voyage. Arrivés à la hauteur d'une forêt, les porteurs s'enfoncent dans les bois. Des hommes armés, cachés dans les fourrés, s'emparent de la litière et maintiennent Gloriande pendant qu'un chirurgien-barbier lui ouvre les artères des poignets et des chevilles. Quand la mort a fait son œuvre, on bande les plaies et le corps est ramené au château. Personne n'ose discuter la version d'une crise cardiaque foudroyante.

---

(1) Dans l'Antiquité et jusqu'au 16e s., les petits bâtiments de mer pouvaient pénétrer dans les étangs languedociens par les « graus ». L'envasement progressif de ces pertuis semblait condamner l'activité maritime de la côte, d'où l'importance de la création de Sète.

CURIOSITÉS *visite : 1/2 h*

Château. – Une entrée du 17e s. donne accès à la cour d'honneur. Au Nord s'élèvent des constructions plus anciennes (13e s.) : vestiges de courtines, deux tours et chapelle ; au Sud, les ruines de bâtiments du 17e s. et les restes d'un escalier monumental à double volée.

De la terrasse, située à l'Est de la cour d'honneur, vue sur le bourg et le bassin de Sévérac, les causses de Sévérac et de Sauveterre, les Cévennes et, plus à droite, le Lévézou.

De l'extrémité Ouest de la cour, vue étendue sur la vallée de l'Aveyron, dans laquelle on distingue, au loin, le château de Loupiac, flanqué de ses quatre tours rondes.

Maisons anciennes. – 15e-16e s. Dans les ruelles conduisant au château s'élèvent des maisons fort pittoresques avec leurs encadrements de fenêtres, leurs tourelles en encorbellement et leurs étages surplombant la chaussée.

Le SIDOBRE **

Carte Michelin n° 83 - plis ①②.

A l'Est de Castres, le Sidobre est un plateau granitique que délimitent l'Agout encaissé dans de profondes gorges et un de ses affluents, la Durenque.

Ce massif, compris dans le Parc naturel régional du Haut-Languedoc, présente un double intérêt : d'une part, les carrières gigantesques dont il est entaillé, quelquefois cruellement, témoignent de son importance économique ; d'autre part, il offre au touriste la physionomie caractéristique des paysages de roches granitiques façonnées en boules par l'érosion. D'énormes masses arrondies, en équilibre les unes sur les autres, des rivières de rochers, les **compayrés**, véritables chaos formés de blocs isolés par le ruissellement de la rivière qu'ils recouvrent, en font un site touristique réputé.

Sites et curiosités

Capel (Roc du). – *Au départ du D 30 E, 1,5 km par un chemin étroit et non revêtu.* Le roc du Capel, sur la droite du chemin, est impressionnant par ses dimensions.

500 m plus loin, le rocher du Verdier est appellé « rocher du Sanglier » par les habitants de la région, en souvenir de ces animaux autrefois nombreux dans le Sidobre. Il repose sur une couronne de 2,60 m de diamètre.

Chapeau de Curé. – *3/4 à pied AR par un sentier en forte montée qui longe sur la droite une rivière de rochers.* Il offre son aspect le plus pittoresque depuis le sentier d'accès, en contrebas. Au-delà du Chapeau du Curé, intéressante agglomération de rochers.

Chapeau de Napoléon et chaos de la Balme. – *Au départ de St-Salvy par le D 66 à l'Ouest ; à 2 km, laisser la voiture et prendre le sentier à gauche (1/2 h à pied AR).*

Un rocher, auquel l'érosion a curieusement donné la forme d'un bicorne, se détache sur la droite d'une belle rivière de rochers, le chaos de la Balme.

Ferrières. – 175 h. A la limite Nord-Est du Sidobre, ce village est le centre d'animation culturelle du Parc naturel régional du Haut-Languedoc. Diverses expositions, rencontres musicales, randonnées sont proposées par le « Centre d'Art de Ferrières » *(secrétariat à 81260 Ferrières – ☎ (63) 50 03 53).*

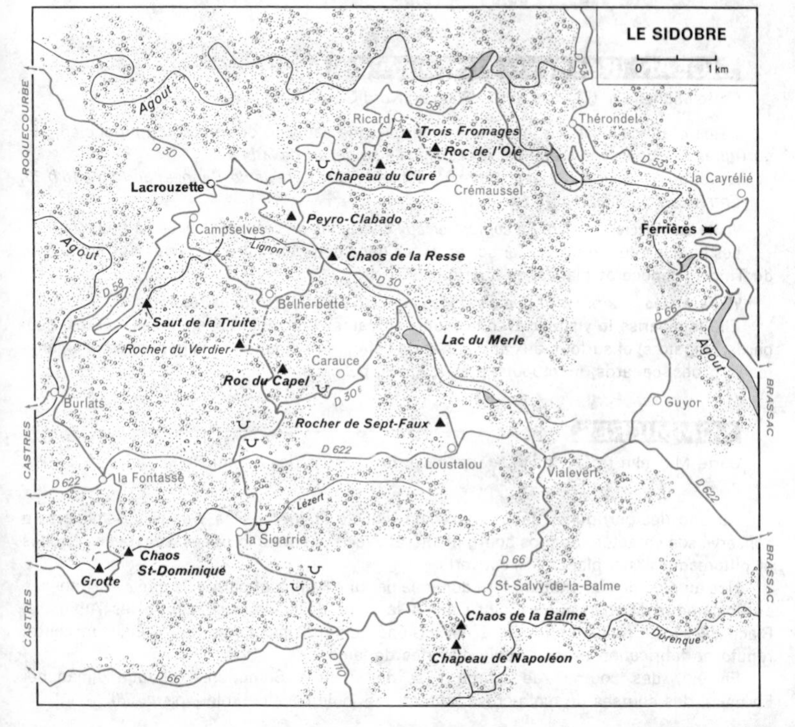

Le château (16e s.) abrite le **musée du Protestantisme en Haut-Languedoc** et la **maison du Luthier** *(visite du 15 avril au 15 octobre de 10 h à 12 h et de 15 h à 19 h ; fermé les dimanches et jours fériés tombant le dimanche – entrée : 5 F – hors saison se renseigner auprès du Centre d'Art de Ferrières).*

Lacrouzette. – 1 862 h. *Lieu de séjour p. 42.* C'est un bon centre d'excursions dans le Sidobre.

Merle (Lac du). – Alimenté par les eaux du Lignon, son site boisé est agréable.

Peyro Clabado. – La Peyro-Clabado est la curiosité la plus impressionnante du Sidobre. Un bloc de granit, dont le poids est estimé à 780 t, se maintient en équilibre sur un socle de très petites dimensions. Un coin, naturellement disposé entre le piédestal et le rocher, assure la stabilité de l'ensemble.

Le Sidobre. – La Peyro-Clabado.

Resse (Chaos de la). – Il faut écouter les grondements du Lignon qui disparaît totalement sous ce chaos de rochers.

St-Dominique (Chaos). – Dans un agréable site boisé, cette rivière de rochers recouvre le Lézert sur une longueur de 4 km environ.

St-Dominique (Grotte de). – *1/4 h à pied AR. Descendre le long de la rive droite de la rivière puis la traverser.* Dans une paisible clairière, elle aurait abrité, sinon le saint lui-même, du moins un de ses disciples traqué sous la Révolution.

Sept-Faux (Rocher de). – C'est le plus bel exemple de rocher tremblant du Sidobre. Deux blocs juchés l'un sur l'autre, d'une masse de 900 t, peuvent être ébranlés par simple pression sur un levier de bois.

Trois fromages ; Roc de l'Oie. – *1 h à pied AR par un agréable sentier en sous-bois.* Les Trois fromages sont formés d'un unique bloc divisé par diaclase en trois parties arrondies par l'érosion.

Plus loin, le roc de l'Oie, vu du sentier en provenance de Crémaussel, présente une ressemblance frappante avec l'animal des basses-cours. *Lire la légende du roc de l'Oie, p. 34.*

Truite (Saut de la). – *1/2 h à pied AR après avoir franchi le pont sur le Lignon.* Le paysage généralement verdoyant présente à hauteur de cette cascade un aspect plus aride et le Lignon prend l'allure d'un torrent tumultueux.

SIGEAN (Réserve africaine de) *

Carte Michelin n° 86 - plis ⑨ ⑩ – 7 km au Nord-Ouest de Sigean.

Ce parc animalier doit son caractère au paysage sauvage du littoral languedocien, aux garrigues éclaboussées d'étangs. *Accès signalé au départ de la N 9.*

Visite, du 1er avril au 30 septembre, de 9 h à 18 h 30 ; le reste de l'année, de 10 h à 16 h 30. Entrée : 27 F (enfants : 16 F).

Visite en voiture. – *1/2 h. Se conformer aux consignes de sécurité données à l'entrée.*

Les boucles du circuit routier sont tracées dans deux territoires réservés aux lions, ours du Thibet, rhinocéros blancs, en liberté.

Visite à pied. – *2 h. Partir des parkings centraux, à l'intérieur de la réserve.*

Elle familiarise le visiteur avec la faune africaine (dromadaires, antilopes, zèbres, guépards, alligators) et surtout, aux approches de l'étang principal, avec la gent ailée : flamants roses, grues, canards, marabouts, aras, cygnes, pélicans.

SOMMIÈRES

Carte Michelin n° 80 - pli ⑱ – *Schéma p. 79* – 3 169 h. (les Sommiérois) – *Lieu de séjour, p. 42.*

Au Sud des garrigues, dans une région viticole drainée par le Vidourle, Sommières a conservé son caractère de gros bourg médiéval avec ses portes fortifiées, ses ruelles étroites et pittoresques, ses places à « couverts ».

Née au pied de son château fort, dominée par une belle tour carrée, la cité a été annexée au domaine royal en 1248 par Saint Louis à la suite de la croisade contre les Albigeois. Place de sûreté protestante, elle a été assiégée en 1622 par Louis XIII. C'était un centre réputé de fabrication de cuirs puis d'étoffes de laine.

En été, des courses de taureaux se déroulent à Sommières, chaque dimanche. En mars, des courses de moto-cross attirent une foule considérable *(voir p. 35).*

■ CURIOSITÉS

visite : 1/2 h

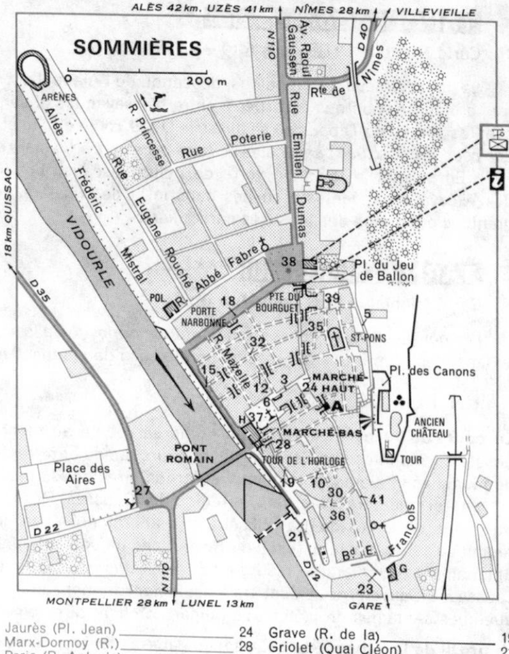

Jaurès (Pl. Jean) 24
Marx-Dormoy (R.) 28
Paris (R. Antonin) 35

Capmal (R. P.) 3
Château-Fort (Ch. du) 5
Doct. M. et G. Dax (Pl. des) 6
Flamande (R.) 10
Fours (R. des) 12
Gaussorgues (Quai F.) 15
Général Bruyère (R.) 18

Grave (R. de la) 19
Griolet (Quai Cléon) 21
Jamais (Av. Emile) 23
Libération (Pl. de la) 27
Mazère (R. de la) 30
Narbone (R.) 32
Penchinat (R. Léon) 36
Reilhe (Escalier de) 37
République (Pl. de la) 38
Saussines (Pl.) 39
Taillade (R. de la) 41

Pont romain. – Le pont d'origine, long de 190 m, fut lancé là, sur le Vidourle, par Tibère, au début du 1er s. Restauré au 18e s. il se prolonge dans la partie basse de la cité. Au débouché du pont, la tour de l'Horloge, gothique, garde l'entrée de la ville basse.

Marché-bas. – *Accès par l'escalier de Reilhe, à gauche, aussitôt franchie la tour de l'Horloge.*

Cette place, entourée de maisons à arcades, était limitée au Sud par des arches accolées au pont romain (on peut voir un vestige de la cinquième arche sous le passage voûté). Installée dans l'ancien lit du Vidourle, elle est inondable par fortes crues appelées « vidourlades ».

Marché-haut. – Encore désigné sous le nom de place Jean-Jaurès, c'est l'ancien marché au blé de Sommières. Il communique avec le Marché-bas par une curieuse ruelle voûtée. Dans un angle, un passage couvert dessert la rue de la Taillade, ancienne voie romaine donnant accès au pont romain ; aussitôt à gauche, au no 3, hôtel du 17e s. (**A**) présentant une intéressante cage d'escalier.

EXCURSION

Château de Villevieille ; Calvisson. – *10 km au Nord-Est par le D 40.*

Château de Villevieille. – *Visite du 1er juillet au 15 septembre de 15 h à 19 h ; le reste de l'année, prendre rendez-vous : ☎ (66) 80 01 62. Entrée : 8 F.*

Bâti sur un éperon rocheux, le château offre aux regards ses tours médiévales et sa façade Renaissance. De la terrasse, vue agréable sur la vallée du Vidourle. L'intérieur présente quelques salles intéressantes. Au rez-de-chaussée, une salle à manger Louis XIII tendue en cuir des Flandres ; au premier étage, la chambre que Louis XIII occupa pendant le siège de Sommières, la chambre de Saint Louis, à l'imposante cheminée médiévale. Différentes salles abritent de belles tapisseries du 17e s. et des collections de faïence.

A l'entrée de Calvisson, laisser à droite la déviation de Nîmes ; pénétrer dans le bourg.

Calvisson. – 1 793 h. Calvisson, bourg paisible au milieu des vignes, est au centre d'une plaine appelée la Vaunage.

A la sortie Ouest du village, une route étroite à gauche, qui se poursuit par un chemin en montée et très pierreux, mène au **roc de Gachone.** De la table d'orientation aménagée au sommet d'une tour, on découvre une vue pittoresque sur le village aux toits de tuiles rouges, sur la vallée du Vidourle au Sud-Ouest et le pic St-Loup à l'Ouest, tandis qu'au loin la vue s'étend vers la Méditerranée et les Pyrénées.

SYLVANÈS (Ancienne abbaye de)

Carte Michelin no 80 - plis ⑬⑭ – 9 km à l'Est de Camarès.

Sur les bords d'un affluent du Dourdou, cette ancienne abbaye cistercienne fut fondée en 1138 par un grand seigneur, brigand repenti. Menacée en 1591 par les protestants, elle disparut à la Révolution. Le monastère fut vendu, l'église devint paroissiale.

Église. – Cet édifice de grès fut construit en 1157. Au chevet, sont particulièrement remarquables les grilles de fer forgé (fin 12e s.) des fenêtres et le motif à arcatures de la corniche.

A l'intérieur, l'église présente les caractéristiques du style cistercien méridional. Composée d'une vaste nef voûtée en berceau brisé, elle est munie de contreforts intérieurs qui forment autant de chapelles latérales couvertes de voûtes en berceau brisés transversaux. Les épaisses nervures qui soutiennent le berceau de la croisée du transept donnent l'illusion d'une voûte d'ogives ; il s'agit en réalité d'un artifice sans portée architecturale.

Devenue centre de Rencontres culturelles, l'abbaye offre de la mi-juillet à la mi-août, un festival de musique.

Bâtiments abbatiaux. – L'église se prolonge au Sud par les bâtiments abbatiaux, la sacristie, la salle capitulaire et la grande salle des moines. Celle-ci, voûtée sur croisée d'ogives, est divisée en deux nefs par une rangée de colonnes très dépouillées. Le flanc Ouest est bordé par la seule galerie subsistante du cloître.

TAPOUL (Gorges du) *

Carte Michelin n° 80 - plis ⑥⑯ – *Schéma p. 49.*

Le petit ruisseau du Trépalous, descendu de l'Aigoual, a creusé dans le granit rose un lit très profond aux berges escarpées, entre Massevaques et son confluent avec le Tarnon. Ce sont les gorges du Tapoul, où se glisse le D 119, route étroite et impressionnante par endroits. *Elle peut être obstruée par la neige de la mi-décembre à fin mars entre Cabrillac et Massevaques.*

En suivant le ravin, on verra de belles cascades bondissantes, les Escouffourens, et des excavations géantes creusées dans le lit de la rivière. Le ruissellement de l'eau sur le granit coloré donne des tons très particuliers.

TARN (Gorges du) ***

Carte Michelin n° 80 - plis ④ à ⑥.

Les gorges du Tarn constituent la grande curiosité de la région des Causses. Sur plus de 50 km, elles offrent une succession prodigieuse de perspectives et de sites admirables.

UN PEU DE GÉOGRAPHIE

Le cours du Tarn. – Le Tarn, qui prend sa source au mont Lozère, à 1 575 m d'altitude, descend les pentes des Cévennes d'un cours rapide et torrentueux. Chemin faisant, il reçoit de multiples affluents, notamment le Tarnon, près de Florac.

Le Tarn pénètre alors dans la région des Causses. Désormais, son cours est guidé par une série de failles qu'il a utilisées puis approfondies en canyon *(voir p. 13).* Dans cette région calcaire, il n'aura, jusqu'au Rozier, pas un seul affluent à ciel ouvert. Il est alimenté uniquement par quarante résurgences *(explication p. 15)* venant du causse Méjean ou du causse de Sauveterre et dont trois seulement forment une petite rivière sur un trajet de quelques centaines de mètres. La plupart tombent directement dans le Tarn en cascades.

Le profil de la vallée. – Le sous-sol du causse étant formé de calcaires francs, de dolomies, de marnes présentant une résistance variable à l'érosion et à la corrosion, les vallées et les gorges qui l'entaillent offrent des aspects différents. Les couches compactes de calcaire et de dolomie, sapées ou minées de l'intérieur, s'abattent en pans entiers, formant des lignes de falaises ou de chicots rocheux. Les calcaires en lits minces et les marnes, moins résistants, se désagrègent et s'éboulent en talus.

Le profil se complique et varie suivant l'ordre des sédiments rencontrés. Tantôt les hautes parois abruptes dominent les talus de leurs-à-pics (1 – *fig. ci-dessous)* et tantôt elles étranglent en superbes couloirs le lit même de la rivière (2), le surplombant parfois. Quelquefois encore, les falaises se dressent en haut et en bas du canyon, séparées par des éboulis souvent boisés (3).

Dans le bas, le canyon est large de 30 à 500 m ; au sommet des falaises, les corniches des Causses sont écartées au plus de 2 km ; en trois points, la distance ne dépasse pas 1 200 m.

La présence des hommes. – Dans cette gorge, brûlante l'été, les agglomérations, que menacent parfois des crues subites, sont rares et peu importantes. Elles s'échelonnent au débouché de ravins secs ou dans un élargissement de la vallée. Les pentes qui les entourent se couvrent de vergers et de vignes. La forte concentration des habitations, en certains points des gorges, contraste avec l'absence de peuplement des Causses. Elle surprend le voyageur qui découvre subitement les villages, après avoir parcouru sur les plateaux des dizaines de kilomètres, sans rencontrer le moindre hameau. Souvent, au bord même du Tarn ou haut perchés sur les versants, se dressent des châteaux ruinés qui furent pour la plupart, au Moyen Age, des repaires de pillards.

Depuis 1972, l'« animation » de la vallée est stimulée par le développement de bases de loisirs mettant à la portée du plus grand nombre – des jeunes en particulier – la pratique du canoë-kayak, de la spéléologie, de l'escalade, etc. Fin 1979 de telles bases fonctionnaient à Florac, Ispagnac, Ste-Énimie, le Rozier-Peyreleau, Meyrueis (gorges de la Jonte) et, plus en aval, Millau, St-Rome-du-Tarn, Trébas et Albi-Aiguleze. *Renseignements auprès de l'Union des bases d'animation de Loisirs et de Plein Air de la Vallée du Tarn (Chambre de Commerce, 12100 Millau) ou des Syndicats d'Initiative de ces localités.*

VISITE

Pour connaître les gorges du Tarn trois méthodes, qui peuvent naturellement se combiner, s'offrent au touriste : le parcours de la route des gorges, la descente en barque de la partie la plus spectaculaire de la vallée, une randonnée pédestre sur les sentiers des hautes corniches du causse Méjean. La plus rapide ou la plus facile n'est pas la plus exaltante.

Le long de la route D 907bis qui suit les gorges de bout en bout, ce ne sont que châteaux, belvédères, villages pittoresques qui défilent, offrant un paysage admirable. Les travaux d'élargissement de la chaussée, la création de parkings ont facilité la circulation mais porté atteinte à l'intégrité de certains sites.

La barque et le canoë permettent d'approcher les falaises et offrent sur le versant droit des gorges des vues qui restent insoupçonnées de la route tracée trop près de la falaise. Seule, la promenade sur les eaux du Tarn permet de bien voir les Détroits et le cirque des Baumes, deux des curiosités les plus belles du canyon.

Mais les paysages les plus étonnants, les contacts les plus intimes avec les parois rocheuses sont réservés à ceux qui accepteront l'épreuve d'une incomparable randonnée pédestre qui leur laissera l'impression d'avoir été complice de cette grandeur naturelle.

1 LA ROUTE DES GORGES

Constamment tracé au fond des gorges, sur la rive droite du Tarn, le D 907bis est toujours pittoresque et sans monotonie, grâce aux mille aspects de la gorge, dont les teintes varient suivant les heures du jour ; mais c'est vers la fin de l'après-midi, quand les rayons obliques du soleil dorent les falaises, que le canyon apparaît dans toute sa splendeur.

De Florac à Ste-Énimie – *30 km – environ 1 h 1/2 – schéma p. 159*

Tout au long de ce parcours, on rencontre encore quelques maisons qui ont conservé leurs toits de lauzes de schiste : l'arête centrale est faite de plaques disposées en « ailes de moulin » ou « lignolets » *(illustration p. 32)* témoins de la proximité des Cévennes.

Quitter Florac *(p. 92)*, au Nord par la N 106. La route suit la vallée du Tarn bordée à l'Est par les Cévennes et à l'Ouest par les escarpements du causse Méjean qui dominent de 500 m le lit de la rivière. En vue du village de Biesset, sur la rive opposée du Tarn, laisser à droite la route de Mende par le col de Montmirat et prendre à gauche le D 907bis qui longe la rive droite de la rivière.

A hauteur d'Ispagnac, le Tarn tourne brusquement ; là commence vraiment le canyon, gigantesque trait de scie profond de 400 à 600 m qui sépare les causses Méjean et de Sauveterre.

Ispagnac. – 549 h. *Lieu de séjour, p. 42.* A l'entrée du canyon du Tarn, le bassin d'Ispagnac, planté d'arbres fruitiers et de vignes et où se développe la culture des fraises, abrité des vents du Nord et du Nord-Ouest, jouit d'un climat très doux qui fut de tout temps renommé. Ce « jardin de la Lozère », qui attirait autrefois les gentilshommes lozériens, est devenu un centre de villégiature d'été.

L'**église d'Ispagnac,** du 12e s., s'ouvre par un portail roman surmonté d'une belle rosace. L'intérieur, à trois nefs, est remarquable surtout pour le chœur. A la croisée du transept, un clocher octogonal surmonte une coupole, l'autre clocher est de construction récente. L'édifice est accolé aux restes d'un prieuré qui garde des vestiges de fortifications. On peut voir encore le portail de l'ancien château et quelques maisons gothiques du 14e s., aux belles croisées.

1 km environ après Ispagnac, prendre à gauche.

Quézac. – 252 h. Le **pont de Quézac,** gothique, franchit le Tarn. Le pape Urbain V, originaire de Grizac, en Lozère, eut l'idée de le construire pour permettre aux pèlerins de gagner le sanctuaire élevé par lui à Quézac et ce fut son successeur qui exécuta le projet. Détruit pendant les guerres de Religion, le pont fut réédifié sur le plan primitif, au début du 17e s., par l'évêque de Mende.

Le pont de Quézac.

L'**église de Quézac** a été construite sur le lieu même où l'on découvrit en 1050 la statue de la Vierge, devant laquelle de nombreux pèlerins viennent prier. Elle s'ouvre par un joli porche datant du 16e s. Ses clefs de voûte et quelques-uns de ses chapiteaux sont ornés des armes du pape Urbain V. Un grand pèlerinage a lieu le 1er dimanche de septembre.

Revenir au D 907bis.

Entre Molines et Blajoux, deux châteaux apparaissent. Tout d'abord sur la rive droite, celui de **Rocheblave** (16e s.), – reconnaissable à ses mâchicoulis – dominé par les ruines d'un manoir du 12e s. et par une curieuse aiguille calcaire.

Plus loin, sur la rive gauche, celui de **Charbonnières** (16e s.) est situé en aval du village de Montbrun.

Castelbouc*. – *1 km, sur la rive gauche du Tarn.* Le nom de Castelbouc remonterait aux Croisades. Un seigneur, resté seul parmi ses sujettes, périt alors de son excès de complaisance. Lorsque son âme s'envola, dit la chronique, on vit planer un énorme bouc sur le château qui, depuis, s'est appelé Castelbouc. L'édifice fut démoli au 16e s. pour en chasser les occupants qui rançonnaient la vallée.

Castelbouc dresse les ruines de son château sur un rocher escarpé, haut de 60 m, qui surplombe, creusé dans le roc, un petit village dont les maisons ont utilisé la falaise comme mur de fond *(illustration p. 16)*.

Une résurgence extrêmement puissante jaillit par trois ouvertures, deux dans une grotte, une dans le village. Son bassin d'alimentation s'étend à plus de 10 km au Sud, sous le causse Méjean, jusqu'à l'aven de Hures.

Le site très curieux de Castelbouc *(illumination en été)* apparaît, maintenant, de la route d'itinéraire même.

La route atteint Ste-Énimie (p. 147).

TARN (Gorges du) ***

De Ste-Énimie au Rozier – *60 km – environ 2 h 1/2 – schéma ci-dessous*

Quitter Ste-Énimie (p. 147) au Sud par le D 907bis.

St-Chély-du-Tarn. – 117 h. *Spectacle « Son et lumière » du 1er juillet au 30 septembre à 22 h.*

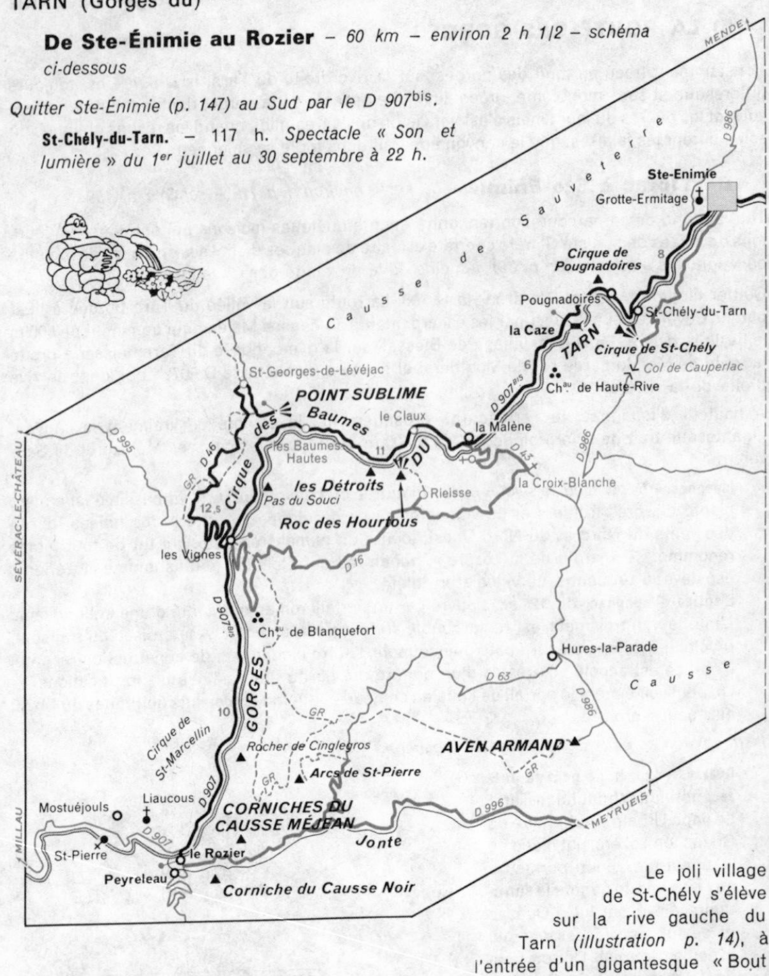

Le joli village de St-Chély s'élève sur la rive gauche du Tarn *(illustration p. 14)*, à l'entrée d'un gigantesque « Bout du Monde » formé, au pied du causse Méjean, par le **cirque de St-Chély*** aux superbes falaises.

En franchissant le Tarn sur un pont élégant, on ira voir l'église romane au joli clocher carré, les vieilles maisons (portes et cheminées Renaissance) qui ont gardé tout leur caractère, les beaux vergers, ainsi que la grotte de Cénaret, d'où sort une résurgence, avec sa chapelle à l'entrée et son lac souterrain.

De belles grottes, situées aux environs, en particulier la grotte du Grand-Duc avec ses 150 m de galeries, pourront intéresser les touristes.

Pougnadoires. – Le village encastre ses maisons dans les anfractuosités de la roche. Il s'adosse à ces gigantesques rochers dont les hautes murailles percées de cavernes, aux teintes rougeâtres révélant l'apparition de la dolomie, forment le **cirque de Pougnadoires***.

Le château de la Caze.

Château de la Caze*. – *Transformé en hôtel. On ne visite pas.* Ce château du 15e s. occupe un site romantique, sur les bords mêmes du Tarn.

Il fut construit, sous le règne de Charles VIII, par Soubeyrane Alamand dont les huit filles, surnommées « les Nymphes du Tarn », d'une égale beauté, firent battre les cœurs de tous les hobereaux d'alentour.

Ce décor d'ombrages, de vieilles pierres et de rochers surplombants semble sortir d'un conte.

Plus au Sud, on aperçoit, sur la rive opposée, les ruines du château de Haute-Rive.

La Malène. – *Page 109.*

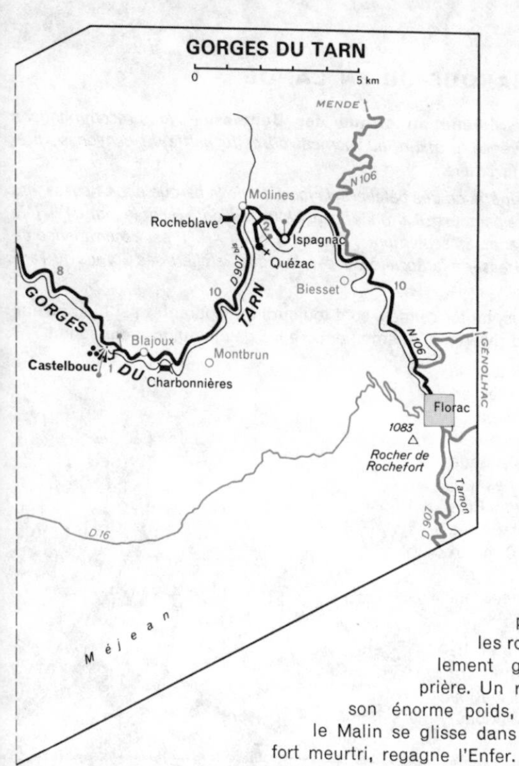

Après la Malène, la route parcourt les **Détroits**** *(p. 160)*. Un belvédère aménagé *(accès payant)*, à gauche, offre un beau coup d'œil sur cette partie la plus resserrée des gorges.

Plus loin, on passe au pied du **cirque des Baumes**** *(p. 160)*.

Pas du Souci. – Ici le Tarn disparaît sous d'énormes blocs qui forment un véritable chaos provoqué par deux effondrements (en dialecte « soussitch »), dont le plus récent serait dû au tremblement de terre de 580.

Plus poétique est la légende qui raconte ainsi la formation de ce chaos : le diable, poursuivi par sainte Énimie, fuit de roc en roc le long de la falaise dominant le Tarn. Voyant qu'elle ne peut l'attraper, la sainte appelle les roches à la rescousse. Un éboulement gigantesque répond à cette prière. Un rocher, Roque Sourde, de tout son énorme poids, se précipite sur Satan. Mais le Malin se glisse dans une fente du lit du Tarn et, fort meurtri, regagne l'Enfer.

Descendre au bord de la rivière *(1/4 h AR)*. De là, on aperçoit la masse de Roque Sourde qui s'est écroulée sans se briser. A 150 m au-dessus, la Roche Aiguille, haute de 80 m, s'incline vers l'abîme. La traversée du Tarn de bloc en bloc peut être très dangereuse pour un touriste non entraîné, en raison de la nature glissante de la roche et de l'impétuosité du torrent. Si l'on veut avoir une vue d'ensemble du Pas du Souci, on pourra monter *(1/4 h AR)* au belvédère aménagé sur Roque Sourde *(accès au belvédère : 1,50 F)*.

Les Vignes. – 113 h. *Lieu de séjour, p. 42.* Ce village est installé à un carrefour de routes, dans un élargissement très ensoleillé de la vallée.

Quitter les Vignes en auto, par le D 995, route en corniche comportant quelques passages impressionnants et plusieurs lacets serrés.

A 5 km, prendre à droite le D 46 qui court sur le causse de Sauveterre et, à St-Georges-de-Lévéjac, encore à droite la route du Point Sublime.

Point Sublime***. – Du Point Sublime, on découvre un splendide panorama sur le canyon du Tarn, des Détroits jusqu'au Pas du Souci et à la Roche Aiguille. Au pied du petit plateau, qui domine le Tarn de plus de 400 m, se creuse le magnifique cirque des Baumes, aux gigantesques parois calcaires.

Faire demi-tour et regagner les Vignes.

Après ce village, la route des gorges offre de belles vues.

On aperçoit bientôt au flanc du causse Méjean, sur un gros rocher, les maigres ruines du **château de Blanquefort**.

Les gorges du Tarn vues du Point Sublime.

Plus loin apparaît en avant l'énorme rocher de **Cinglegros** *(p. 161)*, détaché du causse Méjean. Sur la rive droite, les escarpements du causse de Sauveterre s'écartent du Tarn en formant le cirque de St-Marcellin.

Puis, sur la gauche, se dessine le rocher de Capluc, reconnaissable à la croix qui le surmonte : telle une étrave à l'extrémité du causse Méjean, il domine le confluent du Tarn et de la Jonte.

Enfin, après avoir franchi le pont sur la rivière où s'élève un monument à la gloire d'Édouard-Alfred Martel, on gagne le Rozier *(p. 141)*.

TARN (Gorges du)***

2 DESCENTE EN BARQUE OU EN CANOË

Descente en barque de la Malène au cirque des Baumes. – *Nous recommandons d'effectuer la descente de préférence le matin, au moment où cette partie du canyon se présente sous son éclairage le plus favorable.*

Le tarif (192 F) comprend la rémunération des bateliers, la location de la barque pour 4 passagers et le retour en taxi à la Malène. Le parcours (8 km) s'effectue tous les jours (sauf le jour de la fête du pays, début juillet), du 1er mai au 30 septembre ; durée : 1 h 1/4 AR. Il est recommandé de prendre la barque dès 8 h ; s'adresser à la Société Coopérative des Bateliers des Gorges du Tarn, ☎ (66) 48 51 10 à la Malène.

Les eaux du Tarn, tantôt rapides, tantôt calmes, sont toujours transparentes ; si bien qu'aux endroits les plus profonds de la rivière, on aperçoit encore les galets qui forment son lit.

Les Détroits**. – Ils constituent la partie la plus belle et la plus resserrée du canyon. La barque passe devant une ouverture dénommée la grotte de la Momie puis s'engage entre deux hautes murailles qui plongent, à pic, dans la rivière. Plus haut, la deuxième falaise étage ses gradins jusqu'à plus de 400 m au-dessus du Tarn. Le défilé est admirable avec ses parois colorées qui enserrent la rivière.

Cirque des Baumes**. – A la sortie des Détroits, le canyon du Tarn s'élargit. On entre dans le magnifique cirque des Baumes (« baume » signifie grotte).

« La couleur rouge y domine ; mais le blanc, le noir, le bleu, le gris, le jaune y nuancent les parois et des bouquets d'arbres, des broussailles y mêlent des tons verts et des tons sombres ».

Les barques s'arrêtent aux Baumes-Hautes.

Les Détroits.

Descente du Tarn en canoë. – Elle peut être effectuée par des canoéistes ayant acquis un peu d'expérience sur des rivières à courant vif.

De Florac à Ste-Énimie, la descente peut, dans les mois d'été, être gênée par le manque d'eau. A part quelques rapides francs, parcours facile de Ste-Énimie au Pas du Souci ; à partir de là, un portage jusqu'au pont des Vignes est nécessaire, ce court passage étant très dangereux. La section pont des Vignes-le Rozier est plus mouvementée ; quelques rapides devront être pris avec prudence.

Consulter la documentation mise au point par le Canoë Kayak Club de France.

Les véritables amateurs de gorges, partant le matin de la Malène, pourront emporter des provisions, s'arrêter sur une plage des Détroits, se baigner à l'occasion dans les eaux claires du Tarn, pique-niquer au bord de la rivière et flâner tout l'après-midi dans les gorges, à pied ou en canoë.

3 RANDONNÉES A PIED

Les deux itinéraires que nous décrivons ci-dessous comptent parmi les plus intéressants. *Le dépliant publié par le SI du Rozier-Peyreleau donne les indications essentielles sur le réseau des sentiers d'excursion.*

Corniches du Causse Méjean*** – *schéma p. 161*

Une journée est nécessaire pour effectuer ce parcours admirable : 7 h à pied AR par un sentier remarquablement tracé et bien entretenu qui, s'il ne présente pas de grandes difficultés, comporte cependant certains passages en corniche impressionnants.

Emprunter en voiture la petite route qui monte du Rozier au château d'eau dominant le village; laisser l'auto.

Capluc. – Après 1/4 h de montée, on atteint le pittoresque hameau de Capluc, déserté.

Rocher de Capluc. – *Déconseillé aux personnes sujettes au vertige.* Prendre à gauche, en direction du rocher de Capluc ; repérable grâce à la croix métallique qui le surmonte, il forme l'extrême pointe d'un promontoire qui termine, au Sud-Ouest, le causse Méjean. Après avoir gravi un escalier de pierre, on laisse sur la droite une maison appuyée à la paroi rocheuse et s'ouvrant par un arc en tiers-point. Puis, une rampe métallique et de nouveau un escalier de pierre conduisent à la plate-forme en terrasse autour du rocher. La montée au sommet au moyen d'une échelle métallique est vertigineuse ; d'en haut, la vue plonge sur Peyreleau, et le confluent de la Jonte et du Tarn.

Regagner Capluc.

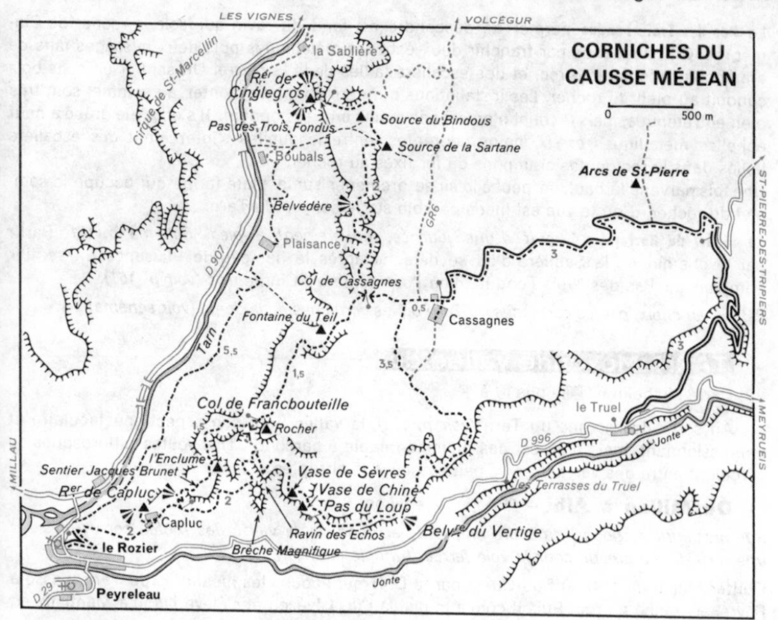

Montée au col de Francbouteille. – Traverser le hameau puis prendre à gauche le sentier Jacques-Brunet qui s'élève parmi les genévriers, les buis et les pins. Il se faufile à travers de petites cheminées, atteint le sommet d'une crête d'où la vue est merveilleuse sur les deux canyons du Tarn et de la Jonte puis se poursuit sur le versant Tarn.

Parmi de fantastiques murailles, se détache « l'Enclume » que l'on contourne. Après un passage rafraîchissant en sous-bois où les échappées sur la vallée du Tarn sont nombreuses, le sentier atteint le col.

Col de Francbouteille. – Encore appelé col des deux canyons, il est marqué d'une stèle du C.A.F. A droite, telle une gigantesque proue, s'élève le rocher de Francbouteille. Bientôt, à gauche, sourd la fontaine du Teil. Les sources sont rares sur le plateau du causse Méjean et celle-ci est particulièrement appréciée des marcheurs.

Au col de Cassagnes, laisser à gauche le chemin du rocher de Cinglegros (ci-dessous) et obliquer à droite vers Cassagnes. La traversée du causse commence, monotone ; seul le cri du vautour fauve, réintroduit sur le Méjean, rompt le silence. On laisse sur la droite une plantation de jeunes pins, puis on prend à droite le sentier des corniches de la Jonte.

Belvédère du Vertige. – Après une heure de marche environ, s'offre une vision grandiose. D'un belvédère, protégé par une rambarde, la vue plonge dans le canyon de la Jonte ; la rivière coule à plus de 400 m en contrebas. Légèrement en amont, on distingue les belvédères des Terrasses, minuscules au bord de la route de la vallée. Au premier plan, tout un énorme roc est détaché de la paroi.

Pas du Loup ; Vase de Chine ; Vase de Sèvres. – On passe ensuite devant une grotte, naguère aménagée en bergerie, puis entre deux ponts naturels. La descente raide, barrée en son milieu par une grille destinée à protéger les brebis d'un saut dans le ravin, porte le nom de Pas du Loup. Aussitôt celui-ci franchi, le Vase de Chine, situé à la sortie même du défilé, puis le Vase de Sèvres apparaissent, récompense inestimable à l'effort fourni pour les atteindre. Chacun de ces deux énormes monolithes permet une bonne vue sur l'autre. Au loin : Peyreleau et le Rozier, le rocher de Capluc, les escarpements du causse Noir au-dessus de la rive gauche de la Jonte.

Reprendre le sentier qui descend dans un ensemble de blocs dolomitiques extraordinairement déchiquetés. On laisse à droite le sentier qui joint le col de Francbouteille puis, par le Ravin des Échos et la Brèche Magnifique, on regagne Capluc et l'auto.

Rocher de Cinglegros

Au départ du Truel. – *6,5 km de route, puis 3 h à pied AR. Cette excursion ne doit être entreprise que par des touristes très alertes et non sujets au vertige.*

Au Truel, prendre au Nord la route étroite et en montée qui s'élève au-dessus de la vallée de la Jonte. A 3 km, tourner à gauche dans un chemin qui conduit, en 3 km, au pittoresque village isolé de **Cassagnes** *(illustration p. 32)*. Laisser l'auto 400 m au-delà.

Au col de Cassagnes, prendre à droite en direction du rocher de Cinglegros.

Le sentier, bien tracé, offre d'abord d'excellentes vues sur les falaises qui surplombent la rive droite du Tarn. Après 20 minutes environ de marche, un **belvédère** naturel de rochers révèle une vue plongeante dans un ravin impressionnant. Puis on arrive à la source de la Sartane (quelquefois à sec) et, aussitôt après, le sentier s'élargit. De nouveau, à gauche du sentier, une petite mare : c'est la source du Bindous.

A l'embranchement suivant, laisser à droite le sentier vers Volcégur et prendre à gauche dans un sous-bois, en direction du Pas des Trois Fondus. On atteint bientôt, après un passage en descente, une terrasse d'où la vue est très belle sur la brèche de Cinglegros.

Prendre le sentier en descente abrupte, sur la gauche.

TARN (Gorges du)***

Le **Pas des Trois Fondus** permet de descendre au fond du ravin qui isole le rocher de Cinglegros. On commence par franchir deux échelles métalliques puis deux passages faits de crampons fixés dans le roc, et des escaliers taillés dans la pierre. Un sentier en sous-bois conduit au pied du rocher. Les installations qui permettent de monter au sommet sont très bien entretenues, mais le trajet n'en est pas moins impressionnant. Il s'effectue grâce à neuf échelles métalliques et six mains courantes, entre lesquelles s'intercalent des escaliers taillés dans le roc ou des crampons de fer fixés au rocher.
Une fois parvenu là-haut, on peut à loisir se promener sur la plate-forme qui occupe le sommet du rocher, d'où la vue est incomparable sur le canyon du Tarn.

Au départ du Rozier. – *Circuit d'une journée, entièrement à pied. Schéma p. 161.* Partir par le chemin de la Sablière d'où se détache après le hameau de Plaisance un sentier grimpant au Pas des Trois Fondus, d'où l'on monte au Cinglegros *(voir p. 161).*

Retour, au choix, par les corniches du Tarn ou les corniches de la Jonte (voir schéma).

TARN (Moyenne vallée du)

Carte Michelin n° 80 - plis ⑪ à ⑭.

Au sortir des gorges du Tarn *(voir p. 156)*, la vallée perd son aspect spectaculaire et impressionnant, mais n'en est pas moins agréable à parcourir. Des routes pittoresques se déroulent entre des versants aux pentes souvent abruptes.

De Millau à Albi – *156 km – environ 5 h*

Sur plusieurs sections l'itinéraire emprunte au fond de la vallée des routes construites sur une plate-forme prévue pour la voie ferrée (tunnels étroits).

Quitter Millau *(p. 114)* au Sud-Ouest par le D 41 qui épouse les méandres du Tarn, passe à Peyre, accroché au roc. Puis il côtoie le plateau du Lévézou et s'élève jusqu'à Montjaux en procurant de belles vues sur la vallée.
Prendre à gauche dans le village, puis à droite le D 993, route de Rodez, et de nouveau à droite le D 515.

Castelnau-Pégayrols. – *Page 67.*

Reprendre le D 993 en sens inverse, descendre dans la vallée du Tarn et, après avoir franchi la rivière, prendre à gauche une route étroite.

Ruines d'Auriac. – Vue sur une boucle du Tarn ; le paysage, cependant, est partiellement défiguré par des travaux de dragage.

Après St-Rome-de-Tarn, étagé au-dessus de la rivière, la vallée devient plus encaissée jusqu'à Broquiès : on appelle ce passage les **« raspes »** du Tarn. Le D 31 gagne **le Truel**, dans un site très verdoyant, siège d'une des plus importantes centrales hydro-électriques du Sud-Ouest *(voir p. 164).*
Au delà du village du Truel, remonter sur le plateau ; à l'embranchement du D 31 avec le D 25, prendre à droite.

Lac de Villefranche-de-Panat. – *Tableau p. 44.* C'est un des grands lacs du Sud-Aveyron, recherché des pêcheurs. Son rôle est de première importance dans l'aménagement hydro-électrique du Viaur et du Tarn. Construit sur l'Alrance, un affluent du Tarn, il est alimenté par les eaux des lacs de Pont-de-Salars, du Bage, de Pareloup. Ces eaux sont ensuite dirigées vers le barrage de St-Amans, pour actionner l'usine du Pouget *(voir p. 164).*

Rejoindre la vallée par la route de Réquista, puis le D 143 qui débouche face à Brousse-le-Château.

Brousse-le-Château. – 219 h. *Lieu de séjour, p. 42.* Au confluent de l'Alrance et du Tarn, Brousse se distingue par son site perché, dominé par son château fort en ruines et son église au clocher fortifié.

Passer le Tarn et descendre la rive gauche (D 902) ; changer de rive à Lincou pour suivre la rive droite (D 200) vers Trébas. Après Trébas, traverser de nouveau le Tarn pour gagner Ambialet par la rive la plus pittoresque (D 77).

Ambialet. – *Page 58.*

Le D 77 se maintient sur la rive gauche, passe sous deux tunnels étroits *(voie unique)*. A St-Juéry on pénètre en pleine zone industrielle d'Albi. La cascade d'Arthès marque la limite entre les terrains anciens et les terrains tertiaires de l'Albigeois.

A Arthès, prendre à gauche le D 70.

Église St-Michel de Lescure*. – *Page 56.*

Gagner Albi (p. 51) par la N 88.

TRABUC (Grotte de) *

Carte Michelin n° 80 - Nord du pli ⑰ - 11 km au Nord d'Anduze.

Visite (durée : 3/4 h) du 15 mars au 31 mai de 9 h 30 à 12 h et de 14 h à 18 h ; du 1er juin au 15 septembre de 9 h 30 à 18 h ; du 16 septembre au 15 octobre de 9 h 30 à 12 h et de 14 h à 18 h. Hors saison (16 octobre-14 mars), visite les dimanches seulement de 14 h à 16 h. Entrée : 17 F. Pour éviter l'attente (nombre de visiteurs limité) se présenter de préférence le matin, ou en pleine saison, entre 12 et 14 h. Renseignements ☎ (66) 85 33 28.

La grotte de Trabuc, la plus grande des Cévennes, fut habitée à l'époque néolithique et servit de demeure aux Romains au commencement de notre ère. Plus récemment, pendant les guerres de Religion, des Camisards se réfugiaient dans ses galeries ramifiées qui étaient la plus sûre des cachettes. Elle servit même de repaire à des brigands, les Trabucaires, auxquels elle doit son nom.

Plusieurs explorations s'y effectuèrent au 19e s. ; la plus décisive fut celle de Mazauric en 1899. Les travaux de G. Vaucher portèrent à plus de 7 km la longueur des galeries prospectées. Actuellement une douzaine de kilomètres de grandes galeries ont été reconnues.

La grotte dans laquelle on pénètre par un couloir artificiel foré par des mineurs d'Alès à 120 m au-dessus de l'orifice naturel présente de belles salles occupées par d'énormes blocs rocheux qui ont lentement glissé sur les couches de gypse au cours des ères géologiques, des galeries obturées ou garnies par des alluvions d'argile ou de sable et des parois à la coloration brun-rouge.

Au cours de la visite on remarque les gours et les fistuleuses du Grand couloir, des cristaux d'aragonite noire colorée par l'oxyde de manganèse.

Les **Cent mille soldats****, concrétions très rares formées dans une salle dont les gours évoquent la muraille de Chine, posent toujours aux savants la question de leur origine mais composent un spectacle étonnant : hautes de quelques centimètres et très proches les unes des autres, elles donnent l'illusion d'une armée de fantassins assiégeant une cité fortifiée.

Au cours de la remontée *(206 marches)* un arrêt dans la Grande salle permet d'admirer la très belle pendeloque du Grand papillon, les excentriques sur les plafonds et surtout le **lac de Minuit** dont les eaux verdâtres connaissent des variations de niveau de l'ordre de 25 m.

VALLERAUGUE

Carte Michelin n° 80 - Nord du pli ⑯ – *Schéma p. 49* – 1 028 h. – *Lieu de séjour, p. 42.*

Ce gros bourg cévenol est situé à 350 m d'altitude, au pied du mont Aigoual, dans le creux bien abrité de la haute vallée de l'Hérault. Le petit centre de ski du col de Prat-Peirot constitue son annexe hivernale.

Valleraugue offre un cachet déjà méridional et chacune de ses fermes possède une magnanerie qui était naguère occupée par les vers à soie pendant la période d'élevage.

Les agriculteurs de la vallée se sont, en outre, spécialisés dans la production de la pomme dite « Reinette Canada du Vigan ». Le fond de la vallée de l'Hérault, en amont de Valleraugue, le long du D 986 conduisant à l'Espérou, est planté de vergers.

Église. – D'époque romane, l'église fut fondée par des moines bénédictins à la fin du 12e s. et au début du 13e s.

Sentier aux quatre mille marches. – De ce centre de promenades et d'excursions dans la montagne, un sentier, entretenu et relativement facile, signalisé « sentier aux quatre mille marches » *(balisage du Parc National : une chaussure)*, monte directement de Valleraugue à l'Aigoual en passant à proximité de l'arboretum de l'Hort-de-Dieu *(voir p. 50)*.

VALMAGNE (Abbaye de) *

Carte Michelin n° 83 - pli ⑯ – 8 km au Nord de Mèze – *Schéma p. 78.*

Isolée dans un bouquet de pins au milieu du vignoble languedocien, l'ancienne abbaye cistercienne de Valmagne traversa sans trop de dommages le 19e siècle, son église servant de chai de vieillissement du vin, depuis la Révolution. Restée longtemps peu connue, elle offre cependant un grand intérêt archéologique et a été ouverte aux visites en 1976.

Visite accompagnée (durée : 3/4 h) du 15 juin au 14 septembre, de 14 h 30 à 17 h 45 ; fermé le mardi. Le reste de l'année, visite les dimanches et jours fériés seulement de 14 h à 17 h 15. Fermée du 15 septembre au 15 octobre. Entrée : 10 F.

Les bâtiments monastiques, fortement remaniés depuis le 13e s., remontent encore, pour partie, à l'époque de la fondation (12e s.). Le cloître fut reconstruit au 14e s., après l'achèvement de l'église. La pierre de la région, aux tons rosés, lui donne beaucoup de charme. Les galeries et les baies sont presque privées de décor. On trouvera plus de fantaisie dans la salle capitulaire, où les colonnettes et les chapiteaux présentent une certaine variété, et surtout dans le pavillon du lavabo, coiffé d'un élégant ensemble formé de huit nervures reliées au centre par une clef pendante.

Par son architecture et l'élan de son vaisseau, l'**église**, commencée au milieu du 13e s. et terminée au 14e s., témoigne d'un style gothique classique aussi éloigné des traditions du Languedoc *(p. 25)* que de la coutume cistercienne : façade flanquée de tours, vaisseau épaulé d'arcs-boutants, murs très ajourés (les fenêtres hautes ont été malheureusement obturées), hémicycle du chœur aux grandes arcades en tiers-point, etc.

VIAS

Carte Michelin n° 83 - pli ⑮ - 4 km à l'Ouest d'Agde – *Schéma p. 78* – 2 582 h. (les Viassois).

Ancien bourg fortifié sur la route d'Agde à Béziers (N 112), Vias est un lieu de pèlerinage fréquenté. On vient encore prier la Vierge antique et miraculeuse de Vias, belle statue de bois sculpté, mi-partie noyer, mi-partie sapin, recouverte de dorure sur plâtre. Elle aurait été rapportée de Syrie par des marins.

Église. – *Visite : 1/4 h, le vendredi de 17 h à 18 h, les autres jours de 8 h 30 à 9 h 30.* De style gothique (fin 14e-début 15e s.), cette église, située un peu à l'écart de la route, est construite en pierre noire d'origine volcanique. Sur la façade Ouest, une très belle rose était encadrée autrefois de deux tourelles polygonales crénelées dont une seule subsiste. Au Nord du sanctuaire s'élève un clocher carré, surmonté d'une galerie ajourée et d'une flèche pyramidale. Une tourelle en échauguette est appliquée contre l'étage supérieur. La large nef n'a que deux travées. Une troisième travée forme le chœur, en avant de l'abside à sept pans. La décoration est très sobre. On trouve la Vierge miraculeuse dans la chapelle du Saint-Sacrement (à droite du maître-autel).

VIAUR (Vallée du)

Carte Michelin n° 80 - plis ③⑪⑫⑬.

Le Viaur prend sa source sur le plateau du Lévézou à l'Ouest des Grands Causses, traverse le Ségala et rejoint l'Aveyron à Laguépie. Sa vallée, agréable tout au long de son cours, offre de part et d'autre du pont de Tanus quelques sites intéressants et d'un accès assez facile.

L'aménagement hydro-électrique du Viaur et de ses affluents. – *Voir tableau des plans d'eau p. 44.* Par une série d'ouvrages, EDF a conduit les eaux du Viaur et de ses affluents dans le Tarn, bien avant qu'elles n'aillent le rejoindre naturellement par l'intermédiaire de l'Aveyron. Ainsi la retenue de Pont-de-Salars sur le Viaur déverse ses eaux dans la retenue de Bage, d'où elles sont pompées dans le lac de Pareloup ; les eaux actionnent alors l'usine d'Alrance et sont rejetées dans le lac de Villefranche-de-Panat *(voir p. 162)*, puis dans le lac de St-Amans (sur un petit affluent du Tarn) pour alimenter la centrale hydro-électrique du Pouget ; elles rejoignent alors le Tarn. La productibilité en année moyenne approche de 300 millions de kWh.

Un important chantier *(en cours)* a pour objet le suréquipement de l'usine du Pouget, en vue de porter sa puissance à 300 000 kW.

Lac de Pareloup. – Il est le plus vaste des lacs du Sud-Aveyron. Ses eaux s'étalent dans le vallon du Vioulou, affluent du Viaur, en langues festonnées ; les routes pittoresques qui le bordent et le traversent en font un centre de tourisme.

VALLÉE DU VIAUR
0 3 km
RODEZ
Naucelle-gare
D 10
N 88
le Bosc
St-Martial
Baraque-St-Jean
D 179
Viaur
D 18
N 88
D 574
D 80
Chau de Thuriès
las Planques
St-Just
Castelpers
D 78
532
Pampelonne
Viaduc du Viaur
Pont de Tanus
D 10
D 53
Tanus
ALBI

Quelques sites

Château du Bosc. – *Du carrefour de Naucelle-gare, 5 km par le D 10, puis la 1re route à droite. Visite accompagnée : des vacances de Pâques au 11 novembre, de 9 h à 12 h et de 14 h à 19 h. Durée : 3/4 h. Entrée : 8 F.*

Propriété de la famille de Toulouse-Lautrec *(voir p. 53)*, le château du Bosc, situé dans un cadre agréable de bosquets et de prairies, évoque le souvenir de l'artiste, qui y séjourna fréquemment dans son enfance.

A l'intérieur, on visite la salle des Gardes, parée d'une cheminée Renaissance, les salons où sont conservées de belles tapisseries d'Aubusson, la chambre du jeune Henri. De nombreux dessins sont rassemblés en un musée du souvenir familial.

Le viaduc du Viaur.

Viaduc du Viaur*. – *De St-Martial, 4 km par le D 574.*

Il est l'œuvre de l'ingénieur Paul Bodin, qui le construisit de 1897 à 1902. Cette masse de 3 734 t enjambe le Viaur sur une longueur de 460 m, à 116 m de hauteur. Reposant sur un arc central de 200 m d'envergure, cet ouvrage métallique, qui ne manque pas d'élégance dans son site verdoyant, permet à la voie ferrée Carmaux-Rodez de franchir la rivière.

On aura, du fond de la vallée du Viaur, la vue représentée ci-dessus en quittant la N 88 pour la petite route étroite remontant la rive droite de la rivière.

Église de Las Planques*. – *De Tanus, 3 km, puis 1 h à pied AR.*

Avant de quitter Tanus, demander à l'Hôtel du Nord (Mme Frayssinet, secrétaire de mairie) la clé de l'église de Las Planques.

A la sortie Sud du village, prendre le D 53 vers Pampelonne. Tourner dans la 2e route s'embranchant à droite sur ce D 53 et suivre les panneaux. Poursuivre jusqu'à la fin du chemin revêtu, soit 300 m après un lac et laisser la voiture au parking.

Suivre l'agréable sentier en sous-bois, bordé de châtaigniers.

A travers les feuillages, se distingue l'église de Las Planques.

(D'après photo Apa-Poux, Albi.)

Église de Las Planques.

Elle doit probablement son nom à la proximité d'un pont de planches sur le Viaur. Propriété de l'abbaye de Conques, elle a groupé autour d'elle, jusqu'au début du siècle, un petit village dont subsistent quelques vestiges envahis par les fougères et les ronces.

Dans un site sauvage, à pic sur le Viaur, cet édifice du 11ᵉ s. se caractérise par son aspect rude et sévère, accentué par la rusticité de l'appareil de pierre, le clocher trapu aux puissants contreforts. Les bandes lombardes de l'abside constituent le seul élément décoratif. L'intérieur n'est éclairé que par de rares fenêtres fortement ébrasées, véritables meurtrières. Dans l'abside en cul-de-four, des peintures du 14ᵉ s. ont été découvertes.

Château de Thuriès. – *De Tanus, 9,5 km par le D 53, Pampelonne et le D 18, à droite.*

C'est un des sites pittoresques de la vallée du Viaur.

Importante forteresse au 13ᵉ s., ses ruines enserrées dans un méandre encaissé de la rivière dominent le barrage qui alimente une usine électrique.

Le VIGAN

Carte Michelin n° 80 - pli ⑯ – *Schémas p. 49 et 97* – 4 434 h. (les Viganais).

Cette petite ville cévenole, bien exposée au pied du versant Sud du mont Aigoual, dans la vallée de l'Arre qui présente, au confluent du Souls et du Coudoulous, un bassin fertile, est un centre industriel (bonneteries, filatures de soie).

Le Vigan a vu naître deux héros, inégalement célèbres, mais de la même trempe morale, le chevalier d'Assas et le sergent Triaire. A chacun d'eux, la ville a élevé une statue.

Le chevalier d'Assas. – Né au Vigan en 1733, Louis d'Assas appartenait à une famille de petite noblesse. Devenu capitaine au régiment des chasseurs d'Auvergne, il meurt à 27 ans, dans la bataille de Clostercamp, durant la campagne de Hanovre (1760).

Au cours d'une reconnaissance, le jeune homme est surpris dans un bois. On lui met la pointe des baïonnettes sur la poitrine en le menaçant de mort s'il pousse un cri. C'est alors qu'est lancé le fameux : « A moi, Auvergne, ce sont les ennemis ». Le chevalier tombe, percé de coups, mais les Français sont alertés. Sur le moment même, ce fait d'armes ne s'ébruite pas. Le héros est simplement cité parmi les cinquante officiers que le régiment a perdus, sur quatre-vingts.

C'est Voltaire, qui, en 1768, tire la scène de l'oubli.

La maison natale du chevalier d'Assas existe encore, boulevard Plan-d'Auvergne.

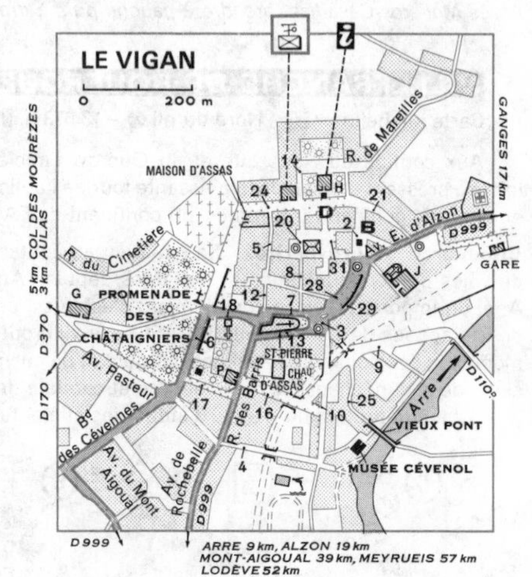

Assas (Pl. d')	2	Haute (R.)	12
Bonald (Pl. de)	3	Horloge (R. de l')	13
Quai (Pl. du)	28	Hôtel-de-Ville (Pl. de l')	14
		Jeanne-d'Arc (Av.)	16
Carrièrasse (R. de la)	4	Libération (R. de la)	17
Casernes (R. des)	5	Maquis (R. du)	18
Châtaigniers (Bd des)	6	Marché (Pl. du)	20
Chef-Marceau (R. du)	7	Mûrier (R. du)	21
Église (R. de l')	8	Plan-d'Auvergne (Bd du)	24
Gare-de-Marchandises (Av. de la)	9	Pont (R. du)	25
		Sous-le-Quai (R.)	29
Gorlier (R. P.)	10	Triaire (Pl.)	31

Le sergent Triaire. – Né en 1771, Triaire s'enrôle à 18 ans et devient artilleur du régiment de Bourgogne. En 1793, il fait partie des troupes qui combattent les Anglais à Toulon. A l'assaut du fort Malbousquet, c'est lui qui plante le drapeau tricolore sur l'ouvrage conquis. Pendant la campagne d'Italie, il occupe à Castiglione une redoute abandonnée et, avec quelques camarades, contient l'ennemi pendant deux heures. Plus tard, sergent canonnier des corps expéditionnaires d'Egypte, il se trouve au fort d'El-Arich, investi par les troupes turques. Des traitres jettent des cordes aux ennemis qui pénètrent dans la forteresse. Triaire s'enferme dans le magasin à poudre et fait sauter le fort avec les Turcs qui l'occupent.

■ CURIOSITÉS

visite : 1 h

Promenade des Châtaigniers. – Belle promenade qu'ombragent d'énormes châtaigniers séculaires.

Statues de Louis d'Assas et de Triaire. – La statue du chevalier est sur la place d'Assas (**B**), celle du sergent sur la place de l'Hôtel-de-Ville (**D**).

Vieux pont. – Sur l'Arre, il est antérieur au 13ᵉ s. On en a une bonne vue depuis une plate-forme au bord de la rivière, en amont du pont.

Le Vigan. – Le vieux pont.

Musée cévenol. – *Visite du 1er avril au 31 octobre de 10 h à 12 h 30 et de 14 h à 18 h 30 ; fermé le mardi. Le reste de l'année, ouvert seulement le mercredi aux mêmes heures. Entrée : 6 F.*

Installé dans les bâtiments d'une filature de soie du 18e s., ce musée est presque entièrement consacré à l'artisanat et aux traditions populaires du pays cévenol.

Trois salles, dites « du Temps » (galerie d'histoire locale, costumes anciens en soie des Cévennes), « de l'Espace » (habitat régional) et des Métiers l'ont enrichi depuis 1974.

EXCURSIONS

Col des Mourèzes. – *5 km par le D 370, à l'Ouest du plan puis le D 170 à droite.* Du col (alt. 560 m), vues sur la vallée d'Aulas.

Arre. – 315 h. *Circuit de 18 km. Quitter le Vigan par le D 999 au Sud.* La route suit la vallée de l'Arre qui offre un curieux contraste entre son versant Sud, calcaire et aride, formé par les escarpements du causse de Blandas, et son versant Nord, schisteux et boisé, constitué par les contreforts de la montagne du Lingas.

Arre doit sa prospérité à l'industrie de la teinture des textiles.

Rentrer au Vigan par l'étroite et tortueuse route qui s'embranche au Nord de Bez. Très pittoresque, elle s'élève jusqu'au village perché d'**Esparon** puis redescend vers Molières-Cavaillac en offrant de belles vues sur les contreforts orientaux de la montagne du Lingas.

Après Molières-Cavaillac, prendre à gauche puis à droite et rentrer au Vigan.

VILLEFRANCHE-DE-ROUERGUE *

Carte Michelin n° 79 - Nord du pli ⑳ – 13 673 h. (les Villefranchois).

Aux confins du Rouergue et du Quercy, l'ancienne bastide de Villefranche, dont les toits se pressent au pied de la puissante tour de l'église Notre-Dame, se blottit dans un bassin encadré de collines verdoyantes, au confluent de l'Aveyron et de l'Alzou.

Commerce et prospérité. – Sa situation au contact du Causse et du Ségala, à la croisée de voies de communication empruntées depuis l'Antiquité, fait de Villefranche, au Moyen Age, un important centre commercial ; c'est aussi une étape sur le chemin des pèlerinages de St-Jacques-de-Compostelle. Au 15e s., la ville obtient de Charles V le privilège de battre monnaie ; l'exploitation des mines d'argent et de cuivre ajoute à la prospérité de Villefranche, siège de la sénéchaussée du Rouergue et capitale de la Haute-Guyenne.

C'est aujourd'hui un centre d'industries alimentaires et métallurgiques (boulons).

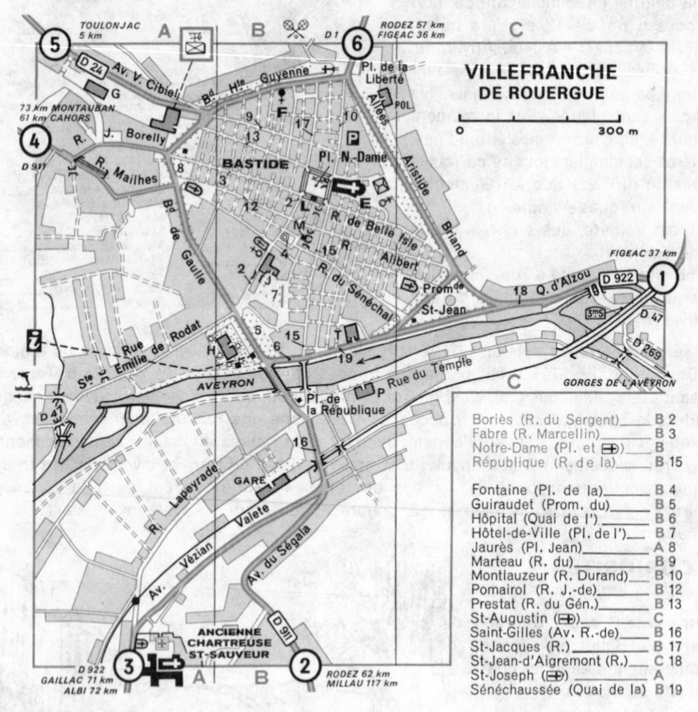

■ CURIOSITÉS *visite : 2 h 1/2*

La bastide★. – Fondée en 1099 par Raymond IV de Saint-Gilles, comte de Toulouse, sur la rive gauche de l'Aveyron, Villefranche connaît un nouvel essor lorsque, en 1252, Alphonse de Poitiers, frère de Saint Louis, décide de créer une ville nouvelle sur la rive droite de la rivière. Bâtie selon un plan de bastide *(détails p. 30)*, elle est terminée en 1256. Malgré le désaccord survenu entre le fondateur et l'évêque de Rodez, qui va jusqu'à excommunier les nouveaux arrivants, le peuplement est rapide.

Villefranche a perdu aujourd'hui une partie de son aspect du Moyen Age avec la destruction de ses fossés, de ses remparts et de ses portes fortifiées, elle conserve pourtant le visage d'une bastide avec sa place centrale et son plan en damier.

Place Notre-Dame* (B). – Située au cœur de la ville, cette belle place est encadrée de maisons à « couverts » dont certains ont conservé leurs fenêtres à meneaux et leurs clochetons de pierre. Sur l'un des côtés de la place se dresse la haute et massive silhouette de l'ancienne collégiale, disposition rare dans l'urbanisme des bastides où l'église était généralement décalée de un ou plusieurs ilôts par rapport à la place.

Faire le tour des couverts et observer les arcades et les anciennes portes sculptées. En avant de la terrasse qui domine la place au Nord se dresse un grand Christ en ferronnerie. L'ensemble offre une physionomie quelque peu espagnole qui permit à André Malraux d'y tourner certaines scènes de son film « l'Espoir ».

A l'angle de la rue Marcellin Fabre et de la place, donnant sur la rue, très belle maison à colombage, du 15e s. dont le corps central, en pierres, de 7 étages abrite l'escalier, éclairé par des fenêtres à meneaux et ouvrant par une belle **porte en pierre** dont la partie inférieure de l'auvent est sculptée de rinceaux et de feuillages.

Rue du Sergent Boriès, au Sud de la place, la première **maison** à droite présente une autre belle tour d'escaliers, fin 15e s. avec pilastres et tympan sculpté.

Maison du Président Raynal (B L). – *Place Notre Dame.* Belle façade du 15e s. dont les fenêtres contiguës, disposées sur trois étages, sont de tradition romane.

Maison Dardennes (B L). – *Voisine de la précédente.* Au fond d'une cour, une tour d'escalier Renaissance présente deux galeries ornées de portraits sculptés selon la mode du temps.

Église Notre-Dame* (B E). – Commencée en 1260 par l'abside, la construction de cet édifice se prolongea durant trois siècles, avec des fortunes diverses. Le clocher-porche, haut de 54 m, illustrerait la rivalité de Villefranche-de-Rouergue et de Rodez, chacune d'elles voulant l'emporter par la hauteur de la tour de sa cathédrale. A en juger par la puissance des assises de la sienne, Villefranche nourrissait d'immenses ambitions : les guerres et la pénurie de subsides devaient l'empêcher de poursuivre ses efforts et le clocher fut, en 1585, recouvert par la toiture qui existe encore.

Avec ses puissants contreforts d'angles décorés de pinacles, ce clocher-porche sous lequel passe une rue a une allure de forteresse. Au 2e étage, une galerie à balustrade règne sur ses 4 faces en retrait ou en encorbellement et se glisse au travers des contreforts.

Un portail surmonté d'un gâble ajouré donne accès à l'ample nef unique bordée de chapelles logées entre les contreforts intérieurs, suivant l'usage du gothique méridional *(voir p. 31)*. Dans le croisillon gauche, l'autel porte un médaillon de marbre attribué à l'école de Pierre Puget et représentant la Visitation. Le chœur, éclairé de hautes et étroites fenêtres dont deux vitraux du 15e s. furent offerts par Charles VII, abrite un ensemble de 36 stalles de chêne sortant de l'atelier d'André Sulpice (1473-1487) mais mutilées pendant les guerres de Religion ; observer les sculptures des panneaux (la Vierge, les prophètes) et celle des miséricordes (animaux fabuleux, personnages...).

(D'après cliché extrait de l'ouvrage Rouergue-Quercy de Henri Enjalbert, Ed. B. Arthaud, Paris, Grenoble.)

Villefranche-de-Rouergue. – L'église Notre-Dame.

A gauche, la chapelle des fonts baptismaux est fermée par une intéressante grille de ferronnerie.

Chapelle des Pénitents Noirs (B F). – *Visite en juillet et août de 9 h 30 à 12 h et de 14 h 30 à 18 h 30. Entrée : 3 F.*

Coiffée d'un curieux clocheton double, cette chapelle fut construite au cours de la 2e moitié du 17e s. pour servir d'oratoire à la confrérie des Pénitents Noirs. La fondation de cette confrérie, en 1609, correspondait au renouveau de ferveur qui fit suite à l'époque troublée des guerres de Religion.

Elle groupa jusqu'à 200 membres et fut très florissante jusqu'à la Révolution ; elle cessa d'exister en 1904.

La chapelle, en forme de croix grecque, est décorée d'un plafond peint, œuvre d'un artiste du terroir ; elle abrite un retable en bois du 18e s., doré à la feuille, représentant les scènes de la Passion. Dans la sacristie, sont conservés des ornements sacerdotaux du 18e s., le premier registre de la confrérie, la grande croix processionnelle ainsi que des cagoules.

Place de la Fontaine (B). – Bel escalier monumental et maison du 18e s. Musée Urbain Cabrol.

Ancienne Chartreuse St-Sauveur* (A B). – *Visite accompagnée du 1er juillet au 31 août de 9 h 30 à 12 h et de 14 h 30 à 18 h 30. Entrée: 3 F. Le reste de l'année visite libre, aux mêmes heures.*

Fondée en 1461 par Vézian-Valette, riche marchand de la ville, cette chartreuse fut bâtie, en huit ans, d'un seul jet dans un style gothique très pur. Déclarée bien national à la Révolution, elle était destinée à être démolie lorsque la municipalité de Villefranche, ayant besoin d'un hôpital, l'acheta, la sauvant ainsi de la destruction.

Grand Cloître. – C'est l'un des plus vastes de France. Il frappe par l'harmonie de ses perspectives. Sur ses côtés s'ouvraient les 13 maisons des chartreux. Chacune d'elles comprenait quatre pièces, deux au rez-de-chaussée : réserve de bois et atelier ; deux à l'étage : oratoire (appelée « Ave Maria ») et chambre ; un jardinet encadrait la maison.

Petit cloître. – Le seul « cloître » authentique au sens monastique du terme (galerie sur laquelle s'ouvrent les locaux de la vie communautaire). Voûté sur croisées d'ogives, c'est un chef-d'œuvre du style flamboyant, avec ses clefs de voûte très ouvragées, ses baies décorées de fenestrages d'une grande élégance, ses culs-de-lampes ornant la retombée des arcs.

A l'entrée du réfectoire, une fontaine représentant le « Lavement des pieds » témoigne de l'influence de l'école bourguignonne.

Réfectoire. – Suivant la Règle de l'ordre, il était utilisé par les Pères chartreux les dimanches seulement et à l'occasion de certaines fêtes ; c'est une vaste salle rectangulaire de trois travées voûtées sur croisées d'ogives.

Dans l'épaisseur du mur est aménagée la **chaire du lecteur***, en pierre, avec sa balustrade à décoration flamboyante. Les Chartreux ne parlent jamais au réfectoire ; ils entendent chaque année la Bible presque tout entière, soit à l'église, soit lors des repas pris en commun.

PLAN DE LA CHARTREUSE
0 50 m
Parties en ruines
Entrée
Chapelle des Étrangers
CHAPELLE
Petit Cloître
Salle Capitulaire
Réfectoire
GRAND CLOÎTRE

Salle capitulaire. – Elle est éclairée par des verrières du 16e s. représentant, au centre, l'Annonce de la Nativité aux bergers et, de chaque côté, les fondateurs.

Chapelle. – Aux jours ordinaires les religieux s'y réunissaient pour la messe, les vêpres et les matines. Précédée d'un vaste porche, elle se compose d'une nef de trois travées et d'un chœur à chevet polygonal. Une porte dont les vantaux représentent deux chartreux portant les armes des fondateurs, des stalles exécutées dans la seconde moitié du 15e s. par le maître menuisier André Sulpice, un autel en bois doré style Louis XV, un enfeu de style flamboyant au pied duquel sont conservés les tombeaux du fondateur et de sa femme, la décorent.

Chapelle des étrangers. – *On ne visite pas.* Édifiée autrefois en dehors de la clôture de la chartreuse, elle recevait les pèlerins se rendant à St-Jacques-de-Compostelle et aussi, pour les offices, les fidèles du quartier.

Elle est décorée de belles voûtes en étoile.

EXCURSION

Vallée de l'Aveyron : de Villefranche-de-Rouergue à Laguépie. – *53 km – environ 3 h. Quitter Villefranche-de-Rouergue par* ③. Le D 922 s'élève rapidement et ménage de belles échappées, à droite, sur la vallée de l'Aveyron. La route atteint bientôt le plateau.

A la Lande, prendre à droite le D 638. Traverser la voie ferrée et l'Aveyron.

Monteils. – 600 h. Dans la chapelle du couvent des Dominicaines (au Nord du village), vitraux de Gustave Singier (1952).

A la sortie Ouest de Monteils, prendre à gauche le D 47 puis encore à gauche le D 149 sur lequel vient s'embrancher à gauche le chemin non revêtu qui conduit à Courbières.

Courbières. – Village en partie restauré par de nouveaux résidents. Pour avoir un point de vue sur la vallée de l'Aveyron, laisser à gauche l'accès au château et descendre en voiture jusqu'à une ancienne aire de battage, au-delà des maisons du hameau inférieur.

Revenir au D 149 puis, par le D 39, gagner Najac.

Najac*. – *Page 127.*

Quittant Najac, le D 239 s'élève et offre une **vue*** d'enfilade sur l'éperon qui porte le village et, à son extrémité, la masse du château. Au-delà d'un plateau, la route, sinueuse, passe au milieu de collines boisées et traverse la Sérène qui coule dans un petit vallon cultivé.

Le D 922 que l'on reprend à droite, pittoresque, offre des vues assez lointaines sur la vallée de l'Aveyron qui s'allonge dans un cadre de collines. A gauche se dessinent les gorges du Viaur que dominent de hauts versants boisés. Par une forte descente, on atteint Laguépie 925 h., *(lieu de séjour p. 42.)*, charmant village bâti au confluent de l'Aveyron et du Viaur.

De Laguépie à St-Antonin et de St-Antonin à Montricoux, voir le guide Vert Michelin Périgord.

Pour trouver la description d'une ville ou d'une curiosité isolée, consultez l'index alphabétique à la fin du volume.

VILLENEUVETTE

Carte Michelin nº 83 - pli ⑤ - 4 km au Sud-Ouest de Clermont-l'Hérault - 50 h. (les Villeneuvettois).

Une majestueuse allée de platanes, donnant sur le D 908 conduit à la porte d'honneur de Villeneuvette. Cette ancienne manufacture royale fut fondée au 17e s. par Colbert aux portes de Clermont l'Hérault et spécialisée comme cette dernière dans la fabrication de drap militaire pour lutter contre la concurrence étrangère en employant des laines du Languedoc. Les ateliers fermèrent en 1955.

La cité présente encore sa physionomie monumentale. On y pénètre par une porte qui a conservé son ancienne porterie à droite et son église à gauche et qui donne sur une grande place rectangulaire, la place Louis XIV, équipée d'une fontaine.

La rue principale a conservé ses gros pavés du 17e s.

Au cours de la promenade dans Villeneuvette, on observe la maison du Directeur avec sa porte et ses fenêtres aux encadrements à bossages, d'anciennes fabriques, des dessus de porte au linteau intéressant, des maisons au toit débordant à génoises.

VIS (Vallée de la)*

Carte Michelin nº 80 - plis ⑮ et ⑯.

La Vis prend sa source à 997 m d'altitude au col des Tempêtes, dans la montagne du Lingas, sur le versant Sud du massif de l'Aigoual, dans le vallon du Villaret aux versants couverts de frênes et, plus bas, de châtaigniers. C'est d'abord un torrent de montagne qui dévale les pentes granitiques ; mais à Alzon sa physionomie change : elle pénètre dans les calcaires de l'ère secondaire et devient caussenarde.

D'Alzon à Ganges – *57 km – environ 2 h*

En aval d'Alzon, la route descend au fond de la vallée, boisée de chênes et de sapins, dont les versants s'accusent peu à peu ; elle franchit la rivière sur des radiers. Puis apparaissent des bancs de calcaire ferrugineux et des restes de cultures en terrasses. La Vis dessine des méandres de plus en plus larges sur le fond plat de sa vallée.

Gagner Vissec par le D 113 qui reste au fond des gorges et franchit le pont sur la Vis souvent à sec.

Vissec. – L'aridité des lieux et la blancheur des pierres donnent à cet endroit perdu un caractère tout à fait insolite. Ce village blotti au fond du canyon se compose de deux quartiers chacun sur un promontoire. Ancien château.

Cirque de Vissec*. – Au cours de la montée (9 %) vers Blandas la vue se dégage sur le canyon aux parois dénudées. Le cirque de Vissec, plus modeste que celui de Navacelles, plaira aux amateurs de paysages sévères. La rivière ne devient abondante qu'en aval de la source de Lafoux, résurgence de la Vis et de la Virenque, « perdues » aux environs d'Alzon.

Par le plateau caussenard la route gagne Blandas.

Cirque de Navacelles*.** – *Page 132.*

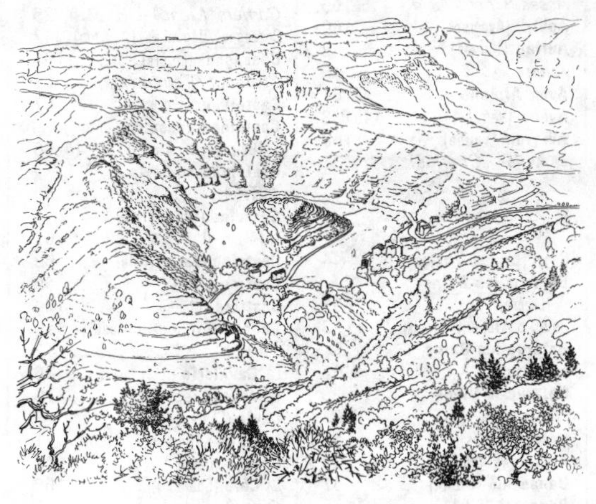

Navacelles. – Le cirque.

Après la Baume-Auriol, la route gagne St-Maurice-Navacelles où l'on prend à gauche. Plus loin elle plonge en lacets, par le Rau de Fontenilles vers le canyon de la Vis, sur lequel le début de la descente vers Madières offre une jolie vue.

Gorges de la Vis.** – Au-delà de Madières la route traverse des pépinières riches en conifères ; elle suit au plus près la berge de la Vis toujours pittoresque qui sépare les hautes falaises dolomitiques du causse de Blandas à gauche et les versants de la montagne de la Séranne à droite. Après la maison forestière du Grenouillet apparaissent quelques vignes, des mûriers et des oliviers. Passé le Claux remarquer en avant et à droite les ruines du château de Castelas, plaqué contre la falaise au débouché d'un ravin.

Après le pont qui suit l'Escoutet, vue à gauche sur **Beauquiniès,** village pittoresquement étagé, puis sur le **roc de Senescal** qui s'avance en proue sur le versant gauche. La vallée devient sauvage et étroite avant de déboucher dans les gorges de l'Hérault dont on suit la rive jusqu'au Pont et à Ganges (*p. 95*).

INDEX ALPHABÉTIQUE

Agde . . . . Villes, curiosités, régions touristiques.
Aiguelèze . . . . Autres localités citées dans le guide.
Albigeois . . . . Noms historiques et termes faisant l'objet d'une explication.

Le souligné rouge indique que la localité est citée dans le guide Michelin France.
Les curiosités isolées (barrages, chapelles, châteaux, gorges, grottes, pics, vallées...) sont répertoriées à leur nom propre.

MANUFACTURE FRANÇAISE DES PNEUMATIQUES MICHELIN

Société en commandite par actions au capital de 700 millions de francs
R.C. Clermont-Fd B 855 200 507 – Siège Social Clermont-Fd (France)
ISBN 2 06 003 152 - 4

Imp. Kapp & Lahure - Printed in France - 11.81.100 - Dépôt Légal : 1er trimestre 1982.